SECOND EDITION

A-LM®
FRENCH

LEVEL TWO

HARCOURT, BRACE & WORLD, INC.

New York   Chicago   San Francisco

Atlanta   Dallas

FRENCH FRENCH FRENCH FRENCH FRENCH FRENCH FRENCH FRENCH FRENCH FRENCH FRENCH FRENCH FRENCH FRENCH

WRITING AND CONSULTING STAFF

WRITERS: **Marilynn Ray; Marie-Antoinette Liotier**

CONSULTING LINGUIST: **James S. Noblitt,** *Cornell University*

TEACHER CONSULTANT: **Renée Sherrow,** *Central High School, Valley Stream, N.Y.*

RECORDING SPECIALIST: **Pierre J. Capretz,** *Yale University*

GENERAL CONSULTANT: **Nelson Brooks,** *Yale University*

Positions of photographs are indicated in abbreviated form as follows: *t*–top, *c*–center, *b*–bottom, *l*–left, *r*–right.

TEXT PHOTOGRAPHS: opp. p. 1, Belzeaux, Rapho-Guillumette; 6, 14, 24, Harbrace; 36, SHOSTAL Associates, Inc.; 41, Harbrace; 46, SHOSTAL Associates, Inc.; 50, Peterson, Rapho-Guillumette; 64, Henle, Photo Researchers; 66, Harbrace; 74, Gamma-Depardon, Pix Inc.; 84, Monkmeyer Photo Press; 92, F. Teri Wehn; 96, 104, Presse Sports; 114, UPI; 126, Harbrace; 137, F. Teri Wehn; 148, Loik Prat; 156, Ciccione, Rapho-Guillumette; 168, Cartier-Bresson, Magnum; 186, SHOSTAL Associates, Inc.; 195, Cartier-Bresson, Magnum; 205, Wolff, Photo Researchers; 215, *tl, tr,* Marilynn Ray; *cl, cr, b,* Pierre Capretz; 216, 227, Henle, Photo Researchers; 234, Cliché Valoise Blois; 244 *t,* Clifford Baden; *c, bl,* Pierre Capretz; *br,* Clifford Baden; 245, French Embassy Press and Information Division; 246, 264, Niepce, Rapho-Guillumette; 272, F. Teri Wehn; 276, Harbrace; 286, Loik Prat; 306, 322–326, Pierre Capretz; 334, Bannett, DPI; 343, Loik Prat; 364, Luttenberg Editorial Photocolor Archives/N.Y.; 375, Loik Prat; 395, F. Teri Wehn.

PICTORIAL SECTION PHOTOGRAPHS: **F3** *t,* Serraillier, Rapho-Guillumette; *cl,* Hibbs, Alpha Photo; *cr,* Englebert, Photo Researchers; *b,* David, Alpha Photo. **F4** *tr,* Silberstein, Rapho-Guillumette; *tl,* Sala, De Wys, Inc.; *b,* Marc and Evelyn Bernheim, Rapho-Guillumette. **F5–F6** all Marc and Evelyn Bernheim, Rapho-Guillumette. **F7** *t,* Englebert, Photo Researchers; *bl,* Stone, Photo Researchers; *br,* Launois, Black Star. **F8** *tl,* Stockpile; *tr,* Harbutt, Magnum; *bl,* Serraillier, Rapho-Guillumette; *br,* Burpee, DPI.

MAPS: 396, Harbrace Map incorporating: Base Map © 1958, Jeppesen & Co., Denver, Colorado, USA. All rights reserved; 125, 243, **F1–F2**, Harbrace.

CARTOONS: 177, 179, *Le Petit Nicolas* by Sempé and Goscinny © 1962 by Éditions Denoël, Paris, p. 136; 185, *Maurice Henry 1930–1960* © 1961 Société des Éditions Jean-Jacques Pauvert, p. 186; 296, *Le Petit Nicolas* by Sempé and Goscinny © 1962 by Éditions Denoël, Paris, p. 54; 375, 394, *Maurice Henry 1930–1960* © 1961 Société des Éditions Jean-Jacques Pauvert, p. 84, 98, 153.

ACKNOWLEDGEMENTS: For permission to reprint copyrighted material, grateful acknowledgement is made to the following sources:
Éditions Denoël: "l'Ile des Embruns" from *Les Vacances du Petit Nicolas* by Sempé and Goscinny. "Les Carnets" from *Le Petit Nicolas* by Sempé and Goscinny.
Éditions Gallimard: "L'Accent Grave" and "Familiale" from *Paroles* by Jacques Prévert, © Éditions Gallimard.

The first edition of this work was produced pursuant to a contract between the
Glastonbury Public Schools and the United States Office of Education, Department
of Health, Education, and Welfare.

ISBN 0-15-382120-5

PRINTED IN THE UNITED STATES OF AMERICA

A·LM® AUDIO-LINGUAL MATERIALS
LISTENING · SPEAKING · READING · WRITING

A four-level secondary-school program
of text, audio, and visual materials in
French, German, Russian, and Spanish

LEVEL TWO PROGRAM: *Second Edition*

Student Materials:

STUDENT TEXTBOOK

EXERCISE BOOK

PRACTICE RECORD SET

STUDENT TEST ANSWER FORM BOOKLET

Teacher Materials:

TEACHER'S EDITION

CUE CARDS

TEACHER'S TEST MANUAL

Classroom/Laboratory Recorded Materials:

7½ ips FULL-TRACK TAPE SET

7½ ips TWO-TRACK TAPE SET

7½ ips FULL-TRACK TESTING TAPE SET

33⅓ rpm RECORD SET

CONTENTS

v

French Throughout the World F1–F8

BASIC DIALOG

L'album de photos

BERTRAND	Ce qu'il est laid, ce bébé!
ANDRÉ	Eh, doucement! C'est moi.
BERTRAND	Et ces gens-là?
ANDRÉ	Ce sont mes grands-parents, le jour de la fête du village[1].
BERTRAND	Et ce garçon, à côté d'eux?
ANDRÉ	Ça? C'est encore moi.
BERTRAND	Et des photos de tes parents? Il n'y en a pas?
ANDRÉ	Si, il y en a des tas. En voilà une, avec moi.
BERTRAND	Si je comprends bien, tu es sur toutes les photos.
ANDRÉ	C'est normal, c'est moi le plus beau de la famille.

The Photo Album

BERTRAND	Is this baby ugly!
ANDRÉ	Hey, easy! That's me.
BERTRAND	And who are these people?
ANDRÉ	Those are my grandparents, the day of the village fair.
BERTRAND	And this boy, next to them?
ANDRÉ	That? That's me again.
BERTRAND	What about pictures of your parents? Aren't there any?
ANDRÉ	Sure, there are loads of them. Here's one, with me.
BERTRAND	If I understand correctly, you're in (on) all the pictures.
ANDRÉ	Naturally (that's normal), I'm the best-looking one in the family.

[1] Many villages in France have annual fairs with rides and booths much like those in American amusement parks. These are provided by a traveling fair which comes to a village on the same date each year.

◀ *The day the fair arrives each year is a high point in the life of a small village.*

1

Supplement

C'est moi sur la photo à droite.	That's me in (on) the picture on the right.
à gauche.	on the left.
Ça, c'est mon grand-père.	That's my grandfather.
ma grand-mère.	my grandmother.
C'est moi en train de faire du ski.	That's me skiing.
Et là, je fais du patin à glace.	And there, I'm ice-skating.
Me voilà en train de tomber.	There I am falling down.
Et là, je joue de[2] la trompette.	And there, I'm playing the trumpet.
Et là, je joue du piano.	And there, I'm playing the piano.
J'apprends à jouer de la batterie.	I'm learning to play the drums.

Voilà maman devant la porte.	There's Mom in front of the door.
à la fenêtre.	at the window.
dans la cour[3].	in the courtyard.
Voilà papa devant la gare.	There's Dad in front of the railroad station.
dans le jardin.	in the garden.
à la terrasse d'un café.	at a sidewalk café (at the terrace of a café).
Voilà mon appareil de photo[4].	That's my camera (photo apparatus).

---

[2] *To play* is expressed by **jouer à** when referring to a game or sport, and **jouer de** when referring to a musical instrument.

[3] Many French apartment houses are built around a courtyard.

[4] **Appareil de photo** is commonly shortened to **appareil**.

BASIC FORMS

Verbs

(*like* travailler)

tomber

Nouns

album *m*	grands-parents *m pl*	patin *m* à glace
appareil *m*	*grand-père *m*	piano *m*
bébé *m*	jardin *m*	ski *m*
café *m*	parents *m pl*	village *m*
gens *m pl*		

batterie *f*	fête *f*	photo *f*
cour *f*	gare *f*	porte *f*
droite *f*	gauche *f*	terrasse *f*
famille *f*	*grand-mère *f*	trompette *f*
fenêtre *f*		

*The plural forms of **grand-père** and **grand-mère** are spelled **grands-pères** and **grands-mères**.

Adjectives

laid, –e
*normal, –e

*The masculine plural of **normal** is **normaux.**

READING NOTES

Dialog

alb<u>u</u>m **u** represents the sound [ò].

il y en a (with [n] above) **Liaison** is obligatory.

Supplement

appar<u>eil</u> **eil** represents the sound [èy].

Vocabulary Exercises

1. QUESTIONS

1. D'après le dialogue, qu'est-ce que les garçons regardent?
2. Qui est le bébé sur la photo?
3. D'après Bertrand, est-ce que le bébé est beau?
4. Qui sont les gens sur l'autre photo?
5. Est-ce que les grands-parents d'André habitent dans une grande ville?
6. Sur la photo, est-ce qu'André est derrière ses grands-parents?
7. Est-ce que vous avez un album de photos? Est-ce que vous le regardez souvent?
8. Est-ce que vous avez des photos de vos grands-parents?
9. Est-ce que vos grands-parents habitent près d'ici?
10. Est-ce que vous faites du ski? Est-ce que vous tombez souvent?
11. Est-ce que vous faites du patin à glace? Est-ce que vous tombez quelquefois?
12. Est-ce que vous jouez du piano? De la guitare? De la batterie? De la trompette?
13. *Marie,* qui est à la droite de *Monique?* Et à sa gauche?

2. PATTERNED RESPONSE DRILL

Je vais vous montrer une belle voiture. ⊗	Ce qu'elle est belle!
Je vais vous montrer une grande maison.	Ce qu'elle est grande!
Je vais vous montrer un beau théâtre.	Ce qu'il est beau!
Je vais vous montrer un grand immeuble.	Ce qu'il est grand!
Je vais vous montrer une petite voiture.	Ce qu'elle est petite!

---

3. QUESTIONS

1. D'après le dialogue, qui est sur toutes les photos?
2. Est-ce que votre père a un appareil de photo? C'est un appareil américain ou étranger?
3. Est-ce que vous habitez dans une maison? Est-ce qu'il y a un jardin derrière la maison?
4. Il y a combien de fenêtres dans cette salle de classe?

4. SENTENCE VARIATION

Repeat each of the following sentences, replacing the underlined word or phrase with any word or phrase that makes sense.

1. Ce qu'elle est jolie, cette fille!
2. Ces gens-là? Ce sont mes grands-parents.
3. C'est mon frère en train de jouer du piano.
4. Voilà mon père dans la cour.

GRAMMAR

prendre *and Its Compounds, Present Tense*

PRESENTATION

Je **prends** le scooter.	Nous **prenons** le scooter.
Tu **prends** le scooter?	Vous **prenez** le scooter?
Il **prend** le scooter.	Ils **prennent** le scooter.

Is the stem of the **vous** form the same as that of the **nous** form?

GENERALIZATION

prendre, PRESENT TENSE		
	Singular	*Plural*
1	je prends	nous prenons
2	tu prends	vous prenez
3	il prend	ils prennent

Prendre does not belong to any class of verbs. Its compounds all follow the same pattern.

apprendre	*to learn*
comprendre	*to understand*
prendre	*to take*

STRUCTURE DRILLS

5. PERSON-NUMBER SUBSTITUTION

1. Est-ce que Jacques prend l'autobus? ⊗   Est-ce que Jacques prend l'autobus?
 _____ nous _____?   Est-ce que nous prenons l'autobus?
 _____ les autres _____?   Est-ce que les autres prennent l'autobus?
 _____ je _____?   Est-ce que je prends l'autobus?
 _____ tu _____?   Est-ce que tu prends l'autobus?
 _____ vous _____?   Est-ce que vous prenez l'autobus?

An outdoor café is a popular place to relax and watch the crowds go by.

2. Je ne comprends pas!    Je ne comprends pas!
   Vous _____ !   Vous ne comprenez pas!
   Nous _____ !   Nous ne comprenons pas!
   Tes parents _____ !   Tes parents ne comprennent pas!
   Tu _____ !   Tu ne comprends pas!
   Alain _____ !   Alain ne comprend pas!

6. PATTERNED RESPONSE

Comment est-ce que Jacques va à Ber-   Il prend l'avion.
   lin?
Comment est-ce que tu vas à Berlin?
Comment est-ce que vous allez à Berlin,
   vous deux?
Comment est-ce que les Duval vont à
   Berlin?
Comment est-ce que Brigitte va à Berlin?

7. FREE RESPONSE

D'après le dialogue, est-ce qu'on prend beaucoup de photos dans la famille d'André?
Est-ce que votre père prend quelquefois des photos?
Et vous, est-ce que vous prenez des photos?
Est-ce qu'on prend quelquefois des photos, ici, à l'école?

D'habitude, qu'est-ce que les Français prennent au petit déjeuner?
Et vous, est-ce que vous prenez du café au lait au petit déjeuner?
A quelle heure est-ce que vous prenez votre petit déjeuner?
Est-ce que vous comprenez toujours quand je vous pose des questions?
Quand vous écoutez un disque français, est-ce que vous comprenez tout?
Est-ce que vous comprenez l'espagnol? Est-ce que vous comprenez l'allemand?

8. PERSON-NUMBER SUBSTITUTION

Vous apprenez à faire du ski? ⊗
Jacques _____?
Tu _____?
Les filles _____?
Ta grand-mère _____?

Vous apprenez à faire du ski?
Jacques apprend à faire du ski?
Tu apprends à faire du ski?
Les filles apprennent à faire du ski?
Ta grand-mère apprend à faire du ski?

9. PATTERNED RESPONSE

J'ai des amis italiens. ⊗
Nous avons des amis espagnols.
André a des amis russes.
Martine a des amis anglais.
Les Durand ont des amis allemands.

C'est pour ça que tu apprends l'italien!

10. FREE SUBSTITUTION

Pourquoi est-ce que vous ne prenez jamais l'avion?
Il apprend à jouer de la trompette.

11. WRITING EXERCISE

Write the responses to Drills 6 and 9.

12. DIRECTED DIALOG

Jean, dites que vous allez bientôt en Italie.
Marc, demandez-lui s'il parle italien.
Jean, répondez que non, mais que vous le comprenez un peu.
Marc, demandez-lui s'il ne va pas l'apprendre.
Jean, répondez que si, si vous avez le temps.

Je vais bientôt en Italie.
Tu parles italien?
Non, mais je le comprends un peu.

Tu ne vas pas l'apprendre?

Si, si j'ai le temps.

Expressions of Quantity

PRESENTATION

Il y a **des tas de** fautes.
Tu veux **une tasse de** café?
Il y a **beaucoup de** café.
Il y a **combien d'**élèves ici?
Un peu de thé, s'il vous plaît.

Des tas de is called an expression of quantity. What are the expressions of quantity in the other sentences above? What word occurs in each of these expressions of quantity?

GENERALIZATION

The following chart shows the expressions of quantity that you have seen so far. Notice that each of these expressions includes **de**.

Expression of Quantity	Noun		
une tasse de	café	a cup of	coffee
beaucoup de	livres	a lot of	books
assez de	temps	enough	time
trop de	café	too much	coffee
des tas de	fautes	loads of	mistakes
un peu de	thé	a little	tea
combien de	disques	how many	records

Note that French does not distinguish between *much* and *many*.

Il n'a pas **beaucoup de** temps. *He doesn't have much time.*
Il n'a pas **beaucoup d'**amis. *He doesn't have many friends.*

Elle fait **trop de** café. *She makes too much coffee.*
Elle fait **trop de** fautes. *She makes too many mistakes.*

Tu as **combien d'**argent? *How much money do you have?*
Tu as **combien de** livres? *How many books do you have?*

STRUCTURE DRILLS

13. DOUBLE-ITEM SUBSTITUTION

Il y a beaucoup de croissants. ⊗	Il y a beaucoup de croissants.
_____ assez _____.	Il y a assez de croissants.
_____ orangeade.	Il y a assez d'orangeade.
_____ un peu _____.	Il y a un peu d'orangeade.
_____ lait.	Il y a un peu de lait.
_____ beaucoup _____.	Il y a beaucoup de lait.
_____ fruits.	Il y a beaucoup de fruits.

14. EXPANSION DRILL

Il y a du café? (assez) ⊗	Il y a assez de café?
Tu veux de l'eau? (un peu)	
Ils mangent des fruits. (beaucoup)	
Il y a des légumes. (des tas)	
Tu veux du thé? (une tasse)	
Elle mange du pain. (trop)	

15. FREE SUBSTITUTION

Il y a un peu de thé.
Il y a beaucoup de photos de ta mère!

16. WRITING EXERCISE

Write the responses to Drill 14.

Independent Pronouns

PRESENTATION

J'ai un frère, moi.	Nous avons un frère, nous.
Tu as un frère, toi?	Vous avez un frère, vous?
Il a un frère, lui?	Ils ont un frère, eux?
Elle a un frère, elle?	Elles ont un frère, elles?

The pronoun at the end of each of the above sentences is called an independent pronoun. What word does each of these independent pronouns emphasize? Which of the independent pronouns are like the subject pronouns?

Qui est là?   Moi.
Est-ce que Jean travaille?   Lui?!

Is there any verb in the answer to the above questions? What kind of pronoun is used when there is no verb in the sentence?

Jean va au cinéma.
Pierre va au cinéma.
Jean et lui vont au cinéma.

In the last sentence, is **lui** the whole subject or only part of the subject? What kind of pronoun is used when the pronoun is only part of the subject?

Tant pis pour elles!
Tu peux le choisir sans moi!
Et ce garçon à côté d'eux?

What kind of pronoun is used after a preposition?

Qui est là?   C'est moi.
C'est Marc?   Oui, c'est lui.
Ce sont les Dupont?   Oui, ce sont eux.

What kind of pronoun is used after **c'est** and **ce sont?**

GENERALIZATION

Subject Pronouns	Independent Pronouns
je	moi
tu	toi
il	lui
elle	elle
nous	nous
vous	vous
ils	eux
elles	elles

Independent pronouns refer to people. They are used:
1. to emphasize a noun or another pronoun.

Il mange au restaurant, lui.	*He eats at a restaurant.*
Moi, j'ai deux frères.	*I have two brothers.*
Martine, elle, a trois sœurs.	*Martine has three sisters.*

2. when there is no verb in the sentence.

–Qui est là? –Moi!	*"Who's there?" "Me!"*
Toi aussi?	*You too?*

3. after **c'est** and **ce sont.**

Doucement, c'est moi.	*Easy, that's me.*
C'est toi ou eux.	*It's you or them.*
Ce sont elles.	*It's them.*

4. when the pronoun is only part of the subject.

Paul et moi allons au cinéma.	*Paul and I are going to the movies.*
Jean et lui sont au théâtre.	*Jean and he are at the theater.*

Note: In the first and second person plural, the appropriate subject pronoun, **nous** or **vous,** is often used in addition to the phrase with the independent pronoun:

Paul et moi nous allons au théâtre.	*Paul and I are going to the theater.*
Vous allez rester ici, Paul et toi?	*Are you and Paul going to stay here?*

5. after prepositions.

Et ce garçon à côté d'eux?	*And this boy next to them?*
Tant pis pour elles.	*Too bad for them.*
Tu viens avec moi?	*Are you coming with me?*

STRUCTURE DRILLS

17. ITEM SUBSTITUTION

Le cuisinier mange au restaurant, lui.	Le cuisinier mange au restaurant, lui.
Je _____.	Je mange au restaurant, moi.
Les autres _____.	Les autres mangent au restaurant, eux.
Nous _____.	Nous mangeons au restaurant, nous.
Martine _____.	Martine mange au restaurant, elle.
Tu _____.	Tu manges au restaurant, toi.
Vous _____.	Vous mangez au restaurant, vous.

18. PATTERNED RESPONSE

1. Vous venez demain? ⊗   Moi? Bien sûr que oui.
   Jean-Luc vient demain?   Lui? Bien sûr que oui.
   Marc et Paul viennent demain?   Eux? Bien sûr que oui.
   Brigitte vient demain?   Elle? Bien sûr que oui.
   Jacques, Gérard, vous venez demain?   Nous? Bien sûr que oui.
   Marie et Jeanne viennent demain?   Elles? Bien sûr que oui.

2. Les autres partent tout de suite. Et vous   Nous aussi.
   deux? ⊗
   Nous allons prendre le métro. Et Janine?
   Je vais rester à la maison. Et toi?
   Nous allons dîner au restaurant. Et les
   Caron?
   Étienne va au cinéma ce soir. Et Charles?
   Michel et Jean rentrent. Et les filles?

3. C'est toi, là, sur cette photo? ⊗   Oui, c'est moi.
   C'est ton frère?   Oui, c'est lui.
   C'est ta grand-mère?   Oui, c'est elle.
   C'est toi et ton père?   Oui, c'est nous.
   Ce sont tes cousins?   Oui, ce sont eux.
   Ce sont tes sœurs?   Oui, ce sont elles.

19. FREE COMPLETION

Alors, tu sors ce soir. Les filles aussi?   Non, elles, elles....
Les autres vont à la piscine. Jacques   Non, lui, il....
aussi?
Michel va faire du patin à glace. Vous   Non, nous, nous....
aussi?
Les filles vont au zoo. Les garçons aussi?   Non, eux, ils....
Marc va au concert. Toi aussi?   Non, moi, je....

20. NOUN PHRASE → PRONOUN

Tu rentres avec Bertrand? ⊗   Tu rentres avec lui?
Vous partez sans Claudine?
Nous allons travailler chez Jean et Pa-
trick.
Tu vas arriver avant Marie et Jacqueline.
J'habite près de chez Christine.

21. PATTERNED RESPONSE

Je ne peux pas revenir ce soir.   Tant pis pour toi!
Anne ne peut pas rester.
Les filles ne sont pas encore là.
Nous n'avons plus d'argent, Michel et
    moi.
Les garçons ne vont pas aimer ça.
Georges va manquer le match.

22. NOUN PHRASE → PRONOUN

Marc et Jacques sont dans la cour. ⊗   Marc et lui sont dans la cour.
Marc et Catherine sont à la gare.   Marc et elle sont à la gare.
Marc et les Dupont sont dans le jardin.   Marc et eux sont dans le jardin.
Marc et les filles sont dans l'entrée.   Marc et elles sont dans l'entrée.
Marc et Charles sont dans la cuisine.   Marc et lui sont dans la cuisine.

23. SIMPLE SUBJECT → COMPOUND SUBJECT

Je joue au tennis avec Martine. ⊗   Martine et moi, nous jouons au tennis.
Je joue de la batterie avec mes frères.   Mes frères et moi, nous jouons de la batterie.
Je vais à la piscine avec les filles.   Les filles et moi, nous allons à la piscine.
Je regarde l'album de photos avec Louis.   Louis et moi, nous regardons l'album de
                                     photos.

Je fais les courses avec maman.   Maman et moi, nous faisons les courses.
Je pars samedi avec Anne.   Anne et moi, nous partons samedi.

24. CHAIN DRILL

Vous allez au zoo, Barbara et toi?

1ST STUDENT	Vous allez au zoo, Barbara et toi?
2ND STUDENT	Non, nous restons à la maison. Vous... Jacques et toi?
3RD STUDENT	Non, nous restons à la maison. Vous... Luc et toi?
4TH STUDENT	Non, nous restons à la maison. Vous....?

25. WRITING EXERCISE

Write the responses to Drills 18.2, 20, and 21.

Watching people come and go is a favorite pastime, especially in small towns.

The Pronoun en

GENERALIZATION

1. The pronoun **en** is used to refer to a phrase beginning with **de, du, de la,** or **des.**

Il a des photos?	Oui, il **en** a.
Il parle de la fête?	Oui, il **en** parle.
Il sort du musée?	Oui, il **en** sort.

The meaning of **en** depends upon the **de**-phrase it refers to. Since **de**-phrases have many different meanings, so does **en.**

Il a des photos? Oui, il en a.   *Does he have some pictures? Yes, he has some.*
Il parle de la fête? Oui, il en parle.   *Does he talk about the fair? Yes, he talks about it.*
Tu as de l'argent? Non, je n'en ai pas.   *Do you have any money? No, I don't have any.*

There is sometimes no stated equivalent in English.

Il sort du musée? Oui, il en sort.

Is he coming out of the museum? Yes, he's coming out (of it, of there).

Il a beaucoup de photos? Oui, il en a beaucoup.

Does he have a lot of pictures? Yes, he has a lot (of them).

Il a des disques de Louis Armstrong? Oui, il en a des tas.

Does he have any Louis Armstrong records? Yes, he has lots.

2. In some constructions, for example with numbers, **en** replaces only a noun.

Il a trois livres.	**Il en a trois.**
Il a deux disques.	**Il en a deux.**
Il a une photo de moi.	**Il en a une de moi.**

3. **En** usually replaces a phrase referring to a thing. However, with numbers and expressions of quantity, it may refer to people.

Il a deux frères.	**Il en a deux.**
Il a beaucoup de frères.	**Il en a beaucoup.**

4. **En** occurs in the same positions in relation to the verb as the object pronouns.

J'en achète souvent.
Il va en acheter.
Elle ne veut pas en parler.
En voilà une de mon père!
N'en prenez pas.
Prends-en.

Notice the position of **en** in combination with **il y a : il y en a des tas.**

5. **Liaison** is obligatory when **en** is followed by a word beginning with a vowel sound.

[n]
J'en achète.

Liaison is also obligatory with verbs that precede **en** in the affirmative imperative.

[z]
Prends-en.

[z]
Achetez-en.

Verbs like **travailler,** which normally have no -s in the second person singular imperative, take an -s before **en.**

[z]
Achètes-en.

STRUCTURE DRILLS

26. PATTERNED RESPONSE

1. Est-ce que ton frère parle souvent de l'école? ⊗

   Il en parle tout le temps!

   Est-ce qu'il prend souvent des photos?

   Il en prend tout le temps!

   Est-ce qu'il achète souvent des magazines?

   Il en achète tout le temps!

   Est-ce qu'il lit souvent des romans?

   Il en lit tout le temps!

   Est-ce qu'il mange souvent du chocolat?

   Il en mange tout le temps!

2. Il a beaucoup de pull-overs. ⊗

   C'est vrai. Il en a beaucoup.

   Il a assez de chemises.

   Il a trop d'argent.

   Il a des tas de livres.

   Il a beaucoup d'amis.

3. Ma mère ne lit jamais de romans. ⊗

   Elle n'en lit jamais? Pourquoi?

   Elle ne regarde jamais de documentaires.

   Elle n'écrit jamais de lettres.

   Elle n'achète pas de journaux.

   Elle ne prend pas de café.

   Elle ne mange pas de pain.

   Elle ne sert jamais de dessert.

27. CUED RESPONSE

1. Tu n'as pas de disques de jazz? ⊗

   (si, deux ou trois)

   Si, j'en ai deux ou trois.

   (si, quatre ou cinq)

   (si, cinq ou six)

2. Est-ce qu'il y a de l'orangeade? ⊗

   (oui, un peu)

   Oui, il y en a un peu.

   (oui, beaucoup)

   (oui, assez)

28. FREE RESPONSE

Use **en** in your response to each of the following questions.

Est-ce que vous avez beaucoup de disques?

Est-ce que vous avez beaucoup de livres?

Est-ce que vous lisez souvent des romans? Vous en lisez combien par an?
Est-ce que vous achetez quelquefois des magazines?
Est-ce que vous avez des cousins? Combien? Des cousines? Combien?
Est-ce que vous avez des photos de vos parents? Et de vos grands-parents?
Est-ce qu'on sert souvent du poisson ici, à l'école? Combien de fois par semaine?
Est-ce que vous prenez du thé au petit déjeuner?
Est-ce que vous mangez des fruits tous les jours?
Est-ce que vous empruntez souvent de l'argent?

29. CUED RESPONSE

Voilà une photo de mes grands-parents. ⊗

(de mon père)	Et en voilà une de mon père.
(de la Tour Eiffel)	Et en voilà une de la Tour Eiffel.
(de notre chien)	Et en voilà une de notre chien.
(de notre jardin)	Et en voilà une de notre jardin.
(de notre maison)	Et en voilà une de notre maison.
(de mon lycée)	Et en voilà une de mon lycée.

30. PATTERNED RESPONSE

1. Pourquoi est-ce que Martine ne parle pas du lycée? ⊗   Elle ne veut pas en parler.

   Pourquoi est-ce qu'elle n'achète pas de cadeaux?

   Pourquoi est-ce qu'elle n'apporte pas de disques?

   Pourquoi est-ce qu'elle n'emprunte pas d'argent?

   Pourquoi est-ce qu'elle ne pose pas de questions?

2. Je prends du jambon? ⊗   Oui, prends-en.

   J'achète des fruits?

   Je fais de la soupe?

   Je mange de la salade?

   Je prends du fromage?

31. WRITING EXERCISE

Write the responses to Drills 26.3, 27.1, 27.2, 30.1, and 30.2.

Writing

1. NOUN → PRONOUN

Answer the following questions in the affirmative, changing all nouns to the appropriate pronouns. Make any necessary changes.

> MODEL Est-ce que Jacqueline va acheter du pain?
> Oui, elle va en acheter.

1. Est-ce que Michel va venir avec Jacques et Paul?
2. Est-ce que maman prépare les hors-d'œuvre?
3. Est-ce que Jean-Paul va apporter l'électrophone?
4. Est-ce que papa va prendre des photos?
5. Est-ce qu'il y a beaucoup de photos?
6. Est-ce que c'est Marc?
7. Est-ce que Jean-Paul téléphone à Philippe?
8. Est-ce que Philippe va arriver avant les autres garçons?
9. Est-ce que les filles vont apporter des disques?
10. Est-ce que Marianne discute avec ses parents?

2. SENTENCE EXPANSION

Rewrite the following sentences, adding the words indicated in parentheses. Make any necessary additions or changes.

> MODEL Il y a des filles. (trop) (classe)
>
> Il y a trop de filles dans { la / ma / cette / notre / ... } classe.

1. Il a des meubles. (trop) (appartement)
2. Il y a du lait. (un peu) (frigidaire)
3. Il y a des jardins. (des tas) (Paris)
4. Tu vas apporter des disques? (beaucoup) (surprise-partie)
5. Il y a des westerns. (des tas) (télévision)
6. Il y a des gens. (beaucoup) (terrasse du café)
7. Nous n'avons pas de pain. (assez) (tout le monde)
8. Maman prépare toujours du café. (trop) (dîner)
9. Il y a des fautes. (des tas) (devoir de français)
10. Vous emmenez des élèves? (beaucoup) (musée)

RECOMBINATION MATERIAL

Dialogs

I

PATRICK	C'est toi sur cette photo?
BERTRAND	Oui, c'est moi à Chamonix[5].
PATRICK	Tu fais bien du ski?
BERTRAND	Oui, assez bien.
PATRICK	Pas moi. Moi, je tombe tout le temps.

QUESTIONS

1. Qu'est-ce que Bertrand et Patrick regardent?
2. Est-ce que c'est une photo de Bertrand à Paris?
3. D'après lui, est-ce qu'il fait bien du ski?
4. Est-ce que Patrick tombe souvent?

DIALOG VARIATION

Bertrand is ice-skating in the picture, not skiing.

II

BERTRAND	Ça c'est mes grands-parents dans leur jardin.
PATRICK	Ils habitent près de Paris?
BERTRAND	Non, dans un petit village près de Lyon.
PATRICK	Vous allez souvent les voir?
BERTRAND	Oh, quatre ou cinq fois par an.

QUESTIONS

1. Où sont les grands-parents de Bertrand sur la photo?
2. Est-ce qu'ils habitent dans une grande ville?
3. Ils habitent près de quelle ville?
4. Est-ce que Bertrand et sa famille vont les voir? Combien de fois par an?

DIALOG VARIATION

The picture is of Bertrand's aunt rather than of his grandparents.

---

[5] **Chamonix** is a popular ski resort in the French Alps, located at the foot of Mt. Blanc.

III

PATRICK	Ah, ça, c'est une belle photo! Les couleurs sont formidables!
BERTRAND	Oui, ça, c'est à Rome.
PATRICK	C'est ton père, là, à la terrasse du café?
BERTRAND	Oui, et ça, c'est ma sœur, et ça, ce sont des amis italiens.

QUESTIONS

1. Comment est-ce que Patrick trouve la photo?
2. C'est une photo en noir et blanc ou en couleurs?
3. Est-ce les gens sont en France sur la photo?
4. Où est-ce qu'ils sont? Devant un hôtel?
5. Qui sont les gens sur la photo?
6. Qui est avec le père de Bertrand?

DIALOG VARIATION

The picture was taken in Madrid and their friends are Spanish.

IV

PATRICK	Et qui sont tous ces garçons?
BERTRAND	Ce sont des amis de mon petit frère le jour de son anniversaire.
PATRICK	Et toi, tu n'es pas sur la photo?
BERTRAND	Oh non, ce jour-là, je ne reste jamais à la maison.

QUESTIONS

1. Qui sont les garçons sur la photo?
2. Pourquoi est-ce qu'ils sont chez Bertrand?
3. Pourquoi est-ce que Bertrand n'est pas sur la photo?

DIALOG VARIATION

Patrick is talking to Bertrand and Bertrand's sister. Bertrand answers for both of them.

Conversation Stimulus

Vous regardez un album de photos chez un ami (ou une amie). Vous lui posez des questions sur les photos.

—Et qui sont ces gens-là?

— . . . .

Narrative

La concierge

A Paris, la concierge est une institution*. Son rôle* est de garder° l'immeuble, mais, en réalité* elle ne fait rien ou très peu. Elle est «Madame la Concierge» et c'est tout.

garder (like **travailler**): *to watch over, take care of*

Elle a une petite chambre avec une petite cuisine près de la
5 porte d'entrée. De là, elle peut voir qui entre dans l'immeuble et qui en sort. Elle sait tout, elle entend tout, et elle aime parler.

Madame Caron sort de l'immeuble. Elle est pressée. Elle a un rendez-vous chez le coiffeur. Mais la concierge est devant la porte :
—Bonjour, Madame Caron. C'est vrai que vous avez une
10 nouvelle machine à laver? Ça marche vraiment? Toutes ces inventions* modernes*, c'est trop compliqué* pour moi...

Un jeune homme entre dans le corridor*.
—Vous voulez voir M. Jean-Pierre? Eh bien, il n'est pas là. Il est chez sa tante, à Passy[5], une vieille personne* très gentille.
15 C'est la sœur de sa mère. Il va la voir tous les jours. Elle n'est plus très jeune. Elle vient d'avoir 95 ans, et elle a des rhumatismes*. Elle ne peut plus marcher. Elle reste au lit° du matin au soir...et du soir au matin aussi, bien sûr...

lit *m: bed*

Jean-Pierre Lebrun rentre quelques minutes après.
20 —Vous arrivez trop tard, Monsieur Jean-Pierre. Votre ami vient de partir. Le grand jeune homme blond qui porte toujours un complet gris. Il vient toujours quand vous n'êtes pas là. Vous n'êtes jamais chez vous! Et comment est-ce qu'elle va aujourd'hui, Mademoiselle votre tante? Elle a toujours ses rhumatismes? Moi
25 aussi, j'ai des rhumatismes.... Je ne peux presque° plus marcher!

presque: *almost*

Le fils des Moinot rentre à onze heures du soir.
—Eh bien, Monsieur, regardez l'heure! Bientôt minuit. Ce n'est pas gentil, ça! Votre père ne va pas aimer ça! Vous rentrez tous les soirs un peu plus tard. A cette heure-là les jeunes gens
30 comme vous sont au lit!

---

[6] **Passy** is a residential section of Paris on the right bank.

A onze heures du matin, c'est le facteur qui arrive.

—Alors, Madame Poujol, vous travaillez toujours?

—Eh oui. On travaille du matin au soir. Je n'ai pas une minute à moi. Je n'ai même pas le temps de prendre une tasse
35 de café. Qu'est-ce que vous nous apportez aujourd'hui? Vous n'avez pas quelque chose pour Madame Borel? Elle attend une lettre de son fils qui est en Australie*. Il vend° des boomerangs* aux touristes. Il est millionnaire* maintenant.

vendre (like **attendre**): *to sell*

Le facteur part et la concierge passe un quart d'heure à lire
40 toutes les cartes postales. Elle ne lit pas souvent de livres, elle lit quelquefois un roman d'amour ou d'espionnage... mais les cartes postales, elle les lit tous les jours.

—Bonjour, Monsieur Biraud. Vous avez une carte postale de votre fils. Il va bien. Il aime beaucoup Saint-Tropez. Il dit qu'il
45 fait un temps formidable. Mais il y a trop de touristes. Tout le monde parle anglais ou allemand dans les rues°.

rue *f: street*

—Bonjour, Madame Rochas. Voilà une carte de vos amis, les Duclos. Ils arrivent demain et ils vont rester chez vous jusqu'à lundi. Ils viennent avec leurs filles. Quel âge est-ce qu'elle a
50 maintenant, la petite?... Comment! Cinq ans déjà! Pas possible! Elle va à l'école, alors. Mais c'est une grande fille!! Elle est bien gentille. Quand elle est ici, elle vient toujours me voir le matin. Elle me raconte des histoires et elle me pose des questions sur° tout. Elle est intelligente, cette petite! Elle récite les jours
55 de la semaine et les mois de l'année sans une faute...

sur: *about*

—Bonjour, Mademoiselle Pinot. Voilà une lettre de votre ami anglais. Il a une bien jolie écriture... pour un homme. Il vous écrit bien souvent. Il n'a rien à faire? Il ne travaille pas?

La concierge pose trop de questions, mais tout le monde est
60 aimable avec elle, parce que quand elle n'aime pas quelqu'un, elle peut être très désagréable*. Et puis on aime bien parler avec elle aussi, parce qu'on peut toujours apprendre des choses inté-ressantes sur les autres.

READING NOTES

millionnaire   ll represents the sound [l].

QUESTIONS

1. Quel est le rôle de la concierge?
2. Est-ce qu'elle travaille beaucoup?
3. D'habitude, est-ce qu'elle habite dans l'immeuble où elle travaille?
4. Qu'est-ce qu'elle peut voir de son appartement?
5. Pourquoi est-ce que Mme Caron est pressée?
6. Qui est devant la porte quand elle sort de l'immeuble?
7. Qu'est-ce que les Caron viennent d'acheter?
8. Est-ce que la tante de Jean-Pierre est jeune? Elle a quel âge?
9. D'après la concierge, est-ce que Jean-Pierre va souvent la voir?
10. Qu'est-ce que la tante de Jean-Pierre fait toute la journée?
11. Décrivez l'homme qui vient voir Jean-Pierre.
12. A quelle heure est-ce que le fils des Moinot rentre?
13. Qui arrive à onze heures du matin?
14. Est-ce que la concierge trouve qu'elle travaille beaucoup?
15. Où est le fils de Mme Borel? Qu'est-ce qu'il fait là-bas?
16. D'après la concierge, est-ce qu'il a beaucoup d'argent?
17. Qu'est-ce que la concierge lit tous les jours?
18. Comment est-ce que le fils de M. Biraud trouve Saint-Tropez?
19. Qu'est-ce que les gens parlent dans les rues?
20. Quand est-ce que les amis de Mme Rochas arrivent?
21. Quel âge a leur petite fille?
22. Qu'est-ce que la petite fille fait quand elle va voir la concierge?
23. De quelle nationalité est l'ami de Mlle Pinot?
24. Est-ce que la concierge aime son écriture?
25. Pourquoi est-ce que tout le monde est très gentil avec la concierge?

BASIC NARRATIVE

Une composition ratée

(*C'est André Villon qui parle.*)

J'ai raté ma composition de maths. Je suis pourtant assez fort en maths. Mais je n'ai pas fini le problème de géométrie. J'ai mal compris la première question et je n'ai même pas répondu à la deuxième.

J'ai eu 5 sur 20[1]. Une véritable catastrophe! Quand papa a appris ça, il a été furieux. Et il m'a dit pour la centième fois : «Tu n'as pas assez travaillé!» Il a écrit au prof de maths pour lui demander un rendez-vous. Maman n'a pas dormi de la nuit. Moi non plus!

A Flunked Test

(*André Villon is speaking.*)

I flunked my math test. Actually (and yet) I'm pretty good (strong) in math. But I didn't finish the geometry problem. I misunderstood (understood badly) the first question, and I didn't even answer the second one.

I got 5 out of 20. A real catastrophe! When Dad learned that, he was furious. And he said for the hundredth time, "You didn't study enough!" He wrote to the math teacher to ask him for an appointment. Mom didn't sleep a wink all night. Neither did I!

---

[1] In the French educational system, tests are graded on a scale from 1 to 20. In general 16–20 is considered excellent (grades of 19 or 20 are practically unheard of), 10–15 is satisfactory, and anything below 10 is unsatisfactory.

◀ *Many lycée buildings date from the nineteenth century.*

Supplement

premier, deuxième, troisième, quatrième, cinquième, sixième, septième, huitième, neuvième, dixième, onzième... vingtième, vingt et unième	first, second, third, fourth, fifth, sixth, seventh, eighth, ninth, tenth, eleventh . . . twentieth, twenty-first

Vous avez réussi la composition de français?

Did you pass the French test?

Vous avez raté la composition de maths?

Did you fail the math test?

Je n'ai pas compris la dernière question.

I didn't understand the last question.

Le professeur va ramasser les compositions.
        corriger

The teacher is going to collect the tests.
        correct

Hier, j'ai eu une bonne note.
        mauvaise

Yesterday I got a good grade.
        bad

Mon père n'a pas été content.

My father wasn't happy.

Qu'est-ce que tu as?

What's the matter with you?

J'ai mal à la tête.

I have a headache.

J'ai mal à la gorge.

I have a sore throat.

J'ai mal au ventre.

I have a stomach ache.

J'ai froid.

I'm cold.

J'ai chaud.

I'm warm.

Je tousse.

I'm coughing.

Je suis malade.

I'm sick.

BASIC FORMS

Verbs

(*like* travailler)   (*like* finir)

corriger   rater   réussir
ramasser   tousser

Nouns

ventre   *m*

catastrophe *f*	géométrie *f*	nuit *f*
composition *f*	gorge *f*	tête *f*
fois *f*	note *f*	

Adjectives

*bon, bonne	fort, –e	mauvais, –e
content, –e	furieux, –euse	premier, –ère[2]
dernier, –ère	malade	véritable

*Note especially the forms of this adjective.

Vocabulary Exercises

1. QUESTIONS

(*Vous êtes André Villon.*)

1. Qu'est-ce que vous avez raté? Une composition d'histoire?
2. Est-ce que vous êtes fort en maths?
3. Vous avez fini le problème de géométrie?
4. Vous avez répondu à la deuxième question?
5. Si lundi est le premier jour de la semaine, quel est le quatrième? Et le sixième?
6. Quel est le neuvième mois? Et le troisième?
7. *Pierre,* est-ce que vous êtes fort en maths?
8. *Marie,* est-ce que vous êtes forte en anglais?
9. Est-ce que vous réussissez toujours vos compositions?
10. Est-ce que vous corrigez quelquefois les devoirs de vos amis?

———

[2]**Premier** is the only ordinal number with two forms: **le premier garçon, la première fille** but **le deuxième garçon, la deuxième fille.**

2. QUESTIONS

(*Vous êtes André Villon.*)

1. Qu'est-ce que vous avez eu comme note à votre composition de maths?
2. Est-ce que votre père a été content? A qui est-ce qu'il a écrit?
3. *Pierre,* est-ce que vos parents sont contents quand vous avez de mauvaises notes?
4. Est-ce que votre père est content quand votre mère prépare un bon dîner?
5. Est-ce que vous déjeunez ici? Est-ce que les repas sont bons?
6. Pourquoi est-ce que *Jacques* n'est pas au lycée aujourd'hui? Qu'est-ce qu'il a?

3. ANTONYM DRILL

1. Jean-François a toujours de <u>bonnes</u> notes!
2. Je n'ai pas fini la <u>dernière</u> question.
3. Vous avez <u>raté</u> la composition de latin?
4. J'ai <u>froid</u>.

GRAMMAR

The passé composé *with* avoir

PRESENTATION

J'<u>ai</u> <u>répondu</u> à la question.	Nous <u>avons</u> <u>répondu</u> à la question.
Tu <u>as</u> <u>répondu</u> à la question?	Vous <u>avez</u> <u>répondu</u> à la question?
Il <u>a</u> <u>répondu</u> à la question.	Ils <u>ont</u> <u>répondu</u> à la question.

In these sentences, is the action going on in the present or did it take place in the past? In each sentence, the two parts of the verb are underlined. The first part of the verb is called the auxiliary. The auxiliary in each of these sentences is a form of what verb? The second part of the verb is called the past participle. **Répondu** is the past participle of what verb? Does the form of the auxiliary agree with the subject of the sentence? Does the past participle agree with the subject?

Je vais **répondre** à Michel.	J'ai **répond<u>u</u>** à Michel.
Je vais **attendre** Michel.	J'ai **attend<u>u</u>** Michel.

What class of verbs do **attendre** and **répondre** belong to? What is the final letter of the past participle of these verbs?

| Je vais **finir** le problème. | J'ai **fini** le problème. |
| Je vais **choisir** un cadeau. | J'ai **choisi** un cadeau. |

What class of verbs do **choisir** and **finir** belong to? What is the final letter of the past participle of these verbs?

| Maman va **dormir**. | Maman a **dormi**. |
| Elle va **servir** le dessert. | Elle a **servi** le dessert. |

What class of verbs do **servir** and **dormir** belong to? What is the final letter of the past participle of these verbs?

| Tu vas **travailler?** | Tu as **travaillé?** |
| Tu vas **rater** la composition! | Tu as **raté** la composition! |

What class of verbs do **rater** and **travailler** belong to? What is the final letter of the past participle of these verbs?

Most lycée students receive a grade and a class rank in each subject three times a year.

NOM VILLON André - ANNÉE SCOLAIRE 1967-1968 - CLASSE DE 3ème - 1e TRIMESTRE

COMPOSITIONS			DISCIPLINES	NOTES DE CLASSE		APPRÉCIATIONS DES PROFESSEURS
EFFEC-TIF	NOTE	PLACE		CONDUITE	TRAVAIL	
27			PHILOSOPHIE			
	14	1e	COMPOSITION FRANÇAISE			Très bon élève.
	15	8e	ORTHOGRAPHE GRAMMAIRE			(Parle un peu trop en classe)
	D7	25e	RÉCITATION			
	12	4e	VERSION LATINE			Peut mieux faire
	11	10e	THÈME LATIN			
	09	15e	HISTOIRE			Trop bavard, n'apprend
	10	13e	GÉOGRAPHIE			pas ses leçons.
	16	1er	LANGUE VIVANTE I anglais			Elève doué et intelligent
	12,5	9e	LANGUE VIVANTE II espagnol			Bon élève à l'oral.
	05	22e	MATHÉMATIQUES			Bon élève, mais n'a pas assez travaillé.

GENERALIZATION

1. The **passé composé** is composed of two parts:
   —a present tense form of an auxiliary verb (**avoir** or **être**)
   —a past participle.
   For most verbs, the auxiliary verb is **avoir**.

	Auxiliary	Past Participle
SINGULAR	j'ai tu as il a	
		travaillé
PLURAL	nous avons vous avez ils ont	

2. A verb in the **passé composé** can have either of two English equivalents.

   J'ai raté la composition. ⎰*I failed the test.*
⎱*I've failed the test.*

3. The past participle of most verbs consists of the infinitive stem + a participle ending. The endings of the four main verb classes are listed below.

Verb Class	Past Participle	
	STEM	ENDING
like travailler	travaill–	é
like finir	fin–	i
like attendre	attend–	u
like dormir	dorm–	i

STRUCTURE DRILLS

4. PATTERNED RESPONSE

1. J'ai regardé la télévision hier soir. ⊗

Et vous?	J'ai travaillé.
Et Charles?	Il a travaillé.
Et Jacqueline?	Elle a travaillé.
Et vous deux?	Nous avons travaillé.
Et les autres?	Ils ont travaillé.
Et les filles?	Elles ont travaillé.

2. Je vais préparer le café. ⊗

Je vais réveiller Jean-Claude.	Maman a déjà préparé le café!
Je vais acheter le lait.	Maman a déjà réveillé Jean-Claude!
Je vais apporter la confiture.	Maman a déjà acheté le lait!
Je vais manger les croissants.	Maman a déjà apporté la confiture!
	Maman a déjà mangé les croissants!

5. DIRECTED ADDRESS

Vous avez écouté les informations? ⊗
(Demandez ça à M. Lebrun.)
(Demandez ça à votre grand-mère.)
(Demandez ça à un ami.)
(Demandez ça au coiffeur.)
(Demandez ça à votre père.)
(Demandez ça au concierge.)

6. PRESENT → PASSÉ COMPOSÉ

Je déjeune à midi. ⊗	J'ai déjeuné à midi.
Je range ma chambre.	J'ai rangé ma chambre.
Je joue au tennis avec Jean.	J'ai joué au tennis avec Jean.
Nous finissons à trois heures.	Nous avons fini à trois heures.
Nous choisissons un cadeau.	Nous avons choisi un cadeau.
Nous réfléchissons.	Nous avons réfléchi.
Tu attends Micheline?	Tu as attendu Micheline?
Tu réponds à sa lettre?	Tu as répondu à sa lettre?
Tu vends ton scooter?	Tu as vendu ton scooter?
Vous dormez?	Vous avez dormi?
Vous servez le dîner?	Vous avez servi le dîner?

7. PATTERNED RESPONSE

1. Je voudrais manger encore un peu. ⊗   Tu as assez mangé!
   Je voudrais écouter encore un peu.
   Je voudrais parler encore un peu.
   Je voudrais réfléchir encore un peu.
   Je voudrais maigrir encore un peu.
   Je voudrais grossir encore un peu.
   Je voudrais dormir encore un peu.

2. Claudine va manger? ⊗

        1ST STUDENT   Elle a déjà mangé.
        2ND STUDENT   Qu'est-ce qu'elle a mangé?

   Elle va répondre?   Elle a déjà répondu.
        Qu'est-ce qu'elle a répondu?

   Elle va choisir?   Elle a déjà choisi.
        Qu'est-ce qu'elle a choisi?

8. WRITING EXERCISE

Cover the right-hand column and write the responses to Drills 4.1 and 6. Write the responses to Drill 7.1.

9. DIRECTED NARRATION

Dites à quelle heure vous avez dîné hier soir.
Dites ce que vous avez mangé.
Dites ce que vous avez regardé à la télévision.
Dites à quelle heure vous avez commencé vos devoirs.
Dites jusqu'à quelle heure vous avez travaillé.
Dites si vous avez bien dormi.

The passé composé *in a Negative Construction*

PRESENTATION

     J'ai fini le problème.   Je n'ai pas fini le problème.
     J'ai répondu à la question.   Je n'ai pas répondu à la question.

In the sentences in the second column, where does **ne** come in relation to **ai?** Where does the second part of the negative come?

GENERALIZATION

When a negative construction occurs in the **passé composé, ne** precedes the auxiliary verb. The second part of the negative construction (**pas, plus, jamais,** or **rien**) immediately follows the auxiliary.

Je n'ai pas fini le problème.
Tu n'as jamais mangé de croissant?
Elle n'a rien mangé.

STRUCTURE DRILLS

10. PATTERNED RESPONSE

1. J'ai dîné. ⊗   Moi, je n'ai pas dîné.
   J'ai fini.   Moi, je n'ai pas fini.
   J'ai maigri.   Moi, je n'ai pas maigri.
   J'ai travaillé.   Moi, je n'ai pas travaillé.
   J'ai joué.   Moi, je n'ai pas joué.
   J'ai dormi.   Moi, je n'ai pas dormi.

2. Est-ce que Marc a mangé quelque chose? ⊗ Non, il n'a rien mangé.
   Est-ce qu'il a cassé quelque chose?
   Est-ce que sa mère a acheté quelque chose?
   Est-ce qu'elle a préparé quelque chose?
   Est-ce qu'elle a apporté quelque chose?

3. Vous n'habitez plus à Paris? ⊗   Je n'ai jamais habité à Paris.
   Vous ne travaillez plus à la piscine?
   Vous ne finissez plus à une heure?
   Vous ne jouez plus de la guitare?
   Vous ne dormez plus dans le salon?
   Vous ne déjeunez plus au lycée?

11. AFFIRMATIVE → NEGATIVE

Papa a réveillé Michel. ⊗   Papa n'a pas réveillé Michel.
Il a rencontré les autres.   Il n'a pas rencontré les autres.
Il a rangé ses affaires.   Il n'a pas rangé ses affaires.
Il a apporté des cadeaux.   Il n'a pas apporté de cadeaux.
Il a acheté des meubles.   Il n'a pas acheté de meubles.
Il a raconté des histoires.   Il n'a pas raconté d'histoires.

12. FREE RESPONSE

Est-ce que vous avez dîné au restaurant hier soir?
Est-ce que vous avez téléphoné à des amis après le dîner?
Est-ce que vous avez acheté quelque chose hier?
Est-ce que vous avez écouté les informations ce matin?
Est-ce que vous avez rangé votre chambre?

13. WRITING EXERCISE

Write the responses to Drills 10.2 and 10.3.

Other Past Participles

GENERALIZATION

The following chart shows the past participles of most of the verbs you have learned so far that do not belong to any class of verbs.

Infinitive	Past Participle	
avoir	eu	J'ai **eu** 5 sur 20.
pouvoir	pu	J'ai **pu** finir.
vouloir	voulu	J'ai **voulu** corriger mes fautes.
lire	lu	J'ai **lu** la première question.
être	été	Il a **été** furieux.
faire	fait	J'ai **fait** beaucoup de fautes.
dire	dit	Il a **dit** «d'accord».
écrire	écrit	Il a **écrit** au proviseur.
décrire	décrit	Il a **décrit** son professeur.
prendre	pris	Il a **pris** l'autobus.
apprendre	appris	Papa a **appris** ma note.
comprendre	compris	J'ai **compris** la question.

STRUCTURE DRILLS

14. PATTERNED RESPONSE

Qu'est-ce que vous allez faire? ⊗

Lire le roman?	Non, j'ai déjà lu le roman.
Prendre des photos?	Non, j'ai déjà pris des photos.
Apprendre votre latin?	Non, j'ai déjà appris mon latin.
Ecrire à Jacques?	Non, j'ai déjà écrit à Jacques.
Faire les courses?	Non, j'ai déjà fait les courses.

15. ALLER + INFINITIVE → PASSÉ COMPOSÉ

Martine va avoir 20 ans. ⊗	Martine a eu 20 ans.
Elle va vouloir sortir.	Elle a voulu sortir.
Elle va pouvoir sortir.	Elle a pu sortir.
Ses parents vont comprendre pourquoi.	Ses parents ont compris pourquoi.
Ils vont dire «d'accord».	Ils ont dit «d'accord».
Ils vont être contents.	Ils ont été contents.

16. FREE RESPONSE

Est-ce que vous avez eu une composition hier?

Est-ce que vous avez eu une bonne note à votre dernière composition?

Est-ce que vos parents ont été contents?

Qu'est-ce que vous avez fait dimanche? Est-ce que vous avez joué ou est-ce que vous avez travaillé?

Est-ce que vous avez lu le journal ce matin?

Est-ce que vous avez écrit des lettres hier soir? A qui? A des amis?

Qui a fait la vaisselle après le dîner?

17. PATTERNED RESPONSE

Je vais écrire à Georges. ⊗	Tu n'as pas encore écrit à Georges!
Je vais faire la vaisselle.	
Je vais lire le journal.	
Je vais apprendre mon anglais.	
Je vais prendre la photo.	

18. WRITING EXERCISE

Cover the right-hand column and write the responses to Drills 14 and 15. Write the responses to Drill 17.

The wide sidewalks of Paris are crowded with cafés, outdoor stands, and people in a hurry.

19. REJOINDERS

Qu'est-ce que vous avez fait hier soir?
Pourquoi est-ce que vous avez raté la composition?

Position of Object Pronouns with passé composé *and Agreement of the Past Participle*

PRESENTATION

Vous avez téléphoné à Luc?	Oui, je <u>lui</u> ai téléphoné hier.
Vous avez lu ce roman?	Oui, je l'ai lu hier.
Vous avez acheté du pain?	Oui, j'<u>en</u> ai acheté hier.

In the sentences in the second column, where do the object pronouns come in relation to **ai?**

Tu n'as pas fini le problème?	Non, je ne l'ai pas fini.
Tu n'as pas écrit aux Dubois?	Non, je ne <u>leur</u> ai pas écrit.
Tu n'as pas mangé de chocolat?	Non, je n'<u>en</u> ai pas mangé.

In the sentences in the second column, where do the object pronouns come in relation to **ai?** In relation to **ne?**

J'ai trouvé **mon livre de maths.**	Je l'ai trouv<u>é</u>.
J'ai trouvé **ma montre.**	Je l'ai trouv<u>ée</u>.
J'ai trouvé **mes gants.**	Je **les** ai trouv<u>és</u>.
J'ai trouvé **mes chaussures.**	Je **les** ai trouv<u>ées</u>.

In each sentence in the first column, is the object direct or indirect? Does it precede or follow the verb? Does the past participle agree in gender and number with the object? Answer the same questions for the sentences in the second column.

GENERALIZATION

1. In the **passé composé,** an object pronoun immediately precedes the auxiliary verb.

J'ai téléphoné à Luc.	**Je lui ai téléphoné.**
Je n'ai pas téléphoné à Luc.	**Je ne lui ai pas téléphoné.**
J'ai lu ce livre.	**Je l'ai lu.**
Je n'ai pas lu ce livre.	**Je ne l'ai pas lu.**
J'ai acheté du lait.	**J'en ai acheté.**
Je n'ai pas acheté de lait.	**Je n'en ai pas acheté.**

2. The past participle agrees in gender and number with a direct object pronoun. The feminine singular form is spelled with an additional **-e,** the masculine plural with an additional **-s,** and the feminine plural with an additional **-es.**

SINGULAR	*masc.*	J'ai trouvé mon livre.	Je l'ai trouvé.
	fem.	J'ai trouvé ma montre.	Je l'ai trouvée.
PLURAL	*masc.*	J'ai trouvé mes gants.	Je les ai trouvés.
	fem.	J'ai trouvé mes chaussures.	Je les ai trouvées.

Agreement must be made with first and second person direct object pronouns as well as with third person direct object pronouns.

GEORGES	**Il t'a attendu?**	GEORGES	**Il t'a attendue?**
PIERRE	**Oui, il m'a attendu.**	MARIE	**Oui, il m'a attendue.**

a. With verbs whose past participle ends in a consonant letter, the masculine and feminine forms differ in sound as well as in writing. There is a final consonant sound in the feminine that is not present in the masculine: **écrit, écrite; pris, prise.**

b. When the masculine singular form of the past participle ends in **-s** (as in **pris**), no **-s** is added in the masculine plural.

Il a pris le livre.   Il l'a pris.
Il a pris la chemise.   Il l'a prise.
Il a pris les livres.   Il les a pris.
Il a pris les chemises. Il les a prises.

c. The past participle does not agree with **en.**

Tu veux de la soupe?
Non merci, j'en ai déjà pris.

STRUCTURE DRILLS

20. PATTERNED RESPONSE

1. Tu as rangé ta chambre?   Oui, je l'ai rangée ce matin.
   Tu as lu le journal?   Oui, je l'ai lu ce matin.
   Tu as corrigé tes devoirs?   Oui, je les ai corrigés ce matin.
   Tu as fini le roman?   Oui, je l'ai fini ce matin.

   Tu as téléphoné à Jean?   Oui, je lui ai téléphoné ce matin.
   Tu as écrit à Paul?   Oui, je lui ai écrit ce matin.
   Tu as parlé aux Dubois?   Oui, je leur ai parlé ce matin.
   Tu as écrit à tes grands-parents? Oui, je leur ai écrit ce matin.

2. Tu n'as pas acheté de beurre?   Si, j'en ai acheté hier.
   Tu n'as pas fait de ragoût?   Si, j'en ai fait hier.
   Tu n'as pas écrit de cartes postales? Si, j'en ai écrit hier.
   Tu n'as pas acheté de thé?   Si, j'en ai acheté hier.
   Tu n'as pas pris de photos?   Si, j'en ai pris hier.

21. FREE COMPLETION

Quand est-ce que vous avez téléphoné à Pierre?   Je lui ai téléphoné...

Quand est-ce que vous avez parlé à Marc?   Je lui ai parlé...
Quand est-ce que vous avez écrit à vos cousins?   Je leur ai écrit...

Où est-ce que vous avez passé la journée?   Je l'ai passée...
Où est-ce que vous avez trouvé vos gants?   Je les ai trouvés...
Où est-ce que vous avez rencontré Marie?   Je l'ai rencontrée...
Où est-ce que vous avez emmené Anne?   Je l'ai emmenée...

22. PATTERNED SENTENCE COMPLETION

Papa m'a dit de ranger mes affaires... ⊗   ... et je les ai rangées.
Il m'a dit d'écrire à mes grands-parents...
Il m'a dit de finir mon dîner...
Il m'a dit d'apprendre mon anglais...
Il m'a dit de faire mes devoirs...
Il m'a dit de corriger mes fautes...

23. PATTERNED RESPONSE

1. Vous m'avez téléphoné? ⊗   Non, je ne vous ai pas téléphoné.
   Vous m'avez entendu?   Non, je ne vous ai pas entendu.
   Vous m'avez répondu?   Non, je ne vous ai pas répondu.
   Vous m'avez écrit?   Non, je ne vous ai pas écrit.
   Vous m'avez compris?   Non, je ne vous ai pas compris.

2. Jean-Luc a apporté des disques? ⊗   Non, il n'en a pas apporté.
   Il a acheté des cadeaux?   Non, il n'en a pas acheté.
   Il a prêté son électrophone?   Non, il ne l'a pas prêté.
   Il a apporté sa guitare?   Non, il ne l'a pas apportée.
   Il a téléphoné à Jean?   Non, il ne lui a pas téléphoné.
   Il a parlé aux filles?   Non, il ne leur a pas parlé.

24. BASIC NARRATIVE VARIATION

Retell the Basic Narrative as though you were talking about André Villon.
Begin: **Il a raté sa composition...**

25. PAIRED SUBSTITUTION

Mes devoirs? Oui, je les ai faits. ⊗	Mes devoirs? Oui, je les ai faits.
Les courses? _____.	Les courses? Oui, je les ai faites.
Le premier problème? Je ne l'ai pas compris.	Le premier problème? Je ne l'ai pas compris.
La première question? _____ _____.	La première question? Je ne l'ai pas comprise.
Mon roman? Je l'ai écrit en français.	Mon roman? Je l'ai écrit en français.
Ma lettre? _____.	Ma lettre? Je l'ai écrite en français.
L'appartement? Je l'ai décrit dans ma lettre.	L'appartement? Je l'ai décrit dans ma lettre.
La maison? _____.	La maison? Je l'ai décrite dans ma lettre.

26. WRITING EXERCISE

Cover the right-hand column and write the responses to Drills 23.1 and 23.2. Write the complete sentences for Drill 22.

27. FREE REJOINDER

Give an appropriate rejoinder to each of the following statements, following the model provided. In some cases, more than one rejoinder is possible.

J'ai mal à la gorge.   Tu as trop parlé!
                                             Tu as trop crié!

Je suis fatigué.
Je n'ai plus faim.
J'ai mal à la tête.

Writing

1. SENTENCE COMPLETION

Complete the following sentences according to the model. Be certain to use the appropriate pronoun in your completion and make all necessary agreements.

> MODEL   D'habitude j'apporte ma guitare, mais cette fois-là
> je ne l'ai pas apportée.

1. D'habitude j'écoute les informations, mais ce matin _____.
2. D'habitude je lis les devoirs de mon frère, mais hier _____.
3. D'habitude je comprends les questions, mais cette fois-là _____.
4. D'habitude je fais des fautes, mais aujourd'hui _____.
5. D'habitude je finis mes devoirs, mais ce soir _____.
6. D'habitude j'achète du lait, mais ce matin _____.
7. D'habitude je téléphone à Christian, mais ce soir _____.

2. PARAGRAPH REWRITE

(*C'est Alain qui parle.*)

   Hier, j'ai rencontré Philippe au cinéma. Il m'a regardé mais il ne m'a pas dit bonjour. Alors, moi, je lui ai dit bonjour, mais il ne m'a pas entendu ou il n'a pas voulu m'entendre. A la fin du film, je l'ai cherché, mais je ne l'ai pas trouvé.

Rewrite the above paragraph starting as follows:

Hier, j'ai rencontré Philippe et Véronique au cinéma.

RECOMBINATION MATERIAL

Dialogs

I

MME DURAND	Tu n'as pas encore fini ton petit déjeuner? Tu vas être en retard!
JEAN-LUC	Dis, Maman, je ne sais pas si je peux aller à l'école aujourd'hui.
MME DURAND	Pourquoi? Tu es malade?
JEAN-LUC	Oui, j'ai mal à la gorge, et puis je tousse beaucoup. Écoute. (*Il tousse.*)
MME DURAND	Ce n'est pas parce que tu as une composition d'histoire aujourd'hui?
JEAN-LUC	Maman! Comment est-ce que tu peux dire ça!
MME DURAND	Bon, alors je vais téléphoner au docteur.

QUESTIONS

1. Est-ce que Jean-Luc a fini son petit déjeuner?
2. D'après sa mère, pourquoi est-ce qu'il ne veut pas aller à l'école?
3. Qu'est-ce qu'il a?
4. A qui est-ce que Mme Durand va téléphoner?
5. D'après vous, est-ce que Jean-Luc est très malade?

Most parents consider it a duty to check their children's homework.

II

MME DURAND	Allô, Docteur? C'est Madame Durand.
LE DOCTEUR	Bonjour, Madame.
MME DURAND	Je vous téléphone parce que mon fils est malade.
LE DOCTEUR	Ah oui? Qu'est-ce qu'il a?
MME DURAND	Je ne sais pas. Il tousse beaucoup.
LE DOCTEUR	Est-ce qu'il mange bien?
MME DURAND	Non, il n'a rien mangé ce matin.
LE DOCTEUR	Bon, alors dites-lui de rester au lit, donnez-lui un peu de thé et retéléphonez-moi cette après-midi.
MME DURAND	Très bien. Merci beaucoup, Docteur. Au revoir, Docteur.
LE DOCTEUR	Au revoir, Madame.

QUESTIONS

1. Qui téléphone au docteur? Pourquoi est-ce qu'elle lui téléphone?
2. Est-ce que Jean-Luc a bien mangé?
3. Qu'est-ce que Jean-Luc va faire? Est-ce qu'il va aller à l'école?
4. Quand est-ce que Mme Durand va retéléphoner au docteur?

III

M. LEFÈVRE	Dis donc. Tu as eu 6 sur 20 en maths!!
JEAN-PIERRE	Oui, mais je suis dixième[3].
M. LEFÈVRE	C'est la note qui compte.
JEAN-PIERRE	Mais le prof a ramassé les compositions trop tôt. Je n'ai pas eu le temps de finir.
M. LEFÈVRE	Est-ce que tu as eu le temps de commencer?
JEAN-PIERRE	Tout le monde l'a trouvée très difficile, cette composition.
M. LEFÈVRE	Ne me parle pas des autres. Ça m'est égal, ce qu'ils ont fait.
JEAN-PIERRE	Mais, papa....
M. LEFÈVRE	Pas de «mais». Tu n'as pas assez travaillé, c'est tout.

QUESTIONS

1. Est-ce que Jean-Pierre a eu une bonne note en maths? Qu'est-ce qu'il a eu comme note?
2. Est-ce qu'il est neuvième dans sa classe?
3. D'après Jean-Pierre, pourquoi est-ce qu'il a eu une mauvaise note?
4. Comment est-ce que les autres élèves ont trouvé la composition, d'après Jean-Pierre?
5. D'après M. Lefèvre, pourquoi est-ce que son fils a raté la composition?

---

[3] In addition to receiving a grade on each **composition**, French students also learn their rank in class.

DIALOG VARIATION

Jean-Pierre got 7 in history and he is eighth in his class.

Rejoinders

7 sur 20 à la composition! Mais tu es pourtant fort en histoire.
Qu'est-ce que tu as? Tu es malade?

Conversation Stimulus

Votre ami a été malade hier. Il a manqué la composition. Quand il arrive au lycée, vous lui posez des questions sur ce qu'il a fait à la maison, sur ce qu'il a lu, sur ce qu'il a regardé à la télévision.

—Alors, qu'est-ce que tu as fait toute la journée?
— . . . .

Et lui, il vous pose des questions sur la composition.

—Tu l'as trouvée difficile, la composition?
— . . . .

Narrative

Mon père le dictateur*

(*C'est Daniel Picard qui parle.*)

Tu trouves que ton père est énervant mais tu ne connais° pas papa. Mon père, c'est un vrai dictateur; même maman le dit. Je n'ai pas une minute de liberté. Toi, le soir, après le dîner, qu'est-ce que tu fais? Si tu as fini tes devoirs, tu lis ou tu re-
5 gardes la télé, non? Pas moi. Oh non! Jamais! Tous les soirs après le dîner, papa prend sa pipe* et me demande de lui mon- trer mes devoirs. S'il trouve une faute, un mot un peu mal écrit, c'est une catastrophe! Il fait une scène* et je recommence° toute la page. Après les devoirs, c'est les leçons. Si j'hésite sur un mot
10 dans un poème*, il faut tout recommencer. Il y a des soirs où à dix heures on n'a pas encore fini.

connais: *know*

recommencer: (like **travailler**): *to begin again*

Et ça, ce n'est rien! Mais quand nous finissons trop tôt, alors
il me dit que les profs ne nous donnent pas assez de devoirs et
il me donne des exercices supplémentaires*! Il aime inventer* des
15 problèmes de maths impossibles. Un train part de Marseille à
6 h 48. Un autre train part de Paris à 6 h 51. Un automobiliste°
part de Marseille en direction* de Paris à 7 h 30. A quelle heure
est-ce que l'automobiliste arrive à Tours? (Quelquefois il y a
aussi un cycliste* et deux ou trois hélicoptères*).

20 Alors, tu me dis que c'est normal, qu'il y a beaucoup de
parents comme ça, et qu'il y a toujours le samedi après-midi
et le dimanche pour faire ce qu'on veut. Pour toi, mon vieux,
mais pas pour moi! Toi, le dimanche, qu'est-ce que tu fais? Tu
vas voir un match de football avec ton père ou tu vas jouer au
25 basketball avec des amis. Moi non. Tous les dimanches, sans
exception*, papa nous emmène, mon frère et moi, voir un monument* ou un musée. Tu ne peux pas imaginer le nombre* de
monuments et de musées qu'il y a à Paris! Tu connais l'Arc de
Triomphe, Notre-Dame, et le Louvre, mais ce n'est rien! Moi,
30 je connais le Musée Carnavalet[4] de A à Z, toutes les figures*
de cire° du Musée Grévin et tous les canons* du Musée de
l'Armée*. Je connais toutes les statues* de Napoléon et de Jeanne
d'Arc. Papa est sans pitié* : ça lui est égal s'il pleut ou s'il fait
froid; le dimanche, nous sortons dans Paris. Et toute la journée
35 nous marchons : «Regardez à gauche; c'est là que la cousine
du docteur de Louis XIV a habité pendant... Regardez à droite,
c'est dans ce restaurant-là que Napoléon a dîné avant son départ* pour... Et cette statue, là, c'est sur cette statue que la
perruche de Marie Antoinette...» et c'est comme ça jusqu'au soir.
40 Quand enfin nous rentrons, nous sommes très fatigués. C'est
alors que papa commence à nous poser des questions. Qui a
cassé le nez° du grand sphinx* d'Égypte*? Combien de canons
français est-ce que les Anglais ont pris à la bataille* de Waterloo?
Et comme ça jusqu'au dîner. Après ça, si nous avons bien ré-
45 pondu, il nous donne un petit cadeau, un disque—de musique
classique, bien sûr—ou un livre sur l'art* ancien*.

Moi, je ne vais pas être comme ça avec mes enfants°. Je ne
vais jamais leur poser de questions sur leurs devoirs. Je ne vais
jamais les emmener voir des monuments. Moi, je vais être un
50 père formidable!

---

automobiliste *m* or *f: the driver of an automobile*

cire *f: wax*

nez *m: nose*

enfant *m* or *f: child*

---

[4]The **Musée Carnavalet** contains pictures and mementos which recall the history of Paris over the last three-and-a-half centuries.

```
READING NOTES

sphinx        The x is pronounced.
```

QUESTIONS

1. Comment est-ce que Daniel décrit son père?
2. D'après lui, qu'est-ce que son ami fait après le dîner?
3. Qu'est-ce que M. Picard veut voir après le dîner?
4. Qu'est-ce qu'il cherche dans les devoirs de son fils?
5. Après les devoirs, qu'est-ce que Daniel récite?
6. Quand est-ce que son père lui dit de recommencer?
7. Qu'est-ce que son père fait quand ils finissent trop tôt?
8. Qu'est-ce que son père lui donne comme exercices supplémentaires?
9. D'après Daniel, comment est-ce que son ami passe le dimanche?
10. Et lui, qu'est-ce qu'il fait avec son père et son frère?
11. Est-ce que Daniel trouve qu'il y a beaucoup de musées et de monuments à Paris?
12. Qu'est-ce que son ami a visité à Paris? Quels musées est-ce que Daniel a visités?
13. Qu'est-ce qu'il y a au Musée Grévin?
14. Pourquoi est-ce que Daniel trouve que son père est sans pitié?
15. Qu'est-ce que M. Picard fait quand ses fils et lui rentrent?
16. Qu'est-ce qu'il leur donne s'ils répondent bien à toutes ses questions?
17. D'après Daniel, est-ce qu'il va être gentil avec ses enfants?

BASIC DIALOG

Les grandes vacances

PIERRE	Tu as passé de bonnes vacances?
JACQUES	Oh, pas vraiment.
PIERRE	Tu es allé en Bretagne[1], non?
JACQUES	Oui, et il a plu tout le temps.
PIERRE	Moi, je suis allé en Corse[2].
JACQUES	Ah oui? Tu y es resté longtemps?
PIERRE	Un mois. Nous sommes rentrés hier.
JACQUES	Tu as fait du ski nautique?
PIERRE	Oui. Mais ma technique n'est pas tout à fait au point.

Summer Vacation

PIERRE	Did you have a good vacation?
JACQUES	Oh, not really.
PIERRE	You went to Brittany, didn't you?
JACQUES	Yes, and it rained all the time.
PIERRE	I went to Corsica.
JACQUES	Really? Did you stay there long (long time)?
PIERRE	A month. We got home yesterday.
JACQUES	Did you do any water-skiing?
PIERRE	Yes. But I haven't quite perfected my technique (my technique is not exactly perfected).

---

[1] **La Bretagne** is the large region in western France that juts out into the Atlantic Ocean.

[2] **La Corse,** a large island in the Mediterranean Sea, is considered a part of France (just as Hawaii is considered a part of the United States).

◀ *Vacationers in Corsica can take advantage of both the mountains and the seashore.*

Supplement

Où est-ce que tu as passé tes vacances?
    A la montagne.
    A la campagne.
    Dans une colonie de vacances.
    Au bord de la mer.

Tu vas aller à la plage?
Peut-être.

Il fait beau en été.
          en automne.
          en hiver.
          au printemps.

Where did you spend your vacation?
    In the mountains.
    In the country.
    In a summer camp.
    At the seashore (at the edge of the sea).

Are you going to go to the beach?
Maybe.

It's nice in the summer.
          in the fall.
          in the winter.
          in the spring.

L'été dernier[3] je suis allé en Corse.

La Corse est au sud de la France.
         au nord de l'Afrique.
         à l'est de l'Espagne.
         à l'ouest de l'Italie.

Nous sommes rentrés avant-hier.
         il y a un mois.

Tu as déjà fait du bateau à voiles?
        de la pêche sous-marine?

        du camping?

Last summer I went to Corsica.

Corsica is to the south of France.
        to the north of Africa.
        to the east of Spain.
        to the west of Italy.

We got back the day before yesterday.
        a month ago.

Have you ever gone sailing?
        skin-diving(underwater
          fishing)?
        camping?

---

[3] **Dernier,** like **premier,** normally occurs before the noun. However, in expressions of time, it follows the noun: **la semaine dernière, l'année dernière.**

BASIC FORMS

Nouns

automne *m*	été *m*	ouest *m*
bord *m*	hiver *m*	printemps *m*
camping *m*	nord *m*	sud *m*
est *m*		

Afrique *f*	Corse *f*	plage *f*
Bretagne *f*	mer *f*	technique *f*
campagne *f*	montagne *f*	vacances *f pl*
colonie *f*	pêche *f*	voile *f*

READING NOTES

Dialog

longtemps	**g** represents no sound.
[t] **tout à fait**	**Liaison** is obligatory.

Supplement

aut<u>omne</u>	**omne** represents the sound [òn].
hive<u>r</u>	The final **r** is pronounced.
su<u>d</u>	The final **d** is pronounced.
e<u>st</u>, oue<u>st</u>	The final **st** is pronounced.
[t] **peut-être**	**Liaison** is obligatory.
[t] **avant-hier**	**Liaison** is obligatory.

Vocabulary Exercises

1. QUESTIONS

1. Est-ce que Jacques a passé de bonnes vacances? Où est-ce qu'il les a passées?
2. Est-ce qu'il a fait beau en Bretagne?
3. Où est-ce que vous passez vos vacances, d'habitude?

(continued)

(*continued*)

4. Est-ce que vous allez souvent à la plage en été?
5. Est-ce qu'il pleut souvent ici au printemps? Est-ce qu'il a plu hier?
6. Est-ce qu'il neige souvent en hiver?
7. Où est-ce qu'on va pour faire du ski?
8. Qu'est-ce que vous aimez mieux, l'été ou l'hiver? Le printemps ou l'automne?

2. PATTERNED RESPONSE DRILL

Nous allons en Italie au mois de juillet. En été! Pourquoi?
Nous allons à Paris au mois de janvier.   En hiver! Pourquoi?
Nous allons en Bretagne au mois de mai.   Au printemps! Pourquoi?
Nous allons en Espagne au mois d'août.   En été! Pourquoi?
Nous allons au Canada au mois d'octobre.   En automne! Pourquoi?

---

3. QUESTIONS

1. Combien de temps est-ce que Pierre et sa famille ont passé en Corse?
2. Qu'est-ce que Pierre a fait en Corse? D'après lui, est-ce qu'il en fait bien?
3. Est-ce que vous habitez près de la mer?
4. Vous avez déjà fait du bateau à voiles? de la pêche sous-marine? du ski nautique?
5. Est-ce que vous avez déjà passé vos vacances à la campagne? à la montagne? dans une colonie de vacances?
6. Où est-ce que vous avez passé vos vacances il y a deux ans? Et l'été dernier?

More and more people spend their vacations at France's many camping sites.

4. GEOGRAPHY EXERCISE

Give the location of the following countries in relation to France.

Où est l'Allemagne?   A l'est de la France.
    Et l'Angleterre?
    Et l'Italie?
    Et l'Espagne?
    Et l'Afrique?

5. ENGLISH CUE DRILL

Nous sommes rentrés il y a un mois. ⊗   Nous sommes rentrés il y a un mois.
We got back three days ago.   Nous sommes rentrés il y a trois jours.
We got back five days ago.   Nous sommes rentrés il y a cinq jours.
We got back a long time ago.   Nous sommes rentrés il y a longtemps.
We got back a week ago.   Nous sommes rentrés il y a une semaine.
We got back a month ago.   Nous sommes rentrés il y a un mois.

GRAMMAR

The passé composé *with* être

PRESENTATION

Je suis rentré hier.   Nous sommes rentrés hier.
Tu es rentré hier?   Vous êtes rentrés hier?
Pierre est rentré hier.   Les Dubois sont rentrés hier.

In these sentences, is the action going on in the present or did it take place in the past? Is the auxiliary verb in each sentence a form of **avoir** or **être?**

M. Duclos est rentré hier.
Mme Duclos est rentrée hier.
Les garçons sont rentrés hier.
Les filles sont rentrées hier.

Look at the past participles in these sentences. Are they all spelled alike? In each with what does the past participle agree?

GENERALIZATION

1. A few verbs form the **passé composé** with **être** rather than with **avoir**.

2. For verbs that form the **passé composé** with **être,** the past participle agrees in gender and number with the subject.

		Masculine Subject	*Feminine Subject*
	1	je suis rentré	je suis rentrée
SINGULAR	2	tu es rentré	tu es rentrée
	3	il est rentré	elle est rentrée
	1	nous sommes rentrés	nous sommes rentrées
PLURAL	2	vous êtes rentrés	vous êtes rentrées
	3	ils sont rentrés	elles sont rentrées

3. **Liaison** is often made between the forms of **être** and the past participle, especially with the third person forms **est** and **sont**.

[t]
Il est allé en Corse.

[t]
Elles sont arrivées à l'heure.

4. The following is a list of the verbs you have seen so far that form the **passé composé** with **être.** Notice that most of them are verbs of motion.

Infinitive	*Past Participle*
aller	allé
arriver	arrivé
entrer	entré
monter	monté
rentrer	rentré
rester	resté
tomber	tombé
descendre	descendu
partir	parti
sortir	sorti
venir	venu
revenir	revenu

sentence,

STRUCTURE DRILLS

6. PATTERNED RESPONSE

Qu'est-ce que vous avez fait hier, vous deux? ⊗   Nous sommes allés[4] au match.

    Et Jean-Claude?   Il est allé au match.
    Et Monique?   Elle est allée au match.
    Et toi?   Je suis allé au match.
    Et les Dufour?   Ils sont allés au match.
    Et les filles?   Elles sont allées au match.

7. DIRECTED ADDRESS

A quelle heure est-ce que tu es rentré? ⊗
    (Demandez ça à Brigitte.)
    (Demandez ça à Jacques et à Paul.)
    (Demandez ça à votre cousine.)
    (Demandez ça à Marie et à Anne.)
    (Demandez ça à Madame Pommier.)

8. PATTERNED RESPONSE

1. Ils m'ont dit de monter. ⊗   Et vous êtes monté?
  Ils m'ont dit de descendre.   Et vous êtes descendu?
  Ils m'ont dit de rester.   Et vous êtes resté?
  Ils m'ont dit de partir.   Et vous êtes parti?
  Ils m'ont dit de rentrer.   Et vous êtes rentré?

2. Nous avons dit à Marie de sortir. ⊗   Et elle est sortie?
  Nous lui avons dit d'entrer.   Et elle est entrée?
  Nous lui avons dit de revenir.   Et elle est revenue?
  Nous lui avons dit de rester.   Et elle est restée?
  Nous lui avons dit de partir.   Et elle est partie?

3. J'ai dit aux autres de rentrer. ⊗   Et ils sont rentrés?
  Je leur ai dit de sortir.   Et ils sont sortis?
  Je leur ai dit de monter.   Et ils sont montés?
  Je leur ai dit de revenir.   Et ils sont revenus?
  Je leur ai dit de descendre.   Et ils sont descendus?

---

[4] Unless otherwise indicated, all subjects in the following drills will be considered masculine.

9. PATTERNED RESPONSE

Les Duclos sont rentrés tout de suite. Et toi? ⊗

Je suis rentré une heure après.

Janine est revenue tout de suite. Et les autres filles?

Marc est parti tout de suite. Et vous deux?

Nous sommes montés tout de suite. Et papa?

Tu es sorti tout de suite. Et Martine?

10. WRITING EXERCISE

Cover the right-hand column and write the responses to Drill 6. Write the responses to Drills 7 and 9.

11. FREE RESPONSE

A quelle heure est-ce que vous êtes arrivé à l'école ce matin?

A quelle heure est-ce que vous êtes parti de chez vous?

Qui est allé au cinéma cette semaine? Est-ce que vous avez aimé le film?

Est-ce que vous êtes resté jusqu'à la fin? A quelle heure est-ce que vous êtes rentré?

12. PATTERNED RESPONSE

Complete the second response with any appropriate indication of time, such as **ce matin, à cinq heures, avant-hier.**

Quand est-ce que les Voisin vont partir?	1ST STUDENT	Ils sont déjà partis.
	2ND STUDENT	Oui, ils sont partis...
Quand est-ce que Micheline va arriver?		Elle est déjà arrivée.
		Oui, elle est arrivée...
Quand est-ce que M. Bonnet va revenir?		Il est déjà revenu.
		Oui, il est revenu...
Quand est-ce que les filles vont rentrer?		Elles sont déjà rentrées.
		Oui, elles sont rentrées...
Quand est-ce que le docteur va venir?		Il est déjà venu.
		Oui, il est venu...
Quand est-ce que les garçons vont sortir?		Ils sont déjà sortis.
		Oui, ils sont sortis...

13. PATTERNED RESPONSE

1. Les Duclos sont arrivés? ⊗   Non, ils ne sont pas arrivés.
   Pierre est entré?
   Catherine est tombée?
   L'électricien est parti?
   Le facteur est venu?
   Les femmes sont sorties?
   La concierge est montée?

2. Il sort souvent avec Anne? ⊗   Il n'est jamais sorti avec Anne.
   Il vient souvent ici?
   Il arrive souvent à l'heure?
   Il va souvent à Rome?
   Il rentre souvent à 5 h?
   Il revient souvent à Paris?

14. FREE SUBSTITUTION

Jacques est arrivé il y a cinq minutes.
Les garçons ne sont pas rentrés avec nous.
Est-ce qu'ils sont partis avant-hier?

15. NARRATION: PRESENT → PAST

Aujourd'hui je dîne chez les Moreau. ⊗   Hier, j'ai dîné chez les Moreau.
Je sors de chez moi à sept heures.
J'achète des chocolats pour Mme Mo-
   reau.
Je monte dans l'autobus.
Je descends de l'autobus.
Je rencontre le fils des Moreau.
Nous montons ensemble.
Je donne les chocolats à Mme Moreau.
Elle me dit «merci».
Elle en mange un.
Elle le trouve excellent.
Nous commençons à dîner à huit heures.
Nous finissons à dix heures.
Après, nous allons dans le salon.
M. Moreau nous raconte des histoires.
Je pars très tard.
Je rentre tout de suite chez moi.

The Pronoun y

PRESENTATION

Tu es resté **en Corse?**	Tu <u>y</u> es resté?
Nous.sommes allés **à la gare.**	Nous <u>y</u> sommes allés.
Il est **sur la table.**	Il <u>y</u> est.
Il n'est pas **devant la porte.**	Il n'<u>y</u> est pas.

Look at the sentences in the first column. What do phrases like **en Corse, à la gare, sur la table,** and **devant la porte** all describe? In the second column, what word has replaced each of these phrases? Where does this word occur in relation to the verb?

GENERALIZATION

1. The pronoun **y** is used to refer to a prepositional phrase indicating location. It may refer to phrases beginning with such prepositions as **à, en, sur, chez, dans,** and **devant.**

Tu es restée longtemps en Corse?	Tu y es restée longtemps?
Tu es allé à Berlin?	Tu y es allé?
Il reste devant le lycée?	Il y reste?
Il est allé dans la cour.	Il y est allé.
On va souvent au cinéma.	On y va souvent.

2. The English equivalent of **y** may be either stated (as *there*) or unstated.

Vous y êtes restés longtemps? $\begin{cases} \textit{Did you stay there long?} \\ \textit{Did you stay long?} \end{cases}$

3. **Y** occurs in the same positions in relation to the verb as the object pronouns.

Il y reste.
Il n'y reste pas.
Il veut y rester.
Il y est resté.
N'y restez pas.
Restez-y.

4. **Liaison** is obligatory with pronouns preceding **y.**

$$\text{Ils }\overset{[z]}{\text{y}}\text{ vont souvent?}$$

$$\text{Nous }\overset{[z]}{\text{y}}\text{ sommes allés hier.}$$

Liaison is also obligatory with verbs that precede **y** in the affirmative imperative.

$$\overset{[z]}{\text{Allons-y.}}$$

$$\overset{[z]}{\text{Allez-y.}}$$

Aller and verbs like **travailler** take an **-s** in the second person singular imperative before **y.**

Restes-y.
Vas-y.

STRUCTURE DRILLS

16. **PATTERNED RESPONSE**

1. Je suis allé à la montagne. ⊗
   Les Michaud sont allés en Corse.
   Nous sommes allés au bord de la mer.
   Les Caron sont allés en Espagne.
   Martine est allée en Bretagne.
   M. Carré est allé en Afrique.

   Tu y vas tous les ans!
   Ils y vont tous les ans!
   Vous y allez tous les ans!
   Ils y vont tous les ans!
   Elle y va tous les ans!
   Il y va tous les ans!

2. M. Legros est chez un ami. ⊗
   Maman est au musée.
   Georges est à la terrasse d'un café.
   Les filles sont au zoo.
   Les chiens sont dans le jardin.
   Le chat est sur le lit.

   Il va y rester toute la journée?

3. La concierge est dans la cour? ⊗
   Mme Duclos est à la fenêtre?
   Luc est chez lui?
   Sa voiture est dans la rue?
   Son scooter est devant la porte?
   Les fruits sont sur la table?
   Ses livres sont dans sa chambre?

   Non, elle n'y est pas.

17. FREE RESPONSE

Use y in your response to the following questions.

Vous allez souvent au cinéma?
Quand est-ce que vous allez au cinéma, le samedi, le dimanche ou pendant la semaine?
Vous allez quelquefois au théâtre?
Quand est-ce qu'on va à la plage, en été ou en hiver?
Est-ce que vous allez quelquefois chez le docteur? Combien de fois par an?
Votre père va souvent chez le coiffeur? Combien de fois par mois?
Est-ce que vous allez souvent chez vos grands-parents, vos parents et vous?

18. PATTERNED RESPONSE

Tu es déjà allé en Allemagne? ⊗	Oui, j'y suis allé deux fois.
Pierre est déjà allé en Italie?	
Les Lebrun sont déjà allés aux États-Unis?	
Vous êtes déjà allés en Russie, vous deux?	
Catherine est déjà allée en Bretagne?	
Nadine et sa sœur sont déjà allées en Corse?	

19. CUED DIALOG

Éric est chez sa grand-mère. ⊗	1ST STUDENT	Il y va tous les jours!
	2ND STUDENT	Il n'y est pas allé hier.
Monique est à la piscine.		Elle y va tous les jours!
		Elle n'y est pas allée hier.
Anne et Nadine sont à la plage.		Elles y vont tous les jours!
		Elles n'y sont pas allées hier.
Michel et Paul sont chez Pierre.		Ils y vont tous les jours!
		Ils n'y sont pas allés hier.

20. PATTERNED RESPONSE

Je veux aller au théâtre. ⊗	Eh bien, vas-y!
Je veux rester au lit.	Eh bien, restes-y!
Je veux aller chez Jean-Luc.	Eh bien, vas-y!
Nous voulons aller au zoo.	Eh bien, allez-y!
Nous voulons rester au lycée.	Eh bien, restez-y!
Nous voulons aller à la plage.	Eh bien, allez-y!

21. WRITING EXERCISE

Write the responses to Drills 16.2, 16.3, and 18.

22. REJOINDERS

Give an appropriate rejoinder to each of the following statements, using **y.**

Possible rejoinders

Il va passer ses vacances en Italie.

Il y va tous les ans, non?
Il y est allé l'été dernier, non?
Combien de temps est-ce qu'il va y rester?
Il va y rester longtemps?

Les Leconte vont en Bretagne cet été.
Nous passons le mois de juillet en Angleterre.
Je voudrais aller à Paris.

23. GUIDED NARRATION

Dites où vous êtes allé l'été dernier.
Dites si vous y allez tous les ans.
Dites combien de temps vous y êtes resté.
Dites si vous y êtes resté pendant toutes les vacances. Si non, dites où vous êtes allé après.
Dites ce que vous avez fait pendant la journée.

Writing

1. SENTENCE COMPLETION

Rewrite the following sentences, using the **passé composé** of the verb in parentheses. You will not be able to tell from the subject what agreement has to be made, but in each of the following sentences, a gender cue, such as an adjective or a past participle, is provided.

1. Vous êtes allés en Bretagne? Vous y _____ combien de temps?   (rester)
2. Tu _____ avec Marc hier? Tu as porté ta nouvelle robe?   (sortir)
3. Vous n'êtes pas gentil! Vous _____ sans moi.   (partir)
4. Nous sommes parties le 10 et nous _____ le 30.   (revenir)
5. Mon frère m'a réveillé trop tard, alors je _____ en retard.   (arriver)
6. D'habitude, je ne suis jamais prête à l'heure, mais hier, je _____ à l'heure.   (descendre)
7. Tu _____ à faire ce problème! Tu es drôlement intelligent!   (arriver)
8. Pierre ne nous a pas attendus, alors nous _____ à la maison.   (rentrer)
9. Catherine et moi, nous sommes sorties hier. Nous _____ au cinéma.   (aller)
10. Vous êtes allé à Paris? Vous _____ sur la Tour Eiffel?   (monter)

2. PARAGRAPH REWRITE

Je rentre à onze heures et demie. Je monte dans ma chambre et je travaille pendant une heure. A midi et demie, je descends déjeuner. Après le déjeuner je sors pour aller au cinéma avec des amis. Nous arrivons un peu en retard; nous manquons les dix premières minutes du film. Après, tout le monde vient chez moi. Ils restent pendant quelques heures et puis ils rentrent chez eux.

Rewrite the above paragraph in the **passé composé**

a) as if the person talking were a boy.
b) as if the person talking were a girl who was going to the movies with a group of girls.

RECOMBINATION MATERIAL

Dialogs

I

GEORGES   Nous allons en Corse cet été.
BERNARD   Ah oui? Nous y sommes allés l'année dernière.
GEORGES   C'est bien?
BERNARD   Formidable! Il y fait beau, l'eau est chaude.
GEORGES   Il y a beaucoup de gens de notre âge?
BERNARD   Ah oui, des tas, et de toutes les nationalités.

QUESTIONS

1. Où est-ce que la famille de Georges va cet été?
2. Où est-ce que Bernard est allé l'année dernière?
3. Pourquoi est-ce que Bernard aime la Corse?
4. Est-ce qu'il y a beaucoup de jeunes gens qui passent leurs vacances en Corse?
5. De quelles nationalités est-ce qu'ils sont?

II

PIERRE   Qu'est-ce que tu as fait pendant les vacances?
JEAN   Rien. Je suis resté ici.
PIERRE   Eh bien moi, je suis allé en Angleterre.
JEAN   Pendant toutes les vacances?

PIERRE Presque. Juillet et août.

JEAN Tu vas être drôlement fort en anglais alors.

PIERRE Oh non. J'ai rencontré des Français et je n'ai pas parlé un mot d'anglais.

QUESTIONS

1. Est-ce que Jean est parti en vacances?
2. Où est-ce que Pierre est allé?
3. Combien de temps est-ce qu'il a passé là-bas?
4. Est-ce qu'il a parlé anglais en Angleterre? Pourquoi?

DIALOG VARIATION

Pierre went to Spain rather than to England.

III

JACQUES Où est-ce que tu vas aller cet été?

LAURENT Chez mes grands-parents, comme tous les ans.

JACQUES Où est-ce qu'ils habitent?

LAURENT Ils ont une petite maison à la campagne, pas loin de Paris.

JACQUES Ce n'est pas un peu ennuyeux, la campagne?

LAURENT Non, j'ai beaucoup d'amis là-bas.

QUESTIONS

1. Où est-ce que Laurent va passer ses vacances?
2. Est-ce que ses grands-parents habitent dans une grande ville?
3. Ils habitent près de quelle ville?
4. Est-ce que Laurent trouve que c'est ennuyeux de passer ses vacances à la campagne? Pourquoi?

DIALOG VARIATION

Laurent is going to spend his vacation with his aunt rather than with his grandparents.

IV

CHRISTIAN Allô Michel? C'est Christian. Ça va?

MICHEL Ça va.

CHRISTIAN Quand est-ce que tu es rentré?

MICHEL Il y a une heure. Je n'ai même pas eu le temps de ranger mes affaires.

CHRISTIAN Comment est-ce que tu as trouvé la Bretagne?

MICHEL Formidable! Pour quelqu'un comme moi qui aime la mer...

CHRISTIAN Tu as fait du bateau à voiles? *(continued)*

(continued)

MICHEL   Du bateau à voiles, du ski nautique, de la pêche sous-marine. Je suis resté dans l'eau du matin jusqu'au soir.

CHRISTIAN   Moi aussi. En Angleterre il a plu du premier juillet au trois septembre.

QUESTIONS

1. Qui téléphone à Michel?
2. Quand est-ce que Michel est rentré? Est-ce qu'il a rangé ses affaires?
3. Où est-ce que Michel est allé?
4. Est-ce que Michel aime la mer?
5. Qu'est-ce que Michel a fait pendant les vacances?
6. Où est-ce que Christian est allé? Est-ce qu'il y a fait beau?

DIALOG VARIATION

Christian and Michel don't know each other well enough to use the **tu** form.

Rejoinders

Où est-ce que tu vas passer tes vacances?
Nous allons au bord de la mer cet été.

Conversation Stimulus

I

Vous parlez à un ami. Vous lui posez des questions sur ce qu'il a fait l'été dernier, s'il est resté chez lui ou s'il est parti en vacances, où il est allé, avec qui, et combien de temps il y est resté.

—Qu'est-ce que tu as fait l'été dernier?

—............................

II

Vous êtes en France et vous demandez à un ami français où vous pouvez passer le mois de juillet. Il vous demande ce que vous aimez faire, et où vous êtes déjà allé.

—Qu'est-ce que je peux faire au mois de juillet?
—Je ne sais pas, moi. Tu aimes la campagne?

—............................

Narrative

Trégastel, le 4 juillet

Mon cher° Papa,   cher: *dear*

Maman m'a dit de t'écrire parce qu'elle est trop occupée :
elle est allée en ville acheter une robe d'été pour elle et des
5   sandales* pour Bernard.

L'hôtel est vraiment bien; il est juste au bord de la mer. On
mange bien mais il y a de la soupe de poissons à tous les repas
(excepté* au petit déjeuner, bien sûr). Bernard et moi, nous
avons une petite chambre d'où on peut voir la rue. Maman, elle,
10 a vraiment de la chance° : de sa chambre on peut voir la mer et   avoir de la chance: *to*
le port. Il y a des bateaux à voiles formidables! Il y en a un qui   *be lucky*
vient des États-Unis. J'ai parlé en anglais au capitaine* et il m'a
dit de venir passer samedi sur son bateau!!

On peut faire du ski nautique avec le bateau de l'hôtel quand
15 la mer est calme*. Mais ça coûte 20 francs et maman trouve que
c'est trop cher. C'est dommage° parce que je voudrais vraiment   c'est dommage: *it's too*
en faire. Je vais peut-être pouvoir en faire une fois à la fin du   *bad, that's a shame*
mois, si j'arrive à garder assez d'argent.

Nous passons presque tout notre temps à la plage. Le matin
20 nous y sommes de 9 h jusqu'à midi. Nous rentrons à l'hôtel pour
le déjeuner. Après nous faisons une petite sieste* jusqu'à deux
heures et demie, trois heures, puis nous retournons* à la plage.
L'eau est plutôt froide, mais j'aime bien ça. Bernard a trouvé
des amis de son âge. Ils passent tout leur temps dans l'eau et
25 Bernard apprend même à faire le crawl*.

Hier matin il a plu un peu, mais pas longtemps. Nous sommes
restés à l'hôtel et nous avons joué au ping-pong*. Aujourd'hui il
fait beau. Nous venons de finir notre petit déjeuner et nous
allons partir pour la plage dans cinq minutes. Alors je finis
30 ma lettre.

Je t'embrasse°5,   embrasser: *to kiss*
Christian

P. S. Est-ce que tu as déjà demandé à la concierge si elle peut
garder Napoléon en août? Avec tous ses chats, elle ne va peut-être
pas être très contente d'avoir aussi un chien.

---

5 In French, the expression **Je t'embrasse** is used to end a letter in much the same way *love* is used in English.

READING NOTES

crawl	**aw** represents the sound [ó].
ping-pong	This word is pronounced very much like the English word.

QUESTIONS

1. Pourquoi est-ce que c'est Christian qui écrit à son père?
2. Où est sa mère? Qu'est-ce qu'elle fait?
3. Comment est-ce que Christian trouve l'hôtel? Pourquoi?
4. Est-ce que Christian et Bernard ont une grande chambre? Qu'est-ce qu'on peut voir de leur fenêtre?
5. Pourquoi est-ce que Christian aime mieux la chambre de sa mère?
6. A qui est-ce que Christian a parlé? Est-ce qu'il lui a parlé en français?
7. Qu'est-ce que Christian va faire samedi?
8. Pourquoi est-ce que Christian ne peut pas faire de ski nautique?
9. Où est-ce que Christian, son frère et sa mère passent tout leur temps?
10. A quelle heure est-ce qu'ils arrivent à la plage le matin?
11. Est-ce qu'ils déjeunent sur la plage?
12. Comment est l'eau? Est-ce que Christian aime ça?
13. Qu'est-ce que Bernard apprend à faire?
14. Est-ce qu'il a fait beau hier? Qu'est-ce que Christian et Bernard ont fait?
15. Pourquoi est-ce que Christian finit sa lettre?
16. D'après Christian, pourquoi est-ce que la concierge ne va peut-être pas vouloir garder Napoléon? Qui est Napoléon?

Sailing is popular on both the Atlantic and Mediterranean coasts.

Rouen, le 10 juillet

Mon cher Christian,

Merci pour ta lettre. J'ai été content d'apprendre que tout va
bien. Ta mère a raison° : 20 francs, c'est vraiment trop cher   **avoir raison:** *to be right*
5 pour deux minutes de ski nautique. Je suis sûr* que tu peux
trouver autre chose à faire. Je suis content aussi d'apprendre que
Bernard fait des progrès* en crawl. Mais dis-lui de ne pas aller
trop loin sans toi.

Je suis sûr que tu vas beaucoup aimer ta journée sur le bateau
10 américain. Il y a 20 ans j'ai passé mes vacances sur un grand
bateau à voiles. Un mois en mer, c'est une expérience tout à fait
unique*. Mais je t'en ai déjà parlé, je suis sûr.

J'ai parlé à la concierge hier et tout est arrangé* : elle va
garder Napoléon.

15 Dis à ta mère que le plombier est venu ce matin et que tout
marche bien maintenant. Dis-lui aussi que Tante Jacqueline a
téléphoné hier soir et qu'elle va peut-être aller vous voir le 20 ou
le 21 juillet. Elle va vous écrire bientôt pour vous dire ce qu'elle
a décidé.

20 Tu dis qu'il fait beau là-bas. Vous avez de la chance : ici il
pleut et il fait froid.

Je travaille tard le soir et quand je rentre je trouve l'apparte-
ment bien vide sans vous trois. J'ai hâte° d'être avec vous, mais   **avoir hâte de:** *to be*
le premier août est encore loin! Je compte sur toi pour être gentil   *anxious (to)*
25 avec ta mère. Elle a droit à des vacances, elle aussi. C'est toi
l'homme de la famille quand je ne suis pas là.

Je t'embrasse,
Papa

QUESTIONS

1. Est-ce que le père de Christian trouve que ça coûte trop cher de faire du ski nautique?
2. Quand est-ce qu'il a passé ses vacances sur un bateau? Combien de temps est-ce qu'il a passé en mer?
3. Quand est-ce qu'il a parlé à la concierge? Est-ce qu'elle va garder Napoléon?
4. Qui a téléphoné hier soir?
5. Quand est-ce qu'elle va peut-être aller voir Christian et sa famille?
6. Comment est-ce qu'elle va leur dire ce qu'elle a décidé?
7. Quel temps fait-il à Rouen?
8. Est-ce que le père de Christian rentre tôt le soir?
9. Comment est-ce qu'il trouve l'appartement quand sa famille n'est pas là?
10. Quand est-ce que ses vacances vont commencer?

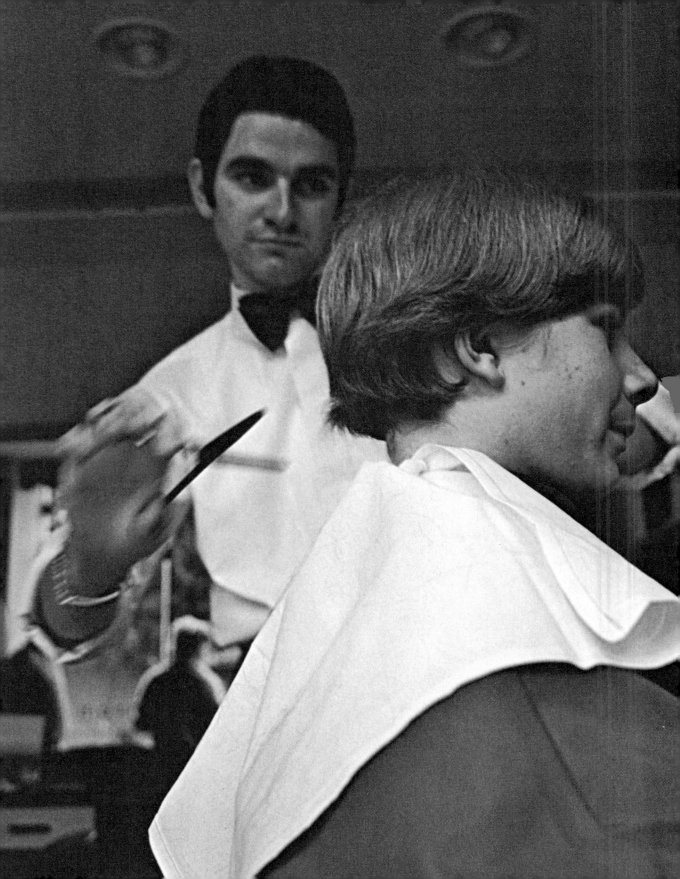

BASIC MATERIAL I

Cheveux longs ou cheveux courts?

M. DUVAL	Tu as l'intention d'aller chez le coiffeur un de ces jours?
ALAIN DUVAL	Euh... Oui... Un de ces jours. Pourquoi?
M. DUVAL	J'en ai assez de te voir avec les cheveux dans la figure[1]!
ALAIN DUVAL	Mais papa, tout le monde les porte comme ça.
M. DUVAL	Ce n'est pas une raison. Je te promets que si demain, tu n'es pas allé chez le coiffeur, je te coupe les cheveux moi-même.
ALAIN DUVAL	Oh, papa!
M. DUVAL	Et puis baisse la radio, s'il te plaît. Quand je rentre du bureau, j'aime bien avoir un peu de calme.

Supplement

Alain ne va pas sortir comme ça!

Il a les mains sales!
Il n'a pas de chaussettes!
Il peut au moins mettre une chemise propre!
Je vais lui repasser un pantalon.

Qu'est-ce que Marie va mettre?

Son cardigan beige, comme d'habitude.
Oh, elle met toujours la même chose.

Qu'est-ce que tu vas faire demain?

Je vais aider papa à laver la voiture.
Je vais réparer ma bicyclette.

---

[1] Nouns referring to a part of the body (face, hair, hands, etc.) are normally preceded by a definite article when it is clear whose face, hair or hands they are. For example, in the sentence, **J'en ai assez de te voir avec les cheveux dans la figure,** it is clear from the context that the hair and the face are Alain's. In a sentence such as **Marie a les mains sales,** it is clear that the hands are Marie's.

◀ *Chez le coiffeur*

Long Hair or Short?

M. DUVAL	Do you intend to go to the barber one of these days?
ALAIN DUVAL	Uh . . . Yes . . . One of these days. Why?
M. DUVAL	I've had enough of seeing you with your hair in your face!
ALAIN DUVAL	But Dad, everybody wears it like this.
M. DUVAL	That's no reason. I promise you that if by tomorrow night you haven't gone to the barber, I'll cut your hair myself.
ALAIN DUVAL	Oh, Dad!
M. DUVAL	And please turn down the radio. When I come home from the office, I like to have a little peace and quiet (calm).

Supplement

Alain's not going to go out like that!

His hands are dirty!
He doesn't have any socks on!
He can at least put on a clean shirt!
I'm going to iron a pair of pants for him.

What is Marie going to wear (put on)?

Her beige cardigan, as usual.
Oh, she always wears the same thing.

What are you going to do tomorrow?

I'm going to help Dad wash the car.
I'm going to fix (repair) my bicycle.

Vocabulary Exercises

1. QUESTIONS ON BASIC MATERIAL

1. D'après son père, est-ce qu'Alain a les cheveux trop longs ou trop courts?
2. D'après Alain, quand est-ce qu'il va aller chez le coiffeur?
3. Pourquoi est-ce qu'Alain a les cheveux longs?
4. Qu'est-ce que le père d'Alain veut quand il rentre? Qu'est-ce qu'il demande à Alain de faire?
5. Où est-ce que le père d'Alain travaille? Dans un magasin? Dans un restaurant?

2. FREE RESPONSE

1. Est-ce que vous avez les cheveux longs ou courts? Qu'est-ce que vous aimez mieux, les filles avec les cheveux longs ou les filles avec les cheveux courts? Et les garçons?
2. Est-ce que vous allez souvent chez le coiffeur? Combien de fois par mois?
3. A quelle heure est-ce que votre père rentre le soir? Est-ce qu'il aime avoir du calme quand il rentre?

3. FREE COMPLETION

Marie a les cheveux blonds. Et Luc? Il a les cheveux _____.

Votre frère a les cheveux roux. Et votre soeur? Elle a les cheveux _____.

Les filles ont les cheveux longs. Et les garçons? Ils ont les cheveux _____.

Jean-Pierre a les mains sales. Et vous deux? Nous avons les mains _____.

Votre petite sœur a toujours la figure sale. Et vous? J'ai toujours la figure _____.

4. PATTERNED COMPLETION

The word **même** may be added to any of the independent pronouns to express the idea of oneself, for example, **...je te coupe les cheveux moi-même.** *...I'll cut your hair myself.* or **Alain l'a fait lui-même.** *Alain did it himself.* It is linked to the independent pronoun by a hyphen. When linked to a pronoun with a plural meaning, **même** is spelled with a final **-s: eux-mêmes.**

Je vais demander à papa de réparer ma bicyclette... Je ne peux pas la réparer moi-même.

Pierre va lui demander de réparer sa radio... Il ne peut pas la réparer lui-même.

Nous allons lui demander de réparer notre scooter... Nous ne pouvons pas le réparer nous-mêmes.

Les garçons vont lui demander de réparer leur voiture... Ils ne peuvent pas la réparer eux-mêmes.

Vous allez lui demander de réparer votre électrophone?... Vous ne pouvez pas le réparer vous-même?

Tu vas lui demander de réparer ta bicyclette?... Tu ne peux pas la réparer toi-même?

5. PATTERNED RESPONSE

In addition to indicating the person to whom an action is directed (**Je vais lui apporter un cadeau.**) indirect object pronouns are also used to indicate for whom or on whom an action is performed: **Je vais lui laver une chemise. Je vais lui couper les cheveux.**

1. Pierre dit qu'il n'a pas de chemise. ⊗ Maman lui a repassé une chemise hier!

Michel dit qu'il n'a pas de pantalon. Maman lui a repassé un pantalon hier!

(continued)

(*continued*)

Anne dit qu'elle n'a pas de robe.
Monique dit qu'elle n'a pas de chemisier.
Marie dit qu'elle n'a pas de jupe.

Maman lui a repassé une robe hier!
Maman lui a repassé un chemisier hier!
Maman lui a repassé une jupe hier!

2. Nicolas a la figure sale!
Il a les mains sales!
Il a les pieds sales!

Mais je viens de lui laver la figure!

Noun and Adjective Exercises

It is usually possible to figure out the gender of a French noun by paying close attention to the form of other words that occur with the noun. The Noun Exercises in this book are designed to train you in this skill.

Each sentence on the left contains a new noun and at least one clue to its gender, usually an article or an adjective form. Using these clues to figure out the gender of the noun, you then complete the sentence on the right by supplying the definite article **le** or **la,** or the indefinite article **un, une, du** or **de la.** Be very sure that your completion makes sense.

Certain nouns occur most commonly in the plural, for example, **cheveux.** For such nouns, you will be required to fill in an appropriate adjective that indicates gender, for example, **beaux.** Such nouns will always appear at the end of the Noun Exercise section.

6. COMPLETION

1. Tu veux voir ma nouvelle bicyclette?
2. C'est une très bonne raison.
3. Mon père a un nouveau bureau.
4. Tu as la figure sale!
5. Où est mon nouveau cardigan?
6. Je vais te dire une chose.

1. Tu as ____ bicyclette, toi?
2. Mais non, ce n'est pas ____ raison!
3. Montre-moi ____ bureau de ton père.
4. Mais non, j'ai ____ figure propre.
5. Il y a ____ cardigan rouge dans le salon.
6. Oh, tu dis toujours ____ même chose.

7. PATTERNED COMPLETION

Ex. Tu as vu mes nouveaux gants?
1. Je t'ai acheté des chaussettes vertes.
2. La sœur de Claude a de longs cheveux[2] blonds.
3. Elle a les mains toutes petites.

Ex. Ce sont de ***beaux*** gants.
1. Ce sont de _____ chaussettes.
2. Oui, elle a de _____ cheveux.
3. Oui, elle a de _____ mains.

---

[2] Nouns ending in **-eu** in the singular normally add **-x** to form the plural: **cheveu, cheveux.**

ADJECTIVE NOTE: As you already know, if the masculine singular form of an adjective ends in an unaccented **e,** the masculine and feminine forms of the adjective are the same: **un cardigan propre, une chemise propre.** From this point on, when the masculine form of such an adjective appears in the Basic Material, you will be expected to know that the feminine form is identical.

8. PATTERNED RESPONSE

Son pantalon est rouge. Et sa chemise? ⊗   Elle est rouge aussi.
Son manteau est jaune. Et sa robe?
Ses cheveux sont propres. Et sa figure?
Ses pieds sont sales. Et ses mains?
Son pull-over est beige. Et sa jupe?

Grammar

Verbs: General Rules and Key Forms

PRESENTATION

Alain va mettre une chemise propre?

What is the infinitive in the sentence above? What does it mean?

Alain met toujours la même chose.

How would you say the above sentence with **tu** as the subject? With **je** as the subject? What do you know about the singular "spoken" forms of most French verbs?

Vous mettez toujours la même chose.

How would you say the above sentence with **nous** as the subject? What do you know about the stem of the **nous** and **vous** forms of most French verbs?

Les garçons mettent toujours la même chose.

Is the stem of the **ils** form of this verb the same as or different from the stem of the **nous** and **vous** forms? Can you think of any verbs whose **ils** form stem is different from the stem of the **nous** and **vous** forms?

GENERALIZATION

1. The following is a review of some general rules about French verbs.
   a. Except for **avoir, être,** and **aller,** the singular present tense forms of any given French verb sound alike.

je fais		je peux		je finis	
tu fais	[fè]	tu peux	[pœ́]	tu finis	[fini]
il fait		il peut		il finit	

   b. Except for **être, faire** and **dire,** the stem of the **nous** and **vous** forms of any given French verb is the same.

attendons	lisons	prenons	voulons
attendez	lisez	prenez	voulez

2. The preceding rules will help you with any new verb you meet. You will need to know only four or five key forms in order to derive the other spoken forms. For example, if **écrire** were a new verb, you would need to know only the following four forms:

Infinitive	Present	Past Part.
écrire	j'écris	écrit
	nous écrivons	

   With verbs whose **ils** stem is different from the nous and vous stem (for example, **venir**) you will need to know five forms.

Infinitive	Present	Past Part.
venir	je viens	venu
	nous venons	
	ils viennent	

   Spelling note: Since the **je** and **tu** present tense forms of most irregular verbs are spelled alike (**j'écris, tu écris; je viens, tu viens**) you need only one additional form, the **il** form (**il écrit, il vient**) in order to spell any new verb correctly.

   From this point on, you will be given the necessary key forms for each new verb you encounter. For example, a new verb such as **mettre** (*to put, to put on*) will be listed in the following way:

Infinitive	Present	Past Part.
mettre[3]	je mets	mis
	(il met)	
	nous mettons	

---

[3] All compounds of **mettre,** such as **promettre,** follow the same pattern.

STRUCTURE DRILLS

9. **FREE COMPLETION**

[*Il y a une surprise-partie ce soir et vous parlez avec vos amis de ce que vous allez mettre.*]

Moi, je mets mon complet gris.
    Et toi, qu'est-ce que tu mets?   Moi, je mets mon complet _____.
    Et *Pierre?*   Lui, il met son complet _____.

Moi, je mets un cardigan blanc.
    Et toi, qu'est-ce que tu mets?   Moi, je mets un cardigan _____.
    Et *Jacqueline?*   Elle, elle met un cardigan _____.

Moi, je mets ma veste rouge.
    Et toi, qu'est-ce que tu mets?   Moi, je mets ma veste _____.
    Et *Luc?*   Lui, il met sa veste _____.

10. **DIRECTED DRILL**

[*Vous allez sortir avec des amis. Il fait froid. Il pleut.*]

Demandez à *Jean* et à *Pierre* s'ils ne met-   1ST STUDENT   Vous ne mettez pas de gants?
    tent pas de gants. ⊗

Jean, répondez que non.   2ND STUDENT   Mais non, nous ne mettons pas
                                                                 de gants!

Demandez-leur s'ils ne mettent pas de manteau.
Demandez-leur s'ils ne mettent pas de pull-over.
Demandez-leur s'ils ne mettent pas d'imperméable.
Demandez-leur s'ils ne mettent pas d'écharpe.
Demandez-leur s'ils ne mettent pas de veste.

11. **PERSON-NUMBER SUBSTITUTION**

Je ne promets rien. ⊗
(tu–Jacques–vous–nous–les autres)

12. **FREE RESPONSE**

Qu'est-ce que vous allez mettre demain pour aller à l'école? Qu'est-ce que vous avez mis
    hier?
Qu'est-ce que vous mettez quand il fait froid? Et quand il pleut?
Qu'est-ce que vous mettez pour aller à une surprise-partie? Pour jouer au football?

13. PATTERNED RESPONSE

Pierre va mettre son complet bleu.    Il l'a déjà mis hier!
Il va mettre ses chaussettes grises.   Il les a déjà mises hier!

Brigitte va mettre sa jupe blanche.   Elle l'a déjà mise hier!
Elle va mettre son cardigan vert.   Elle l'a déjà mis hier!

Papa va mettre son pantalon gris.   Il l'a déjà mis hier!
Il va mettre sa veste beige.   Il l'a déjà mise hier!

Writing

SENTENCE COMPLETION

Rewrite each of the following sentences, supplying the appropriate form of **mettre.**

1. Tu vas _____ des chaussettes rouges!
2. Qu'est-ce que je _____ aujourd'hui?
3. Tu _____ un manteau, toi?
4. Pourquoi est-ce que vous _____ un imperméable?
5. _____ ton cardigan blanc.
6. _____ votre bicyclette dans le garage, s'il vous plaît.
7. Tes livres? Je les ai _____ sur la table.
8. Les filles ne _____ pas de gants?

Le président de la République au cours d'une conférence de presse à l'Élysée

BASIC MATERIAL II

Les informations

M. DUVAL Alain! Cette musique m'énerve! Mets donc les informations. C'est l'heure.

«Il est midi et voici nos informations :
Genève : Les États-Unis et L'Union Soviétique n'ont pas réussi à trouver un compromis.
L'URSS[4] a encore une fois refusé de signer le traité de coopération économique. Elle a proposé
de remettre la prochaine réunion à la fin du mois. Au cours de la conférence de presse de cette
après-midi, M. Smith, chef de la délégation américaine, a conseillé aux Russes de cesser de
couper les cheveux en quatre et de prendre une décision.»

Supplement

Les Américains et les Russes sont toujours en train de discuter.

Le chef de la délégation anglaise ne va pas donner de conférence de presse.

Qui est cet homme-là?

Les délégués ont de la peine à trouver un compromis.
C'est si compliqué que ça?

Il n'a pas envie de répondre à des questions.
Il a tort d'avoir peur des journalistes.

C'est le président de la République[5].
C'est le premier ministre.

The News

M. DUVAL Alain! That music is getting on my nerves! Put on the news. It's time.

"It's noon and here is the news:
Geneva: The United States and the Soviet Union have not succeeded in finding a compromise.
The USSR has again refused to sign the economic cooperation treaty. She has proposed post-
poning the next meeting until the end of the month. In the course of this afternoon's press
conference, Mr. Smith, the head of the American delegation, advised the Russians to stop
'splitting hairs' and to make a decision."

---

[4] **l'URSS** is the abbreviation for **l'Union des républiques socialistes soviétiques.**

[5] **Le président de la République** is the official title of the President of France.

Supplement

The Americans and the Russians are still discussing things.

The head of the English delegation is not going to give a press conference.

Who is that man over there?

The delegates are having difficulty finding a compromise.
Is it as (so) complicated as that?

He doesn't feel like answering any questions.
He's wrong to be afraid of the reporters.

That's the President of the Republic.
That's the Prime Minister.

Vocabulary Exercises

14. QUESTIONS ON BASIC MATERIAL

1. D'après les informations, est-ce que les États-Unis et l'URSS ont trouvé un compromis? Qui n'a pas voulu signer le traité?
2. A quand est-ce que les Russes veulent remettre la prochaine réunion?
3. Qui est M. Smith?
4. Qu'est-ce qu'il a conseillé aux Russes au cours de la conférence de presse?

15. FREE RESPONSE

1. Qui prend les décisions dans votre famille? Votre père? Votre mère? Vous?
2. Est-ce que vous avez des frères? Est-ce qu'ils vous énervent quelquefois? Qu'est-ce qu'ils font qui vous énerve?
3. Est-ce que vous allez quelquefois à des réunions, ici, à l'école?
4. Est-ce qu'il y a eu un match cette semaine? Quelle est la date du prochain match?

16. REJOINDERS

Use **il (elle) a raison** or **il (elle) a tort,** whichever is appropriate, to respond to each of the following statements.

Étienne dit que Bonn est en Angleterre.
Marie dit que Marseille est au sud de Lyon.
Monique dit qu'on peut prendre le train pour aller de France aux États-Unis.
Alain dit qu'il y a trente et un jours dans le mois de septembre.
Philippe dit que pour les Français le lundi est le premier jour de la semaine.
Catherine dit que beaucoup de Françaises font leurs courses tous les jours.
Jean-Luc dit que l'Espagne est au nord de la France.

Noun and Adjective Exercises

As you know, most nouns that refer to men are masculine (**le père, le frère**) and most nouns that refer to women are feminine (**la mère, la sœur**). Some nouns that refer to people have both a masculine and a feminine form. The rules for the formation of the feminine noun forms are often the same as the rules for the formation of the feminine adjective forms.

1. Many nouns add **-e** to the masculine to form the feminine: **un ami, une amie; un étudiant, une étudiante; un cousin, une cousine; le président, la présidente; le délégué, la déléguée.**

2. If the noun ends in an unaccented **-e**, there is often a feminine counterpart that is the same form as the masculine: **un élève, une élève; un concierge, une concierge; un journaliste, une journaliste.**

From this point on, nouns that follow any of the above general rules will not be included in the Noun and Adjective Exercise sections.

17. COMPLETION

1. On a choisi Genève pour la prochaine conférence.
2. La délégation canadienne arrive ce soir.
3. Le premier ministre[6] du Canada est arrivé ce matin.
4. Ça, c'est le chef[6] de notre délégation.

5. Les délégués ont trouvé un compromis?

6. Est-ce qu'ils ont signé le traité?
7. Ils vont prendre une décision bientôt?

8. Ils vont sûrement trouver un compromis au cours de la prochaine réunion.
9. Qu'est-ce que la presse française en dit?
10. La France est une république.

1. _____ conférence sur la coopération économique?
2. Et _____ délégation russe arrive demain.
3. Qui est _____ premier ministre du Canada?
4. Qui est _____ chef de la délégation anglaise?
5. Non, ils cherchent toujours _____ compromis.
6. Non, ils ont refusé de signer _____ traité.
7. Oui, ils vont prendre _____ décision avant ce soir.
8. C'est pour ce soir, _____ réunion?
9. Demandez à un membre de _____ presse.
10. Qui est président de _____ République?

---

[6] **Chef** and **ministre** have no corresponding feminine form; the masculine form is used to refer to either a man or a woman: **Mme Durand est le chef de la délégation française. Mme Leblond est le premier ministre.**

18. PATTERNED RESPONSE

Notice that **prochain,** like **dernier,** normally occurs before the noun: **la prochaine réunion.** However, in expressions of time, it follows the noun: **la semaine prochaine, l'été prochain.**

L'année dernière nous sommes allés en Corse. Cette année aussi.

Et l'année prochaine?

L'été dernier nous sommes restés à Paris. Cet été aussi.

Et l'été prochain?

L'hiver dernier nous sommes allés faire du ski à Chamonix. Cet hiver aussi.

Et l'hiver prochain?

La semaine dernière papa n'est pas allé au bureau. Cette semaine non plus.

Et la semaine prochaine?

L'été dernier nous ne sommes pas partis en vacances. Cet été non plus.

Et l'été prochain?

Grammar

Verbs + de + Infinitive

PRESENTATION

Les Russes ont proposé de remettre la réunion à jeudi.
M. Smith leur a conseillé de prendre une décision.
Les délégués ont tort de couper les cheveux en quatre.

In the first two sentences what preposition follows the verbs **proposer** and **conseiller?** What preposition follows the verbal expression **avoir tort** in the third sentence? What form of the verb follows **de** in each of these sentences? You have also seen verbs that may be immediately followed by an infinitive. Do you remember which ones they are?

GENERALIZATION

1. Some French verbs may be directly followed by an infinitive. The verbs of this type that you have already seen are the following[7]:

---

[7] As you know, **aller** may also be directly followed by an infinitive, but the meaning is usually that of an immediate future: **Je vais commencer bientôt.** *I'm going to begin soon.*

Verb	Example Sentence
aimer	Il aime regarder les bateaux.
aimer mieux	J'aime mieux rester ici.
pouvoir	Nous pouvons prendre le train.
vouloir	Tu veux téléphoner?

2. Some verbs and verbal expressions, unlike those in the preceding chart, require the preposition **de** before an infinitive[8].

Verb	+	**de**	Example Sentence
cesser		de	Ils ont enfin cessé de discuter.
choisir		de	Il a choisi de rester.
décider		de	Ils ont décidé de revenir demain.
finir		de	Vous avez fini de parler?
refuser		de	Ils ont refusé de signer le traité.
conseiller		de	Il leur a conseillé de signer le traité.
demander		de	Je lui ai demandé de rester.
dire		de	Papa lui a dit de faire ses devoirs.
promettre		de	Je leur ai promis de venir ce soir.
proposer		de	Elle leur a proposé de rester.

Verbal Expression	+	de	Example Sentence
avoir de la chance		de	Tu as de la chance d'aller en Corse!
avoir envie		de	Il n'a pas envie de répondre.
avoir hâte		de	J'ai hâte d'être avec vous.
avoir le droit		de	Nous n'avons pas le droit de téléphoner.
avoir le temps		de	Vous avez le temps d'aller au Louvre?
avoir l'intention		de	Tu as l'intention d'aller chez le coiffeur?
avoir peur		de	Il a peur de tomber.
avoir raison		de	Vous avez raison de rester.
avoir tort		de	Tu as tort de partir si tôt.
en avoir assez		de	J'en ai assez de te voir comme ça!

---

[8] As you know, **venir** may also be followed by **de** before an infinitive, but the meaning is that of an immediate past: **Je viens d'arriver.** *I just got here.*

Note the following:

—Most verbs of communication (**demander, dire, conseiller, proposer**) take **de** before an infinitive. Many of these verbs require an indirect object indicating the person to whom the communication is made: **J'ai proposé <u>à Jacques</u> de m'accompagner. Le délégué <u>leur</u> a conseillé de rester.**

—Most verbal expressions (**avoir envie, avoir l'intention**) require **de** before an infinitive.

—In constructions such as those above, the French infinitive is sometimes equivalent to an English verb form ending in -*ing*.

Il a peur de tomber.	*He is afraid of falling.*
J'en ai assez de te voir comme ça!	*I'm tired of seeing you like that!*
Ils ont enfin cessé de discuter.	*They finally stopped arguing.*
Vous avez fini de parler?	*Have you finished talking?*

STRUCTURE DRILLS

19. DOUBLE ITEM SUBSTITUTION

1. Le journaliste a refusé de partir.
   Il a choisi _____.
   _____ rentrer.
   Il a décidé _____.
   _____ travailler.
   Il a cessé _____.

   Le journaliste a refusé de partir.
   Il a choisi de partir.
   Il a choisi de rentrer.
   Il a décidé de rentrer.
   Il a décidé de travailler.
   Il a cessé de travailler.

2. Les autres ont l'intention de partir.
   Ils ont hâte _____.
   _____ rentrer.
   Ils ont envie _____.
   _____ travailler.
   Ils en ont assez _____.
   _____ discuter.
   Ils ont le droit _____.
   _____ téléphoner.
   Ils ont fini _____.

   Les autres ont l'intention de partir.
   Ils ont hâte de partir.
   Ils ont hâte de rentrer.
   Ils ont envie de rentrer.
   Ils ont envie de travailler.
   Ils en ont assez de travailler.
   Ils en ont assez de discuter.
   Ils ont le droit de discuter.
   Ils ont le droit de téléphoner.
   Ils ont fini de téléphoner.

20. SENTENCE COMBINATION

Vous allez prendre le bateau?
Vous avez de la chance! ⊗

Vous avez de la chance de prendre le bateau!

Vous allez prendre le bateau? Vous avez tort.	Vous avez tort de prendre le bateau!
Vous allez prendre le bateau? Vous avez raison.	Vous avez raison de prendre le bateau!
Vous allez prendre le bateau? Vous avez le temps?	Vous avez le temps de prendre le bateau?
Vous allez prendre le bateau? Vous n'avez pas peur?	Vous n'avez pas peur de prendre le bateau?

21. PATTERNED RESPONSE

Michel va revenir? Qu'est-ce que tu lui as conseillé? ⊗	Je lui ai conseillé de revenir.
Marianne va rester? Qu'est-ce que tu lui as dit?	Je lui ai dit de rester.
Luc va rentrer? Qu'est-ce que tu lui as proposé?	Je lui ai proposé de rentrer.
Claudine va attendre? Qu'est-ce que tu lui as demandé?	Je lui ai demandé d'attendre.
Daniel va partir? Qu'est-ce que tu lui as conseillé?	Je lui ai conseillé de partir.
Anne va venir? Qu'est-ce que tu lui as proposé?	Je lui ai proposé de venir.

22. QUESTIONS ON BASIC MATERIAL

D'après les informations, qu'est-ce que l'Union Soviétique a refusé de faire?
Qu'est-ce qu'elle a proposé?
Qu'est-ce que M. Smith a conseillé aux Russes?

23. FREE RESPONSE

Est-ce que vous avez le temps d'écouter les informations? Quand est-ce que vous les écoutez, d'habitude?
Est-ce que vous avez le temps de regarder la télé le soir? Qu'est-ce que vous aimez regarder à la télé?
Est-ce que vous avez le droit de sortir le soir pendant la semaine? Où est-ce que vous allez, d'habitude? Avec qui?
Est-ce que vos parents vous proposent souvent de sortir avec eux?

24. FREE COMPLETION

Complete each of the following items with any appropriate infinitive phrase. Use a preposition where necessary.

Les Durand ne veulent pas aller au théâtre : alors je leur ai proposé _____.
Ils ne veulent pas rester à Paris pendant les vacances. Ils ont envie _____.
Martine n'aime pas regarder la télé. Elle aime mieux _____.
Je ne peux pas sortir tout de suite. Maman m'a demandé _____.
André Duclos est vraiment énervant! Il ne cesse pas _____.
Monique va rester à la maison. Elle veut _____.
Jean-Claude a mal à la gorge et il tousse beaucoup; alors le docteur lui a conseillé _____.

Verbs + à + Infinitive

PRESENTATION

Les délégués ont commencé à travailler.
Ils ont de la peine à trouver un compromis.

What preposition links the verb or verbal expression to the infinitive in each of these sentences?

GENERALIZATION

1. Some verbs and verbal expressions require the preposition **à** instead of **de** before an infinitive[9].

Verb	**+**	*à*	*Example Sentence*
aider		à	Je vais l'aider à réparer sa bicyclette.
apprendre		à	Il apprend à jouer de la trompette.
commencer		à	Il a commencé à crier.
réussir		à	Ils ont enfin réussi à trouver un compromis.
avoir de la peine		à	Ils ont de la peine à trouver un compromis.

---

[9] As you know, **arriver** is also followed by **à** before an infinitive, but there is a change in meaning: **Il est arrivé.** *He arrived,* but **Il est arrivé à finir ses devoirs.** *He managed to finish his homework.*

2. Except for verbs of communication and most verbal expressions, there is no way to predict which verbs take **à** and which take **de** before an infinitive[10]. This information must be learned for each new verb. From this point on, in the units that follow, sentences will be provided to show you which preposition must be used with a new verb.

STRUCTURE DRILLS

25. DOUBLE ITEM SUBSTITUTION

Marc a eu de la peine à comprendre. ⊗   Marc a eu de la peine à comprendre.
Il n'a pas réussi _____.   Il n'a pas réussi à comprendre.
_____ répondre.   Il n'a pas réussi à répondre.
Il a commencé _____.   Il a commencé à répondre.
_____ jouer.   Il a commencé à jouer.
Il a appris _____.   Il a appris à jouer.

26. DOUBLE ITEM SUBSTITUTION: à vs de

Vous avez refusé de partir? ⊗
Vous avez l'intention ____?
_____ jouer?
Vous apprenez ____?
_____ faire du ski?
Vous avez envie _____?
_____ finir tôt?
Vous avez de la peine ____?
_____ travailler?
Vous allez commencer ____?

27. FREE COMPLETION: à vs de

Complete each of the following sentences with the correct preposition plus any appropriate infinitive phrase.

Jean et Pierre ne peuvent pas venir tout de suite. Ils n'ont pas encore fini _____.
Les Dupont ont un petit garcon; il commence _____.
La fille des Duclos apprend _____.
Le chef de la délégation russe a refusé _____.
J'ai toujours eu envie _____.
Je ne peux pas venir cette après-midi : j'ai promis à ma mère _____.

---

[10] Some verbs may be followed by either **à** or **de**. **Commencer de** occurs, for example, but less commonly than **commencer à**.

Writing

SENTENCE CONSTRUCTION

For each of the items below, write a sentence using all the words indicated, in the appropriate form and in the order given. Make any necessary changes or additions, according to the model. The first verb in each sentence should be in the **passé composé**.

MODEL Russes / refuser / prendre / décision
Les Russes ont refusé de prendre une décision.

1. Américains / décider / signer / traité
2. journalistes / commencer / poser / questions
3. premier ministre / refuser / donner / raisons
4. délégués / réussir / trouver / compromis
5. chef / délégation / française / proposer / donner / conférence de presse
6. garçons / finir / laver / voiture
7. filles / promettre / faire / devoirs
8. amis de Luc / choisir / prendre / métro
9. étudiants / apprendre / écrire / russe
10. enfants / cesser / regarder / télévision
11. Jean / aider / Robert / réparer / bicyclette
12. président / conseiller / délégués / prendre / décision

La Maison de la Radio à Paris

READING

Jeu radiophonique°

Et maintenant voici notre jeu radiophonique, une émission[11] de
Jacques Durand, présentée par Philippe Legrand :

	P. LEGRAND	Notre concurrent, aujourd'hui, s'appelle M. Boi-leau. Bonjour, Monsieur. Vous êtes Claude Boi-leau, électricien, et vous habitez 13 rue Pasteur, à Lille.
5		
	M. BOILEAU	C'est ça.
	P. LEGRAND	Voici le règlement° de notre jeu : j'ai ici une enve-loppe, dans cette enveloppe, un papier, et sur ce papier, un mot. Je vous montre le mot et vous téléphonez alors à un magasin choisi au hasard° dans l'annuaire. Vous parlez à la personne qui ré-pond et faites votre possible pour lui faire pronon-cer° le mot en question. Chaque fois que cette per-sonne prononce le mot, vous gagnez 20 francs. Si vous ne réussissez pas à lui faire prononcer le mot, vous ne gagnez rien. Vous avez deux minutes, Monsieur, et vous n'avez pas le droit de prononcer le mot vous-même. Vous avez bien compris?
10		
15		
20	M. BOILEAU	Oui.
	P. LEGRAND	Alors, allons-y°. Je prends l'enveloppe... Voilà... Le mot aujourd'hui est... MAIN, M–A–I–N. Et le magasin est un magasin de disques. Maintenant vous allez téléphoner à ce magasin. Vous pouvez commencer à faire le numéro° quand je vous donne le signal. Vous êtes prêt?
25		
	M. BOILEAU	Je suis prêt.
	P. LEGRAND	Bon, alors bonne chance, Monsieur. (*signal*)
	LE VENDEUR	Allô, oui?
30	M. BOILEAU	Bonjour, Monsieur. Est-ce que vous avez «Tu es formidable» par Jacques Debré, en 45 tours[12]?

jeu *m* radiophonique:
radio game

voici le règlement: *here are the rules*

au hasard: *at random*

lui faire prononcer: *to make him say*

allons-y: *let's go*

faire le numéro: *to dial the number*

---

[11] **Une émission** refers to either a radio or a television program.

[12] In France, as in the United States, records are sold at both 45 and 33 rpm's.

LE VENDEUR	Pardon, quelle chanson°?	**chanson** *f:* song
M. BOILEAU	«Tu es formidable» par Jacques Debré.	
LE VENDEUR	Mais oui, Monsieur.	
35 M. BOILEAU	Est-ce que vous pouvez me dire le titre des autres chansons sur ce disque?	
LE VENDEUR	Ah, Monsieur, je n'ai pas le disque sous la main° (*sonnerie*), mais je vais le chercher... Ne quittez pas... Voilà. Alors, vous avez «Tu es formidable», «Nous deux,» «Mon village» et «Donne-moi la main». (*sonnerie*)	**sous la main:** *right here, on hand (under the hand)*
40		
M. BOILEAU	Pardon, je n'ai pas très bien compris le dernier titre, «Donne-moi la quoi°»?	**quoi:** *what*
LE VENDEUR	La main. (*sonnerie*)	
45 M. BOILEAU	La quoi?	
LE VENDEUR	La main, Monsieur, la main, M–A–I–N! (*sonnerie, sonnerie*)	
M. BOILEAU	Ah, d'accord. Et vous avez «Tu es formidable» en 33 tours aussi?	
50 LE VENDEUR	Oui, nous l'avons aussi en 33 tours.	
M. BOILEAU	Et... les autres chansons sont aussi sur le 33 tours?	
LE VENDEUR	Ah, attendez, je vais voir... Oui, elles sont aussi sur le 33 tours.	
M. BOILEAU	Toutes les quatre, vous êtes sûr?	
55 LE VENDEUR	Oui, écoutez, je vais encore vérifier°.	**vérifier:** voir si quelque chose est vrai
M. BOILEAU	Oui, s'il vous plaît, si ça ne vous dérange pas trop.	
LE VENDEUR	Euh... «Nous deux», «Mon village», «Tu es formidable» et «Donne-moi la main». (*sonnerie*) Oui, elles y sont bien toutes les quatre.	
60 M. BOILEAU	Très bien. Je vous remercie°, Monsieur. Vous êtes très aimable.	**remercier:** dire merci
LE VENDEUR	Euh... je vous conseille de passer aujourd'hui, parce que nous n'en avons plus beaucoup.	
M. BOILEAU	D'accord. Je vais passer cette après-midi. Au revoir, Monsieur.	
65		
LE VENDEUR	Au revoir.	

*   *   *

P. LEGRAND	Monsieur Boileau, félicitations°. Le mot «main» a été prononcé six fois et vous avez gagné...?	**félicitations** *f pl: congratulations*
M. BOILEAU	120 francs.	

70	P. LEGRAND	C'est exact. Bravo, Monsieur. Et maintenant, dites-nous ce que vous allez faire de votre nouvelle fortune.
	M. BOILEAU	Oh, je ne sais pas. J'ai bien envie d'acheter un transistor... mais c'est l'anniversaire de ma femme°
75		la semaine prochaine et je vais probablement lui acheter un petit quelque chose.
	P. LEGRAND	Mme Boileau a bien de la chance d'avoir un mari comme ça! Qu'est-ce que vous allez lui acheter?
	M. BOILEAU	Oh, je ne sais pas... du parfum... des fleurs°...
80	P. LEGRAND	Vous pouvez toujours lui acheter un transistor!
	M. BOILEAU	Eh oui! Pourquoi pas!
	P. LEGRAND	Bien, Monsieur. Encore une fois, félicitations. Au revoir, Monsieur, et merci!

femme *f: wife*

fleur *f: flower*

Et maintenant, il est 18 heures° et Jacques Dutour va vous donner
85 les informations.

18 heures: 6 heures

Dictionary Section

annuaire (de téléphone) livre où on trouve les numéros de téléphone : *Quand on ne connaît pas le numéro de téléphone de quelqu'un, on le cherche dans l'annuaire.*

concurrent personne qui participe à une compétition: *Tous les concurrents sont prêts? Nous allons commencer.*

déranger être difficile, compliqué pour quelqu'un : *Ça ne vous dérange pas de venir un peu plus tard?*

gagner être victorieux dans une compétition : *Reims a gagné le match par 5 à 2.*

mari homme uni à une femme par mariage : *M. Dupont est le mari de Mme Dupont.*

sonnerie ce qu'on entend quand quelque chose sonne : *La sonnerie du téléphone m'a réveillé à minuit.*

titre le nom d'un roman, d'une chanson, etc. : *Auteur—Ernest Hemingway. Titre—Le vieil homme et la mer.*

28. QUESTIONS

1. Qui est M. Boileau?
2. Quel est le mot à faire prononcer?
3. Combien est-ce que M. Boileau gagne chaque fois que le mot est prononcé? Est-ce qu'il a le droit de prononcer le mot lui-même?
4. Combien de temps est-ce qu'il a pour faire prononcer le mot?
5. Où est-ce qu'on trouve le numéro de téléphone du magasin de disques?
6. Qu'est-ce que M. Boileau demande au vendeur?
7. D'après vous, est-ce que le vendeur est aimable?
8. Combien de fois est-ce que le vendeur prononce le mot «main»?
9. Pour qui est-ce que M. Boileau va acheter un cadeau? Pourquoi?
10. Qu'est-ce que Philippe Legrand lui conseille d'acheter?

Noun Exercise

GENDER NOTE: All nouns ending in **-tion** are feminine: **une délégation, félicitations, les informations, une question.** Such nouns will no longer be practiced in the Noun and Adjective Exercise sections.

29. COMPLETION

1. Tu as entendu la dernière chanson de Jacques Brel?
2. Le titre est très long!
3. Voici le nouveau règlement du jeu.
4. Il n'est pas très intéressant, ton jeu!
5. Quel est le numéro de téléphone du magasin?
6. Comment est la personne qui répond?
7. Je vais lui acheter du parfum français.
8. Regarde cette fleur blanche.
9. Mon frère a un nouveau transistor allemand.
10. Attends-moi un instant.
11. Mets ça dans une grande enveloppe.
12. Vous avez écouté la nouvelle émission?
13. Je ne peux pas trouver le nouvel annuaire de Paris.

1. Comment s'appelle _____ chanson?
2. Quel est _____ titre?
3. Lisez _____ règlement, s'il vous plaît.
4. Tu connais _____ autre jeu, toi?
5. Attendez, je vais vous faire _____ numéro.
6. C'est _____ personne très aimable.
7. Mais elle n'aime pas _____ parfum.
8. C'est _____ fleur de montagne.
9. Tu as _____ transistor, toi?
10. Je reviens dans _____ instant.
11. Tu peux me prêter _____ enveloppe?
12. Non! C'est _____ émission pour les femmes.
13. Il y a _____ annuaire là, sur la table.

RECOMBINATION EXERCISES

30. DIRECTED DRILL

Demandez à vos amis s'ils sont allés au magasin de disques. ⊗
Luc, répondez que oui.

Vous êtes allés au magasin de disques?

Oui, nous y sommes allés.

Demandez à *Marc* s'il a parlé au nouveau vendeur.
Marc, répondez que oui.

Tu as parlé au nouveau vendeur?

Oui, je lui ai parlé.

Demandez-lui si le vendeur l'a aidé.
Marc, répondez que oui.

Le vendeur t'a aidé?
Oui, il m'a aidé.

Demandez-lui s'il l'a remercié.
Marc, répondez que oui.

Tu l'as remercié?
Oui, je l'ai remercié.

Demandez à *Marie* si elle a trouvé des chansons américaines.
Marie, répondez que non.

Tu as trouvé des chansons américaines?

Non, je n'en ai pas trouvé.

Demandez-lui si elle a vérifié les titres.
Marie, répondez que oui.

Tu as vérifié les titres?
Oui, je les ai vérifiés.

Demandez à *Monique* si elle a acheté des disques en 33 tours.
Monique, répondez que non.

Tu as acheté des disques en 33 tours?

Non, je n'en ai pas acheté.

31. PATTERNED RESPONSE

Ça te dérange de venir plus tard? ⊗
Ça dérange ta mère si je reste à dîner?
Ça dérange les autres si on met la radio?
Ça te dérange de vérifier la date du match?
Ça dérange M. Leblond de passer cette après-midi?

Mais non, ça ne me dérange pas du tout!
Mais non, ça ne la dérange pas du tout!
Mais non, ça ne les dérange pas du tout!
Mais non, ça ne me dérange pas du tout!

Mais non, ça ne le dérange pas du tout!

32. PATTERNED RESPONSE

Official listings of time use a twenty-four hour system to distinguish between a.m. and p.m. The hours before noon are the same as on a twelve hour system. Noon is either **midi** or **douze heures.** Beginning with 1:00 p.m., the correspondence of the hours is as follows:

1h = 13h	3h = 15h	5h = 17h	7h = 19h	9h = 21h	11h = 23h
2h = 14h	4h = 16h	6h = 18h	8h = 20h	10h = 22h	minuit = 0h

Il est dix-huit heures et voici nos informations. ⊗

Six heures, déjà!

Il est seize heures et voici notre jeu radiophonique pour aujourd'hui.

Quatre heures, déjà!

Il est treize heures et nous allons écouter la dernière chanson de Jacques Brel.

Une heure, déjà!

Il est vingt-deux heures et voici François Truffaud qui va nous parler de son prochain film.

Dix heures, déjà!

Il est dix-neuf heures et Jean-Claude Leblond va nous parler de la conférence de Genève.

Sept heures, déjà!

33. **READING VARIATION**

Read lines 70–83 of the Reading aloud, changing the contestant from M. Boileau to
Mme Boileau. Make all appropriate changes—for example, in the kind of items Mme
Boileau might buy for herself or for her husband. Start like this: **C'est exact. Bravo,
Madame...**

34. **QUIZ SHOW QUESTIONS**

[*Vous êtes un des concurrents (une des concurrentes) dans un jeu radiophonique. Il faut répondre à des questions.
Chaque fois que vous réussissez à répondre à une question, vous gagnez 50 francs. Nous allons voir combien d'argent
vous allez gagner.*]

1. Dans la Bible qui a les cheveux très longs, Samson ou Job?
2. Qui lui a coupé les cheveux, Ruth ou Dalila?
3. Donnez le titre d'un roman de Hemingway.
4. Donnez le titre d'une chanson française.
5. Qui est premier ministre en Angleterre? Et en France?
6. Qui est le président de la République?

35. **RADIO GAME**

[*Vous jouez avec un ami au jeu décrit dans* Le jeu radiophonique.]

1. Le mot à lui faire prononcer est HIER. Vous lui posez des questions comme :
   —Quand est-ce que tu as fini tes devoirs pour aujourd'hui? Ce matin?
   —Quand est-ce que tu as dîné pour la dernière fois?
   Trouvez d'autres questions pour lui faire prononcer le mot HIER.

2. Les mots à lui faire prononcer sont MA MÈRE. Vous lui posez des questions comme :
   —Qui prépare les repas chez toi?
   —Qui te repasse tes chemises?
   Trouvez d'autres questions pour lui faire prononcer les mots MA MÈRE.

Conversation Buildup

I

PIERRE   Tu sais qui a gagné le match?
JACQUES   Non, mais il est presque six heures. Je vais mettre
les informations.

PIERRE	Tu as une radio maintenant, toi?
JACQUES	Oui, papa m'a acheté un transistor pour mon anniversaire.
PIERRE	Il marche bien?
JACQUES	Oui, pas mal.

REJOINDERS

Ça te va si je mets de la musique classique?
Il est presque huit heures. Qu'est-ce qu'il y a à la radio?
Est-ce que les Américains ont décidé de signer le traité?

CONVERSATION STIMULUS

Vous discutez avec un ami de ce que vous allez écouter à la radio : de la musique, un match de football, les informations, etc. Vous commencez :

—On met les informations?

II

CHRISTIAN	Dis donc, tu as des tas de disques!
BERTRAND	Oui, chaque fois que j'ai un peu d'argent, j'en achète un ou deux.
CHRISTIAN	Tu as des disques de François Arnaud?
BERTRAND	Oui, je viens d'acheter son dernier album. Il est formidable! Tu connais «Toi et Moi»?
CHRISTIAN	Oui, je l'aime beaucoup. Et Les Frères Jacques, tu les as?
BERTRAND	Oui, j'en ai plusieurs en 45 tours et un ou deux en 33. Cherche d'abord dans les 45 tours.

REJOINDERS

Je viens d'acheter des tas de disques!
Mon frère a trouvé un nouveau magasin de disques.

CONVERSATION STIMULUS

Vous parlez avec une amie des disques que vous aimez, que vous allez acheter, que vous avez achetés, etc. Vous commencez :

—Tu connais ce disque?

Writing

SENTENCE COMPLETION

Provide an appropriate completion for each of the following sentences by using the preposition **à** or **de** plus an infinitive phrase.

1. Marc ne peut pas venir tout de suite : il est en train d'aider son frère ————.
2. M. Lebrun n'est pas très aimable : il a refusé ————.
3. Quand est-ce que vous avez appris ————?
4. Anne ne veut pas rester chez elle ce soir : elle a envie ————.
5. M. Pascal ne va pas rester longtemps à Marseille : il a hâte ————.
6. Marc n'est pas très fort en maths : il a toujours de la peine ————.
7. Comment! Tu n'as pas encore commencé ————!
8. Je sais que tu es pressé, mais tu as certainement le temps ————.
9. Jean-Claude ne réussit jamais ————.
10. Mon frère peut faire ce qu'il veut; moi, je n'ai même pas le droit ————.
11. Je ne peux pas sortir maintenant : j'ai promis à Maman ————.
12. J'en ai assez ————.

Salle de classe dans un lycée de jeunes filles

REFERENCE LIST

Nouns

annuaire *m*	cheveu *m*	jeu *m*	numéro *m*	traité *m*
bureau *m*	compromis *m*	mari *m*	parfum *m*	titre *m*
cardigan *m*	instant *m*	ministre *m*	règlement *m*	transistor *m*
chef *m*				

bicyclette *f*	chose *f*	émission *f*	figure *f*	presse *f*
chaîne *f*	conférence *f*	enveloppe *f*	fleur *f*	raison *f*
chanson *f*	décision *f*	félicitations *f pl*	main *f*	république *f*
chaussette *f*	délégation *f*	femme *f*	personne *f*	réunion *f*

m/f pairs: concurrent, –e   journaliste *m, f*
délégué, –e   président, –e

Adjectives

beige   compliqué, –e   prochain, –e   propre   sale

Verbs

(*like* travailler)				(*like* finir)	(*irregular*)
aider (à)	déranger	prononcer	réparer	réussir à	mettre
baisser	énerver	proposer (de)	repasser		promettre (de)
cesser (de)	gagner	refuser (de)	signer		remettre
conseiller (de)	laver	remercier	vérifier		
couper					

Other Words and Expressions

allons-y	avoir de la peine (à)	couper les cheveux en quatre	au moins
en avoir assez (de)	avoir peur (de)	au cours de	quoi
avoir envie (de)	avoir tort (de)	au hasard	en (33 ou 45) tours
avoir l'intention (de)			

Radio and television in France are owned and controlled by the state. There are two national television channels (**la première chaîne** and **la deuxième chaîne**) and four national radio networks. In addition, there are several independent French-speaking networks outside France's national boundaries whose broadcasts reach the French public. On pages 94–95 are excerpts from *Télépoche,* the French equivalent of *T. V. Guide.* Only the **deuxième chaîne** offers programs in color.

RÉALITÉS

JEUDI 20 FEVRIER 1ère CHAINE

19.00 DERNIÈRE HEURE ET CONTACT

Aujourd'hui, « Contact » traite des questions concernant la musique et la littérature.

19.45 TOTAL 3000

Jeu de Pierre Bellemare, Jean-Paul Rouland et Claude Olivier.

Ce jeu, contrairement à tous les autres, ne demande aucune connaissance spéciale mais des qualités d'observation, de mémoire et de précision dans le témoignage. En voici le principe :

Deux candidats jouent en équipe. Le candidat A. assiste à la projection d'une séquence de film (40 à 60 secondes) pendant que le candidat B. ne voit rien et n'entend rien. Ensuite A. raconte à B. ce qu'il a vu pendant 2 minutes. Puis l'on pose à B. cinq questions (une minute, quarante secondes) et l'on vérifie les réponses à l'aide du film. La première réponse juste gagne 500 points, la seconde 400 points, la troisième 300 points, la quatrième 200 points, la cinquième 100 points. Ce même nombre de points est retranché pour chaque réponse inexacte.

Deuxième temps : C'est l'opération inverse. B. voit un film, le raconte à A. On pose à celui-ci cinq questions qui sont créditées ou débitées d'un nombre de points inverse (la 1re 100 points, la 2e 200, etc.).

Si les candidats totalisent un minimum de 1.500 points, ils peuvent revenir le lendemain et ils emportent 200 F tandis que 200 F sont versés dans une cagnotte. Lorsqu'une équipe accomplit l'exploit de totaliser 3.000 points c'est-à-dire un « sans faute », elle emporte tout le contenu de la cagnotte.

Condition essentielle pour former une équipe de deux candidats : exercer le même métier.

20.00 TÉLÉ-SOIR

20.30 TOM SAWYER ★★★ ⓘ

Feuilleton d'après Mark Twain. Réalisation Wolfgang Liebeneiner, assisté par M. Jacob. Scénario et adaptation : Walter Ulbricht. Dialogues et commentaires : Georges Neveux. Directeur de la photographie : Roger Le Febvre. Musique de Vladimir Cosma.

« Télé Poche » publie « Tom Sawyer » en images. Vous trouverez cet épisode et notre reportage sur Roland Demongeot pages 74 à 83.

2e ÉPISODE. — Tom Sawyer, qui n'a plus ses parents, est élevé par sa tante Polly, dans une petite ville tranquille de la rive gauche du Mississipi. C'est le meilleur ami d'un jeune vagabond nommé Huckleberry Finn. Un jour, il rencontre une très jeune et très jolie personne nommée Becky. C'est la fille du juge Thatcher. Becky jette une fleur à Tom, qui s'en va, amoureux fou...

DISTRIBUTION	
Tom Sawyer	**Roland Demongeot**
Huck	**Marc di Napoli**
Muff Potter	**F. Ambrose**
Joe l'Indien	**Jacques Bilodeau**
Becky	**Lucia Ocrain**

21.15 LUCIE ET DOMINIQUE

Court métrage de Jean Dewever.

La vie parisienne de deux petites filles françaises : chez elles, à l'école maternelle, au spectace de guignol et pendant leur promenade au jardin du Luxembourg.

2ème CHAINE — JEUDI 20 FEVRIER

18.25 Télévision scolaire

Sciences biologiques (term. second cycle). Activité musculaire. — **18.45 :** Fin.

18.45 Magazine féminin

Emission de Maïté Célérier de Sanois.

AU SOMMAIRE (sous réserves) :

■ **Nouvelle collection Printemps-Eté 69** (Isis Lamy).

■ **Le Salon des Arts ménagers** (Simone Quittard).
■ **Coiffures masculines, ligne 1969** (Isis Lamy).
■ **Coupe :** la veste d'un ensemble de printemps (Simone Deshayes).

19.40 TÉLÉ-SOIR COULEUR

20.00 LES RENDEZ-VOUS DE L'AVENTURE — COULEUR

Emission de François de la Grange. Réalisation : Abder Isker.

BIVOUACS A BORNEO. Pour Pierre Pfeiffer (présentateur des « Animaux du monde »), zoologiste, l'aventure est souvent synonyme d'étude, l'étude des animaux dans la nature, dans les forêts d'Afrique et d'Asie. La recherche des animaux l'entraîne souvent à la rencontre des hommes. Parti pour Bornéo pour réunir des collections d'animaux destinés au Museum d'histoire naturelle, il a vécu un an chez les indigènes qui collectionnent les crânes de leurs ennemis. C'est l'histoire de cette étrange aventure que Pierre Pfeiffer nous conte, entouré de ses amis dont Georges Bourdelon, cinéaste.

21 h. DES AGENTS TRÈS SPÉCIAUX ★ ★ — COULEUR

« **Des agents très spéciaux** », reviennent en remplacement de « **Mission impossible** ». Le premier épisode de cette série, intitulée « **Bombe sur l'Oklahoma** » a été écrit par Dean Hargrove et réalisé par Alf Kjellin.

L'HISTOIRE COMMENCE AINSI... Solo et Illya sont envoyés par M. Waverly sur les traces d'un spécialiste de la recherche nucléaire qui, très bizarrement, s'est réfugié dans une réserve indienne de l'Oklahoma.

Solo doit prendre contact avec la fille du chef de la tribu, une ravissante danseuse de watusi dans un night-club de New York. Ils partent tous deux à la recherche d'Illya déguisé en Indien...
AVEC : Napoléon Solo : **Robert Vaughn** ; Illya Kuryakin : **David McCallum** ; Alexander Waverly : **Leo G. Carroll** ; Charisma : **Angela Dorian** ; Carson : **Joe Mantell** ; Le chef : **Ted de Corsia** ; Ralph : **Nick Colasanto** ; Dr Yahama : **Richard Loo** ; Wanda : **Sharyn Hillyer**.

21.15 CHAMPIONNATS DU MONDE DE HOCKEY

En direct et en Eurovision de Stockholm, Léon Zitrone commente le match U.R.S.S.-Canada.

Depuis 1963, l'U.R.S.S. domine toutes les compétitions de hockey sur glace. Championne du monde et championne olympique, l'équipe soviétique peut être inquiétée par deux formations : la Tchécoslovaquie, qui l'a battu à Grenoble, et le Canada. C'est donc à un match exceptionnel que nous sommes invités. Ne manquez pas cette retransmission, vous verrez évoluer de fantastiques athlètes, virtuoses sur patins qui jonglent avec le palet, tout en se jouant de l'adversaire. (Voir les règles du hockey sur glace, page 90.)

BASIC MATERIAL I

Interview avec un coureur cycliste

LE JOURNALISTE	Encore quelques questions, Monsieur Marchand?
JACQUES MARCHAND	Oui?
LE JOURNALISTE	Qu'est-ce que vous faites après une course?
JACQUES MARCHAND	Ben[1]... je me repose ou plutôt je me détends.
LE JOURNALISTE	Vous dormez?
JACQUES MARCHAND	Non. Je prends une douche, je me rase, je m'habille et je sors.
LE JOURNALISTE	Vous n'avez pas envie de vous coucher?
JACQUES MARCHAND	Non, je ne peux pas m'endormir après une course. Alors, je me promène... ou je vais au cinéma.
LE JOURNALISTE	Merci, Jacques Marchand, et bonne chance.

Supplement

Qu'est-ce que Jacques Marchand fait le matin?

Il se lève de bonne heure.
Il prend un bain.
Il se lave les dents.
Il se peigne.

Avec quoi est-ce qu'il se lave?

Avec du savon, bien sûr!

Avec quoi est-ce qu'il se peigne?

Avec un peigne, bien sûr!

---

[1] **Ben** is a familiar shortened form of **bien. En** represents the sound [ẽ].

◀ *Coureurs du Tour de France dans une étape de montagne*

97

Interview with a Bicycle Racer

THE REPORTER	A few more questions, Mr. Marchand?
JACQUES MARCHAND	Yes?
THE REPORTER	What do you do after a race?
JACQUES MARCHAND	Well . . . I rest or rather I relax.
THE REPORTER	Do you sleep?
JACQUES MARCHAND	No. I take a shower, I shave, I get dressed and I go out.
THE REPORTER	You don't feel like lying down?
JACQUES MARCHAND	No, I can't sleep (fall asleep) after a race. So, I take a walk . . . or I go to the movies.
THE REPORTER	Thank you, Jacques Marchand, and good luck.

Supplement

What does Jacques Marchand do in the morning?	He gets up early.
	He takes a bath.
	He brushes (washes) his teeth.
	He combs his hair.
What does he wash with?	With soap, of course!
What does he comb his hair with?	With a comb, of course!

Vocabulary Exercises

1. QUESTIONS ON BASIC MATERIAL

1. Qui est Jacques Marchand?
2. Qui lui pose des questions?
3. [*Vous êtes Jacques Marchand.*] Qu'est-ce que vous faites après une course? Vous n'avez pas envie de vous coucher? Quand vous sortez, où est-ce que vous allez?

2. FREE RESPONSE

1. Dans une conférence de presse, qui pose les questions?
2. Est-ce qu'il y a des courses cyclistes aux États-Unis?
3. Est-ce qu'il y a quelquefois des courses à pied, ici, à l'école? Quand? En automne, en hiver, au printemps?
4. Est-ce que vous aimez mieux prendre un bain ou une douche? Si vous êtes pressé, est-ce que vous prenez un bain ou une douche?
5. Est-ce que vous partez de chez vous de bonne heure le matin? A quelle heure est-ce que vous partez?

3. COMPLETION

Marchand se lave avec _____.

Il se peigne avec _____.

Il n'aime pas les douches : il prend toujours _____.

Si vous n'avez pas le temps de prendre un bain, prenez _____.

Noun Exercise

GENDER NOTE: Most nouns ending in **-eur** that refer to people who perform a function are masculine: **un coureur, un vendeur, un professeur, un facteur, un proviseur, un lecteur.**

4. COMPLETION

1. J'ai envie de prendre <u>une bonne</u> douche bien <u>chaude</u>.
2. Bon alors, je vais prendre <u>un</u> bain.
3. Est-ce qu'il y a <u>du</u> savon?
4. Tu as <u>un</u> peigne?
5. Tu as de la chance d'avoir les dents si <u>blanches</u>.
6. Qui a gagné <u>la</u> course?
7. Il y a eu <u>une longue</u> interview avec Marchand à la radio.

1. ____ douche ne marche pas!

2. Tu vas prendre ____ bain?
3. Oui, ____ savon est dans la salle de bains.
4. Prends ____ peigne qui est sur la table.
5. Oui, mais regarde, j'ai ____ dent cassée.

6. ____ deuxième course? Colibri.
7. Encore ____ interview avec Marchand!

Grammar

Reflexive Constructions

PRESENTATION

Je lave mon petit frère.   <u>Je le lave.</u>

Whom am I washing? In the sentence in the right-hand column, do the subject and object pronouns refer to the same person or to different people?

Je <u>me</u> lave.

In this sentence, am I talking about washing someone else or about washing myself? Which word tells you that I'm performing the action on myself? Then, in this sentence, do the subject and object pronouns refer to different people or to the same person?

Je m'achète souvent des disques.

For whom do I buy records, for someone else or for myself? Which word means for myself?

Je me lave. Nous nous lavons.
Tu te laves? Vous vous lavez?

Are the pronouns **me, te, nous** and **vous** in the above sentences the same forms as the object pronouns you have already learned? How would you ask a friend if he's getting washed? In the sentence from the Basic Material, how does Jacques Marchand say that he is getting dressed? How would you ask your brother if he's getting dressed? How would you ask the same question if you were talking to two brothers?

Jacques Marchand se lave.
Les enfants se lavent.

When we say that Jacques Marchand is getting washed, what pronoun is used to show that he is performing the action on himself? When we talk about the children getting washed, what pronoun is used?

GENERALIZATION

1. A reflexive construction is one in which the object of the verb refers to the same person as the subject.

Not Reflexive	*Reflexive*
Je le lave. (*I'm washing him.*)	Je me lave. (*I'm getting washed.*)
Vous le regardez dans le miroir? (*Are you looking at him in the mirror?*)	Vous vous regardez dans le miroir? (*Are you looking at yourself in the mirror?*)

2. A reflexive pronoun may be either the direct or the indirect object of the verb.

Not Reflexive

D.O.
Je le lave.

IND.O. D.O.
Je lui achète un livre.

Reflexive

D.O.
Je me lave.

IND.O. D.O.
Je m'achète un livre.

3. The following are the forms of the reflexive pronouns:

1	Je **me** lave.	Nous **nous** lavons.
2	Tu **te** laves?	Vous **vous** lavez?
3	Luc **se** lave?	Les enfants **se** lavent?

Note the following:

—The first and second person reflexive pronouns **me, te, nous,** and **vous** are the same as the object pronouns you have already learned.
—There is a special reflexive pronoun, **se,** for the third person singular and plural.
—Reflexive pronouns occur in the same positions in relation to the verb as other object pronouns. Remember that **élision** occurs before a verb beginning with a vowel sound.

Not Reflexive	*Reflexive*
Je la lave.	**Je me lave.**
Je ne l'habille pas.	**Je ne m'habille pas.**
Je vais la laver.	**Je vais me laver.**
Je ne vais pas l'habiller.	**Je ne vais pas m'habiller.**

4. Although the English equivalent of a French reflexive construction sometimes includes a reflexive pronoun (**Il se regarde dans le miroir.** *He's looking at himself in the mirror.*) it often does not. Notice the English equivalents of the reflexive constructions in the following list. You will see that the verb used non-reflexively often has a different equivalent from the same verb used reflexively: **Il promène son chien.** *He's taking his dog for a walk.* **Il se promène.** *He's going for a walk.*

Not Reflexive	*Reflexive*
appeler: *to call (someone)*	**s'appeler:** *to be called, named*
J'appelle les autres.	Je m'appelle Jean.
coucher: *to put (s.o.) to bed*	**se coucher:** *to go to bed*
Maman va coucher les enfants.	Maman va se coucher.
endormir: *to put (s.o.) to sleep*	**s'endormir:** *to go to sleep, to fall asleep*
La musique classique m'endort.	Je m'endors.
énerver: *to make (s.o.) nervous*	**s'énerver:** *to get nervous*
Tu énerves ton père!	Ton père s'énerve.
habiller: *to dress (s.o.)*	**s'habiller:** *to get dressed*
Mme Duval habille sa fille.	Mme Duval s'habille.
laver: *to wash (someone or something)*	**se laver:** *to get washed*
Vous lavez la voiture?	Vous vous lavez?
lever[2]**:** *to raise (s.t.)*	**se lever:** *to get up*
Lève la main.	Il se lève tôt.
peigner: *to comb (s.o.'s) hair*	**se peigner:** *to comb one's hair*
Elle peigne son fils.	Elle se peigne.
promener[2]**:** *to take (s.o.) for a walk*	**se promener:** *to go for a walk*
Luc promène son chien.	Luc se promène.

---

[2] **(Se) lever** and **(se) promener** are like **emmener.** They have a sound and a spelling change in the singular and third person plural present tense forms: **je me lève, tu te lèves, il se lève, ils se lèvent; je me promène, tu te promènes, il se promène, ils se promènent.**

raser: *to shave (s.o.)*
Le coiffeur va raser papa.
réveiller: *to wake (s.o.) up*
Je réveille mes parents très tôt.

se raser: *to shave*
Papa va se raser.
se réveiller: *to wake up*
Je me réveille très tôt.

In a reference list such as the one above, verbs used reflexively are listed in the infinitive with the pronoun **se.** However, when a reflexive infinitive construction occurs in a sentence, the pronoun preceding the infinitive is always the same person as the subject of the main verb.

Je vais **me** coucher,
Nous voulons **nous** coucher.
Tu vas **te** coucher?

STRUCTURE DRILLS

5. PATTERNED RESPONSE

Marianne se couche tard. Et vous? ⊗
Et Jacques?
Et vous deux?
Et Pierre et Marc?
Et moi?

Je me couche de bonne heure.
Il se couche de bonne heure.
Nous nous couchons de bonne heure.
Ils se couchent de bonne heure.
Vous vous couchez de bonne heure.

6. PERSON-NUMBER SUBSTITUTION

1. Je me lève à sept heures. ⊗
   (Papa–nous–vous–mes sœurs–tu)

2. Pierre ne se peigne jamais! ⊗
   (Tu–mes frères–vous–nous–je)

7. FREE COMPLETION

A quelle heure est-ce que vous vous levez?
Et votre père?

Je me lève à _____.
Il se lève à _____.

Où est-ce que vous vous promenez, d'habitude?
Et vos parents?

Je me promène _____.

Ils se promènent _____.

Quand est-ce que vous vous reposez?
Et votre père?

Je me repose _____.
Il se repose _____.

A quelle heure est-ce que vous vous couchez?

Je me couche à _____.

Et vos parents?

Ils se couchent à _____.

8. FREE RESPONSE

Quand vous rentrez chez vous après l'école, est-ce que vous travaillez ou est-ce que vous vous reposez?

Qu'est-ce que vous faites pour vous détendre?

D'habitude, à quelle heure est-ce que vous vous levez le samedi matin?

C'est le coiffeur qui vous coupe les cheveux ou vous vous coupez les cheveux vous-même?

Combien de fois par jour est-ce que vous vous lavez les dents?

9. FREE COMPLETION

Quand on est fatigué, _on se couche_ .

Quand on est sale, _____.

Quand on a les mains sales, _____.

Quand on a la figure sale, _____.

Quand on a envie de marcher un peu, _____.

Quand on n'a plus envie de rester au lit, _____.

Quand on a trop travaillé ou quand on est trop nerveux, _____.

10. PATTERNED RESPONSE

Où est-ce que Pierre va? ⊗

Il va se laver les mains.

Où est-ce que tu vas?

Où est-ce que vous allez, vous deux?

Où est-ce que Jacqueline va?

Où est-ce que les enfants vont?

11. FREE COMPLETION

Complete the following sentences with a reflexive construction in the infinitive.

Nous revenons dans vingt minutes : nous allons _____.

Alain est dans son lit, mais il regarde toujours la télé parce qu'il n'arrive pas à _____.

Michel n'a pas sommeil : il ne veut pas _____.

Monique arrive dans cinq minutes : elle est en train de _____.

Georges est encore au lit : il ne veut pas _____.

Writing

DIALOG COMPLETION

Rewrite each of the following dialogs or monologs using the correct infinitive or present tense form of the verb in parentheses.

1. —Oh, ce que je suis fatigué!
   —C'est parce que vous _____ toujours trop tard.
   (se coucher)

2. —Je n'ai pas envie de me coucher tout de suite. Je vais _____ un peu dans le jardin.
   (se promener)

3. —Où est papa?
   —Il arrive dans cinq minutes. Il est en train de _____.
   (se raser)

4. —On part à six heures du matin. Est-ce que vous pouvez _____ à cinq heures et demie?
   (se réveiller)

5. —Qu'est-ce que vous faites quand vous rentrez du bureau?
   —Je _____ : je lis le journal, je regarde la télé.
   (se reposer)

Les gens se pressent sur le bord des routes pour encourager leur coureur favori.

BASIC MATERIAL II

Dans une ville étape[3]

[*Dans la foule, un homme qui attend les coureurs parle à une dame à côté de lui.*]

Ne vous énervez pas, ma petite dame, ils vont venir, ils vont venir. Regardez-moi, est-ce que je m'énerve? Non. Et ça fait six heures que je suis là. Mais oui. Je me suis levé à quatre heures du matin pour être sûr d'avoir une bonne place. Je ne me suis même pas rasé. On est sportif ou on ne l'est[4] pas! Je me souviens, l'année dernière, dix heures on les a attendus, dix heures, et sous la pluie encore! Alors, voyez, vous avez de la chance : un beau soleil, pas trop chaud... Tour de France ou pas Tour de France, c'est un jour comme on en voit peu.

Supplement

Les voilà! Ils arrivent!

Dépêche-toi!
Où? Je ne vois rien.
Quelle poussière!

Pourquoi est-ce que Marchand n'arrive pas?

Je me demande ce qu'il fait.
On dit qu'il s'est cassé la jambe.
Il est à dix kilomètres[5].

In a "Ville Étape"

[*In the crowd, a man who is waiting for the cyclists is talking to a woman next to him.*]

Don't get upset (nervous), little lady, they'll come, they'll come. Look at me, am I upset? No. And I've been here for six hours. That's right. I got up at four in the morning to be sure to get a good spot (place). I didn't even shave. You either like sports or you don't. I remember, last year we waited for them for ten hours, and in (under) the rain yet! So you see, you're lucky: beautiful sunshine (sun), not too hot . . . Tour de France or no Tour de France, it's a really nice day (a day that one sees few of).

---

[3] **Le Tour de France** is a long bicycle race which is divided into **étapes** (*laps*) of one day each. Each lap begins in one city and ends in another. **Une ville étape** is a city (at the end of a lap) where the racers spend the night.

[4] The invariable object pronoun **le** is sometimes used to replace an adjective or an entire phrase. In this sentence, for example, **le** replaces the adjective **sportif (On est sportif ou on n'est pas sportif).**

[5] **Un kilomètre** (*a kilometer*) is equivalent to six-tenths of a mile. Ten kilometers = six miles.

Supplement

There they are! They're coming!

Why isn't Marchand coming?

Hurry up!
Where? I don't see anything.
Look at the (what) dust!

I wonder what he's doing.
They say he broke his leg.
He's ten kilometers from here
    (at a distance of ten kilometers).

Vocabulary Exercises

12. FREE RESPONSE

1. Quand vous allez aux matchs, ici, à l'école, est-ce que vous arrivez toujours à avoir une bonne place?
2. Est-ce que vous aimez la pluie? Est-ce que vous aimez vous promener sous la pluie?
3. Qu'est-ce que vous aimez mieux, le soleil ou la pluie? Est-ce qu'il y a du soleil aujourd'hui? Est-ce qu'il fait chaud?

13. ENGLISH CUE DRILL

Ça fait deux ans que j'habite ici.   Ça fait deux ans que j'habite ici.
We've been living here for two years.   Ça fait deux ans que nous habitons ici.
Dad's been reading for three hours.   Ça fait trois heures que papa lit.
You've been watching T.V. for five hours.   Ça fait cinq heures que tu regardes la télé.
They've been here for seven hours.   Ça fait sept heures qu'ils sont là.
I've been waiting for six hours.   Ça fait six heures que j'attends.

14. FREE RESPONSE

1. Vous prenez des leçons de piano? Ça fait combien de temps que vous en prenez?
2. Ça fait combien de temps que vous habitez ici?
3. Ça fait combien de temps que vous apprenez le français?

15. CUED RESPONSE

Le théatre est loin?   (3)   Non, il est à trois kilomètres d'ici.
Le village est loin?   (10)
La plage est loin?   (5)
Le musée est loin?   (1)
La piscine est loin?   (2)

Noun and Adjective Exercises

16. COMPLETION

1. On a de la chance : il y a <u>un</u> <u>beau</u> soleil.
2. L'année dernière on a attendu sous <u>la</u> pluie.
3. On ne voit rien avec toute <u>cette</u> poussière!

4. Je n'aime pas la foule.
5. J'ai trouvé <u>une</u> très <u>bonne</u> place pour attendre les coureurs.
6. C'est <u>la</u> <u>dernière</u> étape.
7. Marchand est tombé : il s'est cassé <u>la</u> jambe.
8. Joxe est à <u>un</u> kilomètre.

1. Oui, mais _____ soleil est trop chaud!
2. Sous _____ pluie? Pendant combien de temps?
3. Moi, ce n'est pas _____ poussière qui me dérange, ce sont toutes ces voitures.
4. Moi, _____ foule ne me dérange pas.
5. Tu as trouvé _____ place? Où?
6. Oui, et c'est _____ étape très difficile.
7. S'il s'est cassé _____ jambe, c'est fini pour lui.
8. _____ kilomètre! Alors, il va être là dans quelques minutes.

ADJECTIVE NOTE: All adjectives whose masculine singular form ends in **-f** have a feminine singular form ending in **-ve: sportif, -ive.** From now on, when the masculine singular form of such an adjective appears in the Basic Material, you will be expected to know how to form the feminine.

17. FREE RESPONSE

Est-ce que vous êtes sportif (sportive)? Est-ce que vous jouez au tennis? Au volleyball? Au basketball?

Est-ce que votre père est sportif? Est-ce qu'il aime regarder les matchs à la télé? Et votre mère, est-ce qu'elle est sportive?

Est-ce que vous aimez mieux jouer au tennis ou lire un roman?

Verb Exercises

se souvenir (de)[6] : *like* venir

18. PATTERNED COMPLETION

Tu viens ce soir?...
Monique vient ce soir?...
Vous venez ce soir, vous deux?...
Les filles viennent ce soir?...
Pierre vient ce soir?...

Tu te souviens de l'heure?

[6] Certain French verbs, such as **se souvenir,** are always reflexive, that is, they always occur with a reflexive pronoun. **Se souvenir** also requires the preposition **de** before a noun or an independent pronoun: **Je me souviens <u>de</u> la date. Vous vous souvenez <u>de</u> moi?**

Infinitive	*Present*	*Past Part.*
voir	je vois	vu
	(il voit)	
	nous voyons	
	ils voient	

19. PATTERNED RESPONSE

1. Tu vois les Leblond, quelquefois?   Oui, je les vois...
   Pierre les voit, quelquefois?
   Tes parents les voient, quelquefois?
   Christine les voit, quelquefois?
   Vous les voyez, quelquefois, vous deux?

2. Tu as parlé au proviseur?   Non, je ne l'ai pas vu.
   Robert a parlé au proviseur?
   Vous avez parlé au proviseur, vous deux?
   Tes parents ont parlé au proviseur?
   Martine a parlé au proviseur?

Grammar

Reflexive Constructions: Imperative

PRESENTATION

Ne vous énervez pas!	Levez-vous!
Ne nous énervons pas!	Levons-nous!
Ne t'énerve pas!	Lève-toi!

Where do reflexive pronouns come in the negative imperative? In the affirmative imperative?
What pronoun replaces **te** in the affirmative imperative?

GENERALIZATION

1. Reflexive pronouns occur in the same position in relation to the verb as other object pronouns.

Reflexive pronoun	*Object pronoun*
Réveillez-vous!	**Réveillez-les!**
Ne t'énerve pas!	**Ne l'énerve pas!**

2. In the affirmative imperative, the reflexive pronoun **te** is replaced by **toi**.

Lève-toi!
Dépêche-toi!

STRUCTURE DRILLS

20. DIRECTED DRILL

Dites à *Jean* de se dépêcher. ⊗   Dépêche-toi!
Dites-moi la même chose.   Dépêchez-vous!

Dites à *Marie* de se lever.   Lève-toi.
Dites-moi la même chose.   Levez-vous.

Dites à *Luc* de se mettre là.   Mets-toi là.
Dites-moi la même chose.   Mettez-vous là.

Dites à *Paul* de ne pas s'énerver.   Ne t'énerve pas.
Dites-moi la même chose.   Ne vous énervez pas.

Dites à *Lucie* de se souvenir de cette date.   Souviens-toi de cette date.
Dites-moi la même chose.   Souvenez-vous de cette date.

21. FREE RESPONSE

Answer each of the following questions with an imperative construction.

Qu'est-ce vos parents vous disent...
    quand vous êtes en retard?
    quand vous restez trop longtemps au
      lit?
    quand vous avez la figure sale?
    quand vous êtes nerveux?

Reflexive Constructions: Passé Composé

PRESENTATION

Je me <u>suis</u> levé tôt.   Je ne me <u>suis</u> pas levé tôt.
Papa s'<u>est</u> rasé.   Papa ne s'<u>est</u> pas rasé.
Il s'<u>est</u> cassé la jambe.   Il ne s'<u>est</u> jamais cassé la jambe.

Which auxiliary, **avoir** or **être,** is used with verbs with reflexive pronouns? Where does the reflexive pronoun come in relation to the auxiliary verb? Look at the sentences in the right-hand column. In a negative construction, where does the reflexive pronoun come in relation to **ne?** Is this position the same as that of other object pronouns you have learned?

GENERALIZATION

	MASCULINE SUBJECT	FEMININE SUBJECT
Singular	Je me suis Tu t'es Vous vous êtes Il s'est } **lavé.**	Je me suis Tu t'es Vous vous êtes Elle s'est } **lav<u>ée</u>.**
Plural	Nous nous sommes Vous vous êtes } **lavé<u>s</u>.** Ils se sont	Nous nous sommes Vous vous êtes } **lav<u>ées</u>.** Elles se sont

1. The **passé composé** of verbs used in reflexive constructions is <u>always</u> formed with **être.**

2. In a reflexive construction, the past participle agrees with a <u>preceding direct object</u> pronoun (as verbs conjugated with **avoir** do). This means that if the reflexive pronoun is the direct object of the verb, the past participle agrees with it. If the reflexive pronoun is the indirect object, there is no agreement with it.

D.O.
La petite fille? Son père <u>l</u> 'a lav<u>ée</u>.

IND.O.   D.O.
Son père <u>lui</u> a lavé <u>la figure</u>.

D.O.
Elle <u>s</u> 'est lav<u>ée</u>.

IND.O.   D.O.
Elle <u>s'</u> est lavé <u>la figure</u>.

Notice that in the sentence **Elle s'est lavée, s'** is a direct object, but that in the sentence **Elle s'est lavé la figure, la figure** is the direct object and **s'** is an indirect object.

3. With verbs that are always reflexive, such as **se souvenir,** the reflexive pronoun is considered a part of the verb and is not thought of as either direct or indirect. With such verbs, the agreement is usually with the subject: **Elle s'est souvenue de la date.** In following units, verbs that are always reflexive will be identified.

STRUCTURE DRILLS

22. DIRECTED DRILL

Demandez à *Luc* s'il s'est peigné.　　　　Tu t'es peigné?
Demandez-moi la même chose.　　　　　Vous vous êtes peigné?

Demandez à *Anne* si elle s'est lavée.　　Tu t'es lavée?
Demandez-moi la même chose.　　　　　Vous vous êtes lavé?

Demandez à *Marie* si elle s'est lavé les　Tu t'es lavé les dents?
　dents.
Demandez-moi la même chose.　　　　　Vous vous êtes lavé les dents?

Demandez à *Paul* s'il s'est coupé les　　Tu t'es coupé les cheveux?
　cheveux.
Demandez-moi la même chose.　　　　　Vous vous êtes coupé les cheveux?

23. PATTERNED RESPONSE

1. Je me suis levé à dix heures samedi. ⊗
　　Et vous?　　　　　　　　　Je me suis levé à midi.
　　Et Charles?　　　　　　　Il s'est levé à midi.
　　Et vous deux?　　　　　　Nous nous sommes levés à midi.
　　Et Claudine?　　　　　　Elle s'est levée à midi.
　　Et vos parents?　　　　　Ils se sont levés à midi.

2. Va dire à Georges de se lever. ⊗　　　Il ne s'est pas encore levé!
　Va dire à Marie de s'habiller.　　　　Elle ne s'est pas encore habillée!
　Va dire aux enfants de se coucher.　　Ils ne se sont pas encore couchés!
　Va dire à Jacques de se peigner.　　　Il ne s'est pas encore peigné!
　Va dire à Claudine de se laver.　　　Elle ne s'est pas encore lavée!

3. Je ne me suis pas lavé. Et toi? ⊗　　Je ne me suis pas lavé non plus.
　　Et Christine?　　　　　　Elle ne s'est pas lavée non plus.
　　Et Robert?　　　　　　　Il ne s'est pas lavé non plus.
　　Et vous deux?　　　　　　Nous ne nous sommes pas lavés non plus.
　　Et les garçons?　　　　　Ils ne se sont pas lavés non plus.

24. PATTERNED COMPLETION

[*Un père et une mère parlent de leur fils qui a trois ans.*]

Tu as habillé Jean-Luc?...⊗   Non, il s'est habillé lui-même.
Tu l'as peigné?...
Tu lui as lavé les mains?...
Tu lui as lavé la figure?...
Tu lui as lavé les dents?...
Tu l'as couché?...

25. QUESTIONS ON BASIC MATERIAL

Est-ce que l'homme qui attend les coureurs s'énerve?
D'après lui, qui est en train de s'énerver?
Ça fait combien de temps que cet homme est là?
Qu'est-ce qu'il a fait pour être sûr d'avoir une bonne place?
Qu'est-ce qu'il n'a pas fait ce jour-là?

26. FREE RESPONSE

A quelle heure est-ce que vous vous êtes couché hier soir?
Vous vous êtes endormi tout de suite?
A quelle heure est-ce que vous vous êtes réveillé ce matin?
Est-ce que vous vous êtes levé tout de suite ou est-ce que vous êtes resté au lit?
Vous vous êtes lavé les dents ce matin? Avant ou après le petit déjeuner?

27. FREE NARRATION

Dites ce que vous avez fait ce matin. Commencez : Je me suis réveillé à... heures...

28. REJOINDERS

Suggested Rejoinders

Tu as les cheveux dans la figure!   (Mais je viens de me peigner.)
                                                   (Mais je me suis peigné!)

Pourquoi est-ce que vous êtes en retard?
Pourquoi est-ce que vous êtes si fatigué aujourd'hui?
Comment est-ce que vous avez fait pour arriver si vite?
Vous avez les mains sales!

Writing

1. SENTENCE REWRITE

Rewrite each of the following sentences as though you were talking to one friend instead of two.

MODEL   Ne vous couchez pas maintenant!
               <u>Ne te couche pas maintenant!</u>

1. Levez-vous! Il est tard!
2. Ne vous énervez pas.
3. Dépêchez-vous un peu!
4. Ne vous mettez pas là.
5. Souvenez-vous de cette date.
6. Lavez-vous les mains!

2. SENTENCE COMPLETION

Rewrite each of the following sentences, supplying the correct **passé composé** form of the verb in parentheses. Be sure to make the past participle agree where necessary.

1. Maman _____ très tard hier.
       (se coucher)
2. Nous _____ un peu dans la ville, Pierre et moi.
     (se promener)
3. Ton frère ne _____ pas _____ de la date de ton anniversaire!
        (se souvenir)
4. Monique, à quelle heure est-ce que tu _____ ce matin?
              (se lever)
5. Anne! Christine! Vous ne _____ pas encore _____?
           (se laver les mains)
6. Les filles _____ pour arriver à l'heure.
      (se dépêcher)
7. Michel! Henri! On part. Vous _____?
        (se peigner)
8. Papa _____ très tard ce matin; il n'a même pas eu le temps de se raser.
    (se réveiller)
9. Claudine ne peut pas faire de ski cette année. Elle _____ l'année dernière.
                             (se casser la jambe)
10. Mon petit frère _____.
       (se couper)

READING

Word Study

I

1. In French, as in English, the past participles of many verbs may be used as adjectives. A past participle used as an adjective agrees in gender and in number with the noun it modifies, like any other adjective.

PAST PARTICIPLE	ADJECTIVE
Papa a tout arrangé.	Tout est arrangé.
Il a cassé sa montre.	Sa montre est cassée.
J'ai distribué les billets.	Les billets sont distribués.
On a divisé le Tour en 20 étapes.	Le Tour est divisé en 20 étapes.
Ils ont réservé la salle.	La salle est réservée.

Un spectateur solitaire

2. Some nouns are also related in form and meaning to past participles.

VERB		NOUN	
arriver	*to arrive*	**une arrivée**	*an arrival*
entrer	*to enter*	**une entrée**	*an entrance, entrance hall*

II

As you already know, adjectives of nationality may be used as nouns. Other French adjectives may also be used as nouns. The English equivalent of the noun often includes a word such as *one, man, people,* etc.

ADJECTIVE		NOUN
anglais	*English*	J'ai rencontré un Anglais très sympathique.
favori	*favorite*	Il y a beaucoup de coureurs cette année. Le favori est un Italien.
premier	*first*	C'est Marchand qui est toujours le premier.
petit	*little*	Comment! Onze heures et les petits ne sont pas encore au lit.
sportif	*sportive, liking sports*	Ça fait des heures que Marc attend l'arrivée du Tour. C'est un vrai sportif.

Le Tour de France

La plus longue course de bicyclettes du monde a lieu° en France chaque année aux mois de juin et de juillet : c'est le Tour de France.

avoir lieu: *to take place*

C'est une course spectaculaire d'environ 5 000[7] kilomètres,
5 divisée en vingt étapes. Elle commence chaque année dans une ville différente et finit traditionnellement au Vélodrome du Parc des Princes[8] à Paris.

Pendant les trois semaines de la course, 25 à 30 millions de spectateurs se pressent° sur le bord des routes et dans les villes

se presser: venir en grand nombre

---

[7]The French use a space or a period, rather than a comma, to separate digits in numbers over one thousand. **Environ 5 000** means *about 5,000.*

[8]**Le Vélodrome du Parc des Princes** is a stadium for bicycle racing in the southwestern part of Paris.

10   de fin d'étape pour voir passer les 100 ou 120 coureurs et la caravane qui les accompagne : voitures officielles, voitures de service,
camions publicitaires[9], camions-radio, camions qui transportent
des laboratoires de photo et tout ce qui peut être nécessaire aux
coureurs et aux journalistes.

*   *   *

15   Nous sommes aujourd'hui à Luchon, une jolie petite ville de
montagne qui a été choisie cette année comme ville étape. Il est
trois heures de l'après-midi. En face du Casino, les haut-parleurs° **haut-parleur** *m:*
des camions publicitaires hurlent leurs slogans :   *loudspeaker*
  «Lavez-vous la tête[10] avec *Belle-Mousse,* premier shampooing[11]
20 pour les cheveux colorés...! *Colgate au Gardol...* votre dentifrice
double protection!!»
  Et entre deux slogans, quelques nouvelles du Tour :
  «Les premiers coureurs viennent de traverser° Arreau. C'est **traverser:** *to cross*
Marchand qui est en tête, mais Joxe et Dupré ne sont pas
25 loin...»
  Au bord de la route, à l'entrée de la ville, la foule est dense :
il y au moins 2 000 personnes sur° un kilomètre. Ça fait trois **sur:** *extending over*
ou quatre heures que ces gens attendent pour voir passer leur cou-
reur favori et l'encourager. Il y en a qui viennent de très loin, de
30 100 ou 200 kilomètres et quelquefois même beaucoup plus. Certains
se sont levés à cinq heures du matin pour être sûrs de trouver une
bonne place.
  Il fait chaud. Les gens s'éventent° avec *le Journal des Sports* **s'éventer:** *to fan oneself*
ou la publicité distribuée par les camions :
35   —Oh, là, là, ce qu'il fait chaud!
  —Vous n'êtes pas mal, là, sur votre petite chaise. Moi, ma
petite dame, ça fait trois heures que je suis debout° et je n'ai plus **debout:** *standing*
vingt ans!
  —Debout ou pas, il fait drôlement chaud! Hé, qu'est-ce qu'il
40 y a là-bas? Un accident? Regardez tous ces gens!
  —C'est probablement quelqu'un qui se sent mal°. Ça fait la **se sentir mal:** *to feel ill*
troisième personne en une heure...

---

[9] **Les camions publicitaires** (*advertising trucks*) are trucks with loudspeakers and elaborate displays used to advertise products. Those that follow the Tour de France also provide news of the race.

[10] The expression **laver la tête** is used rather than **laver les cheveux** to mean *to wash (one's) hair.*

Un jeune homme, armé d'un transistor, communique les dernières nouvelles à ses voisins° :

45 —Roland est tombé... Il abandonne... Il s'est peut-être cassé la jambe, on ne sait pas encore... Les coureurs sont à vingt kilomètres... Marchand est toujours en tête mais Joxe est avec lui et il va peut-être prendre le maillot jaune[12] aujourd'hui...

Cette année il y a quatorze équipes° qui représentent toutes
50 des firmes commerciales : Martini, Saint-Raphaël... C'est Marchand qui est le favori. Il a déjà gagné le Tour de France l'année dernière et c'est encore lui qui porte aujourd'hui le maillot jaune.

Un nuage° de poussière à l'horizon. Tout le monde commence à crier : Les voilà! Les voilà! Ils arrivent!! Mais non, c'est le
55 camion Palmolive...

Enfin, la voiture officielle! Elle précède les coureurs de huit ou dix kilomètres pour s'assurer que la route est libre°. Les gens commencent à s'agiter. Quelques enfants arrivent à passer sous les barrières de police. Soudain, un cri : «Les voilà! Les voilà!!»
60 La foule devient° hystérique. «C'est Joxe, non, c'est Marchand! Bravo Marchand! Vas-y Marchand! Bravo! Tu as gagné!»

Quelques minutes plus tard, à la ligne d'arrivée, c'est du délire°. Marchand a gagné l'étape. Il garde le maillot jaune. Joxe est deuxième à quelques secondes derrière. La foule enthousiaste
65 se précipite vers° Marchand. Une jeune fille l'embrasse et lui donne un bouquet de fleurs. Quelques minutes plus tard une douzaine de coureurs arrive, une masse d'hommes et de bicyclettes. Ils sont salués° par la foule : «Vas-y, Dupré. Tu es le plus beau. Allez, Durand! Tu y es presque! Bravo, Lelong. On t'aime
70 bien, va!»

Tous les coureurs ne sont pas arrivés, mais la foule n'attend pas les derniers. Elle commence à se disperser et les terrasses de café se remplissent de sportifs assoiffés°.

ses voisins: les gens à côté de lui

équipe *f: team*

nuage *m: cloud*

libre: *free*

devenir: *to become*

c'est du délire: *the crowd goes wild*
se précipiter vers: *to rush toward*

saluer: *to greet*

se remplissent de sportifs assoiffés: *become filled with thirsty sports fans*

---

[11] **Le maillot jaune** is the yellow jersey given to the racer who, at the end of a given lap, has the best over-all time for the laps up to that moment.

Dictionary Section

abandonner ne plus continuer : *Dupré ne peut plus continuer; il abandonne.*

s'agiter être en mouvement (*1*) *Ne t'agite pas comme ça; tu m'énerves!* (*2*) *Quand ils ont vu les coureurs, les gens ont commencé à s'agiter.*

dentifrice produit pour se laver les dents : *Je ne peux pas me laver les dents sans dentifrice!*

se disperser partir dans des directions différentes : *A la fin du match, la foule commence à se disperser.*

être en tête être le premier : *Le chef de la délégation marche toujours en tête.*

hurler crier très fort : *Les chiens hurlent quelquefois la nuit.*

monde l'univers (*1*) *Ce que le monde est petit.* (*2*) *Les voitures françaises sont vendues dans le monde entier.*

par *La publicité est distribuée par les camions.* = *Les camions distribuent la publicité.*

shampooing savon spécial pour se laver la tête : *Comment est-ce que je vais pouvoir me laver la tête s'il n'y a plus de shampooing?*

29. QUESTIONS

1. Quand est-ce que le Tour de France a lieu?
2. Le Tour de France est divisé en combien d'étapes? C'est une course de combien de kilomètres?
3. Où est-ce que les gens attendent pour voir passer les coureurs?
4. Pourquoi est-ce que les gens sont venus à Luchon?
5. Ça fait combien de temps qu'ils attendent les coureurs?
6. Quel temps fait-il?
7. Comment est-ce qu'ils ont des nouvelles du Tour?
8. D'après le jeune homme qui écoute son transistor, où sont les coureurs? Pourquoi est-ce que Roland abandonne?
9. Il y a combien d'équipes cette année?
10. Qui porte le maillot jaune aujourd'hui?
11. Qu'est-ce que les gens font quand ils voient de la poussière à l'horizon?
12. Qui gagne l'étape?
13. Est-ce que la foule reste calme? Qu'est-ce qu'elle fait?
14. Est-ce que les gens attendent les derniers coureurs? Où est-ce qu'ils vont?

Noun and Adjective Exercises

Haut-parleur is like **hors-d'œuvre** in that the **h** at the beginning of the word behaves like a consonant. This means that **liaison** and **élision** do not occur: **le haut-parleur; les haut-parleurs.** From this point on, all such words will be preceded by an asterisk when they appear in the Noun Exercise section.

30. COMPLETION

1. Martini a <u>une</u> équipe cette année?
2. Les coureurs ont pris <u>la nouvelle</u> route.
3. Une des voitures vient d'avoir <u>un petit</u> accident.
4. J'ai entendu <u>un</u> cri. Et toi?
5. Est-ce que quelqu'un a téléphoné à la police?
6. Regarde <u>ce petit</u> nuage <u>blanc</u>.
7. Il y a <u>un grand</u> camion en face du Casino.
8. Le camion a <u>un</u> *haut-parleur.
9. Ils parlent d'<u>un nouveau</u> dentifrice.
10. Ils vendent aussi <u>du</u> shampooing.

11. Il y a <u>une grande</u> barrière à l'entrée de la ville.
12. Tu as entendu <u>la</u> nouvelle?

1. Oui, Saint Raphaël aussi a _____ équipe.
2. _____ route du Mont Blanc?
3. C'est _____ troisième accident aujourd'hui!
4. Oui, moi aussi, j'ai entendu _____ cri.
5. Oui, ce monsieur vient de téléphoner à _____ police.
6. _____ nuage? Où? Je ne vois rien.
7. C'est _____ camion publicitaire.
8. C'est _____ haut-parleur *Phillips*.
9. C'est _____ dentifrice, ça?
10. Oui, c'est _____ shampooing spécial pour les cheveux blonds.
11. Pourquoi est-ce qu'ils ont mis _____ barrière à l'entrée?
12. _____ nouvelle? Quelle nouvelle?

M/F Pairs

—As you know, the feminine counterparts of many masculine nouns are formed by adding an **-e** to the masculine. Remember, however, that if the masculine form ends in a nazalized vowel sound, the feminine form does not: **voisin, voisine.**

—If a masculine noun ends in **-eur,** the feminine counterpart is usually formed in one of two ways. If the masculine ending is **-teur,** the feminine ending is often **-trice: spectateur, spectatrice.** With other nouns ending in **-eur,** the feminine ending is often **-euse: vendeur, vendeuse.**

31. MASCULINE → FEMININE

Mon cousin est arrivé hier. ⊗
Un de nos voisins est malade.
Un des spectateurs ne se sent pas bien.
Je vais demander au vendeur.

Ma cousine est arrivée hier.
Une de nos voisines est malade.
Une des spectatrices ne se sent pas bien.
Je vais demander à la vendeuse.

Writing

ADJECTIVE NOTE: All adjectives whose masculine form ends in **-ien** or **-el** double the consonant before the final **-e** to form the feminine: **un étudiant canadien, une étudiante canadienne; un titre officiel, une lettre officielle.** Favori has an irregular feminine form: **favorite.** The other adjectives in the following writing exercise follow rules you already know.

CUED SUBSTITUTION

Rewrite the following sentences, substituting the noun in parentheses for the one in the sentence.

1. Voilà le camion officiel!
   (les voitures)
2. C'est un manteau italien?
   (une écharpe)
3. C'est son roman favori.
   (son émission)
4. Ce chemisier est encore sale!
   (cette jupe)

5. Papa, tu es libre?
   (Maman)
6. Tu as apporté les livres nécessaires?
   (les choses)
7. Elle vient tous les jours à l'école avec un cardigan différent.
   (une robe)
8. Va mettre un pull-over propre!
   (une chemise)

Verb Exercises

---
se sentir: *like* **dormir**

---

32. PATTERNED RESPONSE

Qu'est-ce que tu as? Tu ne te sens pas bien? ⊗

Qu'est-ce que Robert a? Il ne se sent pas bien?

Qu'est-ce que vous avez, vous deux? Vous ne vous sentez pas bien?

Qu'est-ce que les enfants ont? Ils ne se sentent pas bien?

Qu'est-ce que Jacqueline a? Elle ne se sent pas bien?

Non, je ne me sens pas très bien.

Some French verbs are formed by adding a prefix to a base verb. For example, **revenir, devenir** and **se souvenir** are all formed from the base verb **venir.** The different tenses of these compound verbs are formed in the same way as those of the base verb, even though the meaning of the two verbs may be quite different: **il vient, il devient; il est venu, il est devenu.**

33. PRESENT → PASSÉ COMPOSÉ

Anne revient jeudi. ⊗   Anne est revenue jeudi.
Elle devient très jolie.   Elle est devenue très jolie.

Ils viennent le treize.   Ils sont venus le treize.
Ils se souviennent de la date?   Ils se sont souvenus de la date?

Vous revenez plus tard?   Vous êtes revenu plus tard?
Vous devenez paresseux!   Vous êtes devenu paresseux!

RECOMBINATION EXERCISES

34. RESTATEMENT DRILL

The suffix **-aine** added to a number means *approximately, about:* **une vingtaine d'étapes =** *about 20 laps.*

Il y a environ vingt étapes. ⊗   Il y a une vingtaine d'étapes.
Il y a environ cent coureurs.   Il y a une centaine de coureurs.
Il y a environ trente camions.   Il y a une trentaine de camions.
Il y a environ cinquante voitures.   Il y a une cinquantaine de voitures.
Il y a environ quarante spectateurs.   Il y a une quarantaine de spectateurs.

35. PRESENT → PASSÉ COMPOSÉ

All of the verbs in the following exercise are like **travailler.** Be sure to use the correct auxiliary verb to form the **passé composé.**

Les gens viennent voir le Tour de   Les gens sont venus voir le Tour de France.
   France. ⊗
Ils encouragent leur favori.
Joxe arrive le premier.
Une jolie fille l'embrasse.
Les autres coureurs traversent la ville.
Dupré tombe.
Il se casse la jambe.
Tout le monde se précipite vers lui.

36. PICTURE DESCRIPTION

Refer to the picture on page 96 to answer the following questions.

Qu'est-ce que vous voyez sur cette photo?
Est-ce qu'il y a beaucoup de coureurs? Combien est-ce que vous pouvez en compter?
Qu'est-ce que vous voyez derrière eux?
D'après vous, est-ce que les coureurs sont en train de monter ou de descendre?

Numbers

You already know the French numbers up to 100. Beyond that, the numbers are the following:

101, 102...	cent un, cent deux...
200, 201...	deux cents, deux cent un...
1 000 (or 1.000)	mille
5 000 (or 5.000)	cinq mille
1 000 000 (or 1.000.000)	un million
2 000 000 (or 2.000.000)	deux millions

The numbers between 1 100 and 1 999 (including dates) may be said in either of two ways in French. Use whichever is easiest for you. 1775 may be either: **dix-sept cent soixante-quinze** or **mil sept cent soixante-quinze.** Notice that in a date the spelling **mil** is used rather than **mille.**

37. NUMBER EXERCISES

1. Practice reading the following numbers aloud:
   180 / 340 / 656 / 787 / 999 / 1 000 / 25 000 / 60 000 / 3 000 000

2. Practice reading the following sentences aloud. They include facts about the Tour de France and its racers.

   —Le premier Tour a eu lieu en 1903.
   —Jacques Anquetil, le grand coureur français, a gagné le Tour cinq fois :
     en 1957, en 1961, en 1962, en 1963 et en 1964.
   —En 1961 Anquetil a porté le maillot jaune pendant tout le Tour.

Conversation Buildup

YVES	Brigitte! Tu es prête?
BRIGITTE	Presque. Je me lave la figure, je me peigne et j'arrive.
YVES	Bon, et bien j'ai compris. Je vais acheter le journal. Je reviens dans vingt minutes.
BRIGITTE	Mais non! Dans cinq minutes, je suis prête.

REJOINDERS

Mais qu'est-ce que tu fais? Ça fait quarante-cinq minutes que je t'attends!
Pourquoi est-ce que tu t'énerves comme ça?
J'appelle un taxi pour sept heures et demie?

CONVERSATION STIMULUS

Vous sortez ce soir avec votre sœur. Elle est en train de se préparer. Ça fait une heure que vous l'attendez et vous n'êtes pas très content. Vous commencez :

—Quand est-ce que tu vas être prête?

Writing

PARAGRAPH REWRITE

Rewrite the following paragraph changing all verbs from the present to the **passé composé**. Be sure to make the past participle agree where necessary. Begin: **Jeudi dernier, le Tour de France...**

Aujourd'hui le Tour de France arrive à Mourenx. Christine se réveille à sept heures et, ce matin, elle ne reste pas au lit. Elle se lève tout de suite; elle s'habille en quelques minutes et elle sort de la maison sans même prendre son petit déjeuner. Dans la rue elle rencontre une de ses amies et les deux filles se dépêchent pour aller à l'entrée de la ville. Là, elles cherchent une bonne place pour attendre l'arrivée des coureurs. Elles arrivent à en trouver une à côté d'un jeune homme avec un transistor : comme ça elles peuvent avoir des nouvelles du Tour. Cinq heures plus tard les premiers coureurs arrivent. Quand elles voient René Joxe, leur coureur favori, les deux filles commencent à crier. Joxe gagne l'étape!! Christine et son amie se précipitent vers lui avec les autres spectateurs.

REFERENCE LIST

Nouns

accident *m*	coureur *m*	fleuve *m*	million *m*	savon *m*
bain *m*	cri *m*	haut-parleur *m*	nuage *m*	shampooing *m*
camion *m*	dentifrice *m*	kilomètre *m*	peigne *m*	soleil *m*
arrivée *f*	dent *f*	étape *f*	nouvelle *f*	police *f*
barrière *f*	douche *f*	foule *f*	place *f*	poussière *f*
course *f*	entrée *f*	interview *f*	pluie *f*	route *f*
dame *f*	équipe *f*	jambe *f*		

m/f pairs: spectateur, -trice   voisin, -e

Adjectives and Adverbs

certain, –e	favori, –ite	officiel, –lle	sportif, –ive
cycliste	libre	nécessaire	sûr, –e
différent, –e			

debout   environ   de bonne heure

Verbs

(*like* travailler)				(*like* emmener)
(se) coucher	diviser	(se) laver	se reposer	(se) lever
(se) demander	encourager	(se) peigner	saluer	(se) promener
se dépêcher	(s') énerver	se précipiter	traverser	
distribuer	(s') habiller	(se) raser		

(*like* attendre)	(*like* dormir)	(*like* venir)	(*irregular*)
se détendre	(s') endormir	devenir	voir
	se sentir	se souvenir	

Other Words and Expressions

avoir lieu   ça fait... que   comme on en voit peu   sous

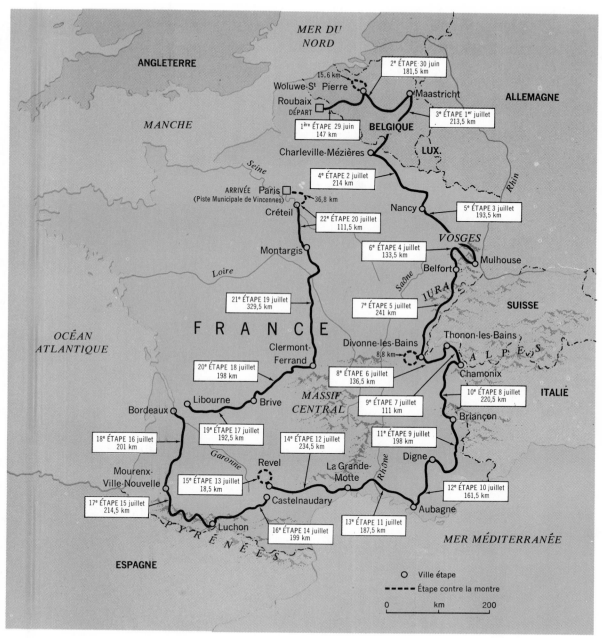

Fleuves: la Garonne, la Loire, la Seine, le Rhin, le Rhône
Montagnes: le Jura, le Massif Central, les Alpes, les Pyrénées, les Vosges

BASIC MATERIAL I

Ma sœur Christine

Ma sœur Christine vient d'avoir seize ans et elle commence à sortir le soir avec des garçons. Chaque fois qu'elle sort, c'est la même chanson : «Où vas-tu ce soir?... Avec qui est-ce que tu sors, avec un garçon ou avec une fille?... Comment s'appelle-t-il?... Quel âge a-t-il?... Où habite-t-il?... A quelle heure allez-vous rentrer?...»

Supplement

Où est-ce qu'il habite, ton ami?

En face de la pharmacie.
Tout près de l'église.
De l'autre côté de la mairie.

Qu'est-ce qu'il fait quand il a du temps libre?

Il bricole.
Il aime faire des tours à bicyclette.
Il aime dessiner.

Où vas-tu maintenant?

A la poste acheter des timbres.
A la librairie acheter un dictionnaire.
A la bibliothèque chercher des renseignements.
A la papeterie : je n'ai plus de papier.

◀ *A la fenêtre d'un appartement parisien*

My Sister Christine

My sister Christine just turned sixteen and she's beginning to go out in the evening with boys. Every time she goes out, it's the same old story: "Where are you going this evening? . . . Who are you going out with, a boy or a girl? . . . What is his name? . . . How old is he? . . . Where does he live? . . . What time are you coming home? . . . "

Supplement

Where does your friend live?

Across from the drugstore.
Right near the church.
On the other side of the town hall.

What does he do when he has some free time?

He putters around (does odd jobs).
He likes to go for bicycle rides (turns).
He likes to draw.

Where are you going now?

To the post office to buy some stamps.
To the bookstore to buy a dictionary.
To the library to look up some information.
To the stationery store. I'm all out of paper.

Vocabulary Exercises

1. QUESTIONS ON BASIC MATERIAL

1. Est-ce que Christine reste toujours chez elle le soir?
2. Quelles questions est-ce que ses parents lui posent quand elle sort?
3. D'habitude, à quel âge est-ce que les jeunes gens américains commencent à sortir?
4. Est-ce que vous trouvez les parents de Christine trop sévères? D'après ce que vous avez lu, est-ce que vous trouvez les parents français plus sévères ou moins sévères que les parents américains?

2. FREE RESPONSE

1. Qu'est-ce que vous aimez faire quand vous avez du temps libre?
2. Est-ce que vous aimez bricoler? Qu'est-ce que vous faites chez vous? Vous réparez des appareils, des meubles...?
3. Est-ce que vous dessinez bien ou mal? Qu'est-ce que vous aimez dessiner?
4. Qu'est-ce que vous aimez mieux, vous promener à pied ou faire des tours à bicyclette?

3. COMPLETION

Pour acheter des timbres, on va _____.   Pour emprunter des livres, on va _____.
Pour acheter des livres, on va _____.   Pour acheter du dentifrice, on va _____.

Noun Exercise

GENDER NOTE: Most nouns ending in **-ie** are feminine: **la géographie, une pharmacie, la librairie, une papeterie, la mairie.**

4. COMPLETION

1. Tu veux aller faire <u>un</u> tour à pied?

2. D'accord, mais je vais d'abord écrire à Luc : tu as <u>du</u> papier?
3. Tu as acheté ce papier à la papeterie près de <u>la</u> <u>nouvelle</u> <u>église</u>?
4. Tu as <u>un</u> timbre de deux francs?
5. Bon, je crois que je vais aller à <u>la</u> poste.
6. Je vais passer d'abord à <u>la</u> bibliothèque.
7. J'ai des mots anglais à chercher dans <u>le</u> dictionnaire.
8. Et puis je cherche aussi <u>un</u> <u>petit</u> renseignement[1].

1. Non, allons plutôt faire _____ tour à bicyclette.
2. Oui, il y a _____ papier dans ma chambre. Prends-en.
3. Il y a _____ église près de la papeterie?
4. Non, mais j'ai _____ timbre d'un franc.
5. Mais _____ poste n'est pas encore ouverte.
6. Tu vas à _____ bibliothèque? Pourquoi?
7. J'ai _____ dictionnaire dans ma chambre, si tu veux.
8. C'est peut-être _____ renseignement que je peux te donner.

Grammar

Interrogative Pronouns: Following Prepositions

PRESENTATION

Christine sort avec <u>Pierre Leblond</u>.   Avec <u>qui</u> est-ce qu'elle sort?

Look at the question in the right-hand column. What is the preposition? What word follows the preposition? Does **qui** refer to a person or a thing?

Christine écrit avec <u>un stylo</u>.   Avec <u>quoi</u> est-ce qu'elle écrit?

In the question in the right-hand column, what word follows the preposition? Does **quoi** refer to a person or to a thing?

---

[1] **Un renseignement** means *a bit* or *a piece of information.* **Renseignement** is used very often in the plural, however: **Est-ce que vous pouvez nous donner des renseignements?** *Can you give us some information?*

GENERALIZATION

	PREPOSITIONS + INTERROGATIVE PRONOUNS	
PEOPLE	Chez **qui**	est-ce que Christine dîne?
THINGS	De **quoi**	est-ce que Christine parle?

Following a preposition, **qui** (*whom*) is the question word used to refer to people and **quoi** (*what*) is the question word used to refer to things.

STRUCTURE DRILLS

5. PATTERNED RESPONSE

J'ai envie de quelque chose.	De quoi?
Jacques s'est coupé avec quelque chose.	Avec quoi?
Monique a peur de quelque chose.	De quoi?
J'ai écrit le numéro sur quelque chose.	Sur quoi?
On m'a parlé de quelque chose.	De quoi?

6. QUESTION FORMATION

Martine travaille avec Jean. ⊗	Avec qui est-ce qu'elle travaille?
Elle écrit avec un stylo.	Avec quoi est-ce qu'elle écrit?
Elle sort avec Jean-Luc.	Avec qui est-ce qu'elle sort?
Elle se lave la tête avec un shampooing spécial.	Avec quoi est-ce qu'elle se lave la tête?
Elle dîne avec Jean-Luc et Claudine.	Avec qui est-ce qu'elle dîne?

7. PATTERNED RESPONSE

Use either **Avec qui?** or **Avec quoi?** in reply to each of the following statements, depending on which is the most likely question.

Michel va au cinéma ce soir.
Étienne va réparer la tasse.
Je vais te couper les cheveux.
Alain est allé jouer au tennis.
J'ai un rendez-vous à cinq heures.
Martine sort ce soir.
Je me suis peigné.

Question Formation: Inversion

PRESENTATION

<u>Avez-vous</u> un frère? Pourquoi <u>partons-nous</u> le 20?
Où <u>vas-tu</u>? Comment <u>allez-vous</u>?

In each of the above questions, where do the subjects come in relation to the verbs?

<u>Fait-il</u> beau? Où <u>travaille-t-il</u>?
<u>Entend-elle</u> bien? Comment <u>va-t-il</u>?
<u>Sont-ils</u> là?

In each of the above questions, is the subject first, second, or third person? If you read each sentence aloud, what sound do you hear between the verb and the pronoun?

Où <u>êtes-vous</u> allés? <u>Allez-vous</u> rester?
Pourquoi n'<u>est-elle</u> jamais venue? Ne <u>viennent-ils</u> pas de sortir?
Comment <u>a-t-il</u> fait pour sortir?

Are the questions in the left-hand column above in the present tense or in the **passé composé?** In each of these questions, where does the personal pronoun come in relation to the auxiliary verb? In each of the questions in the right-hand column there is a main verb followed by an infinitive. In these questions, where does the personal pronoun subject come in relation to the main verb?

GENERALIZATION

1. You already know that questions may be formed in French by using question intonation alone (**Tu pars ce soir?**) or by beginning the sentence with **est-ce que (Est-ce que tu pars ce soir?).** Another way of asking a question is by inverting (reversing the order of) the verb and the subject pronoun.[2]

Avez-vous un frère? **Où vas-tu?**
Comment allez-vous? **Avec qui sortent-ils?**

Inversion is usually reserved for careful, rather formal speech, except with some common short verbs in sentences such as those above. In informal conversation, intonation or **est-ce que** are more common than inversion.

---

[2] Inversion is quite rare with the pronoun **je.** Intonation or **est-ce que** are normally used instead.

2. When inversion occurs in compound verb formations, like the **passé composé,** the pronoun comes immediately after the auxiliary verb. In constructions with a verb + an infinitive, the subject pronoun comes immediately after the first verb.

Où êtes-vous allé?   **Pouvez-vous retéléphoner?**

Pourquoi sont-ils rentrés?   **Allez-vous lui demander quelque chose?**

Où avez-vous mangé?   **Voulez-vous lui parler?**

3. In writing a sentence with inversion, the subject pronoun is linked to the verb by a hyphen.

4. When the third person subjects are inverted, there is always a [t] sound between the verb and the pronoun.

[t]
Fait-il beau?

[t]
Entend-elle bien?

[t]
Comment va-t-il?

Notice that the [t] sound may be represented by:

—a **t** at the end of the verb: **fait-il**

—a **d** at the end of the verb: **entend-elle** (the **liaison** sound for **d** is always [t])

—a **t** that is added between the verb and the pronoun when the verb ends in a vowel: **va-t-il, travaille-t-il, a-t-il fini**

5. When the subject is a noun, the order is *Noun + Verb + Pronoun.*

N   V   P
Pourquoi votre père prend-il le métro?

You will not be expected to use this construction in speaking, but you should be able to understand it when you hear it and to use it in writing.

STRUCTURE DRILLS

8. INTONATION → INVERSION

1. Vous êtes fatigué?   Etes-vous fatigué?

   Vous avez soif?   Avez-vous soif?

   Vous voulez de l'eau?   Voulez-vous de l'eau?

   Vous prenez du café?   Prenez-vous du café?

   Vous aimez cette chanson?   Aimez-vous cette chanson?

2. [*Vous êtes la mère ou le père d'un garçon français. Vous lui posez des questions sur la fille avec qui il sort.*]

Elle va à ton école? ⊗	Va-t-elle à ton école?
Elle est intelligente?	Est-elle intelligente?
Elle est sérieuse?	Est-elle sérieuse?
Elle est jolie?	Est-elle jolie?
Elle a des frères?	A-t-elle des frères?
Elle a des sœurs?	A-t-elle des sœurs?

9. DIRECTED DRILL

Demandez-moi si j'ai l'intention d'aller en ville. ⊗	Avez-vous l'intention d'aller en ville?
Demandez-moi si je vais passer à la papeterie.	Allez-vous passer à la papeterie?
Demandez-moi si je peux vous acheter des enveloppes.	Pouvez-vous m'acheter des enveloppes?
Demandez-moi si je vais passer à la pharmacie.	Allez-vous passer à la pharmacie?
Demandez-moi si je peux vous acheter du savon.	Pouvez-vous m'acheter du savon?

10. SENTENCE COMBINATION

[*Un journaliste qui a manqué une réunion importante demande des renseignements à un autre journaliste.*]

Ils ont parlé? De quoi?	De quoi ont-ils parlé?
Ils ont pris une décision? Quand?	
Ils ont trouvé un compromis? Comment?	
Ils ont remis la réunion? Pourquoi?	
Ils vont sortir? Quand?	

11. DIRECTED DRILL

[*Un jeune homme vient vous voir. Il veut travailler dans votre bureau. Vous lui posez des questions.*]

Vous lui demandez :

—comment il s'appelle.	Comment vous appelez-vous?
—où il habite.	
—quel âge il a.	
—s'il a déjà travaillé.	
—où il a travaillé avant.	
—s'il peut commencer tout de suite.	

Interrogative Object Pronouns: With Inversion

PRESENTATION

Qui est-ce que vous cherchez? Madeleine?   Qui cherchez-vous? Madeleine?
Qu'est-ce que vous cherchez? Votre peigne?   Que cherchez-vous? Votre peigne?

The interrogative object pronouns in the left-hand column are used with normal word order. They are already familiar to you. In **qui est-ce que** what part of the pronoun tells you that a person is being discussed? In **qu'est-ce que** what part of the pronoun tells you that a thing is being discussed? Now look at the questions in the right-hand column. What pronoun is used with inversion to refer to a person? What pronoun is used with inversion to refer to a thing?

GENERALIZATION

| INTERROGATIVE OBJECT PRONOUNS ||
PEOPLE	THINGS
Qui est-ce que vous avez rencontré?	**Qu'est-ce que** vous regardez?
or	*or*
Qui avez-vous rencontré?	**Que** regardez-vous?

Qui est-ce que and **qu'est-ce que** do not occur with inversion. The pronouns **qui** and **que** are used.

Note: If a question with **que** contains a <u>noun</u> subject, the order is always **que** + verb + noun subject. The subject pronoun is not used. Compare the word order in the following sentences:

Qui votre père cherche-t-il?   *Whom is your father looking for?*
Que cherche votre père?   *What is your father looking for?*

STRUCTURE DRILLS

12. RESTATEMENT DRILL

1. Qui est-ce que vous avez salué? ⊗   Qui avez-vous salué?
   Qui est-ce que vous avez remercié?   Qui avez-vous remercié?

Qui est-ce que vous avez rencontré?   Qui avez-vous rencontré?
Qui est-ce que vous avez aidé?   Qui avez-vous aidé?
Qui est-ce que vous avez vu?   Qui avez-vous vu?

2. Qu'est-ce que vous faites? ⊗   Que faites-vous?
Qu'est-ce que vous avez fait hier?   Qu'avez-vous fait hier?
Qu'est-ce que vous lisez?   Que lisez-vous?
Qu'est-ce que vous avez lu aujourd'hui?   Qu'avez-vous lu aujourd'hui?
Qu'est-ce que vous mangez?   Que mangez-vous?
Qu'est-ce que vous avez mangé ce matin?   Qu'avez-vous mangé ce matin?

3. Qu'est-ce qu'il fait, votre père? ⊗   Que fait votre père?
Qu'est-ce qu'elle dit, votre mère?   Que dit votre mère?
Qu'est-ce qu'elle veut, votre sœur?   Que veut votre sœur?
Qu'est-ce qu'il devient, votre cousin?   Que devient votre cousin?
Qu'est-ce qu'ils font, vos parents?   Que font vos parents?

13. DIALOG FORMATION

Reread the Basic Material on page 127, supplying Christine's answers to her parents' questions. For example, in answer to the question **Où vas-tu ce soir?** you might say: **au cinéma, à un concert de jazz, à la surprise-partie chez Marc, faire un tour à bicyclette, etc.**

Writing

1. SENTENCE COMBINATION

Combine the following pairs of sentences according to the model.

MODEL   Monsieur Dupont est parti? Pourquoi?
Pourquoi M. Dupont est-il parti?

1. Vous achetez des fleurs? Pour qui?
2. Charles a mis sa veste grise? Pourquoi?
3. Les enfants ont cessé de crier? Pourquoi?
4. Les enfants ont peur? De quoi?
5. Vous avez traversé la route? Pourquoi?
6. Tu as réparé la bicyclette? Avec quoi?
7. La police est venue? A quelle heure?
8. La réunion va avoir lieu? A quelle heure?
9. Les délégués ont refusé de parler? Pourquoi?
10. Les filles ont trouvé des places? Comment?
11. Vous allez rester? Pourquoi?
12. Ils vont distribuer les livres? Quand?

2. SENTENCE REWRITE

Rewrite the following sentences, using the appropriate object pronoun **qui** or **que** + inversion. Remember that **élision** occurs with **que** preceding a vowel: **Qu'as-tu fait?**

> MODEL   Qu'est-ce que vous avez enregistré?
> Qu'avez-vous enregistré?

1. Qui est-ce que vous avez rencontré?
2. Qu'est-ce qu'il a dessiné?
3. Qu'est-ce qu'ils font?
4. Qui est-ce que vous avez remercié?

5. Qu'est-ce qu'elle a acheté?
6. Qui est-ce que tu as embrassé?!
7. Qui est-ce que vous avez salué?
8. Qu'est-ce qu'ils ont distribué?

BASIC MATERIAL II

Le magnétophone

JEAN	Qu'est-ce qui arrive à Alain? Il vient de faire un héritage?
MARC	Je ne crois pas. Pourquoi?
JEAN	Il paraît qu'il va s'acheter un superbe magnétophone.
MARC	Qui est-ce qui t'a dit ça?
JEAN	Bernard.

Supplement

Qu'est-ce qu'Alain est en train de faire?

Il enregistre les bruits de la rue.
Il écoute ses nouvelles bandes magnétiques.

Pourquoi est-ce qu'Étienne ne vient pas au concert?

Il fait des économies.
Il a dépensé tout son argent de poche.
Ce genre de musique ne l'intéresse pas.

Lycéens dans une rue de Paris

The Tape Recorder

JEAN	What's the story with (what's happening to) Alain? Did he just inherit a lot of money?
MARC	I don't think (believe) so. Why?
JEAN	It seems he's going to buy himself a magnificent (superb) tape recorder.
MARC	Who in the world told you that?!
JEAN	Bernard.

Supplement

What's Alain doing?

He's taping (recording) street noises.
He's listening to his new tapes.

Why isn't Étienne coming to the concert?

He's saving money.
He spent his whole allowance (all his pocket money).
That kind of music doesn't interest him.

Vocabulary Exercises

14. QUESTIONS ON BASIC MATERIAL

1. Qui est-ce qui parle?
2. De qui parlent-ils?
3. Pourquoi Jean dit-il qu'Alain vient de faire un héritage?
4. Qui est-ce qui a dit à Jean ce qu'Alain va acheter?

15. FREE RESPONSE

1. Est-ce qu'il y a des magnétophones, ici, à l'école? Où?
2. Est-ce que vous avez un magnétophone chez vous? Est-ce que vous avez un ami qui en a un?
3. Est-ce que vous avez déjà enregistré quelque chose? Qu'est-ce que vous avez enregistré : de la musique, des émissions de radio ou de télévision, des conversations, des bruits?
4. Qu'est-ce que vous aimez mieux, un magnétophone ou un électrophone?
5. Vous avez des bandes magnétiques? Combien? Quel genre de musique aimez-vous?

Noun Exercise

16. COMPLETION

1. Les Lecomte ont fait <u>un</u> héritage?

1. ＿＿ héritage? Non, je ne crois pas. Pourquoi?

2. Ils viennent d'acheter <u>un</u> superbe magnétophone <u>allemand</u>.

2. Mais ils ont déjà ＿＿ magnétophone!

3. J'entends <u>du</u> bruit! Qu'est-ce que c'est?

3. Ce n'est pas ＿＿ bruit : c'est de la musique!

4. C'est <u>un</u> genre de musique que je n'aime pas du tout!

4. Ah oui? C'est ＿＿ genre que je trouve très intéressant.

5. Tu ne veux pas mettre <u>une</u> autre bande?

5. Ce n'est pas ＿＿ bande : c'est un disque.

Verb Exercise

Infinitive	Present	Past Part.
croire	je crois	cru
	(il croit)	
	nous croyons	
	ils croient	

17. PATTERNED RESPONSE

1. Tu crois son histoire, toi? ⊗   Oui, je la crois.
   Monique croit son histoire?
   Vous croyez son histoire, vous deux?
   Les filles croient son histoire?
   Papa croit son histoire?

2. Pierre a compris?
   Les filles ont compris?
   Tu as compris?

   Oui, enfin, il a cru comprendre.

3. Pierre ne vous a pas cru?
   Les autres ne vous ont pas cru?
   Martine ne vous a pas cru?

   Non, il n'a pas voulu me croire.

Grammar

Interrogative Subject Pronouns

PRESENTATION

Qui est-ce qui t'a dit ça?
Qu'est-ce qui arrive à Alain?

In these sentences from the Basic Material, does **qui est-ce qui** refer to <u>someone</u> or to <u>something</u>? And **qu'est-ce qui?** Which form begins with **qui,** the one referring to a person or the one referring to a thing? Is **qui est-ce qui** the subject or the object of the verb? And **qu'est-ce qui?**

GENERALIZATION

INTERROGATIVE SUBJECT PRONOUNS	
PEOPLE	THINGS
Qui est-ce qui est venu?	**Qu'est-ce qui** est arrivé?
Qui est venu?	————

1. Both **qui** and **qui est-ce qui** are used as the <u>subject</u> to refer to <u>people</u>. **Qui** is more common. **Qui est-ce qui** is very often used for emphasis.

Qui t'a dit ça?	*Who told you that?*
Qui est-ce qui t'a dit ça?	*Who (in the world) told you that?!*

2. When the interrogative pronoun is the <u>subject</u> and refers to a <u>thing</u>, there is only one form to use: **qu'est-ce qui.**

Qu'est-ce qui est arrivé?	*What happened?*
Qu'est-ce qui est à côté de l'école?	*What is next to the school?*

STRUCTURE DRILLS

18. **PATTERNED RESPONSE: RECOGNITION**

Answer each of the following questions with either **Alain** or **le magnétophone,** depending upon which is appropriate.

Qu'est-ce qui a fait ce bruit? ⊗
Qui est-ce qui est arrivé?
Qu'est-ce qui est tombé?
Qu'est-ce qui vous énerve?
Qui est-ce qui a fait ça?
Qu'est-ce qui vous intéresse?
Qu'est-ce qui ne marche pas?

19. **PATTERNED RESPONSE**

1. Ça m'énerve! ⊗   Qu'est-ce qui t'énerve?
   Ça m'intéresse!   Qu'est-ce qui t'intéresse?
   Ça va mal!   Qu'est-ce qui va mal?
   Ça va mieux!   Qu'est-ce qui va mieux?
   Ça ne va pas!   Qu'est-ce qui ne va pas?
   Ça ne marche pas!   Qu'est-ce qui ne marche pas?

2. D'après Alain, le match va avoir lieu vendredi. ⊗   Qui est-ce qui lui a dit ça?

   D'après Jacques et Claude, il n'y a pas de réunion ce soir.   Qui est-ce qui leur a dit ça?

   D'après Marianne, nous n'avons pas de devoirs de maths pour demain.   Qui est-ce qui lui a dit ça?

   D'après Michel, tu es premier en histoire.   Qui est-ce qui lui a dit ça?
   D'après Lucie et Chantal, vous allez passer vos vacances au Canada.   Qui est-ce qui leur a dit ça?

20. **QUESTION FORMATION**

Il y a quelqu'un qui attend Pierre. ⊗   Qui est-ce qui l'attend?
Il y a quelque chose qui l'énerve.
Il y a quelqu'un qui l'aime.
Il y a quelque chose qui ne marche pas.
Il y a quelqu'un qui le cherche.
Il y a quelque chose qui l'intéresse.

21. FREE RESPONSE

Qu'est-ce qui vous intéresse, le théâtre, le cinéma...? Et à l'école, qu'est-ce qui vous intéresse : l'histoire, la géographie, les maths...?

Est-ce que les magasins sont ouverts le soir? Qu'est-ce qui est ouvert le soir?

Qui est devant vous? Qui est-ce qui est à votre gauche? Et à votre droite?

Interrogative Pronouns: Summary

GENERALIZATION

The following is a chart of all the interrogative pronouns you have learned:

	PEOPLE		THINGS	
Subject	**Qui**	**est-ce qui** est venu?	**Qu'**	**est-ce qui** est arrivé?
	Qui	est venu?		
Object	**Qui**	**est-ce que** tu as rencontré?	**Qu'**	**est-ce que** tu as vu?
	Qui	as-tu rencontré?	**Qu'**	as-tu vu?
Object of a preposition	Avec {**qui**	**est-ce que** tu parles?	Avec {**quoi**	**est-ce que** tu écris?
	{**qui**	parles-tu?	{**quoi**	écris-tu?

STRUCTURE DRILLS

22. QUESTION FORMATION

Ask as many questions as you can for each of the following statements.

Il paraît que Luc s'est cassé le bras.

(Qui est-ce qui t'a dit ça?)
(Le bras droit ou le bras gauche?)
(Comment est-ce qu'il a fait ça?)
(Est-ce qu'on l'a emmené chez le docteur?)

Je viens de voir un nouveau film qui est
formidable!

Il y a un nouvel élève dans ma classe.

Il paraît que Bernard va habiter aux
États-Unis.

Papa vient d'acheter une nouvelle voiture.

Je prends des leçons de tennis.

23. CONVERSATION STIMULUS

For each of the following situations try to think of the questions that would probably be asked.

Vous avez quinze ans et vous avez un petit frère qui a huit ans. Chaque fois que vous sortez, il vous pose les mêmes questions...

Chaque fois que vous voulez emprunter la voiture à votre père, c'est la même chanson. Il vous demande...

Vous passez un mois chez des amis de vos parents à Paris. Vous leur demandez ce qu'il y a à voir, à visiter, à faire, etc. ...

Writing

1. QUESTION FORMATION

Each of the following questions is to be followed by an additional question. Use one of the interrogative subject pronouns (**qu'est-ce qui** or **qui est-ce qui**) or one of the interrogative object pronouns (**qu'est-ce que** or **qui est-ce que**) depending upon which is required.

MODEL   Luc dessine quelque chose?
         Qu'est-ce qu'il dessine?

1. Quelque chose est arrivé?
2. Tu attends quelqu'un?
3. Quelqu'un a téléphoné?
4. Quelque chose l'intéresse?
5. Quelque chose t'a réveillé?
6. Quelqu'un est sorti?
7. Tu as cassé quelque chose?
8. Tu entends quelqu'un?

2. QUESTION FORMATION

For each of the following statements, write two questions corresponding to the underlined portion of the sentence, according to the model.

MODEL   Nous sortons avec Marc.
         Avec qui est-ce que vous sortez?
         Avec qui sortez-vous?

1. Nous allons enregistrer les bruits de la rue.
2. Nous allons commencer par le bruit des voitures.
3. Nous allons acheter des bandes magnétiques.
4. Nous allons les acheter avec notre argent de poche.
5. Nous avons rencontré Anne à la papeterie.
6. Elle a acheté du papier.
7. Elle cherche un mot dans le dictionnaire.
8. Mes parents se promènent avec des amis.
9. Ils ont acheté des fleurs pour Jacqueline.
10. Elle dessine son frère.

READING

Word Study

I

Many French nouns are related in form and in meaning to verbs. You already know that some nouns are formed from the past participles of verbs (**arrivée, entrée**). Many nouns are related to verbs in other easily recognizable ways:

finir	*to finish*	**la fin**	*the end*
répondre	*to reply, answer*	**une réponse**	*a reply, answer*
travailler	*to work*	**le travail**	*the work*
visiter	*to visit*	**la visite**	*the visit*

II

A number of French words beginning with **é-** have English equivalents beginning with *s-:*

un état	*a state*
un étranger	*a stranger*
un étudiant	*a student*

A number of French words beginning with **dés** have English equivalents beginning with *dis-:*

désagréable	*disagreeable*
désarmement	*disarmament*

III

The prefix **sur-** generally means *above* or *beyond;* for example, **surtout,** *above all, especially.* Occasionally **sur-** indicates *above* or *beyond what is normal;* for example, **surpopulation,** *overpopulation.*

Enquête° sur les jeunes

enquête *f: survey*

NOM DE FAMILLE _____ *Soulier* _____   PRÉNOM _____ *Christian* _____

AGE _____ *16 ans* _____

Donnez une réponse à chacune° des questions suivantes. Ne répondez pas seulement par oui ou non.

chacun: *each one*

1. Etes-vous fils (fille) unique? Sinon, combien de frères et sœurs avez-vous?

   J'ai une sœur de vingt ans.

2. Vos parents sont-ils sévères avec vous?

   Non, pas du tout. Peut-être pas assez. Ils me laissent° faire tout

   laisser: *to let, allow*

   ce que je veux.

3. Votre mère travaille-t-elle? Si oui, que fait-elle?

   Elle ne travaille pas. La plupart° du temps elle s'occupe de la

   la plupart: *most*

   maison.

4. D'après vous, le confort matériel est-il nécessaire pour être heureux?

   Non, ce qui est important, c'est d'aimer la vie°. Moi, je crois que

   vie *f: life*

   le confort matériel n'est pas absolument nécessaire pour être

   heureux.

5. Est-ce que les grands problèmes mondiaux° (guerres, désarmement, surpopulation, etc.) vous préoccupent?

   mondiaux: du monde

   Oui, surtout la guerre et la faim dans le monde. Mais je me sens

   quelquefois un peu dépassé°.

   dépassé: *powerless*

6. Quand vous avez des difficultés, en parlez-vous à votre père, à votre mère, à vos frères, à vos sœurs, à vos amis? Expliquez° pourquoi.

   expliquer: *to explain*

   Plutôt à mes amis. Mes parents ne peuvent pas comprendre. Ils

   sont d'une autre génération.

Enquête sur les jeunes

NOM DE FAMILLE ___*Ducourtieux*___   PRÉNOM ___*Martine*___

AGE ___*15 ans*___

Donnez une réponse à chacune des questions suivantes. Ne répondez pas seulement par oui ou non.

1. Etes-vous fils (fille) unique? Sinon, combien de frères et sœurs avez-vous?

    Un frère et deux sœurs.

2. Vos parents sont-ils sévères avec vous?

    Oui, plutôt. Mais très souvent pour des choses sans importance.

    Par exemple, ils font toute une histoire° si je rentre après minuit

    quand je sors avec des amis.

    faire toute une histoire:
    to make a big thing

3. Votre mère travaille-t-elle? Si oui, que fait-elle?

    Oui. Elle est secrétaire dans une agence de voyage.

4. D'après vous, le confort matériel est-il nécessaire pour être heureux?

    Ce n'est pas nécessaire, mais c'est assez important. Je ne voudrais

    pas passer tout mon temps à faire le ménage.

5. Est-ce que les grands problèmes mondiaux (guerres, désarmement, surpopulation, etc.) vous préoccupent?

    Oui, bien sûr, comme tout le monde.

6. Quand vous avez des difficultés, en parlez-vous à votre père, à votre mère, à vos frères, à vos sœurs, à vos amis? Expliquez pourquoi.

    Ça dépend de quoi il s'agit°, mais d'habitude j'en parle à mon

    frère.

    il s'agit de: *it's about, it has to do with*

(*Soulier*)

7. Que représente pour vous votre pays°?

    C'est mon pays et je l'aime, c'est tout. Les Russes aiment la
    Russie et les Mexicains aiment le Mexique. C'est naturel.

pays *m:* La France est
un pays.

8. Avez-vous l'intention d'aller habiter ailleurs° un jour, dans une
autre ville ou même dans un autre pays?

    Pour quelques années, peut-être. Je voudrais surtout aller un jour
    faire un stage[3] aux États-Unis.

ailleurs: *somewhere else*

9. Avez-vous beaucoup voyagé? Où êtes-vous allé?

    Assez. Surtout en Europe. J'ai fait un séjour° en Angleterre. Et
    je suis allé aussi en Italie et en Espagne pour des vacances.

faire un séjour: *to spend*
some time, make a trip

10. Avez-vous rencontré beaucoup d'étrangers? Quels étrangers
préférez-vous?

    Des tas, des Italiens, des Espagnols, des Anglais, des Américains.
    Je crois que je préfère les Anglais, mais c'est peut-être parce que
    je connais un peu mieux la langue°.

langue *f: language*

11. Quelle est votre opinion des Américains?

    J'en ai rencontré quelques-uns° en Angleterre, et j'ai l'impression
    qu'ils sont comme tout le monde : il y en a qui sont très sym-
    pathiques et d'autres qui sont absolument désagréables. Mais, en
    général, je les trouve un peu plus ouverts que les Français. Et
    pour ce qui est de° la technologie, surtout l'exploration de l'espace,
    ils sont vraiment très forts.

quelques-uns: *a few*

pour ce qui est de...: *as*
far as . . . is concerned

12. Combien d'argent de poche avez-vous par semaine?

    Mes parents me donnent 15 francs.

---

[3] **Faire un stage** means *to go through a training period.* Many young Frenchmen who are preparing for or are involved
in jobs in industry, engineering, etc., go to foreign countries, including the United States, for further study or
training.

(Ducourtieux)

7. Que représente pour vous votre pays?

   Je ne comprends pas très bien la question.

8. Avez-vous l'intention d'aller habiter ailleurs un jour, dans une autre ville ou même dans un autre pays?

   Oui, peut-être. J'ai toujours eu envie d'aller dans les pays scandinaves. J'aimerais° aussi aller en Espagne et au Portugal, mais je ne crois pas que j'aimerais y habiter.

   j'aimerais: *I would like*

9. Avez-vous beaucoup voyagé? Où êtes-vous allé?

   Pas beaucoup. Je suis allée faire du ski en Suisse et j'ai passé des vacances en Autriche° avec ma famille.

   Autriche *f: Austria*

10. Avez-vous rencontré beaucoup d'étrangers? Quels étrangers préférez-vous?

    J'ai de très bons amis suisses et j'ai rencontré plusieurs Autrichiens très sympathiques pendant notre circuit° en Autriche.

    circuit *m: tour*

11. Quelle est votre opinion des Américains?

    Je ne connais pas d'Américains, mais j'ai l'impression qu'ils ont une vie plus aisée° que nous et qu'ils ont plus d'argent à dépenser.

    aisé: *comfortable, easy*

12. Combien d'argent de poche avez-vous par semaine?

    Ça dépend de l'humeur° de mes parents, mais d'habitude ils me donnent 10 francs.

    humeur *f: mood*

(Soulier)

13. Gagnez-vous de l'argent? Comment?

     Je donne des leçons d'anglais à un petit voisin qui est en cinquième[4].

14. Qu'achetez-vous avec votre argent?

     En général, des disques. Mais en ce moment je fais des économies pour acheter une guitare.

15. Avez-vous beaucoup d'amis?

     De vrais amis, non. Mais j'ai beaucoup de copains°.

     copain *m: buddy, pal*

16. De quoi parlez-vous avec eux?

     Un peu de tout. Des filles, du travail, des sports, de la situation mondiale...

---

[4] **Cinquième** corresponds to 7th grade in the American school system.

Aux sports d'hiver

(*Ducourtieux*)

13. Gagnez-vous de l'argent? Comment?

Je ne travaille pas. Mais quand j'ai de bonnes notes, mes parents me donnent de l'argent.

14. Qu'achetez-vous avec votre argent?

Des livres, des disques, ou si j'ai assez d'argent, quelquefois une écharpe, un cardigan...

15. Avez-vous beaucoup d'amis?

Oui, j'ai beaucoup de très bonnes amies.

16. De quoi parlez-vous avec eux?

Des profs, du lycée, de nos camarades de classe, des films, des derniers albums de disques, de tout.

Dictionary Section

camarade de classe élève de la même classe : *Ce n'est pas mon ami : c'est juste un camarade de classe.*

en ce moment maintenant : *En ce moment, je ne travaille pas : je suis en vacances.*

nom de famille nom qui distingue une famille d'une autre : *Il s'appelle Robert Bertier. Son nom de famille est Bertier.*

s'occuper (de) donner son temps et son attention (à): *Mme Pascal s'occupe de la maison et de ses enfants; elle ne sort pas beaucoup.*

prénom nom qui distingue les membres de la même famille : *Il s'appelle Jean Duclos. Son prénom est Jean.*

préoccuper absorber l'attention de : *La situation économique le préoccupe.*

seulement sans rien d'autre : *Tu mets seulement une veste pour sortir? Mais tu vas avoir froid!*

sévère strict : *Son père est très sévère. C'est un vrai dictateur.*

Suisse petit pays au nord de l'Italie et au sud de l'Allemagne : *Tu as vu ma nouvelle montre? Je l'ai achetée en Suisse.*

suivant qui vient après : *Le premier jour Marc est arrivé à l'heure. Le jour suivant il est arrivé en retard.*

24. QUESTIONS

1. Est-ce que vous trouvez que les parents de Christian sont sévères? Et les parents de Martine?
2. Qui est-ce qui s'intéresse vraiment aux problèmes mondiaux?
3. Est-ce que Christian connaît plus d'étrangers que Martine? Pourquoi?
4. Qui trouve le confort matériel important?
5. Est-ce que Christian parle de ses difficultés à ses parents? Pourquoi?
6. D'après vous, est-ce que Christian est sérieux? Et Martine, est-elle sérieuse?

Noun Exercise

GENDER NOTES: (1) As you know, most countries whose names end in **-e** are feminine: **la Suisse, l'Autriche,** etc. **Le Mexique,** which appears in the following exercise, is an exception to the rule. (2) In addition to nouns ending in **-tion,** many other nouns ending in **-ion** are feminine: **une opinion, une décision.** Exceptions will be included in the Noun Exercise Section.

25. COMPLETION

1. Il y a une petite difficulté.
2. Je ne peux pas t'accompagner : j'ai du travail à faire.
3. Tu travailles dans une agence?
4. Vous avez déjà visité le Mexique, ton mari et toi?
5. Il paraît que c'est un très beau pays.
6. C'est une belle langue, l'espagnol.

7. Vous y avez fait un long séjour?
8. C'est un long voyage?
9. Aujourd'hui, le monde est vraiment petit.

10. Moi, je trouve la vie intéressante aujourd'hui, pas toi?
11. Tu as lu cette enquête sur les jeunes?

12. Lis la dernière réponse de la fille : elle est intéressante.
13. Le sport favori de la fille est le tennis.

14. Il a un nom italien, le garçon.
15. Mais son prénom est français.

1. Quelle est ＿＿ difficulté?
2. Oh toi, tu as toujours ＿＿ travail!

3. Oui, dans ＿＿ agence de voyage.
4. Oui, nous avons beaucoup aimé ＿＿ Mexique.
5. C'est ＿＿ pays qui m'intéresse beaucoup.
6. Oui, c'est ＿＿ langue que j'aime beaucoup.

7. Non, ＿＿ séjour de trois semaines.
8. Par avion, c'est ＿＿ voyage de 15 heures.
9. Eh oui, c'est vrai, ＿＿ monde n'est plus le même.
10. Oui, j'aime bien ＿＿ vie d'aujourd'hui.

11. J'ai vu ＿＿ enquête dans le journal, mais tu m'a pris le journal.
12. ＿＿ réponse du garçon n'est pas mal non plus.
13. Et ＿＿ sport favori du garçon, c'est le football.
14. Mais non, c'est ＿＿ nom russe.
15. Quel est ＿＿ prénom de la fille?

Verb Exercise

26. CUED RESPONSE

[Vous préparez une suprise-partie avec des amis.]

De quoi est-ce que Luc va s'occuper?   Il va s'occuper de l'orangeade.
   (orangeade) ⊗

Et Martine? (électrophone)   Elle va s'occuper de l'électrophone.
Et toi? (hors-d'œuvre)   Je vais m'occuper des hors-d'œuvre.
Et les autres? (disques)   Ils vont s'occuper des disques.

RECOMBINATION EXERCISES

27. IDENTIFICATION EXERCISE

Qui a donné chacune des réponses suivantes, Christian ou Martine?

«Ce qui est important, c'est d'aimer la vie.»
«Mes parents font toute une histoire si je rentre après minuit quand je sors avec des amis.»
«Mes parents ne peuvent pas comprendre. Ils sont d'une autre génération.»
«J'ai de très bons amis suisses.»
«Je ne connais pas d'Américains, mais j'ai l'impression qu'ils ont une vie plus aisée que nous.»

28. NARRATIVE CONSTRUCTION

Décrivez Christian Soulier. Utilisez les questions suivantes pour vous aider.

Quel âge a Christian? Est-ce qu'il est fils unique?
Est-ce qu'il a beaucoup de bons amis? De quoi parle-t-il avec ses camarades?
Est-ce qu'il travaille pour gagner de l'argent? Combien d'argent de poche est-ce que ses
   parents lui donnent par semaine? Comment dépense-t-il son argent, d'habitude?
Est-ce qu'il a beaucoup voyagé? Où est-il allé? Où est-ce qu'il a envie d'aller?

29. FREE RESPONSE

Répondez aux questions suivantes. Ne répondez pas seulement oui ou non.

Vos parents sont-ils sévères avec vous?
Quand vous avez des difficultés, en parlez-vous à vos parents, à vos amis...? Pourquoi?
Avez-vous beaucoup voyagé? Où êtes-vous allé?
Qu'achetez-vous avec votre argent de poche?
De quoi parlez-vous avec vos amis?

30. DIRECTED DRILL

[*Il y a un nouvel élève étranger dans votre école. Vous lui posez des questions sur son pays, sa famille, son âge, son école, comme, par exemple, les questions suivantes.*]

Demandez-lui s'il est français, anglais, allemand...
Demandez-lui quand il est arrivé aux États-Unis.
Demandez-lui s'il habite avec une famille américaine.
Demandez-lui comment il trouve les Américains.
Demandez-lui ce qu'il veut voir aux États-Unis.

Conversation Buildup

I

PIERRE	Comment fais-tu pour avoir tout cet argent de poche?
ALAIN	Ce n'est pas compliqué, mon vieux, je travaille.
PIERRE	Tu travailles, avec tous les devoirs qu'on a au lycée! Mais quand?
ALAIN	Tous les jeudis et pendant les vacances.
PIERRE	Et qu'est-ce que tu fais?
ALAIN	Ben, je bricole : je lave les voitures, je répare des choses... je travaille dans les jardins...

REJOINDERS

Quand tu travailles pour les voisins, qu'est-ce que tu fais?
Qu'est-ce que tu fais avec ton argent?

CONVERSATION STIMULUS

Samedi dernier vous êtes allé travailler chez votre voisin pour avoir un peu d'argent de poche. Vous racontez à un ami ce que vous avez fait pour ce voisin et ce que vous allez faire avec l'argent que vous avez gagné. Vous commencez :

—Samedi dernier j'ai travaillé toute la journée.

II

CONVERSATION STIMULUS

Vous faites une enquête sur les jeunes gens de votre ville. Vous demandez à vos camarades de classe leur opinion sur la vie à l'école et leur vie de famille.

Sur la vie à l'école, vous leur demandez, par exemple, s'ils trouvent :
—que la plupart de leurs cours sont intéressants.

—que leurs professeurs sont trop sévères.
—qu'ils ont trop de travail, assez de sports...
—que les classes commencent trop tôt le matin ou finissent trop tard l'après-midi.
—qu'ils ont assez de temps pour déjeuner.
—qu'il y a assez de livres à la bibliothèque.
—qu'ils ont assez de vacances.

Sur leur vie de famille, vous leur demandez, par exemple :
—si leurs parents comprennent la nouvelle génération.
—si leurs parents s'occupent trop d'eux ou pas assez.
—si leurs parents les laissent sortir assez souvent.
—si leurs parents font trop d'histoires quand ils ont de mauvaises notes.
—si leurs parents leur donnent assez d'argent.
—si leurs parents choisissent leurs vêtements ou s'ils les choisissent eux-mêmes.

Writing

DIALOG COMPLETION

The following series of sentences combine to form a conversation between two boys, Luc and Yves. By studying Yves' answers, you should be able to figure out what questions Luc was asking him. Rewrite the conversation, supplying or completing Luc's questions.

1. YVES   Salut, Luc. Ça va?
    LUC   Ça va. _____?
    YVES   Hier? Je suis sorti.
2. LUC   _____?
    YVES   Au cinéma.
3. LUC   Ah oui? _____?
    YVES   Avec Brigitte.
4. LUC   _____?
    YVES   *Au revoir au Texas.* C'est un nouveau western.
5. LUC   _____?
    YVES   Oui, beaucoup.
6. LUC   _____ joue dans le film?
    YVES   John Wayne et une femme que je ne connais pas.
7. LUC   Et Brigitte? _____?
    YVES   Elle ne fait rien en ce moment, mais elle part en vacances au Portugal la semaine prochaine.
8. LUC   Elle a de la chance! _____?
    YVES   Je ne suis pas sûr. Un mois, je crois.
9. LUC   _____?
    YVES   Ce soir? Euh, je crois que je vais rester à la maison. Mon magnétophone est cassé et je veux le réparer.

REFERENCE LIST

Nouns

bruit *m*	héritage *m*	nom *m*	prénom *m*	timbre *m*
copain *m*	magnétophone *m*	papier *m*	renseignement *m*	tour *m*
dictionnaire *m*	Mexique *m*	pays *m*	séjour *m*	travail *m*
genre *m*	monde *m*	Portugal *m*	sport *m*	voyage *m*
agence *f*	difficulté *f*	langue *f*	papeterie *f*	situation *f*
Autriche *f*	église *f*	librairie *f*	pharmacie *f*	Suisse *f*
bande *f*	enquête *f*	mairie *f*	poste *f*	technologie *f*
bibliothèque *f*	génération *f*	opinion *f*	réponse *f*	vie *f*

m/f pairs: camarade *m, f*   secrétaire *m, f*

Adjectives and Adverbs

aisé, –e	heureux, –euse	mexicain, –e	suisse
autrichien, –nne	important, –e	scandinave	suivant, –e
désagréable	magnétique	sévère	superbe

absolument   ailleurs   seulement   simplement   surtout   tout

Verbs

	(*like* travailler)		(*irregular*)
arriver	enregistrer	s'occuper de	croire
bricoler	expliquer	représenter	
dépenser	intéresser	voyager	
dessiner	laisser		

Other Words and Expressions

argent de poche	faire des économies	il s'agit de	pour ce qui est de
avoir l'impression	faire une histoire	par exemple	qu'est-ce qui
en ce moment	faire un stage	la plupart	qui est-ce qui
en général	il paraît que		

RÉALITÉS

ENQUÊTE SUR LES JEUNES

Question : *Parmi les activités ci-dessous quels loisirs aimeriez-vous pratiquer?*

— alpinisme
— tennis.
— parachutisme.
— équitation.
— ski.
— natation.
— voile.
— judo.

— visite de musées ou expositions.
— aller au bal ou à des surprises-parties.
— faire de la photo.
— faire du théâtre.
— aller au théâtre.
— voyager.
— jouer d'un instrument de musique.
— aller au cinéma.

LOISIRS SPORTIFS		LOISIRS CULTURELS	
Equitation	9,5 %	Voyager	20 %
Ski	9,5	Jouer d'un instrument de musi-que	8
Natation	8	Faire du théâtre	4,5
Tennis	6	Faire de la photo	4
Voile	5,5	Aller au bal ou surprises-parties.	3,5
Alpinisme	5	Aller au théâtre	3,5
Parachutisme	4,5	Visite de musées ou expositions.	2,5
Judo	3,5	Aller au cinéma	2
Total	51,5 %	Total	48 %

alpinisme: *mountain climbing*   **équitation:** *horseback riding*   **natation:** *swimming*

BASIC MATERIAL I

Le pique-nique

BERNARD   Qu'est-ce que tu as, mon pauvre vieux? Tu as le nez comme une citrouille!

MICHEL   Tu peux rire, mais je te jure que ce n'est pas drôle.

BERNARD   Qu'est-ce qui t'est arrivé?

MICHEL   Eh bien, voilà. Hier on est allé faire un pique-nique dans les bois. C'était formidable. Il faisait beau, les oiseaux chantaient... enfin, tu vois le tableau. Moi, je ne faisais pas grand-chose, alors papa m'a demandé d'aller chercher du bois pour faire le feu. Je suis donc parti chercher mon bois...

BERNARD   Bon, bon, et alors...?

MICHEL   Alors, je revenais tranquillement vers les autres quand tout à coup j'ai senti[1] quelque chose sur le bout du nez. C'était une abeille, grosse comme ça.

BERNARD   Ben, il fallait la chasser!

MICHEL   J'avais les bras pleins de bois! Alors, elle m'a piqué, la vache. Et tu vois la suite...

Supplement

Qu'est-ce que vous avez apporté au pique-nique?

Des œufs durs.
Une bouteille de soda.
Un panier plein de provisions.
Nous avons décidé de déjeuner au restaurant.

---

[1] Although **sentir** and **se sentir** have the same English equivalent, *to feel,* they cannot be used interchangeably. In general, **se sentir** is used to describe the way one feels inside, either physically or emotionally. It is usually followed by an adjective or an adverb: **Je ne me sens pas bien.** *I don't feel well.* **Je me sentais un peu ridicule.** *I felt a little ridiculous.* **Sentir** means *to receive an impression through one of the senses.* It is normally followed by a direct object: **J'ai senti quelque chose sur le bout du nez.** *I felt something on the end of my nose.*

◀ *Pique-nique en famille près du Château de Grignan*

The Picnic

BERNARD   What's the matter with you, poor old buddy? Your nose looks like a pumpkin!

MICHEL   You can laugh, but I assure (swear to) you that it isn't funny.

BERNARD   What happened to you?

MICHEL   Well, it was like this. Yesterday we went to the woods to have a picnic. It was great. The weather was nice, the birds were singing . . . well, you get the picture. I wasn't doing much of anything, so Dad asked me to go get some wood to make the fire. So I went to look for wood . . .

BERNARD   O.K., O.K., and then . . .?

MICHEL   Well, I was peacefully coming back toward the others, when all of a sudden I felt something on the end of my nose. It was a bee, as big as that.

BERNARD   You should have chased it away!

MICHEL   I had my arms full of wood! So it stung me, the beast (cow). And you see the result (what followed).

Supplement

What did you bring to the picnic?

Some hard-boiled eggs.
A bottle of soda.
A basket full of food (provisions).
We decided to have lunch at a restaurant.

Vocabulary Exercises

1. QUESTIONS ON BASIC MATERIAL

1. Où est-ce que Michel est allé hier? Avec qui est-ce qu'il y est allé?
2. Qui lui a demandé d'aller chercher du bois?
3. Qu'est-ce qui l'a piqué?

2. FREE RESPONSE

1. Est-ce que vous avez déjà été piqué par une abeille? Quand?
2. Est-ce que vous aimez mieux faire un pique-nique ou manger au restaurant?
3. Qu'est-ce que vous aimez mieux, le lait ou le soda?
4. Quand est-ce qu'on fait des pique-niques, en été ou en hiver?
5. Quand on fait un pique-nique, dans quoi est-ce qu'on met les provisions?
6. Est-ce qu'il y a un bois près d'ici? A combien de kilomètres?

3. FREE SUBSTITUTION

Nous avons décidé de faire un pique-nique.
Il faut apporter une bouteille d'eau minérale.
Michel a les bras pleins de bois.
J'ai mal aux dents.
Je me suis cassé le bras.

Noun and Adjective Exercises

4. COMPLETION

1. On va faire un pique-nique cette après-midi.
2. Est-ce que nous avons un grand panier?
3. Toi, tu achètes une bouteille d'eau minérale.
4. Tu veux du soda ou de l'eau minérale?
5. Moi, je voudrais bien un bout de fromage.
6. Qui va faire le feu?
7. Michel est allé chercher du bois.

8. Regarde cette grosse abeille sur le panier!

9. Tu vois ce petit oiseau blanc?
10. Qu'est-ce que tu as fait à ton bras?

11. Quelle est la suite de l'histoire?

1. Mais on a fait _____ pique-nique dimanche!
2. Oui, il y a _____ panier dans la cuisine.
3. Mais il y en a déjà _____ bouteille dans le frigidaire.
4. _____ soda, s'il te plaît.
5. En voilà _____ petit bout.
6. Pas moi. J'ai fait _____ feu la dernière fois.
7. Pourquoi? Il y a _____ bois tout prêt à côté de la voiture.
8. Oui, et il y a _____ autre abeille dans la confiture.
9. _____ oiseau? Où?
10. Je me suis cassé _____ bras dimanche dernier quand on est allé faire un pique-nique.
11. _____ suite? Il n'y a pas de suite.

ADJECTIVE NOTE: Like some other adjectives you have seen (**nouveau, vieux, petit, grand, bon, mauvais, beau**), the adjective **gros** normally precedes the noun it modifies: **un gros lapin, une grosse abeille.** Notice that the feminine form of the adjective is spelled **grosse.**

5. SENTENCE COMBINATION

Regarde cette abeille! Ce qu'elle est grosse!

Regarde ce lapin! Ce qu'il est gros!
Regarde cet oiseau! Ce qu'il est petit!
Regarde ce chien! Ce qu'il est beau!
Regarde ce chat! Ce qu'il est vieux!

Regarde cette grosse abeille!

Regarde ce gros lapin!
Regarde ce petit oiseau!
Regarde ce beau chien!
Regarde ce vieux chat!

Verb Exercise

Infinitive	Present	Past Part.
rire	je ris	ri
	(il rit)	
	nous rions	
	ils rient	

6. PATTERNED RESPONSE

1. Pourquoi est-ce que tu ris?   Mais je ne ris pas!
   Pourquoi est-ce que Jacques rit?
   Pourquoi est-ce que les autres rient?
   Pourquoi est-ce que vous riez, vous deux?
   Pourquoi est-ce que papa rit?

2. Tu as trouvé ça drôle?   Oui, j'ai ri.
   Tes parents ont trouvé ça drôle?
   Martine a trouvé ça drôle?
   Marc et toi, vous avez trouvé ça drôle?
   Le prof a trouvé ça drôle?

Grammar

The Imperfect: Formation

PRESENTATION

Je reven<u>ais</u> vers les autres.   Nous reven<u>ions</u> vers les autres.
Tu reven<u>ais</u> vers les autres?   Vous reven<u>iez</u> vers les autres?
Michel reven<u>ait</u> vers les autres.   Michel et son père reven<u>aient</u> vers les autres.

Does the action described in the above sentences take place in the present or in the past? The imperfect stem of **revenir** is **reven-**. What are the singular imperfect endings? And the ending of the third person plural? If you hear these four verb forms said aloud—**je revenais, tu revenais, il revenait, ils revenaient**—do they sound alike or different? Are they spelled the same? What are the imperfect endings of the **nous** and **vous** forms?

Nous faisons nos devoirs.	A ce moment-là, je faisais mes devoirs.
Nous lisons le journal.	A ce moment-là, je lisais le journal.
Nous voulons partir.	A ce moment-là, je voulais partir.
Nous mettons nos manteaux.	A ce moment-là, je mettais mon manteau.

Are the verbs in the left-hand column in the present or in the past? What form of the verb is used in each of these sentences, the **vous** form, the **nous** form...? Compare the stems of these present tense **nous** forms with the imperfect stems in the right-hand column. Are they alike or different?

Nous **sommes** très contents.	A ce moment-là, j'**étais** très content.

What is the infinitive of the verb in the above sentences? What is the imperfect stem of **être**? Does **être,** like the other verbs you have seen, form its imperfect stem from the present tense **nous** form?

GENERALIZATION

IMPERFECT	
Stem	*Endings*
travaill-	ais
attend-	ais
finiss-	ait
dorm-	ions
av-	iez
	aient

The **passé composé** which you have already learned, is one way of referring to what went on in the past. The imperfect is another. You will learn that the use of the **passé composé** or imperfect does not depend on when the action took place, but on how the speaker chooses to describe the action. One of the uses of the imperfect is to describe what was going on in the past at the time something else happened. The uses of the imperfect, as contrasted with the **passé composé,** will be explained more fully later on in this unit.

1. The imperfect endings, as shown above, are the same for all verbs. Notice that there are only three different *spoken* endings, one for the **nous** form, one for the **vous** form, and a third for all the others.

2. With the exception of **être**, the imperfect <u>stem</u> of *all* verbs is the same as the stem of the present tense **nous** form.

Stem of Present Tense **nous** *form*	Imperfect Stem
nous **faisons**	**fais-** : je **faisais**, tu **faisais**, etc.
nous **écrivons**	**écriv-** : j'**écrivais**, tu **écrivais**, etc.
nous **avons**	**av-** : j'**avais**, tu **avais**, etc.
nous **croyons**	**croy-** : je **croyais**, tu **croyais**, etc.
nous **rions**	**ri-** : je **riais**, tu **riais**, etc.

—The imperfect stem of **être** is **ét-** : **j'étais, tu étais,** etc.

—The following list shows the imperfect forms of three verbs that are used only in the third person singular.

Infinitive	Present	Imperfect
falloir	**il faut**	**il fallait**
pleuvoir	**il pleut**	**il pleuvait**
neiger	**il neige**	**il neigeait**

3. Verbs whose infinitive form ends in **-cer** or **-ger** (for example, **commencer, manger**) show spelling changes before the imperfect endings beginning with **a**:

nous commencions		je commençais
vous commenciez	*but*	tu commençais
		il commençait
		ils commençaient

nous mangions		je mangeais
vous mangiez	*but*	tu mangeais
		il mangeait
		ils mangeaient

STRUCTURE DRILLS

7. PERSON-NUMBER SUBSTITUTION

Je ne faisais pas grand-chose. ⊗
Maman _____.
Les autres _____.

Je ne faisais pas grand-chose.
Maman ne faisait pas grand-chose.
Les autres ne faisaient pas grand-chose.

Tu _____   Tu ne faisais pas grand-chose.
Nous _____   Nous ne faisions pas grand-chose.
Vous _____   Vous ne faisiez pas grand-chose.

8. PATTERNED DIALOG

[*Qu'est-ce que vous faisiez quand le téléphone a sonné?*]

Nous lisions un magazine. ⊗

1ST STUDENT	Qu'est-ce qu'ils faisaient?
2ND STUDENT	Ils lisaient un magazine.

Nous prenions notre petit déjeuner.

Qu'est-ce qu'ils faisaient?
Ils prenaient leur petit déjeuner.

Nous écrivions des lettres.

Qu'est-ce qu'ils faisaient?
Ils écrivaient des lettres.

Nous finissions nos devoirs.

Qu'est-ce qu'ils faisaient?
Ils finissaient leurs devoirs.

Nous dormions.

Qu'est-ce qu'ils faisaient?
Ils dormaient.

Nous jouions aux cartes.

Qu'est-ce qu'ils faisaient?
Ils jouaient aux cartes.

9. PATTERNED RESPONSE

Pourquoi est-ce que Georges ne jouait
  pas aux cartes? ⊗   Il était trop fatigué.

Pourquoi est-ce que tu ne jouais pas?   J'étais trop fatigué.

Pourquoi est-ce que ta mère ne jouait
  pas?   Elle était trop fatiguée.

Pourquoi est-ce que les filles ne jouaient
  pas?   Elles étaient trop fatiguées.

Pourquoi est-ce que vous ne jouiez pas,
  vous deux?   Nous étions trop fatigués.

Pourquoi est-ce que Vincent ne jouait
  pas?   Il était trop fatigué.

Imperfect vs passé composé

PRESENTATION

Je <u>revenais</u> tranquillement quand tout à coup <u>j'ai senti</u> quelque chose sur le bout du nez.

In this sentence from the Basic Material, which verb tells about something that occurred at a particular moment in the past? Is it in the imperfect or the **passé composé?** Which verb tells what was going on at that time? Is it in the imperfect or the **passé composé?**

Il <u>faisait</u> beau quand nous <u>sommes arrivés</u>.

In this sentence, which verb expresses an action that happened at a certain time in the past? Is it in the imperfect or the **passé composé?** Which verb describes a condition that existed at that time (in this case, the weather condition)? Is the verb in the **passé composé** or the imperfect?

GENERALIZATION

The imperfect and the **passé composé** are two ways of expressing past time in French. As was previously stated, the choice of the imperfect or the **passé composé** does not depend on when the action took place (since they may both refer to the same moment in the past), but rather on how the speaker chooses to describe the action or condition he is referring to. In order to learn to use the **passé composé** and the imperfect the way a French person does, you will need to see them in many different contexts. However, there are certain basic uses of each aspect which you should understand at this point.

1. The <u>imperfect</u> is used to describe <u>an action that was in progress</u> at a certain time in the past. This use of the French imperfect often corresponds to the English construction *was (were)* + *verb* + *-ing.* Look at the following sentences from the Basic Material.

   Je revenais vers les autres...   *I was coming back toward the others..*
   Les oiseaux chantaient...   *The birds were singing...*

In each of these sentences, the action is described as being in progress. When it started and when it stopped are not important. The imperfect is often used as Michel uses it here in telling his story—to set the scene or provide background for something that occurred in the past.

In the same way, the imperfect is used to describe <u>a condition that existed</u> at a certain time in the past. You will find that verbs that refer to a condition or state of mind (**avoir, être, pouvoir, vouloir,** etc.) occur quite often in the imperfect.

Il faisait déjà chaud à dix heures du matin.	*It was already hot at ten o'clock in the morning.*
Il y avait un magnétophone dans le salon.	*There was a tape recorder in the living room.*
J'étais très fatigué.	*I was very tired.*

By using the imperfect in the first sentence, the speaker indicates that at the time he is referring to (ten in the morning), the condition (being hot) already existed. He is not concerned with when it started or when it stopped being hot. In the second and third sentences, the speaker doesn't mention a particular time, such as ten o'clock. He simply says that at the time he is talking about, there was a tape recorder in the living room and that he was tired. Here again, he does not focus on when the conditions began or ended.

2. The **passé composé** is used when the speaker thinks of the action as having been completed within the time considered.

Hier on est allé faire un pique-nique.	*Yesterday we went on a picnic.*
Maman a repassé une chemise.	*Mom ironed a shirt.*
Luc m'a regardé pendant quelques instants.	*Luc looked at me for a few moments.*
L'année dernière nous sommes allés en France.	*Last year we went to France.*

The actions expressed in the above sentences are thought of as completed. The length of time each action took and whether or not the time is stated are unimportant. The important thing is that each action is thought of as having been completed within the time the speaker has in mind.

The **passé composé** is sometimes used to express a series of actions, each one completed within the time considered.

Maman a fait la vaisselle, puis elle a repassé des robes, puis elle est sortie.

3. Now compare the following pairs of sentences:

A ce moment-là, il regardait le tableau.	*At that moment, he was looking at the painting.*
A ce moment-là, il a regardé le tableau.	*At that moment, he looked at the painting.*
Quand je suis entré à 8h 05, Maman mettait son manteau pour sortir.	*When I came in at 8:05, Mom was putting on her coat to go out.*
Quand je suis entré à 8h 05, Maman a mis son manteau pour sortir.	*When I came in at 8:05, Mom put on her coat to go out.*

In each of the above sentence pairs, both sentences refer to the same moment in time. However, in the first sentence of each pair, the action was already in progress at that moment, while in the second sentence, the action took place at that moment.

An action expressed in the imperfect might be represented by a line extending indefinitely in both directions, while an action expressed in the **passé composé** might be represented by a segment or segments of that line:

quand j'ai senti
quelque chose sur
le bout du nez

...je revenais...revenais...revenais...revenais...revenais...revenais...

alors papa
m'a demandé
d'aller chercher
du bois

je suis
donc parti

...il faisait beau...faisait beau...faisait beau...faisait beau...faisait beau...

STRUCTURE DRILLS

10. PAIRED SENTENCES

A ce moment-là Marc regardait la photo.
At that moment Marc looked at the picture.
At that moment Marc was looking at the picture.

A ce moment-là Marc regardait la photo.
A ce moment-là Marc a regardé la photo.
A ce moment-là Marc regardait la photo.

A huit heures j'ai fini mes leçons.
At eight o'clock I was finishing my lessons.
At eight o'clock I finished my lessons.

A huit heures j'ai fini mes leçons.
A huit heures je finissais mes leçons.
A huit heures j'ai fini mes leçons.

Quand Michel est entré, les autres riaient.
When Michel came in, the others laughed.
When Michel came in, the others were laughing.

Quand Michel est entré, les autres riaient.
Quand Michel est entré, les autres ont ri.
Quand Michel est entré, les autres riaient.

11. QUESTIONS ON BASIC MATERIAL

D'après le dialogue, où est-ce que Michel et sa famille sont allés faire leur pique-nique?
Quel temps faisait-il ce jour-là?
Qu'est-ce que Michel faisait quand son père lui a demandé d'aller chercher du bois?
Qu'est-ce que Michel était en train de faire quand il a senti l'abeille sur le bout de son nez?
Qu'est-ce qu'il avait dans les bras?

12. FREE RESPONSE

Est-ce que votre mère était chez vous quand vous êtes rentré hier? Qu'est-ce qu'elle faisait?
Qu'est-ce que vous faisiez quand votre père est rentré?
Est-ce qu'un de vos amis vous a téléphoné hier soir? Qu'est-ce que vous faisiez quand le téléphone a sonné?

13. PATTERNED RESPONSE

Hier Marie a repassé pendant toute l'après-midi. ⊗	Hier Marie a repassé pendant toute l'après-midi.
A quatre heures, le téléphone a sonné.	
Qu'est-ce que Marie faisait quand le téléphone a sonné?	Elle repassait.
Marc a bricolé pendant toute la journée.	Marc a bricolé pendant toute la journée.
Vous êtes arrivé à deux heures.	
Qu'est-ce que Marc faisait quand vous êtes arrivé?	Il bricolait.
Martine a travaillé pendant toute l'après-midi.	Martine a travaillé pendant toute l'après-midi.
Son frère est rentré à trois heures.	
Qu'est-ce que Martine faisait quand son frère est rentré?	Elle travaillait.
Son grand-père a raconté des histoires.	Son grand-père a raconté des histoires.
Elle s'est endormie.	
Qu'est-ce que son grand-père faisait quand elle s'est endormie?	Il racontait des histoires.

14. PATTERNED DIALOG

Il fait beau. ⊗	1ST STUDENT	Qu'est-ce qu'il a dit?
	2ND STUDENT	Qu'il faisait beau.
J'ai envie d'aller faire un pique-nique.		Qu'est-ce qu'il a dit?
		Qu'il avait envie de faire un pique-nique.
Je peux apporter du soda.		Qu'est-ce qu'il a dit?
		Qu'il pouvait apporter du soda.
Je veux partir tout de suite.		Qu'est-ce qu'il a dit?
		Qu'il voulait partir tout de suite.

Bretagne, Port Launay: pêcheurs en train de travailler

15. FREE COMPLETION

1. Complete each of the following sentences with a phrase including an appropriate verb in the **passé composé:**

   Maman était en train de repasser des chemises quand...
   J'étais en train de me laver la tête quand...
   Nous allions à la poste quand...

2. Complete each of the following sentences with an appropriate verb in the imperfect:

   Quand les Durand sont arrivés, nous...
   Quand je suis sorti, mon frère...
   Quand le professeur est entré, nous...

Writing

PARAGRAPH REWRITE

Rewrite the following paragraph changing the verbs from the present to the **passé composé** or to the imperfect, depending upon which is appropriate. Begin: **Hier...**

Aujourd'hui c'est jeudi. Je me réveille de bonne heure, vers six heures. Mes parents dorment encore. Il fait très beau. Je décide d'aller me promener un peu avant le petit déjeuner. Alors, je me lave, je m'habille et je sors. Il y a très peu de gens dans la rue—deux ou trois vieilles dames en noir qui vont à l'église. Il fait chaud et les oiseaux chantent. Je prends la rue du lycée. La porte du lycée est ouverte : le concierge est en train de laver l'entrée. Je dis bonjour à M. Ducourtier qui est en train de lire son journal devant la porte de sa librairie. Je marche une bonne heure; je vais jusqu'au bois de Montredon. Quand je rentre à la maison, tout le monde est en train de se lever. J'ai encore toute une journée devant moi, sans devoirs, sans leçons, sans professeurs. La vie est belle!

BASIC MATERIAL II

Souvenirs

Quand j'étais enfant, je passais toutes mes vacances chez mon grand-père, qui habitait un tout petit port de pêche près de Trégastel. C'était un vrai marin, mon grand-père, et j'avais beaucoup d'admiration pour lui. Il avait un vieux bateau, «l'Oiseau Bleu», et il allait à la pêche tous les jours. Quand j'étais là, il m'emmenait toujours avec lui. Je me levais très tôt, vers six heures, mais lui, il se levait toujours avant moi. A cinq heures du matin, il était déjà sur son bateau, sa vieille casquette bleue sur la tête. Dès que j'arrivais, on hissait les voiles et on partait vers le large...

Supplement

Vous allez nous emmener en bateau?	Oui, s'il y a du vent.
	S'il n'y a pas trop de vagues.
	Si vous promettez de ne pas trop remuer.
	Oui, ça va vous faire du bien.
	Vous en avez tellement envie?
Quels beaux poissons!	Ils ont l'air frais!
	Les pêcheurs les ont attrapés dans le lac.
	Il y en a des tas dans la rivière.
	Ils viennent du petit ruisseau.
	Je suis passé[2] chez le marchand de poissons.

---

[2] The **passé composé** of the verb **passer** may be formed with **avoir** or **être. Avoir** is used when the verb means *to spend* and is followed by a direct object: **Cet été j'ai passé mes vacances au bord de la mer.** *This summer I spent my vacation at the seashore.* **Etre** is used when the verb means *to pass (by), to stop (by)*: **Je suis passé chez les Dupont.** *I stopped by at the Duponts.*

Memories

When I was a child, I used to spend all my vacations with my grandfather, who lived in a tiny little fishing port near Trégastel. My grandfather was a real sailor, and I had a lot of admiration for him. He had an old boat, "The Blue Bird," and he used to go out fishing every day. When I was there, he used to always take me with him. I would get up very early, around six o'clock, but he always got up before I did. At five in the morning, he was already on his boat, with his old blue cap on his head. As soon as I arrived, we would hoist the sails and set off toward the open sea . . .

Supplement

Are you going to take us out for a boat ride?	Yes, if there is some wind.
	If there aren't too many waves.
	If you promise not to move around too much.
	Yes, that will do you good.
	Do you really want to go that much?
What beautiful fish!	They look fresh!
	The fishermen caught them in the lake.
	There are loads of them in the river.
	They come from the little stream.
	I stopped by the fish seller's.

Vocabulary Exercises

16. QUESTIONS ON BASIC MATERIAL

1. Qui est-ce que le narrateur accompagnait à la pêche quand il était jeune?
2. Comment son grand-père passait-il son temps?
3. Comment s'appelait son bateau?
4. Qui se levait le premier, d'habitude, le narrateur ou son grand-père?

17. FREE RESPONSE

1. Vous êtes déjà allé à la pêche? Avec qui? Quand?
2. Combien de poissons avez-vous attrapés? Où est-ce que vous les avez attrapés? Dans un ruisseau? Dans une rivière?
3. Est-ce qu'il y a du vent aujourd'hui? Quel temps a-t-il fait hier?
4. Quel temps faisait-il quand vous êtes parti de chez vous ce matin?

18. PATTERNED COMPLETION

Dites à Marc de prendre un peu de thé... ⊗   Ça lui fait toujours du bien.
Dites à Maman de se reposer un peu...
Dites aux enfants d'aller dormir un peu...
Dites à Chantal de manger quelque chose...
Dites aux filles d'aller se promener un peu...

19. COMPLETION

Nous ne pouvons pas faire de bateau à voiles : il n'y a pas assez de _____ .
Je ne vais pas vous emmener en bateau aujourd'hui : il y a trop de _____ .
On est prêt? Bon alors, hissez les _____ .
Nous avons attrapé des tas de poissons dans _____ .

Noun and Adjective Exercises

20. COMPLETION

1. Nous avons quitté le port très tôt le matin.
2. Pourquoi est-ce que tu portes une casquette?
3. Ce que le vent est froid aujourd'hui!
4. Regarde cette vague-là!
5. Il a une voile ou deux, ton bateau?
6. Vous faites quelquefois du bateau sur le grand lac?
7. Tu as gardé un bon souvenir de ce tour en bateau?
8. Il y a une rivière près de chez vous?
9. Il y a des poissons dans le ruisseau?

1. A quelle heure est-ce que vous avez quitté ____ port?
2. Je porte toujours ____ casquette de marin quand je vais en mer.
3. Oui, mais moi j'aime bien ____ vent.
4. Tu appelles ça ____ vague?
5. Mon bateau? Il a ____ voile.
6. Oui, quand ____ lac est calme.
7. Oui, ____ souvenir formidable. Pas toi?
8. Oui, il y a ____ rivière à trois kilomètres.
9. Dans ____ ruisseau? Il y en a des tas!

ADJECTIVE NOTE: **Frais** has an irregular feminine form: **fraîche.**

21. PATTERNED COMPLETION

Je n'ai pas pris de poissons...   Ils n'avaient pas l'air frais.
Je n'ai pas pris de viande...   Elle n'avait pas l'air fraîche.
Je n'ai pas pris de pain...   Il n'avait pas l'air frais.
Je n'ai pas pris de salade...   Elle n'avait pas l'air fraîche.
Je n'ai pas pris de croissants...   Ils n'avaient pas l'air frais.

Verb Exercise

22. PRESENT → PASSÉ COMPOSÉ

Vous passez vos vacances en Bretagne? ⊗ Vous avez passé vos vacances en Bretagne?
Vous passez chez le marchand de pois- Vous êtes passé chez le marchand de pois-
    sons?   sons?

Je passe une semaine à Bordeaux.
Je passe à l'agence de voyage.

Nous passons à la gare.
Nous passons un mois à Trégastel.

Grammar

More About the Imperfect

PRESENTATION

Quand j'étais là, il m'emmenait toujours avec lui.
Je me levais très tôt, vers six heures.

In these sentences from the Basic Material, is the narrator referring to the actions as particular events that happened at a definite time or as things that he and his grandfather were in the habit of doing again and again, day after day, during the whole period of time they spent together? Does he use the **passé composé** or the imperfect to describe these actions?

GENERALIZATION

The imperfect is also used to indicate that a past action was customary or habitual. As with the other uses of the imperfect, the speaker does not stress when the series of actions began or ended. In Basic Material II, when the narrator talks about going fishing with his grandfather when he was little, he uses the imperfect to paint a picture—to describe what things were like and what he used to do. In his mind, the series of actions were continuous because they were repeated over and over again. He does not describe them as separate actions but as one ongoing action that extended over the whole period of time in question.

Il allait à la pêche tous les jours.	*He used to go out fishing every day.*
Quand j'étais là, il m'emmenait toujours avec lui.	*When I was there, he always took me with him.*
Je me levais très tôt, vers six heures.	*I would get up very early, around six o'clock.*

Look at the English equivalents of the above sentences. Sometimes the English speaker uses the words *used to* or *would* to show that he thinks of a certain action as habitual or ongoing (*He used to go out . . . I would get up . . .*) but sometimes he doesn't (*. . . he took me with him*). The French speaker has no such choice. He must always use the imperfect when he views an action or condition as ongoing. This is a very important difference between French and English.

STRUCTURE DRILLS

23. PATTERNED COMPLETION

Hier je suis allé à la pêche. ⊗
Quand j'étais petit...   j'allais souvent à la pêche.

La semaine dernière nous avons fait du bateau.
Quand nous étions à Marseille...   nous faisions souvent du bateau.

Ce matin je me suis levé très tôt.
Quand j'étais chez grand-père...   je me levais souvent très tôt.

Aujourd'hui grand-père a mis une casquette blanche.
Quand il était jeune...   il mettait souvent une casquette blanche.

Hier il a fait mauvais.
Quand nous étions en Bretagne...   il faisait souvent mauvais.

24. QUESTIONS ON BASIC MATERIAL

Pour qui est-ce que le narrateur avait de l'admiration quand il était petit?
Chez qui est-ce qu'il passait ses vacances?
A quelle heure est-ce qu'il se levait tous les jours?
Où était son grand-père à cette heure-là?
Où est-ce que son grand-père l'emmenait?
Qu'est-ce qu'ils faisaient dès que le narrateur arrivait au port?

25. PASSÉ COMPOSÉ → IMPERFECT

Ce jour-là nous avons fait du ski nautique. ⊗ Mais d'habitude nous ne faisions pas de ski nautique.

Ce jour-là je suis allé à la pêche.   Mais d'habitude je n'allais pas à la pêche.
Ce jour-là il a fait beau.   Mais d'habitude il ne faisait pas beau.
Ce jour-là je me suis couché tard.   Mais d'habitude je ne me couchais pas tard.
Ce jour-là nous avons attrapé beaucoup de poissons.   Mais d'habitude nous n'attrapions pas beaucoup de poissons.

26. FREE RESPONSE

Quand vous aviez trois ou quatre ans, est-ce que vous aviez envie d'aller à l'école? Et maintenant?

A quelle école est-ce que vous alliez quand vous aviez sept ans?

Quand vous étiez petit, qu'est-ce que vous faisiez après l'école? Et le samedi? Est-ce que vous regardiez souvent la télévision?

Est-ce que vous avez toujours habité ici? Quand vous étiez petit, est-ce que vous habitiez dans la même maison que maintenant?

27. PRESENT → PASSÉ COMPOSÉ OR IMPERFECT

Quand je suis à Paris, je ne sors pas souvent.   Quand j'étais à Paris, je ne sortais pas souvent.

D'habitude je reste chez moi toute la journée.

Je lis ou je travaille.

Quelquefois, j'écris des lettres.

Un jour, tout à coup, j'en ai assez de travailler.

Alors, je dîne.

Et je sors.

J'achète un journal.

Je regarde s'il y a un bon film.

Il y a un film anglais au Bijou.

Je me dépêche pour ne pas arriver en retard.

J'arrive au cinéma.

J'achète mon billet et j'entre.

Malheureusement, le film est ennuyeux.

C'est une histoire d'amour ridicule.

Et puis il fait trop chaud dans la salle.

Après dix minutes, je sors.

Je prends le métro pour rentrer.

Writing

PARAGRAPH REWRITE

Rewrite the following paragraph, changing the verbs from the present to the **passé composé** or to the imperfect, depending upon which is appropriate.

D'habitude quand je ne suis pas en mer avec mon oncle, je déjeune à la maison. Ma tante fait toujours de la bouillabaisse. Alors, l'autre jour je décide d'aller déjeuner au restaurant parce que j'en ai assez de manger de la bouillabaisse! Je vais à l'unique restaurant du village, près du port. Au restaurant il y a trois marins qui mangent de la bouillabaisse à une table près de la fenêtre. A une autre table il y a une famille qui mange aussi de la bouillabaisse. Je demande du ragoût. On me répond qu'il n'y en a pas. Je demande des œufs. Il n'y en a pas non plus. Je demande de la viande, mais il n'y a pas de viande. Rien à faire! Alors, je prends de la bouillabaisse comme tout le monde.

READING

Word Study

In French, as in English, a great many adverbs are related in form and in meaning to adjectives. Such adverbs are normally formed by adding the suffix **-ment** to the feminine adjective form. The French suffix **-ment** very often corresponds to the English suffix *-ly*.

Feminine Singular Adjective		*Adverb*	
certaine	*certain*	**certainement**	*certainly*
sûre	*sure*	**sûrement**	*surely*

If the masculine form of the adjective ends in a vowel, **-ment** is added to the masculine form.

Masculine Singular Adjective		*Adverb*	
vrai	*true, real*	**vraiment**	*truly, really*
tranquille	*peaceful*	**tranquillement**	*peacefully*

*   *   *

The selection which follows is adapted from a story by René Goscinny, a well-known French author. It appears in a collection of stories called *Les Vacances du Petit Nicolas,* one of a series of five books that recount the adventures of Nicolas, a small French boy. The stories are told by Nicolas, who tends to speak the way most children do. He often uses informal, familiar expressions and doesn't always pay strict attention to style and grammar.

M. Goscinny is also the author of the very popular *Astérix* comic book series.

L'Ile des Embruns°

C'est chouette°, parce qu'on va faire une excursion en bateau.
M. Lanternau vient avec nous, et ça, ça ne plaît pas tellement
à papa qui n'aime pas beaucoup M. Lanternau, je crois. Et je
ne comprends pas pourquoi. M. Lanternau, qui passe ses vacances
5 dans le même hôtel que nous, est très drôle et il essaie° toujours
d'amuser les gens. Hier, il est venu dans la salle à manger avec
un faux nez et une grosse moustache et il a dit au patron de l'hôtel
que le poisson n'était pas frais. Moi, ça m'a fait drôlement rigoler°.

*   *   *

Nous sommes partis de l'hôtel le matin, avec un panier de
10 pique-nique plein de sandwiches, d'œufs durs, de bananes et de
cidre. C'était chouette. Et puis M. Lanternau est arrivé avec une
casquette blanche de marin, moi j'en veux une comme ça, et il
a dit: «Alors, l'équipage°, prêt à l'embarquement? En avant[3], une
deux, une deux, une deux!» Papa a dit des choses à voix basse°
15 et maman l'a regardé avec des gros yeux.

Au port, quand j'ai vu le bateau, j'ai été un peu déçu, parce
qu'il était tout petit, le bateau. Il s'appelait «La Jeanne» et le
patron avait une grosse tête rouge avec un béret dessus°.

—Alors, capitaine, a dit[4] M. Lanternau, tout est prêt à bord?
20 —C'est bien vous les touristes pour l'Ile des Embruns? a
demandé le patron et puis nous sommes montés sur son bateau.
M. Lanternau est resté debout et il a crié :

—Larguez les amarres°! Hissez les voiles! En avant, toute!
—Ne remuez pas comme ça, a dit papa, vous allez tous nous
25 flanquer à l'eau!

—Oh oui, a dit maman, soyez[5] prudent M. Lanternau. Et puis
elle a ri un petit coup, elle m'a serré° la main très fort et elle
m'a dit de ne pas avoir peur, mon chéri.

—Vous n'avez pas à avoir peur, petite madame, a dit M.
30 Lanternau à maman, c'est un vieux marin que vous avez à bord!

—Vous avez été marin, vous? a demandé papa.

l'Ile des Embruns: *Seaspray Island*
chouette: *great*

essayer: *to try*

ça m'a fait rigoler: *that cracked me up (made me laugh)*

équipage *m: crew*
à voix basse: *in a low voice*

dessus: *on top*

larguez les amarres: *cast off the mooring lines*

serrer: *to squeeze*

---

[3] **En avant** is a military order, corresponding to *Forward, march!*

[4] After a direct quotation (in a clause identifying the speaker) the usual word order is verb + subject, as in this sentence. Nicolas, however, does not always follow this usage.

[5] **Soyez** is the imperative form of **être.**

—Non, a répondu M. Lanternau, mais chez moi, sur la cheminée°, j'ai un petit voilier dans une bouteille! Et il a ri très fort et il a donné une grande claque sur le dos° de papa.

35   Le patron du bateau n'a pas hissé les voiles, comme l'avait demandé M. Lanternau[6], parce qu'il n'y avait pas de voiles sur le bateau. Il y avait un moteur qui faisait potpotpot et qui sentait° comme l'autobus qui passe devant la maison, chez nous. Nous sommes sortis du port et il y avait des petites vagues et le bateau
40 remuait, c'était chouette comme tout.

    —La mer va être calme? a demandé papa au patron du bateau. M. Lanternau s'est mis à° rigoler.

    —Vous, il a dit à papa, vous avez peur d'avoir le mal de mer!

    —Le mal de mer? a répondu papa. Vous voulez plaisanter°.
45 J'ai le pied marin, moi. Je vous parie que vous aurez le mal de mer° avant moi, Lanternau!

    —Tenu! a dit M. Lanternau et il a donné une grosse claque sur le dos de papa, et papa a fait une tête comme s'il voulait donner une claque sur la figure de M. Lanternau.

50   —C'est quoi, le mal de mer, maman? j'ai demandé.

    —Parlons d'autre chose, mon chéri, si tu veux bien°, m'a répondu maman.

    Les vagues devenaient plus fortes et c'était de plus en plus chouette. Devant nous, il y avait l'Ile des Embruns, elle était
55 encore loin et c'était joli à voir avec toute la mousse blanche des vagues. Mais M. Lanternau ne regardait pas l'île, il regardait papa, et, quelle drôle d'idée, il a tenu absolument à° lui raconter ce qu'il avait mangé dans un restaurant avant de partir en vacances. Et papa, qui pourtant, d'habitude, n'aime pas faire
60 la conversation avec M. Lanternau, lui a raconté tout ce qu'il avait mangé à son repas de première communion. Moi, ils commençaient à me donner faim avec leurs histoires. J'ai voulu demander à maman de me donner un œuf dur, mais elle ne m'a pas entendu parce qu'elle avait les mains sur les oreilles, à cause
65 du° vent, sans doute.

    —Vous avez l'air un peu pâle, a dit M. Lanternau à papa, ce qui vous ferait du bien, c'est un grand bol de graisse de mouton tiède°.

cheminée *f: mantle*
une claque sur le dos: *a slap on the back*

sentir: *to smell*

se mettre à: commencer à
plaisanter: *to joke*
parie...vous aurez le mal de mer: *bet...you will be seasick*

si tu veux bien: *if you don't mind, (if you are willing)*

tenir à: *to insist on*

à cause de: *because of*

graisse de mouton tiède: *lukewarm mutton fat*

---

[6] The imperfect of **avoir** or **être** + a past participle is equivalent to *had* + a past participle in English: **M. Lanternau avait demandé.** = *Mr. Lanternau had asked.* Inversion is used in a clause introduced by **comme** (meaning *as, in accordance with*).

—Oui, a dit papa, ce n'est pas mauvais avec des huîtres°   **huître** *f: oyster*
70 couvertes de chocolat chaud.

L'Ile des Embruns était tout près maintenant.

—Nous allons bientôt débarquer°, a dit M. Lanternau à papa,   **débarquer:** *to get off the*
vous n'avez pas envie de manger un sandwich, tout de suite, avant   *boat*
de quitter le bateau?

75 —Mais certainement, a répondu papa, l'air du large, ça donne
faim! Et papa a pris le panier à pique-nique et puis il s'est tourné
vers le patron du bateau.

—Un sandwich avant de débarquer, patron? a demandé papa.

Eh bien, on n'y est jamais arrivé, à l'Ile des Embruns, parce
80 que quand il a vu le sandwich, le patron du bateau est devenu   **il a fallu:** *passé composé*
très malade et il a fallu° revenir au port le plus vite possible.   *of il faut*

D'après RENÉ GOSCINNY

Dictionary Section

ça ne plaît pas à... Ça ne plaît pas à Maman. = Maman n'aime pas ça. : *Ça ne plaît pas à mes parents quand je rentre tard.*

coup un petit coup (*fam*)[7] = un peu : *Papa avait un peu soif. Alors, il a bu un petit coup d'eau minérale.*

déçu désappointé : *Michel a été très déçu de ne pas pouvoir faire de ski nautique.*

embarquement action de monter dans un bateau : *L'embarquement est à 8 heures. Le bateau part à 9 heures.*

faire une tête avoir une certaine expression : *Le capitaine faisait une tête comme s'il allait être malade.*

faux pas vrai, pas réel, pas authentique : *M. Lanternau est entré avec une fausse moustache et un faux nez.*

flanquer à l'eau (*fam*)[7] faire tomber à l'eau : *Ne remue pas, tu vas nous flanquer à l'eau!*

mal de mer avoir le mal de mer = être malade en mer (*1*) *Il ne fait jamais de bateau parce qu'il a toujours le mal de mer.* (*2*) *J'ai toujours le mal de mer quand il y a trop de vagues.*

mousse ce qu'il y a à la surface de certains liquides : *Ce shampooing fait beaucoup de mousse!*

oreille organe qui sert à entendre (*1*) *Elle ne m'a pas entendu parce qu'elle avait les mains sur les oreilles.* (*2*) *Les lapins ont de grandes oreilles.*

patron chef d'une entreprise industrielle ou commerciale (*1*) *Dès qu'il arrive au bureau, il va voir son patron.* (*2*) *Le patron du restaurant est venu nous demander comment nous trouvions les hors-d'œuvre.*

le pied marin avoir le pied marin = être capable de marcher sur un bateau sans tomber : *Mon grand-père a passé sa vie en bateau; il a le pied marin.*

prudent qui[8] ne prend pas de risques (*1*) *Tu peux prendre la voiture si tu promets d'être prudent.* (*2*) *Il ne va pas vite; il est très prudent.*

Tenu! J'accepte! : —*Je te parie que je vais arriver le premier!*—*Tenu!*

voilier bateau à voile : *Mon oncle aime bien les bateaux; il a même un vieux voilier dans une bouteille sur sa cheminée.*

---

[7] In all languages there are many different levels of expression, from very formal or literary to casual spoken style and slang. When a new word or expression that is casual or familiar is glossed or defined in the Dictionary Section, it will be followed by (*fam*) meaning **familier.** You will also see this abbreviation in French dictionaries.

[8] In French dictionaries, adjectives are often defined by a phrase beginning with **qui.** The **qui** refers to a noun which is not expressed but understood: (**un homme**) **prudent** = (**un homme**) **qui ne prend pas de risques.**

28. QUESTIONS

1. Où Nicolas et ses parents passent-ils leurs vacances : à la montagne, à la campagne?
2. Qui est M. Lanternau? Qu'est-ce qu'il fait pour amuser les gens? Est-ce que Nicolas le trouve drôle? Et le père de Nicolas?
3. Avec qui Nicolas est-il allé faire une excursion en bateau? Quelles provisions ont-ils apportées?
4. Pourquoi Nicolas a-t-il été déçu quand il a vu le bateau?
5. Comment était le patron du bateau?
6. D'après Nicolas, comme quoi le moteur sentait-il? Pourquoi le patron n'a-t-il pas hissé les voiles?
7. Comment était la mer quand ils sont sortis du port?
8. D'après le père de Nicolas, qui allait avoir le mal de mer le premier?
9. Qu'est-ce que Nicolas a voulu demander à sa mère? Pourquoi? Pourquoi est-ce qu'elle ne l'a pas entendu?
10. D'après Nicolas, pourquoi sa mère avait-elle les mains sur les oreilles? Et d'après vous?
11. Pourquoi le bateau remuait-il de plus en plus?
12. Qu'est-ce que M. Lanternau a demandé au père de Nicolas juste avant de débarquer?
13. Pourquoi le bateau n'est-il jamais arrivé à l'Ile des Embruns?

Noun and Adjective Exercises

GENDER NOTE: Most nouns ending in **-eur** that refer to things that perform a function are masculine: **un haut-parleur, un moteur.** From this point on, nouns which follow this rule will not be included in the Noun and Adjective Exercise sections.

29. COMPLETION

1. J'avais très faim : alors j'ai mangé <u>un</u> sandwich.
2. Et puis <u>une</u> huître.
3. Et après ça, <u>un grand</u> bol de soupe.
4. Et pour finir, <u>une</u> banane.

5. J'étais en train de manger ma soupe quand mon frère m'a donné <u>une</u> claque.
6. Comme ça, sur <u>le</u> dos!

7. Enfin, on est arrivé à <u>une petite</u> île.
8. Nous avons rencontré un vieux marin qui portait <u>un</u> béret.
9. Il avait <u>une belle</u> moustache.

10. Il avait <u>la</u> voix <u>forte</u>.
11. Il nous a montré sa maison. Sur <u>la</u> cheminée il y avait toutes sortes de choses.
12. Son chien avait de <u>longues</u> oreilles.

1. ____ sandwich, c'est tout?
2. ____ huître? Ce n'est pas beaucoup.
3. Il y avait ____ bol sur le bateau?
4. Des sandwiches, des huîtres, de la soupe et ____ banane!
5. Il vous a donné ____ claque?
6. Une claque sur ____ dos? Ce n'est pas la peine d'en faire une histoire.
7. Il y a ____ île près de là?
8. C'était ____ béret ou une casquette?
9. De quelle couleur était ____ moustache du marin?
10. Il avait ____ voix d'un vieux marin.
11. Qu'est-ce qu'il y avait sur ____ cheminée?
12. Et ____ oreille était plus longue que l'autre!

ADJECTIVE NOTE: A few masculine singular adjectives ending in **-s** or **-x** end in **-sse** in the feminine: **bas, ba<u>sse</u>; faux, fau<u>sse</u>.** Such adjectives are completely regular from the point of view of sound; that is, the feminine has a final consonant sound that is not present in the masculine.

30. PATTERNED RESPONSE

Sa moustache est fausse. Et son nez? ⊗
Sa moustache est rousse. Et ses cheveux?
La concierge est grosse. Et son mari?
Sa sœur est rousse. Et son frère?
Leur maison est basse. Et leur garage?

Il est faux aussi.
Ils sont roux aussi.
Il est gros aussi.
Il est roux aussi.
Il est bas aussi.

RECOMBINATION EXERCISES

31. PATTERNED RESPONSE

Les vagues étaient fortes. ⊗   Et elles devenaient de plus en plus fortes.
M. Lanternau était énervant.   Et il devenait de plus en plus énervant.
Papa était pâle.   Et il devenait de plus en plus pâle.
Le capitaine était rouge.   Et il devenait de plus en plus rouge.
Maman était nerveuse.   Et elle devenait de plus en plus nerveuse.

32. PATTERNED COMPLETION

The phrase **drôle de** is used as an adjective and is preceded by the appropriate masculine or feminine article.

C'est un moteur, ça?... ⊗   C'est un drôle de moteur!
C'est un béret, ça?...   C'est un drôle de béret!
C'est une cheminée, ça?...   C'est une drôle de cheminée!
C'est un sandwich, ça?...   C'est un drôle de sandwich!
C'est une abeille, ça?...   C'est une drôle d'abeille!
C'est un panier, ça?...   C'est un drôle de panier!

33. RESTATEMENT DRILL

The phrase **avant de** is always followed by an infinitive in French. This construction corresponds to *before* + a verb ending in *-ing* in English: **avant de partir** = *before leaving.*

[*M. Lanternau avait faim, mais ce soir-là il n'avait pas envie de dîner à l'hôtel. Alors, il a décidé d'aller manger en ville. Il est passé devant un petit restaurant:*]

Il a regardé le menu; puis il est entré. ⊗   Il a regardé le menu avant d'entrer.
Il a salué le patron; puis il a choisi une
 table.
Il a lu son journal; puis il a mangé.
Il a parlé au patron; puis il est parti.
Il a acheté un magazine; puis il est rentré.
Il a pris un bain; puis il s'est couché.
Il a lu un peu; puis il s'est endormi.

34. PATTERNED RESPONSE

[*Pourquoi est-ce que vous avez décidé de retourner au port?*]

Parce qu'il y avait trop de vent? ⊗   Eh oui, à cause du vent.
Parce que les vagues étaient trop fortes?   Eh oui, à cause des vagues.

(continued)

(continued)

Parce que le moteur ne marchait pas bien?	Eh oui, à cause du moteur.
Parce que le capitaine a voulu revenir?	Eh oui, à cause du capitaine.
Parce que les touristes étaient malades?	Eh oui, à cause des touristes.

35. READING VARIATION

Read lines 61–65 of the Reading aloud, as though you were <u>telling</u> <u>about</u> how Nicolas felt at that particular point of the boat trip. Begin like this: **...ils commençaient à lui...**

36. PRESENT → PASSÉ COMPOSÉ OR IMPERFECT

Nous partons de l'hôtel le matin. ⊗
Il fait plutôt mauvais.
Nous arrivons au port.
M. Lanternau est déjà là.
Il porte une casquette de marin.
On monte sur le bateau.
On sort du port.
Les vagues sont assez fortes.
Maman a l'air un peu pâle.
Le capitaine n'a pas l'air tellement content.
Alors, nous retournons au port.

Conversation Buildup

[*Deux garçons sont en train de regarder un album de photos.*]

YVES   Hé. Regarde, c'est notre prof de sixième.

PAUL   Ah oui, «Charles le Grand». Tu te souviens? Il nous disait toujours : «Moi, quand j'avais votre âge.»

YVES   Oui, et puis là, derrière Dupont, c'est Leblond qui voulait toujours répondre, même quand on ne lui posait pas de questions.

PAUL   Oui, et puis il y avait Lebertier qui ne répondait jamais.

YVES   Et Lebrun? Où est-il? Tu te souviens? Il portait toujours des vestes trop grandes pour lui?

PAUL   Lebrun, Lebrun...Oh, je ne sais pas. Il n'était peut-être pas là le jour où on a pris la photo...

REJOINDERS

Tu te souviens de Mlle Bertier, qui portait toujours la même robe grise...?
Tu te souviens du jour où Dubois est venu en classe avec son chien?
Et là, derrière Durand, qui est-ce? Je ne me souviens plus.

CONVERSATION STIMULUS

Vous regardez des photos faites à l'école l'année dernière ou il y a deux ou trois ans. Vous parlez de vos professeurs et de vos amis. Vous commencez :

—Regarde! C'est notre prof de sixième. Tu te souviens...

13437

Writing

PARAGRAPH CONSTRUCTION

Complete the following sentences using the suggested words in the order given. Add any necessary articles and prepositions and make any other necessary changes. In each sentence, use a verb form in either the **passé composé** or the imperfect. Then rewrite the completed sentences in the form of a paragraph.

Quand nous étions à l'hôtel à Trégastel...	je / faire / bateau à voiles / tous les jours
Je me levais très tôt chaque matin et...	je / partir / en mer / avec / cousin
S'il y avait assez de vent...	nous / rester / en mer / toute l'après-midi
Un jour il y avait beaucoup de vagues mais...	nous / décidé / partir
Avant de sortir du port, mon cousin a réparé une des voiles et moi...	je / vérifier / moteur
Puis nous avons hissé les voiles et...	nous / partir / vers le large
Nous étions assez loin en mer quand tout à coup...	je / voir / gros / nuage / noir / à l'horizon
Cinq minutes après, il pleuvait si fort que...	on / ne plus / voir / port
Il y avait beaucoup de vent et...	bateau / remuer / de plus en plus
J'ai essayé le moteur mais...	il / ne plus marcher :
	ce / être / peut-être / à cause de / pluie
Je commençais à avoir un peu peur quand...	je / voir / bateau à moteur / pas trop loin de nous
Il y avait un vieux marin à bord...	il / nous / voir;
	puis il / venir / vers nous
Il nous a pris sur son bateau et...	nous / revenir / port / avec lui
Nous l'avons remercié et...	nous / rentrer / maison
Après ça...	nous / ne plus faire / bateau à voiles / cet été-là

REFERENCE LIST

Nouns

béret *m* béret	capitaine *m* captain	moteur *m* motor	pêcheur *m* fisherman	sandwich *m* sandwich
bois *m* wood	dos *m* back	oiseau *m* bird	pique-nique *m* picnic	soda *m* soda
bol *m* bowl	feu *m* fire	panier *m* basket	port *m* port	souvenir *m* memory
bout *m* end	lac *m* lake	patron *m* owner	ruisseau *m* stream	vent *m* wind
bras *m* arm	marin *m* sailor			

abeille *f* bee	casquette *f* cap	île *f* island	provisions *f pl* food	vague *f* wave
admiration *f* admiration	cheminée *f* mantle	moustache *f* mustache	rivière *f* river	voile *f* sail
banane *f* banana	claque *f* slap	oreille *f* ear	suite *f* result	voix *f* voice
bouteille *f* bottle	excursion *f* excursion			

m/f pairs: marchand-e *m,f* merchant   touriste *m,f* tourist

Adjectives and Adverbs

bas,–sse low	faux,–sse false	pâle pale	tellement so much	tranquillement peacefully
déçu,–e disappointed	frais, fraîche fresh	pauvre poor		
drôle funny	gros,–sse big	plein,–e full		
dur,–e hard				

Verbs

(*like* travailler)	(*like* dormir)	(*irregular*)
amuser to amuse décider (de) to decide	neiger to snow sentir to feel	falloir to be necessary
attraper to catch hisser to hoist	piquer to sting	pleuvoir to rain
chanter to sing jurer to swear	remuer to stir	rire to laugh
chasser to chase		

Other Words and Expressions

à cause de because of	de plus en plus more	drôle de funny	grand-chose much
avant de before	dès que as soon as	faire du bien to do well	sans doute without a doubt
avoir l'air to seem	donc so; then	faire un pique-nique to go on a picnic	tout à coup suddenly

— C'est ce que nous avons de mieux comme chambre donnant sur la mer...

BASIC MATERIAL I

Au marché

LE MARCHAND DE PRIMEURS	Allons, Mesdames. Voyez, mes épinards, comme ils sont beaux! Mangez des épinards, mesdames, il n'y a rien de meilleur pour la santé!
LA CLIENTE	C'est combien, les épinards?
LE MARCHAND DE PRIMEURS	2 francs 50 le kilo.[1] Ils sont beaux, ils sont frais...
LA CLIENTE	2 francs 50! Mais c'est encore plus cher que la semaine dernière!
LE MARCHAND DE PRIMEURS	La semaine dernière ils étaient moins chers, mais ils étaient moins beaux. Ça, c'est de la qualité extra! Il y a autant de fer que dans les pilules du pharmacien. C'est moins cher et c'est meilleur!

Supplement

En France, où est-ce qu'on va pour acheter du pain?	A la boulangerie. Chez le boulanger.
Où est-ce qu'on va pour acheter de la viande?	A la boucherie. Chez le boucher.
Où est-ce qu'on va pour acheter du lait, du fromage?	A la crémerie. Chez le crémier.
Où est-ce qu'on va pour acheter des croissants?	A la pâtisserie. Chez le pâtissier.
Où est-ce qu'on peut trouver du pain, du fromage, des fruits, etc.?	Au supermarché[2].

---

[1] The 50 in **2 francs 50** refers to **centimes.** Since there are 100 centimes in a franc, **2 francs 50** = $2\frac{1}{2}$ francs. **Un kilo** is short for **un kilogramme,** which is equivalent to 2.2 lbs.

[2] There are supermarkets in all big cities and many towns in France and they are becoming increasingly popular. However, a great many French women still do some of their shopping in separate specialty stores.

◀ *Paris : au marché de la rue Mouffetard*

At the Market

THE FRUIT AND VEGETABLE MAN	Come, ladies. Look at my spinach, how beautiful it is! Eat spinach, ladies, there's nothing better for your health!
THE CUSTOMER	How much is the spinach?
THE FRUIT AND VEGETABLE MAN	2½ francs a kilo. It's beautiful, it's fresh . . .
THE CUSTOMER	2½ francs! But that's even more expensive than last week!
THE FRUIT AND VEGETABLE MAN	Last week it was less expensive, but it wasn't as (it was less) nice. This is "top quality"! It has as much iron in it as in the pills you buy at the drugstore (the pills of the pharmacist). It's less expensive and it's better!

Supplement

Where do you go to buy bread in France?	To the bakery. To the baker's.
Where do you go to buy meat?	To the butcher store. To the butcher's.
Where do you go to buy milk and cheese?	To the dairy store. To the dairyman's (man who sells dairy products).
Where do you go to buy croissants?	To the pastry shop. To the pastryman's (man who sells pastries).
Where can you find bread, cheese, fruit, etc.?	At the supermarket.

Vocabulary Exercises

1. QUESTIONS ON BASIC MATERIAL

1. Qui vend des épinards?
2. D'après le marchand de primeurs, pourquoi est-ce qu'il faut manger des épinards?
3. D'après la cliente, est-ce que les épinards sont plus chers ou moins chers que la semaine dernière?
4. D'après le marchand, pourquoi ses épinards étaient-ils moins chers la semaine dernière?

2. COMPLETION

1. Nous n'avons plus de pain; je vais aller chez _____.
2. Il n'y a plus de beurre; est-ce que tu peux passer chez _____?
3. Grand-mère n'a plus de pilules; est-ce que tu peux aller chez _____?

4. Je n'ai pas de viande pour ce soir; demande à Pierre d'aller à _____.
5. Il n'y a pas assez de lait; est-ce que tu as le temps d'aller à _____?

3. FREE RESPONSE

1. Où est-ce qu'on va pour acheter des croissants? Et du fromage?
2. Qui vend du pain? Et du lait? Et de la viande? Et du poisson?
3. Qui fait les courses chez vous?
4. Est-ce que votre mère achète la viande chez le boucher ou au supermarché?
5. Est-ce qu'elle achète le pain au supermarché ou à la boulangerie?
6. Qu'est-ce que vous aimez mieux, la viande ou le poisson?

4. PATTERNED RESPONSE

In expressions with **rien de** + adjective (**rien de meilleur**) and **quelque chose de** + adjective (**quelque chose de beau**), the adjective is always masculine singular.

[*M. Lecomte vient de répondre au téléphone. Sa femme lui pose des questions sur la conversation.*]

Qu'est-ce que c'était? Quelque chose d'important?	Non non, rien d'important.
Quelque chose d'intéressant?	Non non, rien d'intéressant.
Quelque chose de sérieux?	Non non, rien de sérieux.
Quelque chose de spécial?	Non non, rien de spécial.
Quelque chose de désagréable?	Non non, rien de désagréable.

Noun Exercise

5. COMPLETION

1. Le fer est bon pour <u>la</u> santé.

2. Où est-ce qu'on trouve <u>le</u> fer?

3. Qu'est-ce que vous aimez mieux, prendre <u>une</u> pilule de fer ou manger des épinards?
4. Combien d'épinards voulez-vous? <u>Un</u> kilo? Deux kilos?
5. C'est cher, mais c'est de <u>la bonne</u> qualité.
6. Vous êtes allé <u>au nouveau</u> supermarché?
7. Alors, vous allez <u>au grand</u> marché de la rue Bresson?

1. Oui, il n'y a rien de meilleur pour _____ santé.
2. _____ fer? Eh bien, dans les épinards et dans des pilules.
3. Prendre _____ pilule.

4. _____ kilo, s'il vous plaît.

5. Moi, c'est _____ qualité qui m'intéresse.
6. Il y a _____ supermarché près d'ici? Où?
7. Non, je vais à _____ marché tout près de chez moi.

Grammar

Comparisons

PRESENTATION

Sa sœur est <u>plus sérieuse que</u> lui.   Tu parles <u>plus vite que</u> moi.
Paul est <u>aussi intelligent que</u> Monique.   Luc marche <u>aussi lentement que</u> toi.
Vos épinards sont <u>moins beaux qu</u>'hier!   Anne chante <u>moins bien que</u> sa sœur.

In these sentences, which word means *more?* Which means *less?* Which means *as?* What is the adjective in each of the sentences in the left-hand column? With what does the adjective agree? What is the adverb in each of the sentences in the right-hand column? What word follows the adjective or adverb in each sentence? What happens to **que** before a word beginning with a vowel sound? When a pronoun is used following **que,** what kind of pronoun is it?

Cette confiture est <u>bonne</u>!   Oui, la confiture anglaise est <u>meilleure</u> que
     la confiture américaine.

Ces épinards sont <u>bons</u>!   Oui, ils sont <u>meilleurs</u> que la semaine
     dernière.

Compare the sentences in the two columns above. Notice that the comparative of **bon** is <u>not</u> formed with **plus.** What <u>one</u> word is used instead? Does it agree with the subject in gender and number, like any other adjective?

Robert chante <u>bien</u>!   Oui, mais Charles chante <u>mieux</u> que lui.

The comparative of **bien** is not formed with **plus.** What <u>one</u> word is used instead?

     Il y a <u>plus de fer</u> que dans les pilules.
     Il y a <u>moins de fer</u> que dans les pilules.
     Il y a <u>autant de fer</u> que dans les pilules.

In the above sentences, what word links **plus, moins** and **autant** to the noun **fer?** Is this word used before either an adjective or an adverb in a comparison? What is the English equivalent of **autant?**

GENERALIZATION

1. When you compare two objects or two people and find them equally tall, attractive, etc., you are making a comparison of equality. In French, comparisons of equality are expressed by **aussi...que:**

Tu es <u>aussi grand que</u> ton frère!   *You're as tall as your brother!*
Tu parles <u>aussi vite que</u> lui.   *You talk as fast as he does.*

2. When you compare two objects or people and say that one is more intelligent or less intelligent, prettier or not so pretty, etc., you are making a comparison of inequality. French expresses comparisons of inequality by using **plus...que** and **moins...que.**

Anne est <u>plus intelligente que</u> Patrick.   *Anne is smarter than Patrick.*
Elle est <u>moins jolie que</u> sa sœur.   *She's less pretty than her sister.*

COMPARATIVE OF ADJECTIVES AND ADVERBS				
	plus **aussi** **moins**	*Adjective* *Adverb*	**que**	*Independent pronoun or Noun*
Pierre est	plus aussi moins	intelligent	que	toi.
Pierre parle	plus aussi moins	vite	que	son frère.

3. There are a few irregular comparatives:

   a. **Meilleur, -e** is the comparative of the adjective **bon, -nne:**

      Est-ce que le chocolat suisse est bon?   **Oui, il est encore meilleur que le chocolat français!**
      Est-ce que la confiture anglaise est bonne?   **Oui, elle est encore meilleure que la confiture française!**

   b. **Mieux** is the comparative of the adverb **bien:**

      Georges joue bien.   **Oui, il joue mieux que moi.**

   c. The adjective **mauvais,-e** has two comparatives, a regular one, **plus mauvais,-e** and an irregular one, **pire.** For the time being, you will only be expected to use **plus mauvais,-e.**

4. **Bien** and **beaucoup** are used to reinforce comparatives. When used in this way, they are equivalent to *much* in English.

Il est bien plus grand que toi.   *He's much bigger than you are.*
Il est beaucoup moins intelligent qu'elle.   *He's much less intelligent than she is.*

Note: With **meilleur** and **pire,** only **bien** is used.

COMPARATIVE OF QUANTITY				
	plus **autant** **moins**	**de** + *Noun*	**que**	*Independent pronoun* *or Noun*
Pierre a eu	plus autant moins	de fromage	que	toi. Marc.

The noun in a comparison of quantity is always preceded by **de:**

J'ai autant de timbres que toi.   *I have as many stamps as you do.*
Elle a plus de cardigans que sa sœur.   *She has more cardigans than her sister.*
Il a moins de difficultés que son frère.   *He has fewer problems than his brother.*

STRUCTURE DRILLS

6. PATTERNED RESPONSE

1. Robert est très timide. ⊗   Et sa sœur est aussi timide que lui.
   Robert est vraiment trop sérieux.   Et sa sœur est aussi sérieuse que lui.
   Pierre est grand!   Et sa sœur est aussi grande que lui.
   Jacques est vraiment énervant!   Et sa sœur est aussi énervante que lui.
   Étienne est sportif.   Et sa sœur est aussi sportive que lui.

2. Tu parles vite!   Mais tu parles aussi vite que moi!
   Tu écris mal!
   Tu lis lentement!
   Tu marches vite!
   Tu te lèves tard!

7. FREE SUBSTITUTION

Monique est aussi sympathique que son frère.
Vous parlez aussi vite que Michel!

8. PATTERNED RESPONSE

1. Les épinards sont chers aujourd'hui! ⊗   Oui, encore plus chers qu'hier!
   Les fruits sont beaux!

Les croissants sont gros!

Le jambon est cher!

Le pain est dur!

2. Est-ce qu'Alain parle vite?   Plus vite que vous!

Est-ce que Michel se lève tôt?

Est-ce que Robert rentre tard?

Est-ce que Suzanne travaille vite?

Est-ce que Michèle vient souvent?

3. Tu écris mal!   J'écris moins mal que toi!

Tu es bête!   Je suis moins bête que toi!

Tu es énervant!   Je suis moins énervant que toi!

Tu chantes mal!   Je chante moins mal que toi!

Tu es bavard!   Je suis moins bavard que toi!

Tu te lèves tard!   Je me lève moins tard que toi!

4. Le pain italien est bon. Et le pain fran-   Il est encore meilleur.

çais?

Le fromage suisse est bon. Et le fromage   Il est encore meilleur.

français?

La confiture américaine est bonne. Et la   Elle est encore meilleure.

confiture française?

La café italien est bon. Et le café français?   Il est encore meilleur.

Les soupes italiennes sont bonnes. Et les   Elles sont encore meilleures.

soupes françaises?

5. Ce que vous parlez bien!   Mais vous parlez encore mieux!

Ce que vous écrivez bien!   Mais vous écrivez encore mieux!

Ce que vous chantez bien!   Mais vous chantez encore mieux!

Ce que vous lisez bien!   Mais vous lisez encore mieux!

Ce que vous jouez bien!   Mais vous jouez encore mieux!

9. REJOINDERS

Suggested Rejoinders

Les Américains sont sportifs, n'est-ce pas?

(Oui, ils sont beaucoup plus sportifs que les
     Français, par exemple.)

(Oui, mais moins sportifs que les Allemands.)

(Oui, ils sont plus sportifs que les Russes.)

Les Italiennes sont belles.

Paris est grand!

Les voitures américaines sont grosses!

On fait beaucoup de ski en Autriche,
     n'est-ce pas?

10. PATTERNED COMPLETION

Luc ne travaille pas bien... ⊗	Il travaillait mieux la semaine dernière.
Ses notes ne sont pas bonnes...	Elles étaient meilleures la semaine dernière.
La télévision ne marche pas bien...	Elle marchait mieux la semaine dernière.
Les émissions ne sont pas bonnes...	Elles étaient meilleures la semaine dernière.
Luc ne va pas bien...	Il allait mieux la semaine dernière.

11. RESTATEMENT DRILL

1. Suzanne a beaucoup d'écharpes. Michèle aussi. ⊗

   Michèle a autant d'écharpes que Suzanne.

   Monique a des tas de cardigans. Anne aussi.

   Anne a autant de cardigans que Monique.

   Luc a beaucoup de copains. Marc aussi.

   Marc a autant de copains que Luc.

   Véronique a des tas de robes. Claudine aussi.

   Claudine a autant de robes que Véronique.

   Jacques a beaucoup de photos. Robert aussi.

   Robert a autant de photos que Jacques.

2. J'ai 200 timbres. Mon frère en a 300. ⊗   Il a plus de timbres que moi.

   J'ai huit chemises. Mon frère en a six.   Il a moins de chemises que moi.

   J'ai une vingtaine de disques. Mon frère en a une centaine.   Il a plus de disques que moi.

   J'ai une cinquantaine de livres. Mon frère en a une trentaine.   Il a moins de livres que moi.

   J'ai une dizaine de bandes magnétiques. Mon frère en a une vingtaine.   Il a plus de bandes magnétiques que moi.

12. FREE RESPONSE

En général, est-ce que les élèves français ont plus ou moins de devoirs que les élèves américains?

En général, est-ce que les voitures américaines sont plus chères ou moins chères que les voitures françaises? Est-ce qu'elles sont plus grosses ou moins grosses qu'elles?

Est-ce qu'une Volkswagen coûte plus cher ou moins cher qu'une Rolls-Royce?

Est-ce que vous avez déjà vu des films anglais? En général, est-ce que vous les trouvez meilleurs ou moins bons que les films américains?

D'après vous, qui parle plus vite, les Français ou les Américains?

Writing

SENTENCE COMBINATION

Combine each of the following pairs of sentences to form one sentence. Remember that **élision** occurs with **que** before a word beginning with a vowel sound.

> MODEL   Au Canada l'hiver est long. En Italie il est moins long.
> <u>En Italie, l'hiver est moins long qu'au Canada.</u>

1. Les Italiens dînent tard. Les Espagnols dînent plus tard.
2. Au Mexique il fait chaud. Aux États-Unis il fait moins chaud.
3. Une Porsche va vite. Est-ce qu'une Ferrari va plus vite?
4. Le café italien est bon. Est-ce que le café français est meilleur?
5. Les transistors américains sont bons. Est-ce que les transistors allemands sont meilleurs?
6. Les Américains mangent bien. Est-ce que les Français mangent mieux?
7. Il y a beaucoup de montagnes en Autriche. Il y en a autant en Suisse.
8. Les Françaises s'habillent bien. Est-ce que les Italiennes s'habillent mieux?
9. Les Américains sont forts en technologie. Les Russes sont forts aussi.
10. Les élèves français ont beaucoup de devoirs. Est-ce que les élèves américains en ont moins?
11. Les Français mangent beaucoup de viande. Les Américains en mangent plus.
12. La France est grande. Les États-Unis sont beaucoup plus grands.

Marseille : marchandes de poissons

BASIC MATERIAL II

Que mangent et que boivent les Français?

—C'est en France qu'on mange le plus de pain par habitant.

—C'est en France qu'on boit le plus de vin.

—Ce sont aussi les Français qui mangent le plus de fromage (9 kilos par an par habitant contre 3,8[3] kilos aux États-Unis.)

—Par contre, les Français boivent moins de lait que les Américains (150 litres[4] contre 200) et beaucoup moins de jus de fruits (2,6 litres contre 5) et la plupart des Français n'ont sans doute jamais mangé un épi de maïs ou un sandwich au beurre de cacahouète de leur vie.

Supplement

Qu'est-ce qu'on peut manger comme viande au restaurant?	On peut commander du bœuf. Du poulet. Du porc.
Et comme légumes?	On peut prendre des haricots verts. Des petits pois. Des pommes de terre.
Et comme fruits?	Le garçon propose des pommes. Des prunes. Des fraises.

What do French People Eat and Drink?

—It's in France that they eat the most bread per person (inhabitant).

—It's in France that they drink the most wine.

—It's also the French who eat the most cheese (9 kilos per year per person compared to only 3.8 kilos in the United States).

—On the other hand, the French drink less milk than the Americans (150 liters compared to 200) and much less fruit juice (2.6 liters compared to 5) and most French people have probably (without a doubt) never eaten an ear of corn or a peanut butter sandwich (sandwich with peanut butter) in their lives.

---

[3] Notice that a comma is used instead of a period to indicate a decimal place.

[4] A liter = a little more than a quart.

Supplement

What kind of meat can you have at a restaurant?	You can order beef.
	Chicken.
	Pork.
And what kind of vegetables?	You can have green beans.
	Peas.
	Potatoes.
And what kind of fruit?	The waiter suggests apples.
	Plums.
	Strawberries.

Vocabulary Exercises

13. QUESTIONS ON BASIC MATERIAL

1. Où est-ce qu'on mange le plus de pain par habitant, en France ou aux États-Unis?
2. Où est-ce qu'on boit le plus de vin?
3. Est-ce que les Américains mangent plus ou moins de fromage que les Français? Qui est-ce qui mange 9 kilos de fromage par an?
4. Est-ce que les Français boivent plus ou moins de jus de fruit que les Américains? Les Américains en boivent combien de litres? Et les Français? A quel repas est-ce que les Américains boivent souvent du jus de fruit? Qu'est-ce qu'on boit à ce même repas en France?
5. Est-ce que les Américains boivent plus ou moins de lait que les Français? Les Français en boivent combien de litres par an? Et les Américains?
6. Où est-ce qu'on mange beaucoup de maïs, aux États-Unis ou en France?

14. FREE RESPONSE

1. Est-ce que vous aimez les épinards?
2. Qu'est-ce que vous aimez mieux, les épinards ou le maïs?
3. Qu'est-ce que vous aimez mieux, les fruits ou les légumes?
4. Est-ce qu'on mange souvent des pommes de terre chez vous? Tous les jours? Deux ou trois fois par semaine?
5. Qui vend des pommes, des prunes, des épinards, etc.?

15. FREE COMPLETION

Mon frère n'aime pas les épinards, il préfère _____.
Moi, j'aime le bœuf, mais je n'aime pas _____.

Au déjeuner, mes parents boivent souvent ————.
Ma mère sert toujours des légumes verts avec ————.
Quand papa mange au restaurant, il commande toujours ————.
Je n'ai plus faim : je viens de manger un sandwich au ————.

Noun Exercise

GENDER NOTE: Notice that the names of most meats are masculine, while the names of most kinds of fruit are feminine.

16. PATTERNED COMPLETION

Ex. Vous voulez encore du jambon?

1. Vous voulez encore du bœuf?
2. Vous voulez encore du poulet?

3. Vous voulez encore du porc?
4. Vous voulez encore du maïs?
5. Vous voulez encore du jus d'orange?

6. Vous voulez encore du vin?

Ex. Notre marchand de primeurs a de beaux légumes.
7. Il a de beaux épinards.

8. Il a de beaux petits pois.

9. Il a de belles fraises.

10. Il a de belles pommes de terre.

11. Il a de belles prunes.

12. Il a de beaux haricots verts.

13. Il a de belles pommes.

Ex. Merci, je n'aime pas beaucoup __le__ jambon.
1. Merci, je n'aime pas beaucoup ———— bœuf.
2. Merci, je n'aime pas beaucoup ———— poulet.
3. Merci, je n'aime pas beaucoup ———— porc.
4. Merci, je n'aime pas beaucoup ———— maïs.
5. Merci, je n'aime pas beaucoup ———— jus d'orange.
6. Merci, je n'aime pas beaucoup ———— vin.

Ex. Oui, mais les légumes de notre jardin sont plus __frais__.
7. Oui, mais les épinards de notre jardin sont plus ————.
8. Oui, mais les petits pois de notre jardin sont plus ————.
9. Oui, mais les fraises de notre jardin sont plus ————.
10. Oui, mais les pommes de terre de notre jardin sont plus ————.
11. Oui, mais les prunes de notre jardin sont plus ————.
12. Oui, mais les haricots verts de notre jardin sont plus ————.
13. Oui, mais les pommes de notre jardin sont plus ————.

Verb Exercises

Infinitive	*Present*	*Past Part.*
boire	je bois	bu
	(il boit)	
	nous buvons	
	ils boivent	

17. PRONOUN SUBSTITUTION

Je bois beaucoup de lait.   J'en bois beaucoup.
Mon frère et moi, nous buvons beaucoup
    de soda.
Les Anglais boivent beaucoup de thé.
Tu bois beaucoup de café.
Ma mère boit beaucoup d'eau minérale.

18. FREE RESPONSE

Est-ce que les Français boivent plus ou moins de vin que les Américains?
Qui boit le plus de thé, les Anglais ou les Français?
Qu'est-ce que vous buviez quand vous étiez petit?
Qu'est-ce que vous avez bu au petit déjeuner ce matin? Et vos parents?
Vous avez soif maintenant? Vous voulez boire quelque chose?

Grammar

Superlatives

PRESENTATION

Marc est plus intelligent que les autres.   C'est le garçon le plus intelligent de la classe.
Anne est moins bavarde que les autres.   C'est la fille la moins bavarde de la classe.
Luc et Marc sont plus sportifs que les autres.   Ce sont les garçons les plus sportifs de la classe.

What are the adjectives in the above sentences? In the sentences in the right-hand column, what kind of article is used before **plus** and **moins**? Is the same form of the definite article used in all three sentences? With what does the article agree? What subject pronoun is used?

Ce sont les Français qui mangent <u>le plus de fromage</u>.
C'est Marie qui lit <u>le moins vite</u>.

What part of speech is the word **fromage?** And the word **vite?** What article precedes **plus?** And **moins?** Does the article appear to agree with anything in the sentence?

GENERALIZATION

SUPERLATIVE OF ADJECTIVES				
	le / la / les	plus moins	*Adjective*	de
Pierre est	le	plus	intelligent	
Marie est	la		intelligente	de · la classe.
Marc et Luc sont	les	moins	intelligents	
Anne et Lucie sont	les		intelligentes	

1. The superlative of an adjective is formed with the appropriate definite article (**le, la,** or **les**) plus the comparative.

2. **Ce** (rather than, **il, elle, ils** or **elles**) is normally used before **être** when followed by a superlative.

Marie? <u>C'est la plus intelligente <u>de</u> la classe.</u>

Notice that **de** is used in a French superlative construction where English uses *in* or *of*[5].

3. In a superlative construction including a noun, the usual order is noun + adjective.[6] The definite article before the noun is always retained.

J'ai acheté la robe <u>la moins chère</u>.

---

[5] Remember that when **de** precedes the name of a feminine country, no article is used: **C'est la ville la plus belle de France.** But when **de** precedes the name of a masculine country, the article is used: **C'est la ville la plus belle du Portugal.**

[6] The adjective **meilleur,** however, always precedes the noun: **C'est le meilleur élève de la classe.** If the adjective is one that commonly precedes the noun (**beau, grand, petit,** etc.), the superlative may either precede or follow: **C'est la plus belle ville. C'est la ville la plus belle.**

SUPERLATIVE OF ADVERBS			
	le	**plus** **moins**	*Adverb*
Pierre parle Marie parle	le	plus moins	vite.

SUPERLATIVE OF QUANTITY			
	le	**plus** **moins**	**de** + *Noun*
Pierre a mangé	le	plus moins	de croissants.

4. Superlatives of adverbs and of expressions of quantity are always formed with **le.**

> Georges chante <u>le</u> plus fort.
> Monique a fait <u>le</u> moins de fautes.

STRUCTURE DRILLS

19. PATTERNED RESPONSE

Ton ami Pierre est très grand. ⊗

Oui, c'est le garcon le plus grand de la classe.

Brigitte Dubois est très intelligente, n'est-ce pas?

Oui, c'est la fille la plus intelligente de la classe.

Charles et Jean sont très sympathiques.

Oui, ce sont les garçons les plus sympathiques de la classe.

Ton amie Suzanne est très bavarde!

Oui, c'est la fille la plus bavarde de la classe.

Luc et Marc sont très sportifs, n'est-ce pas?

Oui, ce sont les garçons les plus sportifs de la classe.

20. FREE COMPLETION

C'est la fille _____.

C'est la chambre _____.

C'est la rue _____.

C'est le prof _____.

21. DELETION DRILL

C'est la route la plus belle de France.   C'est la plus belle de France.
C'est l'hôtel le plus cher de Paris.   C'est le plus cher de Paris.
Ce sont les maisons les plus vieilles de   Ce sont les plus vieilles de Marseille.
   Marseille.
C'est le pays le plus intéressant d'Europe.   C'est le plus intéressant d'Europe.
C'est le magasin le plus cher de Rome.   C'est le plus cher de Rome.

22. PATTERNED COMPLETION

Mon père n'est pas très grand... ⊗   C'est le moins grand de la famille.
Mon cousin Michel n'est pas très sportif...   C'est le moins sportif de la famille.
Ma sœur n'est pas très bavarde...   C'est la moins bavarde de la famille.
Ma tante Amélie n'est pas très sympa-   C'est la moins sympathique de la famille.
   thique...
Ma cousine Brigitte n'est pas très jolie...   C'est la moins jolie de la famille.

23. PATTERNED RESPONSE

Est-ce que vous avez du bon bœuf? ⊗   J'ai le meilleur bœuf de Paris, Madame.
Est-ce que vous avez de la bonne viande?   J'ai la meilleure viande de Paris, Madame.
Est-ce que vous avez du bon porc?   J'ai le meilleur porc de Paris, Madame.
Est-ce que vous avez de bonnes fraises?   J'ai les meilleures fraises de Paris, Madame.
Est-ce que vous avez de bonnes prunes?   J'ai les meilleures prunes de Paris, Madame.
Est-ce que vous avez de la bonne con-   J'ai la meilleure confiture de Paris, Madame.
   fiture?

24. PATTERNED COMPLETION

1. Marie travaille bien!... ⊗   Oui, c'est elle qui travaille le mieux.
Monique parle bien!...
Louis joue bien!...
Vincent écrit bien!...
Anne chante bien!...

2. Les Français mangent beaucoup de   Ce sont eux qui mangent le plus de pain.
   pain.... ⊗
Ils mangent beaucoup de viande...   Ce sont eux qui mangent le plus de viande.
Ils boivent beaucoup de vin...   Ce sont eux qui boivent le plus de vin.
Ils mangent beaucoup de fromage...   Ce sont eux qui mangent le plus de
       fromage.
Ils boivent beaucoup d'eau minérale...   Ce sont eux qui boivent le plus d'eau mi-
       nérale.

25. SENTENCE FORMATION

Describe each of the following using a sentence with a superlative construction.

Rome

(C'est la plus grande ville d'Italie.)
(C'est une des plus belles villes du monde.)

New York
Paris
Le Mississippi
Le Rhône
Le Louvre
Tokyo

Writing

SENTENCE CONSTRUCTION

For each of the items below, write a sentence using all the words indicated, in the order given. Make any necessary changes or additions, according to the model.

MODEL   Martine est la plus jolie du lycée.
Alain / grand / classe
Alain est le plus grand de la classe.

1. Pierre est l'élève le plus sportif du lycée.
   Michèle / fille / intelligent / famille
2. Paul est le moins gentil de mes cousins.
   Suzanne / joli / cousine
3. C'est Pierre qui lit le plus vite.
   Monique / chante / fort
4. Jacques est le plus bête de la famille.
   Catherine / énervant / classe
5. C'est la décision la plus importante de la réunion.
   émission / intéressant / semaine
6. C'est la plus belle église du pays.
   meilleur / pharmacie / ville
7. C'est la plus grande ville du Portugal.
   petit / village / Autriche
8. C'est le professeur le plus sévère du lycée.
   course / long / monde
9. C'est Marchand qui a gagné le plus d'étapes.
   Michel / faire / fautes
10. C'est Robert qui a mangé le plus vite.
    Hélène / voyager / loin

READING

Les Français à table

JEAN-LUC	Moi, je connais bien la France. J'ai passé un an à Poitiers dans une famille française, les Legros, et j'allais à l'Université. Pendant les vacances je suis allé un peu partout°, à Paris, à la campagne, dans

partout: *everywhere*

5 le Midi[7], en Bretagne, dans le Pays Basque[8], enfin partout. J'ai parlé à toutes sortes de gens, des docteurs, des secrétaires, des concierges, des facteurs, des marchands, des professeurs... Et bien, je vais te dire, je crois que j'ai compris les Français.

10 VINCENT   Ah oui? Explique.

JEAN-LUC   Eh bien, mon vieux, c'est très simple. Les Français, ce sont des gens qui mangent.

VINCENT   Ah ça, c'est une révélation! Parce que d'après toi, les Américains, les Russes, les Italiens et les Scandinaves

15 sont des gens qui ne mangent pas?

JEAN-LUC   Tu ne comprends pas. Tu n'es jamais sorti de Québec, toi, tu n'es même pas allé jusqu'à Montréal!

VINCENT   Alors, d'après toi, le grand expert, les Français mangent plus que les autres peuples.

20 JEAN-LUC   Oh, ça, je ne sais pas. Ils ne mangent peut-être pas plus que les Américains...ou les Canadiens.

VINCENT   Alors, ils mangent mieux?

JEAN-LUC   Peut-être. Ce qui est sûr, c'est que manger est plus important pour eux que pour nous. D'abord, les

25 Français, ou plutôt les Françaises, passent des heures à préparer les repas. Madame Legros, par exemple, passait des heures et des heures dans la cuisine. Quelquefois, quand il y avait des invités à dîner, elle passait la journée entière à s'occuper du repas.

30 VINCENT   Oui, oui, je sais. Les Français font tout à la main. Ils n'ont sans doute pas encore inventé les ouvre-boîtes° électriques.

ouvre-boîte *m : can opener*

JEAN-LUC   Non, ce n'est pas ça. C'est qu'en général les Françaises utilisent moins de boîtes de conserves° que les

35 Américaines, par exemple. Le plus souvent, elles

boîte *f* **de conserves:** *can of food*

---

[7] **Le Midi** is the name generally given to southern France.

[8] **Le Pays Basque** is a region at the western tip of the Pyrénées.

Jour de marché dans une petite ville de province

préfèrent les produits frais. Chez les Legros la fille, Michèle, allait tout les matins avant le petit déjeuner acheter le pain chez le boulanger et le lait chez le crémier. Souvent, elle passait encore une fois
40   chez le boulanger après les cours.

VINCENT   C'est la fille qui faisait les courses?

JEAN-LUC   Non, c'était surtout Madame Legros. Elle commençait toujours par l'épicerie° parce que l'épicier lui donnait les dernières nouvelles, mais elle passait aussi
45   au supermarché, parce que certaines choses y étaient moins chères que chez l'épicier. Puis elle allait chez le boucher pour acheter de la viande et à la charcuterie° parce que le charcutier avait toujours quelque chose d'intéressant à raconter. Après ça, elle
50   prenait les œufs et le fromage chez le crémier. Et puis elle s'arrêtait° chez le marchand de primeurs où elle achetait ses fruits et ses légumes.

épicerie *f: grocery store*

charcuterie *f: pork store*

s'arrêter: *to stop*

VINCENT   D'après toi alors, les Français, ou en tout cas les Françaises, passent tout leur temps à préparer les
55   repas et à faire les courses.

JEAN-LUC   Non, pas tout, puisqu'°ils en passent une grande partie à parler de ce qu'ils vont manger et de ce qu'ils ont mangé. Quand M. Legros avait bien mangé chez des amis ou au restaurant, il en parlait pendant huit

puisque: *since*

60   jours[9] : «Vous vous souvenez de ce rosbif chez les
       Bertier? Il était extraordinaire—absolument extra-
       ordinaire! Et puis alors, le Pommard[10]...»

   VINCENT Avec tous ces préparatifs et toutes ces conversations,
       j'ai bien l'impression qu'ils n'ont pas le temps de
65   manger!

   JEAN-LUC Eh bien là, mon vieux, tu te trompes°. Au déjeuner **se tromper:** *to be*
       la plupart des Francais s'arrêtent de travailler de   *mistaken*
       midi à deux heures et font un repas° complet.   **faire un repas:** *to have a*

   VINCENT Tu es sûr? Mon oncle, qui est allé à Paris l'été dernier, *meal*
70   m'a dit qu'il y a maintenant des tas de «self-services»
       où on peut manger en dix minutes.

   JEAN-LUC Oui, c'est vrai pour Paris, peut-être, parce que les gens
       habitent loin de leur travail et parce que les restau-
       rants coûtent cher, mais en dehors de° Paris, à **en dehors de:** *outside of*
75   Poitiers par exemple, la plupart des Français font
       un repas complet au déjeuner.

   VINCENT Et ils passent deux heures à manger du caviar et à
       boire du champagne, je suppose.

   JEAN-LUC Mais non, mais non, ils vont dans de petits restaurants
80   où ils déjeunent très simplement : des hors-d'œuvre,
       un bifteck-frites°, un fromage ou un dessert et un **bifteck-frites:** *steak with*
       quart de rouge[11].   *French fries*

   VINCENT Les Français ne boivent pas de café avec leur repas?

   JEAN-LUC Du café avec un bifteck!! Non, ils boivent du café à
85   la fin du repas. Du café très noir et très fort.

   VINCENT En somme°, si je comprends bien, la plupart des **en somme:** *finally, so*
       Français déjeunent au restaurant.

   JEAN-LUC Mais non, tu n'as rien compris. En fait, la plupart des
       Français rentrent encore chez eux pour le déjeuner.
90   Si tu traverses une petite ville française entre midi
       et deux heures, les rues sont complètement désertes.
       Les magasins sont fermés°. Tout le monde est à **fermé:** *pas ouvert*
       l'intérieur, en train de manger. Dans beaucoup de
       villes et de villages de province[12], le repas en famille
95   est encore quelque chose de sacré. Les grandes oc-
       casions—mariages, premières communions, anni-

---

[9] **Huit jours** is often used instead of **une semaine; quinze jours,** instead of **deux semaines.**

[10] **Le Pommard** is a wine from **La Bourgogne** (*Burgundy*), one of the areas of France famous for its wine.

[11] **Un quart de rouge** is a quarter of a liter of red wine.

[12] **La province** is used to refer to any part of France outside of Paris.

versaires—sont toujours marquées par un repas de
famille. Une fois, les Legros ont donné un grand
déjeuner pour leur anniversaire de mariage. Alors
là, mon vieux, on a mangé toute la journée! Le repas
a commencé à midi et à cinq heures de l'après-midi
on était encore à table. Tout le monde parlait,
discutait, chantait. On a mangé des huîtres, des
filets de sole, un gigot de mouton° avec des haricots   **gigot de mouton:** *leg of*
verts, des pommes de terre, de la salade, toutes   *mutton*
sortes de fromages—du brie, du camembert, du
roquefort—des fraises Chantilly[13]; on a servi du vin
rouge, du vin blanc, du champagne...

VINCENT   Arrête! Tu commences à me donner faim avec tes
fraises Chantilly. Allons voir ce qu'il y a dans le
frigidaire.

Dictionary Section

à la main avec les mains : *Elle lave tous ses chemi-siers à la main.*

en fait en réalité : *Je ne sais pas si je vais pouvoir être là avant 8 heures. En fait, je ne sais même pas si je vais pouvoir sortir ce soir.*

invité personne qu'on invite (*1*) *Ce soir nous avons un invité à dîner.* (*2*) *Les Dubois ont toujours des invités pendant les vacances.*

26. QUESTIONS

1. Quelle est la nationalité de Jean-Luc et de Vincent?
2. Où est-ce que Jean-Luc a passé un an? Est-ce que Vincent a beaucoup voyagé?
3. Où est-ce que Jean-Luc est allé en France? A quelles sortes de gens a-t-il parlé?
4. Comment Jean-Luc décrit-il les Français?
5. D'après lui, est-ce que les Français mangent plus ou mieux que les Américains?
6. Que faisait Mme Legros quand elle avait des invités?
7. Chez les Legros, qui allait acheter le pain avant le petit déjeuner? Qui faisait les courses, en général?
8. Pourquoi Mme Legros commençait-elle toujours ses courses par l'épicerie?
9. Pourquoi passait-elle aussi au supermarché?
10. Avez-vous l'impression que Mme Legros aimait faire les courses? Pourquoi?
11. D'après Vincent, où peut-on aller à Paris si on veut déjeuner en dix minutes?
12. D'après Jean-Luc, qu'est-ce que beaucoup de Français mangent à midi?
13. Pourquoi les rues sont-elles désertes dans les petites villes entre midi et deux heures?
14. A quelle occasion les Legros ont-ils donné un grand déjeuner? Qu'est-ce qu'on a mangé?
15. D'après ce que vous venez de lire, êtes-vous d'accord avec Jean-Luc que manger est plus important pour les Français que pour les Américains? Expliquez.

---

[13] **Les fraises Chantilly** is a desert made of fresh strawberries and **crème Chantilly** (*whipped cream*).

Noun Exercises

27. COMPLETION

1. Qu'est-ce que tu prépares, des frites? Je peux en avoir <u>une</u>?
2. Qu'est-ce que tu veux manger? Il y a <u>une</u> boîte de haricots verts et <u>une</u> boîte de petits pois.
3. Je peux aussi faire un dessert si tu vas acheter <u>un</u> litre de lait.
4. Voilà le <u>nouvel</u> ouvre-boîte.
5. Qu'est-ce que tu préfères, <u>un</u> <u>bon</u> bifteck ou des œufs?
6. Tu connais <u>ce</u> produit?

7. Le champagne est <u>une</u> sorte de vin, n'est-ce pas?
8. Il y a eu <u>un</u> mariage ce matin, à l'église?

1. Oui, tu peux prendre _____ frite, mais c'est tout.
2. Mangeons _____ boîte de petits pois.

3. Bon, alors je vais acheter _____ litre de lait.

4. Tu as acheté _____ ouvre-boîte?
5. _____ bifteck, bien sûr!

6. Mirex? Oui, c'est _____ produit pour laver la vaisselle.
7. Oui! C'est _____ sorte de vin blanc.

8. Mais oui, _____ mariage du fils Dumont avec la petite Lambert.

28. PATTERNED COMPLETION

Ex. Vous voulez <u>du</u> porc?
1. Vous voulez <u>du</u> rosbif?
2. Vous voulez <u>de la</u> sole?
3. Vous voulez <u>du</u> brie?
4. Vous voulez <u>du</u> camembert?
5. Vous voulez <u>du</u> roquefort?
6. Vous voulez <u>du</u> champagne?

Ex. Merci, je n'aime pas _<u>le</u>_ porc.
1. Merci, je n'aime pas _____ rosbif.
2. Merci, je n'aime pas _____ sole.
3. Merci, je n'aime pas _____ brie.
4. Merci, je n'aime pas _____ camembert.
5. Merci, je n'aime pas _____ roquefort.
6. Merci, je n'aime pas _____ champagne.

M/F Pairs

You know that when a masculine adjective ends in **-er**, the feminine form usually ends in **-ère: entier, entière.** The same is true of nouns. When a noun referring to a man ends in **-er,** its feminine counterpart ends in **-ère: un boulanger, une boulangère.**

29. PATTERNED RESPONSE

Le boulanger n'est pas là. ⊗
Le pâtissier n'est pas là.
Le crémier n'est pas là.
Le charcutier n'est pas là.
L'épicier n'est pas là.

La boulangère non plus?

Verb Exercise

30. RESTATEMENT DRILL

Bernard travaille tout le temps! ⊗   Bernard n'arrête pas de travailler!
Il parle tout le temps!   Il n'arrête pas de parler!
Il discute tout le temps!   Il n'arrête pas de discuter!
Il plaisante tout le temps!   Il n'arrête pas de plaisanter!
Il tousse tout le temps!   Il n'arrête pas de tousser!

RECOMBINATION EXERCISES

Mass and Count Nouns

Certain nouns (**café, fromage,** etc.) are often used as "mass" nouns: **du café** (*some*) *coffee*, **du fromage** (*some*) *cheese*. Many of these same nouns may also be used as "count" nouns. When used in this way, the noun often indicates an item or a serving of that item. For example, **un fromage** may mean either *an entire cheese* or *a serving of cheese*. It may also indicate *a kind of. . . ,* for example, **Le roquefort est un fromage français.**

du café	*(some) coffee*	**un café**	*a cup of coffee, a (kind of) coffee*
de la salade	*(some) salad*	**une salade**	*a portion of salad, a (kind of) salad*
de la sole	*(some) sole*	**une sole**	*a portion of sole, a (kind of) sole*

31. PATTERNED RESPONSE

[*Au restaurant*]

Vous voulez du thé? ⊗   Oui. Mademoiselle, deux thés, s'il vous plaît.
Vous voulez du café?
Vous voulez de la salade?
Vous voulez du rosbif?
Vous voulez du poulet?

32. DEFINITION DRILL

Tu sais ce que c'est que les fraises   C'est un dessert.
    Chantilly? ⊗
Tu sais ce que c'est que le champagne?
Tu sais ce que c'est que la sole?
Tu sais ce que c'est que le camembert?
Tu sais ce que c'est que le rosbif?
Tu sais ce que c'est que le Pommard?

33. PRESENT → PASSÉ COMPOSÉ OR IMPERFECT

C'est aujourd'hui l'anniversaire de mariage des Lambert. ⊗

Les invités arrivent vers midi.

D'abord ils parlent avec M. Lambert dans le salon.

Pendant ce temps Mme Lambert est dans la salle à manger.

Elle met les hors-d'œuvre sur la table.

A une heure tout le monde va dans la salle à manger.

Il y a des fleurs sur la table.

Tout le monde se met à table.

Il y a vingt personnes en tout.

On sert un tas de bonnes choses.

Au dessert M. Lambert sert du champagne.

A la fin du repas tout le monde est de très bonne humeur.

A quatre heures on est encore à table.

C'était hier l'anniversaire de mariage des Lambert.

QUELQUES STATISTIQUES COMPARATIVES						
	France	Grande Bretagne	États-Unis	Suisse	Allemagne de l'Ouest	URSS
Appareils de télévision[14]	151	254	376	124	213	81
Appareils de radio[14]	321	300	1 334	277	459	329
Journaux[15]	312	488	1 752	344	332	274
Livres publiés en une année[16]	24 000	29 000	30 000	6 000	25 000	73 000

---

[14] These figures are per 1,000 inhabitants.

[15] These figures are for daily newspapers.

[16] Since some countries include government publications and theses in their statistics and others do not, the figures are not entirely comparable.

34. QUESTIONS

Où est-ce qu'il y a le plus d'appareils de radio par habitant, en Allemagne ou en Russie?

Dans quel pays est-ce qu'il y a le plus d'appareils de télévision par habitant?

Qui a le plus d'appareils de radio, les Suisses ou les Anglais? Combien d'appareils de radio y a-t-il en France pour mille habitants?

Dans quel pays est-ce qu'il y a le plus de journaux? Il y en a combien en Allemagne? Et en Russie?

Quel est le pays qui publie le plus de livres, les États-Unis ou la Russie? On publie environ combien de livres par an aux États-Unis? Et en France?

Conversation Buildup

[*Chez les Lambert. Six heures du soir.*]

MME LAMBERT — Ah, ton père est vraiment pénible! Il vient de me téléphoner pour me dire qu'il a invité deux amis à dîner. Comme ça, à la dernière minute! Je me demande ce que je vais faire.

ANNE LAMBERT — Oh, tu peux préparer quelque chose de vite fait—un bifteck, par exemple.

MME LAMBERT — Oui, c'est ce que je vais faire. C'est le plus simple. Les hommes aiment bien la viande rouge. Et avec ça, voyons... je peux servir des haricots verts et une salade...

ANNE LAMBERT — Oui, et puis il y a du fromage—du brie, du camembert et du roquefort, je crois.

MME LAMBERT — Oui, et j'ai des fruits pour le dessert... Ce n'est pas trop mal.

REJOINDERS

Voyons, les enfants, qu'est-ce que vous voulez manger demain?

Vous désirez, Monsieur (Madame, Mademoiselle)?

Quel est le repas que vous aimez le mieux?

CONVERSATION STIMULUS

La semaine dernière vous êtes allé dîner dans un restaurant français. Vous racontez à un ami comment c'était et ce que vous avez mangé. Vous commencez :

—Samedi dernier mes parents m'ont emmené dans un restaurant très, très bien!

Writing

1. SENTENCE FORMATION

For each of the following questions, give at least one answer containing a comparative. Give more answers if you can.

> MODEL Pourquoi est-ce que Michel arrive toujours avant toi au petit déjeuner?
> *Possible sentences:*
> Parce que je me lève plus tard que lui.
> Parce qu'il s'habille plus vite que moi.
> Parce qu'il se lève plus tôt que moi.
> Parce que je m'habille moins vite que lui.
> Parce qu'il ne se lave pas.

1. Pourquoi est-ce que Madame Lambert a toujours fini de manger avant son mari?
2. Pourquoi est-ce que ton frère arrive toujours à l'école plus tôt que toi?
3. Pourquoi est-ce que tu as toujours plus de mauvaises notes que ton frère?
4. Pourquoi est-ce que tu finis toujours tes devoirs après ta sœur?
5. Pourquoi est-ce que c'est toujours moi qui vais faire les courses et jamais toi?

2. SENTENCE FORMATION

For each of the following questions, give at least one answer containing a superlative. Give more answers if you can.

> MODEL Pourquoi est-ce que Jacques est toujours le premier en maths?
> *Possible sentences:*
> Parce que c'est le plus fort de la classe.
> Parce que c'est le plus intelligent.

1. Pourquoi est-ce que Paul est toujours le dernier de la classe?
2. Pourquoi est-ce que Bernard gagne tous les matchs de tennis?
3. Papa, pourquoi est-ce que nous allons toujours au même restaurant?
4. Pourquoi est-ce que nous allons toujours en vacances dans le même hôtel?
5. Pourquoi est-ce que Pierre est toujours avec Alain?

REFERENCE LIST

Nouns

anniversaire m *anniversary*
bifteck m *steak*
bœuf m *beef*
brie m *cheese*
camembert m *cheese*
champagne m *champagne*
épinards m pl *spinach*

fer m *iron*
haricot m *green bean*
jus m *juice*
kilo(gramme) m *kilogram*
litre m *liter*
maïs m *corn*
marché m *market*

mariage m *marriage*
Midi m s. *France*
ouvre-boîte m *can opener*
Pays m Basque *region*
petit pois m *pea*
porc m *pork*

poulet m *chicken*
produit m *product*
roquefort m *kind of cheese*
rosbif m *roast beef*
supermarché m *supermarket*
vin m *wine*

boîte f de conserves *can of food*
boucherie f *butcher shop*
boulangerie f *bakery*
charcuterie f *pork shop*
crémerie f *dairy shop*
épicerie f *grocery store*

fraise f *strawberry*
frite f *French fry*
impression f *impression*
mesdames f pl *ladies*
occasion f *occasion*

partie f *part, game*
pilule f *pill*
pâtisserie f *pastry shop*
pomme f *apple*
pomme de terre f *potato*

prune f *plum*
qualité f *quality*
santé f *health*
sole f *sole*
sorte f *kind, sort*

m/f pairs:

boucher, –ère *butcher*
boulanger, –ère *baker*
charcutier, –ère *pork man*

client, –e *client*
crémier, –ère *dairyman*
épicier, –ère *groceryman*

habitant, –e
invité, –e

pâtissier, –ère *pastryman*
pharmacien, –nne *druggist, pharmacist*

Adjectives and Adverbs

certain, –e *certain*
désert, –e *deserted*

électrique *electric*
entier, –ère *entire*
partout *everywhere*

extraordinaire *extraordinary*
meilleur, –e *better*

pire *worse*
simple *simple*

Verbs

(*like* travailler)

(s')arrêter (de) *to stop* supposer *to suppose*
commander *to order* utiliser *to use*
fermer *to close*

(*irregular*)

boire *to drink*

Other Words and Expressions

à l'intérieur *in the interior*
à table *on the table*
aussi que *same as*
autant de *as many*
bien (plus, moins...)

contre *compared to*
coûter cher *costs a lot*
d'abord *first*
en dehors de *outside of*
en fait *in fact*

en somme *finally, so*
en tout cas *among*
entre *among*
faire un repas *to have a meal*
huit jours *eight days a week*

par contre *on the other hand*
puisque *since*
quelque chose de *something*
quinze jours *today 2 weeks*
rien de *nothing*

RÉALITÉS

Hostellerie du Vieux Cordes
MENU

Menu à 12 F

HORS-D'OEUVRE

Hors-d'oeuvre variés
Oeuf dur mayonnaise
Salade de tomates

1° PLAT AU CHOIX

Sardines grillées
Soufflé au fromage

2° PLAT AU CHOIX

Rôti de porc, pommes frites
Quart de poulet froid mayonnaise
Steak grillé, pommes frites

DESSERT

Fromage
Fruits ou pâtisseries au choix

Menu à 17 F 50

HORS-D'OEUVRE

Hors-d'oeuvre variés
Oeuf dur mayonnaise
Salade de tomates
Pâté du chef
Jambon de campagne

1° PLAT AU CHOIX

Sole meunière
Saumon sauce tartare
Soufflé au fromage

2° PLAT AU CHOIX

Gigot de mouton, haricots verts
Poulet rôti, petits pois
Escalope de veau, spaghettis
Bouillabaisse
Lapin à la moutarde, pommes à l'anglaise

DESSERT

Fromage
Fruits et pâtisseries au choix

Service 14% non compris

heures des repas.
déjeuner 12h30 à 15h.
dîner 20h à 22h

MAISON DES BEAUX-ARTS
11, RUE DES BEAUX-ARTS · PARIS 6

BOUCHERIE

AUJOURD'HUI

	LE KILO
EPAULE AGNEAU	17.60
GIGOT AGNEAU	13.99
ROSBIF TENDRE	10.99
ROTI-VEAU SANS OS	10.99
BLANQUETTE VEAU	11.99
RAGOUT-VEAU	6.99

AUJOURD'HUI

	LE KILO
PINTADE HUI	7.99
POULET ROTIR	2.99
CANARD NANTAIS	5.99

une tradition de qualité

GRIFF

crêperie

HOMARD

crepêrie   VENTE A EMPORTER
CREPES

VINS

vins blancs   vins rouges

French Throughout

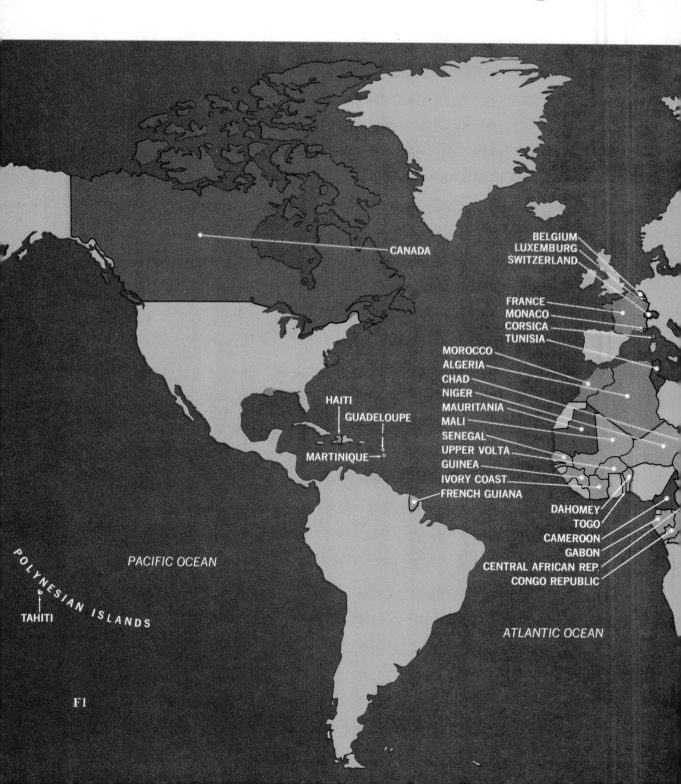

CANADA

BELGIUM
LUXEMBURG
SWITZERLAND

FRANCE
MONACO
CORSICA
TUNISIA

MOROCCO
ALGERIA
CHAD
NIGER
MAURITANIA
MALI
SENEGAL
UPPER VOLTA
GUINEA
IVORY COAST
FRENCH GUIANA

HAITI
GUADELOUPE

MARTINIQUE

DAHOMEY
TOGO
CAMEROON
GABON
CENTRAL AFRICAN REP.
CONGO REPUBLIC

PACIFIC OCEAN

P O L Y N E S I A N   I S L A N D S

TAHITI

ATLANTIC OCEAN

F1

the World

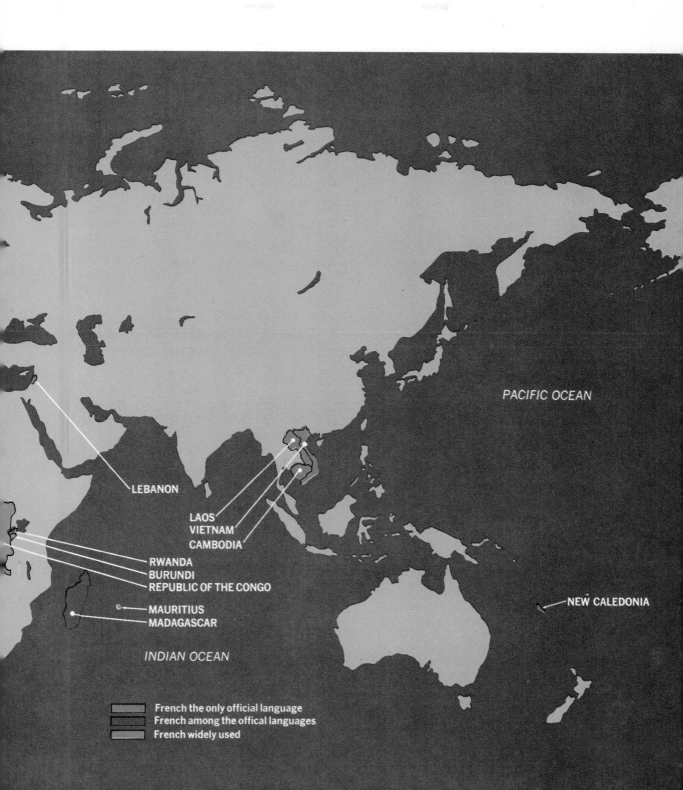

PACIFIC OCEAN

LEBANON

LAOS
VIETNAM
CAMBODIA

RWANDA
BURUNDI
REPUBLIC OF THE CONGO

MAURITIUS
MADAGASCAR

NEW CALEDONIA

INDIAN OCEAN

French the only official language
French among the offical languages
French widely used

French is one of the world's most widely spoken languages. More than 75 million people in over thirty countries in every corner of the world speak French. Along with English, Spanish, Russian and Chinese, French is one of the five official languages of the United Nations.

On the European continent, French is spoken not only in France, but in Luxemburg, Monaco and parts of Switzerland and Belgium. Throughout Europe, it is a useful and important language for the tourist, businessman and student.

In Switzerland, French is spoken by about one-fifth of the population. The rest of the Swiss speak German and Italian.

About 40% of the people in Belgium speak French. The rest of the population speaks Flemish. Here in the traditionally Flemish town of Bruges, a large variety of French newspapers and magazines are for sale.

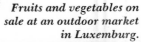

A small café in rural France.

Fruits and vegetables on sale at an outdoor market in Luxemburg.

Although Arabic is the official language of Lebanon, business is often transacted in French or in English.

Students in a Tunisian classroom. The Tunisian government, headed by President Habib Bourguiba, has chosen to maintain close cultural ties with France.

A hostess chats with a guest in an elegant Moroccan home. In Morocco, both French and Spanish are important second languages.

France once held many territories throughout Africa. In the North African countries of Algeria and Morocco, French is still spoken by many people, although Arabic is the official language and is replacing French as the language used in the schools. In Tunisia, French is more widely used and shares the status of official language with Arabic. French is also used in certain Arab countries in the Middle East, especially in business transactions.

The President of
the Ivory Coast,
Houphouet-Boigny,
receives a delegation of
his country's Christian
and Moslem leaders.

All of France's former territories in
sub-Saharan Africa are now independent,
but most have chosen to retain strong
economic and cultural ties with France.
French is the official or one of the official
languages in seventeen African countries.
It is used in the schools and for business
and administrative affairs, where it is
often the only common language between
Africans from the same area who speak
different languages or dialects.

Although Guinea has
chosen not to maintain
ties with France,
French is still the
official language and is
used in official papers
such as the voting card
held by this Guinean
woman.

An oasis in the Niger
Republic. The govern-
ment of Niger has
played an important
role in promoting the
use of French as a
common language in
Africa.

A flower market in Dakar, the capital of Senegal. Senegal's President, Léopold Senghor, is a recognized author who writes in French.

Many African countries are becoming increasingly industrialized. Here, a man in the Ivory Coast working in an automobile assembly plant.

A squash vendor in Fort Lamy, the capital of Chad.

A scientist in the Togolese capital of Lomé conducting an analysis of water bacteria.

F6

A street in the French Quarter of New Orleans.

In the western hemisphere, French is an official language in Canada, Haiti and France's overseas departments, Guadeloupe, Martinique and French Guiana. It is also spoken in certain communities in northern New England and Louisiana.

In other areas of the world French is an important second language. In France's former southeast Asian territories, Cambodia, Laos and North and South Vietnam, French is still used in some schools and in business and government circles. There are also French-speaking islands in the Pacific, including Polynesia and New Caledonia.

An outdoor art show in Quebec city. Throughout Canada, French and English are official languages.

On the French-speaking Gaspé Peninsula, a hand-carved wooden figure advertises bread for sale. There are 6,000,000 Canadians in the provinces of Quebec, Ontario and New Brunswick who speak French as a first language.

The island of Tahiti, one of the French Polynesian islands. Tahiti has been a French overseas territory by choice since 1958.

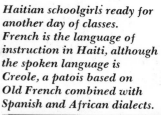

Haitian schoolgirls ready for another day of classes. French is the language of instruction in Haiti, although the spoken language is Creole, a patois based on Old French combined with Spanish and African dialects.

The island of Martinique. French has been used in Martinique, Guadeloupe and French Guiana since the middle of the seventeenth century when French people first settled in the western world.

Buddhist monks in Phnom Penh, the capital city of Cambodia. Many Cambodian schools are closely modeled on the French educational system.

F8

BASIC MATERIAL I

Weekend en Sologne

le 30 octobre

Cher Alain,

Je suis en Sologne avec Jean-Pierre Duval (tu le connais, je crois). Nous sommes chez son oncle Henri qui a une maison de campagne près d'Orléans. Hier nous sommes allés à la chasse. Nous nous sommes levés avec le soleil et nous avons marché dans les bois pendant des heures. Nous n'avons pas vu un seul lapin, mais nous avons fait une promenade très sympathique. Aujourd'hui l'oncle de Jean-Pierre va nous emmener voir deux ou trois châteaux dans la région. Nous ne trouvons pas ça tellement passionnant, mais lui il aime ça. (Il nous en a déjà montré une bonne dizaine!) Jean-Pierre fait des tas de photos des châteaux. Je vais lui en demander quelques-unes pour toi parce que je tiens à contribuer à ta culture.

Salut à tous. A bientôt.

Bernard

Supplement

Il fait drôlement noir ce soir!

Oui, il n'y a pas de lune.
Il n'y a pas une seule étoile dans le ciel.

Est-ce que tu sais où nous sommes?

Oui, je reconnais ce gros arbre.
Oui, je reconnais ce carrefour.
Oui, je reconnais cet étang.

Où est Oncle Henri?

Je ne sais pas; il a disparu.
Il est dans son cabinet de travail.
Dans le couloir.

◀ *Le château de Blois*

217

Weekend in Sologne

October 30

Dear Alain,

I'm in Sologne with Jean-Pierre Duval (you know him, I think). We're at his Uncle Henri's who has a house near Orléans. This morning we went hunting. We got up at the crack of dawn (with the sun) and we walked in the woods for hours. We didn't see a single rabbit, but we had a very nice walk. Tomorrow Jean-Pierre's uncle is going to take us to see two or three castles in the area. It's not that we find that so exciting, but he likes it. (He's already showed us at least ten!) Jean-Pierre is taking lots of pictures of castles. I'm going to ask him for some for you because I really want to contribute to your culture.

Hello to everybody. See you soon.

Bernard

Supplement

It's awfully dark tonight!

Yes, there's no moon.
There isn't a single star in the sky.

Do you know where we are?

Yes, I recognize this big tree.
Yes, I recognize this intersection.
Yes, I recognize that pond.

Where is Uncle Henri?

I don't know; he disappeared.
He's in his study.
In the corridor.

Vocabulary Exercises

1. QUESTIONS ON BASIC MATERIAL

1. Où Bernard et son ami passent-ils le weekend?
2. Où l'oncle de Jean-Pierre les a-t-il emmenés hier? Est-ce qu'ils se sont levés tôt ou tard?
3. Comment Bernard a-t-il trouvé la promenade?
4. Où est-ce que l'oncle de Jean-Pierre les emmène aujourd'hui?
5. Que fait Jean-Pierre pendant les promenades?

2. FREE RESPONSE

1. Qu'est-ce que votre famille fait pendant les vacances? Est-ce que votre père va souvent à la chasse, à la pêche? Avec qui est-ce qu'il y va?

2. Est-ce qu'il y a des arbres près de chez vous? Est-ce qu'il y en a près d'ici? En général, où est-ce qu'on trouve le plus d'arbres, en ville ou à la campagne?

3. Comment était le ciel hier soir? Est-ce qu'il y avait beaucoup d'étoiles? Est-ce qu'on voyait la lune?

3. PATTERNED RESPONSE

Un (une) may occur following a negative construction when it is used as a number (**pas un lapin, mais deux**) or to stress the idea that only one item is involved (**pas un seul lapin**).

Vous n'avez pas vu de lapins?	Non, pas un seul lapin.
Il n'y avait pas d'étoiles?	Non, pas une seule étoile.
Il n'y a pas d'arbres près de chez vous?	Non, pas un seul arbre.
Vous n'avez pas fait de photos?	Non, pas une seule photo.
Vous n'avez pas vu de châteaux?	Non, pas un seul château.

Noun Exercises

4. COMPLETION

1. Nous avons passé le weekend en Sologne.
2. Nous avons eu un ciel gris tout le temps.
3. Nous sommes allés à la chasse.
4. Le dernier jour nous avons fait une promenade dans les bois.
5. Regarde la lune qui se lève.
6. Tu vois cette grosse étoile?

1. Moi, j'ai passé _____ weekend à Paris.
2. Moi, j'aime bien _____ ciel de Sologne.
3. Tu vas à _____ chasse, toi?
4. Vous avez fait _____ promenade ou vous êtes allé à la chasse?
5. Ce n'est pas _____ lune qui se lève; c'est le soleil qui se couche!
6. Mais non, ce n'est pas _____ étoile!

5. PATTERNED COMPLETION

Ex. Nous avons trouvé un lac.
1. Nous avons trouvé un étang.
2. Nous sommes montés sur un arbre.
3. Nous sommes arrivés à un carrefour.
4. Nous avons visité un château.
5. Nous sommes entrés dans un couloir.
6. Au bout du couloir il y avait un cabinet de travail.

Ex. C'était ___*un grand*___ lac?
1. C'était _____ étang?
2. C'était _____ arbre?
3. C'était _____ carrefour?
4. C'était _____ château?
5. C'était _____ couloir?
6. C'était _____ cabinet de travail?

Verb Exercises

Infinitive	Present	Past Part.
connaître	je connais (il connaît) nous connaissons	connu

Connaître, reconnaître, and **disparaître** all follow the same pattern. In **connaître** or any verb that follows the same pattern, the letter **i** always has an **accent circonflexe** before **t,** regardless of tense.

6. PATTERNED RESPONSE

1. Tu connais ce village?   Oui, je le connais bien.
   Mais tu ne reconnais pas l'église?   Non, je ne la reconnais pas.

   Vous connaissez ces bois, vous deux?   Oui, nous les connaissons bien.
   Mais vous ne reconnaissez pas cet étang? Non, nous ne le reconnaissons pas.

   Pierre connaît cette route?   Oui, il la connaît bien.
   Mais il ne reconnaît pas ce carrefour? Non, il ne le reconnaît pas.

   Tes amis connaissent la ville?   Oui, ils la connaissent bien.
   Mais ils ne reconnaissent pas ce restaurant? Non, ils ne le reconnaissent pas.

2. Où est Martine?   Je ne sais pas; elle a disparu.
   Où sont les enfants?
   Où sont les filles?
   Où est la femme de ménage?
   Où est le plombier?

Grammar

Double Object Pronouns: Indirect Object Pronoun + en

PRESENTATION

Oncle Henri nous a montré des photos.   Oncle Henri <u>nous en</u> a montré.
Il a raconté des histoires à Bernard.   Il <u>lui en</u> a raconté.

Je vais t'acheter des cadeaux.   Je vais t'en acheter.
Ne me parlez pas de ça!   Ne m'en parlez pas.
Donnez-moi du pain.   Donnez-m'en.

In the sentences in the right-hand column, where does **en** occur, before or after the indirect object pronoun?

GENERALIZATION

In French, as in English, two pronouns are often used in a single sentence.

INDIRECT OBJECT PRONOUN + en		
Mon frère	m'en t'en nous en vous en lui en leur en	a prêté.
Prêtez-	m'en. nous-en. lui-en. leur-en.	

1. When **en**[1] is part of a double object pronoun pair, it <u>always</u> comes second.

2. When the pronoun **me** occurs with **en,** the form **m'en** is always used, even in the affirmative imperative. The form **moi** is used only when the pronoun occurs alone following the verb.

> **Ne m'en parlez pas.**   **Parlez m'en.**
> **Ne me parlez pas de ça.**   **Parlez-moi de ça.**

---

[1] **Y** sometimes occurs with another pronoun (**Il nous y a emmenés.**) but less often than **en.** You should know the position of **y** in the expression **il y en a** (**Il y a du beurre? Oui, il y en a.**) but you will not be required to learn other pronoun combinations with **y** at this time.

STRUCTURE DRILLS

7. PATTERNED RESPONSE

1. [*Pierre emprunte de l'argent à tout le monde.*]

Il en a emprunté à ses parents.	C'est vrai, il leur en a emprunté.
Il en a emprunté à sa sœur.	C'est vrai, il lui en a emprunté.
Il t'en a emprunté.	C'est vrai, il m'en a emprunté.
Il vous en a emprunté.	C'est vrai, il nous en a emprunté.
Il en a emprunté à tous ses amis.	C'est vrai, il leur en a emprunté.

2. [*Les Lambert n'ont pas parlé de leur voyage en Autriche.*]

Ils n'en ont pas parlé aux Leblond?	Non, ils ne leur en ont pas parlé.
Ils n'en ont pas parlé à Christine?	Non, ils ne lui en ont pas parlé.
Ils n'en ont pas parlé à Bernard?	Non, ils ne lui en ont pas parlé.
Ils ne t'en ont pas parlé?	Non, ils ne m'en ont pas parlé.
Ils ne vous en ont pas parlé?	Non, ils ne nous en ont pas parlé.

3.

Est-ce que Bernard t'a montré des photos de Sologne? ⊗	Oui, il m'en a montré.
Est-ce qu'il t'a montré des photos de Bretagne?	Ah non, il ne m'en a pas montré.
Est-ce que tu m'as acheté des enveloppes?	Oui, je t'en ai acheté.
Est-ce que tu m'as acheté des timbres?	Ah non, je ne t'en ai pas acheté.
Est-ce que Jean-Paul a écrit des cartes postales à ses parents?	Oui, il leur en a écrit.
Est-ce qu'il leur a écrit des lettres?	Ah non, il ne leur en a pas écrit.

8. FREE RESPONSE

Est-ce que vos amis vous prêtent de l'argent? Est-ce qu'ils vous parlent de leurs difficultés? Est-ce que vous leur achetez des cadeaux pour leur anniversaire?

Quand vous faites un voyage, est-ce que vous leur écrivez des lettres? Des cartes postales?

9. PATTERNED RESPONSE

Je voudrais te parler de la réunion. ⊗	1ST STUDENT	Eh bien, vas-y : parle-m'en.
	2ND STUDENT	Non, ne m'en parle pas maintenant.
Je voudrais parler de ma composition au prof.		Eh bien, vas-y : parle-lui-en.
		Non, ne lui en parle pas maintenant.

Je voudrais parler de ça à mes parents.

Eh bien, vas-y : parle-leur-en.
Non, ne leur en parle pas maintenant.

Je voudrais vous parler de quelques petites difficultés.

Eh bien, vas-y : parle-nous-en.
Non, ne nous en parle pas maintenant.

Double Object Pronouns: Third Person

PRESENTATION

J'ai emprunté le transistor aux garçons.   Je <u>le</u> <u>leur</u> ai emprunté.
Emprunte le transistor aux garçons.   Emprunte-<u>le-leur</u>.

Il va montrer ses photos à Martine.   Il va <u>les</u> <u>lui</u> montrer.
Montre tes photos à Christine.   Montre-<u>les-lui</u>.

Ne raconte pas cette histoire à Jean.   Ne <u>la</u> <u>lui</u> raconte pas.
Raconte cette histoire à Pierre.   Raconte-<u>la-lui</u>.

In the sentences in the right-hand column, where do **lui** and **leur** come, before or after **le, la** and **les?**

GENERALIZATION

THIRD PERSON OBJECT PRONOUNS		
Je vais	le / la / les	lui / leur	montrer.

Montrez-	le- / la- / les-	lui. / leur.

The indirect object pronouns **lui** and **leur** <u>always</u> follow the direct object pronouns **le, la, les.**

Note: Remember that the past participle always agrees with a preceding <u>direct</u> object pronoun. **Mes photos? Je les lui ai montr<u>ée</u>s hier.**

STRUCTURE DRILLS

10. PATTERNED RESPONSE

1. [*Avant de partir en vacances*]
   Tu as donné notre adresse à la concierge?   Oui, je la lui ai donnée.
   Tu lui as donné notre numéro de télé-   Oui, je le lui ai donné.
   phone?
   Tu lui as donné le chat?   Oui je le lui ai donné.
   Tu lui as donné le lait?   Oui, je le lui ai donné.
   Tu lui as donné les oiseaux?   Oui, je les lui ai donnés.

2. Tu as montré leur chambre à tes amis? ⊗   Oui, je la leur ai montrée.
   Et la salle de bains?   Non, je ne la leur ai pas montrée.

   Tu leur as montré la salle à manger?   Oui, je la leur ai montrée.
   Et la cuisine?   Non, je ne la leur ai pas montrée.

   Tu leur as montré le salon?   Oui, je le leur ai montré.
   Et le jardin?   Non, je ne le leur ai pas montré.

   Tu leur as montré les bois?   Oui, je les leur ai montrés.
   Et les étangs?   Non, je ne les leur ai pas montrés.

3. Je voudrais emprunter la voiture à   1ST STUDENT   Eh bien, emprunte-la-lui.
   papa. ⊗   2ND STUDENT   Non, ne la lui emprunte pas.

   Je voudrais prêter le magnétophone aux   Eh bien, prête-le-leur.
   filles.   Non, ne le leur prête pas!

   Je voudrais rendre ces bandes à Pierre.   Eh bien, rends-les-lui.
       Non, ne les lui rends pas.

   Je voudrais donner cette radio aux en-   Eh bien, donne-la-leur.
   fants.   Non, ne la leur donne pas!

11. NOUN → PRONOUN

Hier, oncle Henri nous a montré des   Hier, oncle Henri nous en a montré.
étangs.
Il a montré sa maison à Bernard.   Il la lui a montrée.

Demain, il va montrer des châteaux aux
garçons.

Il va leur montrer les vieilles maisons du village.

Il va prêter son appareil à Jean-Pierre.
Il va prêter sa voiture aux deux garçons.

Jean-Pierre va acheter des cadeaux pour ses parents.
Bernard va acheter des fleurs pour sa sœur.

12. REJOINDERS

Est-ce que je peux prêter ma bicyclette à Charles?

(Oui, tu peux la lui prêter.)
(Prête-la-lui, si tu veux.)
(Oh non, ne la lui prête pas.)

Tu vas montrer ton nouveau timbre à Luc? Il ne l'a pas vu.
J'ai une petite difficulté. Je voudrais t'en parler.
Est-ce que je peux emprunter le transistor de Bernard?
J'aimerais raconter cette histoire aux autres.

Writing

1. NOUN → PRONOUN

Write a rejoinder to each of the statements below, according to the model. Use the appropriate object pronouns in your rejoinder. Make the past participle agree where necessary.

MODEL   J'ai promis à Michel de lui garder son chien.
<u>Et tu le lui as gardé?</u>

1. J'ai promis à Jean-Claude de lui rendre sa veste.
2. J'ai promis aux filles de leur expliquer leur problème.
3. J'ai promis à Maman de lui acheter des enveloppes.
4. J'ai promis aux enfants de leur montrer les bois.
5. J'ai promis à Martine de lui raconter l'histoire.
6. J'ai promis à mes petites sœurs de leur acheter des cadeaux.
7. J'ai promis à Marc de lui prêter des bandes magnétiques.

2. NOUN → PRONOUN

For each of the following statements, give an affirmative and a negative response, according to the model. Use the appropriate object pronouns in your responses.

MODEL   Je vais montrer la chambre aux clients.
            C'est ça, montre-la-leur.
            Non, ne la leur montre pas!

1. Je vais prêter des bandes à Claude.
2. Je vais emprunter de l'argent à maman.
3. Je vais t'acheter des timbres.
4. Je vais donner l'électrophone aux enfants.
5. Je vais vous montrer des photos.
6. Je vais raconter cette histoire à Michèle.

BASIC MATERIAL II

La carte

M. LAMBERT	Chambord, 80 kilomètres! On s'est sûrement trompés[2]!
MME LAMBERT	Je te le disais bien! On se perd toujours quand tu conduis.
M. LAMBERT	Où as-tu caché la carte? Passe-la-moi.
MME LAMBERT	La carte? Mais je te l'ai donnée!
M. LAMBERT	Tu me l'as donnée? Quand ça?
MME LAMBERT	Hier soir, à Perpignan, au restaurant.
M. LAMBERT	Eh bien, elle y est toujours. Nous voilà jolis, au milieu de la nature et sans carte.

Supplement

Je peux vous aider?

Oui. Où se trouve le syndicat d'initiative[3]?
Oui, merci. Il y a un poste d'essence par ici?
Oui, qu'est-ce que c'est que cette place?
Pouvez-vous m'indiquer le commissariat de police?

Tu retournes à la maison?

Oui. J'ai oublié mes clés.
Oui. J'ai oublié mes lunettes.
Oui. J'ai oublié mon portefeuille.

Je me demande où nous sommes!

Demandons au guide.
Demandons à l'agent de police.

---

[2] When **on** refers to more than one person, the tendency is to make the past participle agree in gender and in number with the subject.

[3] A **syndicat d'initiative,** like a chamber of commerce, is a local information bureau for tourists.

Le château de Chambord

The Map

M. LAMBERT	Chambord, 80 kilometers! We must have made a mistake!
MME LAMBERT	I told you so! We always get lost when you drive.
M. LAMBERT	Where did you hide the map? Hand (pass) it to me.
MME LAMBERT	The map? But I gave it to you.
M. LAMBERT	You gave it to me? When?
MME LAMBERT	Last night in the restaurant in Perpignan.
M. LAMBERT	Well, it's still there. Here we are in a fine mess, in the middle of the wilderness and without a map.

Supplement

May I help you?

Yes. Where is the information bureau?
Yes, thank you. Is there a gas station nearby?
Yes, what square is this?
Could you show me (point out to me) where the police station is?

Are you going back to the house?

Yes. I forgot my keys.
Yes. I forgot my glasses.
Yes. I forgot my wallet.

I wonder where we are.

Let's ask the guide.
Let's ask the policeman.

Vocabulary Exercises

13. QUESTIONS ON BASIC MATERIAL

1. Où sont les Lambert?
2. Pourquoi Mme Lambert n'a-t-elle pas la carte?
3. Quand est-ce qu'elle l'a donnée à son mari?
4. Où est-ce que les Lambert ont dîné hier soir?

14. FREE RESPONSE

1. Où est-ce qu'on va pour prendre de l'essence?
2. Quand on arrive dans une ville qu'on ne connaît pas, où est-ce qu'on va pour demander des renseignements?
3. Où va-t-on pour prendre le train?
4. Où est-ce qu'on va pour acheter des œufs? Du papier? Des livres?

15. COMPLETION DRILL

Je ne peux pas entrer dans l'appartement; je ne trouve plus _____.
Je ne peux pas acheter ce livre; j'ai oublié _____!
Je ne peux pas lire sans _____.

16. PATTERNED RESPONSE

The expression **qu'est-ce que c'est que...** (*what is . . .*) is used to ask for clarification (**Qu'est-ce que c'est que cette place?**) or a definition (**Qu'est-ce que c'est qu'un pâtissier?**)

Qu'est-ce que c'est qu'un boucher?   Un homme qui vend de la viande.
Qu'est-ce que c'est qu'un crémier?
Qu'est-ce que c'est qu'une boulangère?
Qu'est-ce que c'est qu'une charcutière?
Qu'est-ce que c'est qu'une crémière?

Noun Exercises

17. COMPLETION

1. Qu'est-ce que j'ai fait de cette clé?
2. Il faut aller au commissariat tout de suite.

1. Dis, tu n'as pas ____ clé de la voiture?
2. Pardon, Monsieur l'agent[4], est-ce qu'il y a ____ commissariat par ici?

---

[4] **Monsieur le...** is sometimes used before the noun of occupation as a polite way of addressing an official or a professional person.

3. Allons <u>au</u> syndicat d'initiative.

4. Plus d'essence. Je me demande si nous allons trouver <u>un</u> poste d'essence par ici.

3. Il y a sûrement _____ syndicat d'initiative dans une ville comme ça.

4. Pardon, Monsieur. Est-ce qu'il y a _____ poste d'essence par ici?

18. PATTERNED COMPLETION

Ex. Tu aimes <u>ce</u> portefeuille noir?
1. Comment trouves-tu mes <u>nouvelles</u> lunettes?
2. L'essence <u>américaine</u> est <u>chère</u> en France.
3. Vous aviez des cartes <u>américaines</u>?
4. Nos portefeuilles <u>américains</u> étaient trop <u>petits</u> pour l'argent français.

Ex. C'est un portefeuille *français* .
1. Ce sont des lunettes _____.

2. Bien sûr, comme l'essence _____.
3. Non, j'ai acheté des cartes _____.
4. Il a fallu acheter des portefeuilles _____.

Verb Exercises

Infinitive	Present	Past Part.
conduire	je conduis (il conduit) nous conduisons	conduit

19. PATTERNED RESPONSE

1. Est-ce que votre sœur conduit bien? ⊗
   Est-ce que tu conduis bien, toi?
   Est-ce que vous conduisez bien, vous deux?
   Est-ce que vos grands-parents conduisent bien?
   Est-ce que Marc conduit bien?

   Non, elle conduit plutôt mal.

2. Pourquoi est-ce que ton père a l'air si fatigué? ⊗
   Pourquoi est-ce que tes parents ont l'air si fatigués?
   Pourquoi est-ce que vous avez l'air si fatigués, vous deux?
   Pourquoi est-ce que Paul a l'air si fatigué?
   Pourquoi est-ce que tu as l'air si fatigué?

   Il a conduit toute la nuit.

   Ils ont conduit toute la nuit.

   Nous avons conduit toute la nuit.

   Il a conduit toute la nuit.

   J'ai conduit toute la nuit.

20. FREE RESPONSE

Est-ce que vous apprenez à conduire? Est-ce que vous aimez conduire?

Dans votre famille qui est-ce qui conduit le plus souvent, votre père ou votre mère?

Trouvez-vous que vos parents conduisent bien ou mal?

La dernière fois que vous êtes allé en voiture, qui est-ce qui conduisait?

Grammar

More About Double Object Pronouns

PRESENTATION

Luc va me donner son vieil électrophone.	Luc va me le donner.
Il va te rendre ton dictionnaire?	Il va te le rendre?
Ne nous montre pas les timbres maintenant.	Ne nous les montre pas maintenant.
Il va vous prêter sa guitare?	Il va vous la prêter?

In the sentences in the right-hand column, where do the pronouns **le, la** and **les** occur, before or after **me, te, nous** and **vous?**

Passe-moi le dictionnaire.	Passe-le-moi.
Raconte-nous cette histoire.	Raconte-la-nous.
Donne-moi les disques.	Donne-les-moi.

Look at the sentences in the right-hand column. In the affirmative imperative, where do **le, la** and **les** occur, before or after **moi** and **nous?**

GENERALIZATION

	me		
		le	
	te		
Jacques va		la	prêter.
	nous		
		les	
	vous		

	le-	
		moi.
Prêtez-	la-	
		nous.
	les-	

1. <u>Before</u> a verb, the direct object pronouns **le, la** and **les** always <u>follow</u> the indirect object pronouns **me, te, nous** and **vous**.

2. <u>After</u> a verb (that is, in the affirmative imperative), the direct object pronouns **le, la** and **les** always <u>precede</u> the indirect object pronouns **moi** and **nous**.

STRUCTURE DRILLS

21. **PATTERNED RESPONSE**

1. Je ne trouve plus la carte. ⊗   Mais je viens de te la donner!
   Je ne trouve plus les clés.   Mais je viens de te les donner!
   Je ne trouve plus mon stylo.   Mais je viens de te le donner!
   Je ne trouve plus mes lunettes.   Mais je viens de te les donner!
   Je ne trouve plus mon portefeuille.   Mais je viens de te le donner!
   Je ne trouve plus mes gants.   Mais je viens de te les donner!

2. Alors garçon! Cette soupe de poissons? ⊗   Voilà, voilà, je vous l'apporte.
   Alors garçon! Cette salade?   Voilà, voilà, je vous l'apporte.
   Alors garçon! Ces haricots?   Voilà, voilà, je vous les apporte.
   Alors garçon! Ce bifteck?   Voilà, voilà, je vous l'apporte.
   Alors garçon! Ces fraises Chantilly?   Voilà, voilà, je vous les apporte.
   Alors garçon! Ce café?   Voilà, voilà, je vous l'apporte.

3. Tu me prêtes ton nouveau cardigan? ⊗   1ST STUDENT   Oui, je te le prête.
                                     2ND STUDENT   Ah non! Je ne te le prête pas.

   Tu me prêtes tes nouveaux gants?
   Tu me prêtes ta nouvelle veste?
   Tu me prêtes ton nouveau manteau?
   Tu me prêtes tes nouvelles chaussures?

22. **REJOINDERS**

Quand est-ce que tu peux me rendre mon   (Je te l'ai déjà rendu!)
     livre d'histoire?   (Je peux te le rendre ce soir.)
                                     (Je peux te le rendre tout de suite, si tu
                                        veux.)

Tu vas m'expliquer mes problèmes?
Tu me prêtes ton dictionnaire?
Tu m'apportes bientôt mon petit déjeuner?
Je ne trouve plus mon écharpe bleue.

23. PATTERNED RESPONSE

Le guide ne t'a pas indiqué l'hôtel?   Non, il ne me l'a pas indiqué.

Le restaurant non plus?   Non, il ne me l'a pas indiqué.

Les magasins non plus?   Non, il ne me les a pas indiqués.

Les théâtres non plus?   Non, il ne me les a pas indiqués.

La gare non plus?   Non, il ne me l'a pas indiquée.

24. FREE RESPONSE

Est-ce que votre père vous prête sa voiture?

Est-ce qu'il vous prête son appareil de photo?

Est-ce qu'il vous explique vos devoirs?

Est-ce qu'il vous fait vos problèmes?

25. PATTERNED RESPONSE

1. J'ai un beau timbre. ⊗   Ah oui? Montre-le-moi.

   J'ai une nouvelle bicyclette.

   J'ai un magnétophone maintenant.

   J'ai fait des tas de photos en Sologne.

   J'ai de nouvelles lunettes.

2. Je vous montre vos chambres? ⊗   Non, ne nous les montrez pas maintenant.

   Je vous montre la salle à manger?

   Je vous montre la salle de bains?

   Je vous montre le salon?

   Je vous montre le jardin?

3. Nous avons trouvé une jolie rivière.   Ah oui? Montrez-la-nous.

   Nous avons trouvé une plage déserte.

   Nous avons trouvé un très vieil arbre.

   Nous avons trouvé de très jolis bois.

   Nous avons trouvé un petit étang.

   Nous avons trouvé un beau château.

26. REJOINDERS

Je n'ai pas le temps de te raconter cette   (Mais si, tu as le temps. Raconte-la-moi.)

   histoire maintenant.   (Tu peux me la raconter plus tard.)

Je n'ai pas le temps de te montrer mon

   nouveau cardigan.

Quand est-ce que je te rends ton disque?

Quand est-ce que je t'apporte ton café?

Writing

1. NOUN → PRONOUN

Rewrite each of the following sentences, replacing the underlined word or phrase with the appropriate pronoun. Be sure to make the past participle agree where necessary.

> MODEL Le guide ne nous a pas indiqué les magasins.
> Le guide ne nous les a pas indiqués.

1. Raconte-nous l'histoire du château.
2. Passe-moi ton stylo, s'il te plaît.
3. L'agent ne vous a pas indiqué la mairie?
4. Je t'ai donné la carte il y a cinq minutes!
5. Tu peux nous lire sa lettre?
6. Rends-moi ma veste noire.
7. Je vais te montrer le commissariat de police.
8. Je vous ai apporté ces fleurs.
9. Tu me prêtes ta bicyclette?
10. Montre-nous les étangs.

2. SENTENCE COMPLETION

Complete each of the following sentences with a verb in the **passé composé.** Use two appropriate pronouns in each of your completions and be sure to make the past participle agree where necessary.

> MODEL Où est-ce que tu as mis la carte? _____.
> je / donner / il y a cinq minutes
> Je te l'ai donnée il y a cinq minutes.

1. Nous avons passé une heure à chercher la route du château, mais enfin _____.
   un enfant / indiquer
2. Comment est-ce que tu trouves mon nouveau portefeuille? _____.
   Mes parents / donner / pour mon anniversaire
3. Oui, je connais un peu la Sologne; _____.
   mon oncle / parler
4. Tu n'as plus d'argent? Mais ce n'est pas possible; _____.
   je / donner / ce matin
5. Alain voulait voir mes photos de Camargue; alors _____.
   je / montrer
6. Mon grand-père connaît beaucoup d'histoires de marins; _____.
   il / raconter / plusieurs / hier
7. Vous n'avez pas les clés? Mais _____.
   je / donner / il y a quelques minutes
8. Nos invités voulaient voir les chambres; alors _____.
   nous / montrer

La chambre du roi Henri III: au mur le portrait du duc Henri de Guise

READING

Word Study

I

The prefix **re-** usually indicates the repetition of an action.

téléphoner	*to call up*	**retéléphoner**	*to call up again*
commencer	*to begin*	**recommencer**	*to begin over again*
prendre	*to take*	**reprendre**	*to take up again, continue*

Sometimes the prefix re- means returning to where one was in the first place.

venir	*to come*	**revenir**	*to come back*
tomber	*to fall*	**retomber**	*to fall back down*

II

Some nouns ending in **-eur** are related in form and meaning to verbs. The noun usually indicates the person who performs the action expressed by the verb.

vendre	*to sell*	**un vendeur**	*a salesman*
chasser	*to chase, hunt*	**un chasseur**	*a hunter*

Au château de Blois

L'oncle de Jean-Pierre aime bien la Touraine[5] et ses souvenirs historiques. Il en a visité tous les châteaux, du plus célèbre au moins connu. Aujourd'hui il a amené° Jean-Pierre et Bernard au château de Blois. Il connait très bien le château et il veut tout **amener:** *to bring*

5 montrer aux garçons lui-même, sans guide.

—Maintenant, venez par ici... je vais vous montrer quelque chose qui va vous intéresser, je suis sûr. Montons au deuxième étage°... Attention à la porte, baissez la tête... **étage** *m: floor, story*

Bon, nous y voilà. Maintenant, regardez cette chambre.
10 Comme vous le voyez, elle n'a rien de bien extraordinaire, elle est presque vide; mais il s'est passé° ici, dans cette chambre— **se passer:** *to take place* exactement là où nous sommes—une scène terrible.

Regardez ce tableau. Vous voyez ce personnage en costume du 16ème siècle°—un bel homme, n'est-ce pas—grand et robuste. **siècle** *m: century*
15 Je suis sûr que vous l'avez déjà vu dans vos livres d'histoire. C'est le Duc Henri de Guise. Le Duc de Guise... ça ne vous dit rien? Voyons, voyons, vous ne vous souvenez plus? Les Guises, le roi° **roi** *m: king* Henri III, Catherine de Médicis[6]... Non? Eh bien, je vais vous rafraîchir la mémoire. Écoutez-moi un peu...

20 C'est le 23 décembre 1588. Il est six heures du matin. Il a neigé toute la nuit. La ville de Blois est sous la neige et il fait très froid. Cette chambre où nous sommes est pleine d'hommes. Les uns jouent aux cartes, les autres discutent ou marchent de long en large°. Ils ont l'air calmes, mais sous leurs capes ils cachent tous **de long en large:** *back and* *forth*
25 des poignards°. Ils attendent... **poignard** *m: dagger*

Vous voyez cette porte à droite? Derrière cette porte il y a un couloir très sombre, presque noir, et au bout du couloir un autre groupe d'hommes. Il y en a une douzaine environ. Ils ont tous une épée° à la main. **épée** *f: sword*

30 Maintenant, regardez la petite porte à droite. Derrière cette porte il y a un cabinet de travail et dans ce cabinet, un homme marche de long en large. De temps en temps il s'arrête, puis il reprend sa marche. Il a l'air préoccupé et nerveux. C'est Henri III, roi de France. Il attend son ennemi, le Duc de Guise. Le duc
35 est connu dans toute la France, il a beaucoup d'amis et il menace

---

[5] **La Touraine,** a region southwest of Paris in the valley of the Loire river, is famous for its hundreds of magnificent castles.

[6] Catherine de Médicis (1519–1589) was the mother of three kings of France, François II, Charles IX, and Henri III.

le pouvoir° du roi. C'est pourquoi, en ce matin froid de décembre, le roi l'attend.

    Le duc vient d'arriver au château pour participer à une réunion du Conseil[7]. Il entre dans la grande salle où se trouvent déjà son
40 frère, ses amis et les autres membres du Conseil. Le duc n'a pas bien dormi la nuit dernière. Il est fatigué, il a froid, il a faim. Il s'approche du feu et échange quelques mots avec son frère; puis le Conseil commence.

    Au bout de quelques minutes, le secrétaire du roi entre dans la
45 salle. Il s'approche du duc : «Monsieur, lui dit-il, le roi vous demande, il est dans son vieux cabinet.» Les amis du duc lui disent de faire attention, mais il leur répond simplement : «Il n'oserait°» et il quitte la salle.

    Pour arriver dans le cabinet du roi il faut passer par ici. De
50 Guise entre donc dans cette chambre. Les hommes du roi ne bougent pas, ils continuent de[8] jouer, de parler; ils lui disent bonjour. Le duc leur fait un signe de tête. Il regarde autour de° lui; tout a l'air normal... Il va vers la gauche et il ouvre° la porte. Il regarde dans le couloir et il voit là-bas, dans le noir, les hommes qui
55 l'attendent, l'épée à la main. Pendant une seconde le duc ne bouge pas. Il a compris... Il veut revenir dans la chambre, mais les hommes qui jouaient aux cartes il y a un instant se sont levés, ils se sont approchés de lui lentement, très lentement et quand de Guise tourne la tête il les voit tous derrière lui. Très lentement
60 aussi, l'épée à la main, les hommes du couloir se sont approchés. Ils sont maintenant tout près de lui. Ils entourent° le duc comme des chasseurs à la fin d'une chasse. De Guise appelle : «Hé, mes amis!» mais ses amis sont trop loin. Il veut se défendre, mais il porte un long manteau et il a de la peine à tirer° son épée. Il
65 est si fort qu'il arrive à faire tomber quatre hommes. Mais c'est en vain : les autres se sont tous jetés sur° lui. De Guise est blessé°, il tombe, il essaie de s'approcher du lit et il meurt°, là, très exactement là, sous le portrait, près de ce fauteuil.

    Alors le roi, qui avait vu toute la scène caché derrière une porte,
70 est entré dans la chambre. Il a regardé le duc pendant quelques instants, puis il a dit cette phrase que vous connaissez, j'en suis sûr : «Mon Dieu[9] qu'il est grand! Il a l'air encore plus grand mort que vivant°!»

pouvoir *m: power*

il n'oserait: *he wouldn't dare*

autour de: *around*
il ouvre: *he opens*

entourer: *to surround*

tirer: *to draw, pull*

se jeter sur: *to attack (throw oneself at)*
blessé: *wounded*
il meurt: *he dies*

mort que vivant: *dead than alive*

---

[7] **Le Conseil** was a group composed of high dignitaries who met to discuss affairs of state.

[8] **Continuer** may be followed by either **de** or **à.**

[9] Here the meaning of **mon Dieu** is *my God,* although in contemporary French the meaning is closer to *my goodness.*

Et voilà comment cette chambre a été témoin d'un événement°
75 qui a peut-être changé le destin de la France.

Et maintenant, je vais vous montrer une des plus belles salles
du château et les armoires[10] mystérieuses où Catherine de Médicis
gardait ses poisons. Jolie famille, hein? Par ici, et attention à la
marche°...

témoin d'un événement:
witness to an event

marche *f: step*

Dictionary Section

s'approcher (de) venir près (de), à côté (de)
(*1*) *Je n'entends pas bien. Approche-toi un peu.* (*2*) *Tu
as froid! Approche-toi du feu.*

bouger faire un mouvement, changer de place :
*Tout le monde est prêt pour la photo? Attention, ne
bougeons plus.*

célèbre bien connu : *Armstrong a été le premier
homme à marcher sur la lune : c'est pourquoi il est
devenu célèbre.*

faire attention être prudent (*1*) *Ses parents lui ont
demandé de faire très attention quand il conduit.*

(*2*) *Quand on fait du ski, il faut faire attention de ne
pas tomber.*

les uns quelques-uns : *Les uns regardent le tableau;
les autres écoutent le guide.*

personnage une personne réelle ou imaginaire;
dans la vie réelle, une personne célèbre (*1*) *Le
duc de Guise est un personnage historique.* (*2*) *Il y a
trois personnages dans ce roman.*

sombre presque noir, le contraire de clair : *Le
ciel est très sombre, il est couvert de nuages.*

27. QUESTIONS

1. Qui raconte l'histoire que vous venez de lire?
2. A qui la raconte-t-il?
3. Où sont-ils?
4. Quand est-ce que l'événement que l'oncle de Jean-Pierre raconte s'est passé, au 16ème ou au 20ème siècle?
5. A quel moment de l'année et à quel moment de la journée cette histoire s'est-elle passée?
6. Quels sont les deux personnages les plus importants dans cette histoire?
7. Qui était dans la chambre du roi ce matin-là?
8. Qui était dans le couloir? Que faisaient-ils?
9. Pourquoi le roi marchait-il de long en large?
10. Qui menaçait le pouvoir du roi?
11. Comment le duc se sentait-il ce matin-là?
12. Qui a dit «Il n'oserait»? De qui parlait-il?
13. Que faisaient les hommes qui étaient dans la chambre du roi quand le duc y est arrivé? ·
14. Qu'est-ce que le duc a fait quand il est arrivé dans la chambre du Roi?
15. Qui a-t-il vu quand il a ouvert la porte du couloir?
16. Qui a dit «Il a l'air encore plus grand mort que vivant!»? De qui parlait-il?
17. Où l'oncle de Jean-Pierre emmène-t-il les garçons après la visite de la chambre du roi?

---

[10] **Une armoire** generally refers to a wardrobe in which clothes are hung. **Les armoires de Catherine de Médicis**
refer, however, to small cabinets.

Noun Exercise

GENDER NOTE: Most nouns ending in **-ent** are masculine: **un renseignement, un événement.** Such words will no longer be included in the Noun Exercise sections.

28. COMPLETION

1. Devant le château il y avait <u>un</u> groupe de personnes.
2. Le guide a montré d'abord <u>le premier</u> étage aux touristes.
3. Il leur a raconté une histoire qui s'est passée <u>au</u> 16ème siècle.
4. Il leur a montré <u>un grand</u> tableau du duc.
5. Le Duc de Guise était un personnage très <u>important</u>.
6. Le duc est entré dans la chambre; puis il s'est arrêté pendant <u>une</u> seconde.
7. Le roi a dit <u>cette</u> phrase que vous connaissez tous...

1. C'était ____ groupe de touristes.
2. Après, ils ont visité ____ deuxième étage.
3. C'est ____ siècle qui intéresse beaucoup l'oncle de Jean-Pierre.
4. Sous ____ tableau et un peu à droite il y avait un fauteuil.
5. Oui, c'est ____ personnage historique.
6. ____ seconde plus tard les hommes du roi l'entouraient.
7. Oui, c'est ____ phrase célèbre.

Verb Exercises

29. PATTERNED COMPLETION

Christine avait froid... ⊗
J'avais froid...
Nous avions froid...
Les filles avaient froid...
Georges avait froid...

Alors, elle s'est approchée du feu.
Alors, je me suis approché du feu.
Alors, nous nous sommes approchés du feu.
Alors, elles se sont approchées du feu.
Alors, il s'est approché du feu.

Verbs like emmener *and* appeler

As you know, in the present tense forms of verbs like **emmener**, there is a sound change in the singular forms and in the third person plural form. The same sound change occurs in *all* verbs whose infinitive ends in e + a consonant + **er** (emmen<u>er</u>, appel<u>er</u>).
—In verbs like **emmener**, this sound change is indicated in writing by an è: **nous emmenons, vous emmenez,** *but* **j'emmène, tu emmènes, il emmène, ils emmènent.** The verbs you have seen so far that are like **emmener** are: **amener, (se) lever, (se) promener,** and **acheter.**

—In verbs like **appeler,** the sound change is indicated by the doubling of the consonant: **nous appelons, vous appelez,** *but* **j'appel̲le, tu appelles, il appelle, ils appel̲lent. (Se) jeter** is like **appeler.**

30. DIRECTED DRILL

Demandez à *Luc* s'il appelle souvent ses amis. ⊗   Tu appelles souvent tes amis?

Demandez-moi la même chose.   Vous appelez souvent vos amis?

Demandez à cette fille si elle s'appelle *Michèle.*   Tu t'appelles Michèle?

Demandez-moi la même chose.   Vous vous appelez Michèle?

Demandez à *Pierre* s'il jette ses vieux vête-ments?   Tu jettes tes vieux vêtements?

Demandez-moi la même chose.   Vous jetez vos vieux vêtements?

Writing

SENTENCE COMPLETION

Rewrite each of the following sentences with the appropriate present tense or imperative form of the verb indicated in parentheses. Make any necessary changes.

1. Maman _____ le coiffeur mainte-
   (appeler)
   nant?

2. Ce garçon _____ Christian. Son
   (s'appeler)
   nom de famille est Lecomte.

3. Je _____ à l'eau dès qu'il fait un
   (se jeter)
   peu chaud.

4. Je _____ mes amis tous les soirs.
   (appeler)

5. Papa _____ le musée pour vérifier
   (appeler)
   qu'il est ouvert.

6. Vous ne _____ pas vos vieux maga-
   (jeter)
   zines?

7. Si, nous les _____ quand nous les avons
   (jeter)
   lus.

8. Tous les soirs, après le dîner, elle
   _____ son chien.
   (promener)

9. Je ne _____ jamais mes vieux vête-
   (jeter)
   ments; je les donne à mon petit frère.

10. Étienne vient nous voir ce soir; il
    _____ son petit frère avec lui.
    (amener)

11. Vous _____ ça une chambre?
    (appeler)

12. Les voisins _____ leur vieille radio! Elle
    (jeter)
    marche encore très bien!

13. Martine _____ souvent dans les
    (se promener)
    bois avec des amies.

14. _____ vos amis, si vous voulez.
    (amener)

RECOMBINATION EXERCISES

31. PRESENT → PASSÉ COMPOSÉ

Le secrétaire du roi entre. ⊗
Il s'approche du roi.
Le duc se lève.
Il quitte la salle.
Il entre dans le couloir.
Les hommes se jettent sur lui.

Le secrétaire du roi est entré.
Il s'est approché du roi.
Le duc s'est levé.
Il a quitté la salle.
Il est entré dans le couloir.
Les hommes se sont jetés sur lui.

32. NARRATIVE VARIATION

1. Read the following lines from the Reading passage aloud, changing the verbs from the present to the imperfect.

   C'est le 23 décembre 1588. Il est six heures du matin... La ville de Blois est sous la neige et il fait très froid. Cette chambre... est pleine d'hommes. Les uns jouent aux cartes, les autres discutent ou marchent de long en large. Ils ont l'air calmes, mais sous leurs capes ils cachent tous des poignards. Ils attendent...

2. Read lines 49–59 aloud, this time as though the Duc de Guise himself were telling the story. Begin like this: **J'entre donc dans cette chambre...** Finish with the words: **...derrière moi.**

33. QUESTION FORMATION

Ask as many questions as you can for each of the following statements.

En 1588 le roi de France était Henri III.
Catherine de Médicis était la mère de Henri III.
Elle était la femme du roi Henri II.
Elle était italienne.
Henri III et sa mère faisaient des séjours au château de Blois.
Le château de Blois est sur les bords de la Loire.
Il y a des centaines de châteaux historiques en Touraine.

34. SUSTAINED TALK

Tell about King Henri III and what he did on December 23, 1588, using the following questions as a guide.

Qui était Henri III?
Où était-il le 23 décembre 1588 au matin?
Est-ce qu'il était calme?

Que faisait-il?
Qui attendait-il?
Pourquoi avait-il peur du Duc?

Conversation Buildup

REJOINDERS

Qu'est-ce que vous avez visité avec un guide : un musée, un monument...?
Vous avez déjà visité une grande ville? De quoi est-ce que vous vous souvenez?

CONVERSATION STIMULUS

Décrivez une visite réelle ou imaginaire que vous avez faite à un musée, une vieille maison ou un monument.

—Dites ce que vous avez visité : le monument de Washington, la statue de la Liberté, Mount Vernon, Gettysburg, etc...
—Dites quand vous l'avez visité : en hiver, au printemps... cette année, l'année dernière, il y a trois ans...
—Décrivez le temps qu'il faisait : il pleuvait, il neigeait, il faisait beau...
—Dites avec qui vous y êtes allé : vos parents, des copains, vos grands-parents...
—Dites s'il y avait un guide et comment il était : jeune, vieux, drôle, ennuyeux...
—Dites comment vous avez trouvé la visite : intéressante, ennuyeuse, passionnante...

Writing

QUESTION FORMATION

Write the question that might be asked following each of the statements below. Use the cues provided and replace all nouns with pronouns. Be careful to make any necessary agreements.

> MODEL   Les touristes ont visité le château.   (qui – montrer)
> <u>Qui le leur a montré?</u>

1. On a vendu des photos du Duc de Guise aux touristes. (qui – vendre)
2. Les touristes ont visité la chambre du roi.   (qui – montrer)
3. Ils ont écouté l'histoire du Duc de Guise.   (qui – raconter)
4. On nous a parlé des Médicis.   (qui – parler)
5. On a apporté des prunes au duc.   (qui – apporter)
6. Les amis du duc lui ont parlé du Conseil.   (pourquoi – parler)
7. Nous avons vu les autres salles du château.   (qui – montrer)
8. Je connais l'histoire du Roi Henri III.   (qui – raconter)
9. Nous avons visité la Grande Salle du Conseil.   (qui – montrer)
10. On nous a montré les armoires de Catherine de Médicis. (qui – montrer)

REFERENCE LIST

Nouns

agent *m* (de police)	ciel *m*	événement *m*	roi *m*
arbre *m*	commissariat *m* (de police)	groupe *m*	siècle *m*
cabinet *m* (de travail)	couloir *m*	personnage *m*	syndicat *m* (d'initiative)
carrefour *m*	duc *m*	portefeuille *m*	tableau *m*
chasseur *m*	étage *m*	poste *m* (d'essence)	weekend *m*
château *m*	étang *m*		

carte *f*	étoile *f*	marche *f*	promenade *f*
chasse *f*	lune *f*	phrase *f*	région *f*
clé *f*	lunettes *f pl*	place *f*	seconde *f*
essence *f*			

m/f pair: guide *m,f*

Adjectives and Adverbs

célèbre	mort, –e	sombre
extraordinaire	passionnant, –e	terrible
historique	seul, –e	vivant, –e

exactement   sûrement

Verbs

(*like* travailler)		(*like* appeler)	(*like* prendre)	(*irregular*)
s'approcher (de)	indiquer	appeler	reprendre	conduire
blesser	oublier	jeter		connaître
bouger	participer		(*like* venir)	disparaître
cacher	se passer (de)	(*like* emmener)	tenir à	reconnaître
continuer (à, de)	tirer	amener		
contribuer	tourner			
entourer	se tromper			

Other Words and Expressions

au milieu de	faire des photos	par ici	de temps en temps
autour de	de long en large	qu'est-ce que c'est que	en vain
faire attention (à)	mon Dieu		

LES CHATEAUX DE LA LOIRE

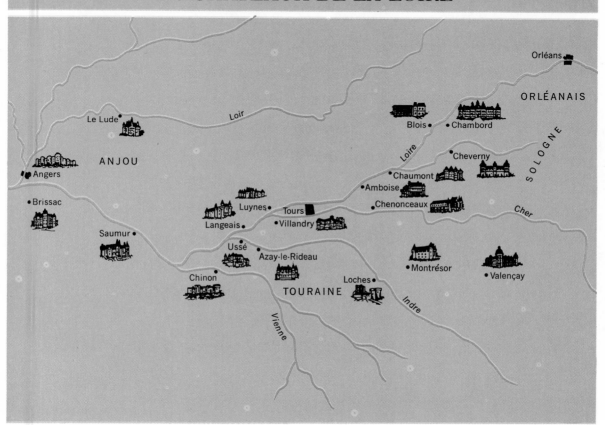

La Vallée de la Loire présente un ensemble incomparable de magnifiques châteaux. Certains d'entre eux—Chinon, Angers, Langeais, Loches—datent des 12ème et 13ème siècles mais les plus beaux—Amboise, Azay-le-Rideau, Chambord, Blois, Chenonceaux, Villandry, Ussé—ont été construits pendant la Renaissance. Les châteaux de la Loire ont été, surtout aux 15ème et 16ème siècles, la résidence préférée des rois de France qui y ont fait de nombreux séjours.

V&H 9262   HB&W   (A-LM French Level 2—3A-5665-T)
F P   3-23-70

MUSÉES NATIONAUX
EXPOSITIONS
ENTRÉE
1,50 F
465246
SÉCUREX · 92 · Boulogne

MUSÉES NATIONAUX
EXPOSITIONS
ENTRÉE
1,50 F
465247
SÉCUREX · 92 · Boulogne

DÉPARTEMENT D'INDRE-ET-LOIRE

CHATEAUX ET MUSÉES
PROPRIÉTÉS DÉPARTEMENTALES

TICKET VALABLE pour UNE PERSONNE

Nº 092113   Prix : N.F. 1,50

Ce billet doit être présenté à toute réquisition.
Les enfants accompagnés, de moins de 7 ans, sont admis gratuitement.
Les enfants accompagnés, de 7 à 14 ans, bénéficient du tarif réduit.

SPECTACLE
Son et Lumière

Nº 05346	2,00 F

DIRECTION : ROGER LOUBIÈRE, ORANGE · TÉLÉPHONE 490

Billet à présenter à toute réquisition.

cas de mauvais temps. ce billet ne sera plus remboursé après
du spectacle.

MINISTÈRE D'ÉTAT
CHARGÉ DES AFFAIRES CULTURELLES

DROIT D'ENTRÉE   PLEIN TARIF

dans les MONUMENTS appartenant à l'État

À couvrir par le visiteur pour être présenté à toute réquisition.

B 686758   2 F

LES CHIENS SONT INTERDITS
DANS LE CHATEAU
AUTORISES DANS LE PARC
TENUS EN LAISSE

LE CHATEAU ET LE PARC
SONT PLACÉS SOUS LA
SAUVEGARDE DES VISITEURS
QUI SONT INVITÉS
À FAIRE RESPECTER
LES PELOUSES, LES FLEURS
ET LES ORNEMENTS

ILLUMINATIONS QUOTIDIENNES

DÉPART DE BLOIS

CIRCUITS DIURNES

1 - **CHAMBORD - CHEVERNY** - du 30 Mars au 13 Avril - Tous les jours du 1er Juin au 28 Septembre ....

2 - **CHAMBORD - CHEVERNY - CHAUMONT** - Tous les jours du 29 Juin au 14 Septembre ....

3 - **CHENONCEAUX - AMBOISE** - Dimanches et Lundis de Pâques et de Pentecôte - Mardis, Jeudis et Dimanches de Juillet et Août - 4 et 7 Septembre ....

4 - **LA SOLOGNE : VILLESAVIN - LE MOULIN - FOUGÈRES** - Les Mercredis du 16 Juillet au 3 Septembre.
(Le passage à ROMORANTIN est supprimé) ....

5 - **TALCY - MENARS** - Les Vendredis du 1er au 29 Août (arrêt à la Maison du Loir-et-Cher) ....

● **DEPARTS des CARS** - Circuits 1 - 2 - 3 - 4 - 5 : Gare S.N.C.F. : 13 h 55 - Maison du Tourisme : 14 h

CIRCUITS NOCTURNES

A - **CHAMBORD** - Samedis du 19 Juillet au 30 Août.

	en Juillet	en Août et Septembre
● **DEPARTS :**		
Gare S.N.C.F.	21 h 15	20 h 45
Maison du Tourisme	21 h 20	20 h 50

B - **CHENONCEAUX - AMBOISE** - Samedi et Dimanche de Pentecôte - Jeudis du 7 au 28 Août ....

● **DEPARTS** : Gare S.N.C.F. : 20 h 45 - Maison du Tourisme : 20 h 50

● **RENSEIGNEMENTS ET BILLETS** : "TRANSCAR" - Maison du Tourisme - 6, Place Victor-Hugo - Tél. 78.15.67 - 41 - BLOIS
SYNDICAT D'INITIATIVE (Pavillon Anne de Bretagne) - Tél. 78.06.49 - 41 - BLOIS

DÉPART DE TOURS

CIRCUITS DIURNES

● **DEPART** : Gare de Tours.

CIRCUIT A : TOURS, LOCHES, CHENONCEAUX, AMBOISE, TOURS.
Les Lundis et Jeudis, du 30 Mars au 12 Octobre. Départ 9 h - Retour vers 18 h 30 ....

CIRCUIT B : TOURS, VILLANDRY, AZAY-LE-RIDEAU, CHINON, USSE, LANGEAIS, LUYNES, TOURS.
Les Mardis, Vendredis et Dimanches, du 30 Mars au 12 Octobre. Départ 9 h - Retour vers 18 h 30 ....

CIRCUIT E : TOURS, CHAUMONT, BLOIS, CHAMBORD, CHEVERNY, TOURS.
Les Mercredis et Samedis, du 30 Mars au 12 Octobre. Départ 8 h 45 - Retour vers 19 h ....

CIRCUIT F : TOURS, MONTRÉSOR, VALENÇAY, SELLES-SUR-CHER, SAINT-AIGNAN, MONTRICHARD (visite de caves), **TOURS.** Les Vendredis, du 4 Juillet au 12 Septembre. Départ 8 h 45 - Retour vers 19 h ....

CIRCUIT G : TOURS, CANDES, FONTEVRAULT, MONTSOREAU, SAUMUR, BOURGUEIL (visite de la cave touristique), **TOURS.**
Les Lundis, du 7 Juillet au 15 Septembre. Départ 8 h 45 - Retour vers 19 h ....

CIRCUIT H : TOURS, MONTBAZON, SACHE, RICHELIEU, CHAMPIGNY, LE RIVAU, RIGNY, USSE, TOURS.
Les Mardis, du 8 Juillet au 9 Septembre. Départ 8 h 45 - Retour vers 18 h 30 ....

CIRCUITS NOCTURNES

DEPART 21 heures - Accueil de France - Place de la Gare - TOURS.

Tous les prix de transport indiqués ci-dessous comprennent le droit d'Entrée aux Spectacles de Son et Lumière d'AMBOISE et de CHENONCEAUX.

SPECTACLES "AMBOISE" et "CHENONCEAUX" - Circuit n° 5 - AMBOISE (Spectacle), CHENONCEAUX (Spectacle), 5, 6, 7 Avril, 24 et 25 Mai, 31 Mai, les Samedis et Dimanches de Juin, tous les jours du 5 Juillet au 31 Août. Les 6, 13, 20 Septembre ....

SPECTACLE "LE LUDE" (Son, Lumière et Personnages) ....

BASIC MATERIAL I

Les fouilles[1]

BERTRAND	Alors, c'est décidé? Tu viens avec nous?
PHILIPPE	Je te donnerai une réponse sûre demain : mon père doit rentrer dans la matinée. Mais je suis sûr qu'il me laissera partir. Il a toujours été passionné d'archéologie lui-même. A propos, il est où, ce chantier?
BERTRAND	Au bord de l'Allier, à quatre kilomètres de Cerzat.
PHILIPPE	Comment est-ce qu'on y va?
BERTRAND	C'est facile. Tu prends le train qui va au Puy, et tu descends à Cerzat. A Cerzat tu me téléphoneras. Tu demanderas le 31 au Blot—c'est le numéro de l'école—et l'instituteur[2] passera nous prévenir. On s'arrangera pour venir te chercher avec la camionnette du camp.
PHILIPPE	Bon, c'est entendu, je te téléphonerai demain.
BERTRAND	D'accord. A demain.

Supplement

Quand est-ce que ton père doit rentrer?	Dans la soirée.
	Tout à l'heure.
	Après-demain.
Ton frère ne va plus au cours d'archéologie?	Non, maintenant il s'intéresse à la peinture.
	Non, il a décidé de faire son droit.
	Non, il va faire sa médecine.

---

[1] France is rich in prehistoric artifacts and remains. **Les fouilles** refers here to digging at one of several hundred excavation sites in France. Students interested in archeology often work at these sites as volunteers during vacations to dig for prehistoric fossils, tools, pottery, etc.

[2] **Un instituteur** and **une institutrice** are elementary school teachers.

◀ *Étudiants en train de faire des fouilles*

Excavating

BERTRAND   Well, is it definite (decided)? Are you coming with us?

PHILIPPE   I'll give you a definite answer tomorrow—my father's supposed to get home sometime in the morning. But I'm sure that he'll let me go. He's always been fascinated with archeology. By the way, where is this work site?

BERTRAND   On the banks of the Allier, four kilometers from Cerzat.

PHILIPPE   How do you get there?

BERTRAND   It's easy. You take the train that goes to Le Puy and you get off at Cerzat. In Cerzat, you'll telephone me. You'll ask for number 31—that's the number of the school —and the teacher will come by and let us know. We'll arrange to come and get you with the pickup truck from the camp.

PHILIPPE   O.K., it's a deal, I'll call you tomorrow.

BERTRAND   Right. Talk to you tomorrow.

Supplement

When is your father supposed to be back?

Sometime during the evening.
In a little while.
The day after tomorrow.

Your brother isn't going to the archeology course anymore?

No, now he's interested in painting.
No, he's decided to study law.
No, he's going to study medicine.

Vocabulary Exercises

1. QUESTIONS ON BASIC MATERIAL

1. A qui est-ce que Philippe doit parler avant de donner une réponse à Bertrand? Quand va-t-il lui donner sa réponse?
2. D'après Philippe, pourquoi est-ce que son père va sans doute le laisser partir?
3. Où est le chantier?
4. Comment Philippe va-t-il aller à Cerzat?
5. Comment va-t-il aller de Cerzat au Blot, à pied, en train, en camionnette?
6. Qui va prévenir Bertrand et les autres?

Noun Exercise

GENDER NOTES: (1) Most nouns ending in **-ée** are feminine: **une armée, une journée, la soirée.** (**Musée** is an exception which you have already seen.) (2) Most nouns ending in **-ette** are feminine: **une camionnette, une bicyclette, une chaussette.** (3) Most nouns ending in **-er** are masculine: **un épicier, un charcutier, un chantier.**

2. PATTERNED COMPLETION

Ex. Tu connais ce professeur?
1. On a commencé de <u>nouvelles</u> fouilles.
2. <u>Le</u> camp est à quelques kilomètres de Cerzat.

Ex. Tu trouves <u>le</u> théâtre <u>intéressant</u>?
3. Tu trouves <u>le</u> droit <u>intéressant</u>?
4. Vous trouvez <u>la</u> médecine <u>intéressante</u>?
5. Jacques trouve <u>la</u> peinture <u>intéressante</u>?

Ex. C'est __*un*__ professeur très __*important*__.
1. Ce sont ____ fouilles très _____.
2. C'est ____ camp très _____.

Ex. Tu t'intéresses __*au*__ théâtre?
3. Tu t'intéresses ____ droit?
4. Vous vous intéressez ____ médecine?
5. Jacques s'intéresse ____ peinture?

Verb Exercises

Infinitive	Present	Past Part.
devoir	je dois	dû
	(il doit)	
	nous devons	
	ils doivent	

When devoir is followed by a noun, it has the meaning *to owe:* **Il me doit 20 francs.** *He owes me 20 francs.* When it is followed by an infinitive, it may have one of several different meanings. It may indicate 1) Obligation caused by moral duty: **Je sais ce que je dois faire.** *I know what I must do.* 2) Obligation caused by outside circumstances: **Papa a dû prendre le train (parce que la voiture ne marchait pas).** *Dad had to take the train (because the car wasn't working).* 3) Probability (something that was supposed to happen or must have happened): **Papa a dû prendre la voiture. (Elle n'est pas dans le garage.)** *Dad must have taken the car. (It isn't in the garage.)*

3. PATTERNED RESPONSE

Tu dois de l'argent à Bernard?   Non, je ne lui dois rien.
Marie doit de l'argent à Bernard?   Non, elle ne lui doit rien.
Georges doit de l'argent à Bernard?   Non, il ne lui doit rien.
Vous devez de l'argent à Bernard?   Non, nous ne lui devons rien.
Les filles doivent de l'argent à Bernard?   Non, elles ne lui doivent rien.

4. PATTERNED COMPLETION

Papa est en retard...   Il a dû manquer l'autobus.
Les garçons sont en retard...
Maman est en retard...
Les Dubois sont en retard...
Martine est en retard...

5. PATTERNED RESPONSE

1. Pourquoi est-ce que ton frère n'est pas   Il a dû rester à la maison.
   venu avec toi?
   Pourquoi est-ce que tu n'es pas venu hier?   J'ai dû rester à la maison.
   Pourquoi est-ce que Jacqueline n'est pas   Elle a dû rester à la maison.
   venue au match?
   Pourquoi est-ce que tes frères ne sont pas   Ils ont dû rester à la maison.
   venus avec toi?
   Pourquoi est-ce que Jean-Claude n'est pas   Il a dû rester à la maison.
   venu à la réunion?

2. Bernard n'est pas venu.   Il devait avoir autre chose à faire.
   Les Pascal ne sont pas venus.
   Philippe n'est pas venu.
   Les filles ne sont pas venues.
   Claudine n'est pas venue.

3. Le garagiste n'a pas réparé la voiture.   Il devait la réparer?
   Anne n'a pas fait le ménage.
   Le plombier n'est pas venu.
   Les Dupont n'ont pas encore téléphoné.
   Ils n'ont pas écrit non plus.

6. FREE COMPLETION

Monique n'est pas encore là : elle _____.
Luc n'a pas pu venir : il _____.

Grammar

The Future

PRESENTATION

Je travaille aujourd'hui.	Je travaille<u>rai</u> demain.
Tu travailles aujourd'hui?	Tu travaille<u>ras</u> demain?
Paul travaille aujourd'hui.	Paul travaille<u>ra</u> demain.
Nous travaillons aujourd'hui.	Nous travaille<u>rons</u> demain.
Vous travaillez aujourd'hui?	Vous travaille<u>rez</u> demain?
Les filles travaillent aujourd'hui.	Les filles travaille<u>ront</u> demain.

In the sentences in the left-hand column, is the action going on in the present or in the future? And in the sentences in the right-hand column? What sound occurs in <u>all</u> persons of the future tense? What sound makes it possible for you to tell the future **Vous travaillerez à Paris?** from the present **Vous travaillez à Paris?** In the sentences in the right-hand column, what part of the verb remains the same in all of the different persons? What are the future endings?

Tu peux parler à Jean-Luc?	Oui, je lui <u>parlerai</u> ce soir.
Il veut finir tôt.	Bah! Il ne <u>finira</u> pas avant huit heures.
Ils vont partir bientôt?	Non, ils <u>partiront</u> à la fin du mois.

What is the future stem of each of the verbs in the right-hand column? Now look at the sentences in the left-hand column. Are the future stems the same as the infinitive?

Tu peux m'attendre?	Tu m'<u>attendras</u>?
Je vais mettre mon cardigan bleu.	Je <u>mettrai</u> mon cardigan bleu.
Il veut prendre le train.	Il <u>prendra</u> le train.

What is the future stem of each of the verbs in the right-hand column? What is the infinitive? What is the last letter of each of the infinitives? Does that letter appear in the future stem?

GENERALIZATION

INFINITIVE	FUTURE STEM	ENDINGS
		ai
travailler	travailler-	as
finir	finir-	a
dormir	dormir-	ons
attendre	attendr-	ez
		ont

1. The future of all verbs is formed by adding the endings listed above to the future stem.

2. The future stem for most verbs is the same as the infinitive. If the infinitive of the verb ends in **-re,** the **e** is dropped to form the future stem: **mettre, je mettrai; prendre, je prendrai; connaître, je connaîtrai; croire, je croirai; conduire, je conduirai; rire, je rirai.**

STRUCTURE DRILLS

7. PERSON-NUMBER SUBSTITUTION

1. Je téléphonerai demain. ⊗
   Michel _____.
   Les filles _____.
   Nous _____.
   Tu _____.
   Vous _____.

Je téléphonerai demain.
Michel téléphonera demain.
Les filles téléphoneront demain.
Nous téléphonerons demain.
Tu téléphoneras demain.
Vous téléphonerez demain.

2. On attendra la camionnette ici.
   (tu–vous–nous–je–Philippe–les autres)

8. PATTERNED RESPONSE

1. Tu prends ton petit déjeuner maintenant?

   Vous prenez votre petit déjeuner maintenant, vous deux?

   Papa prend son petit déjeuner maintenant?

   Les enfants prennent leur petit déjeuner maintenant?

   Maman prend son petit déjeuner maintenant?

Non, je le prendrai plus tard.

Non, nous le prendrons plus tard.

Non, il le prendra plus tard.

Non, ils le prendront plus tard.

Non, elle le prendra plus tard.

2. Tu as fini tes devoirs? ⊗
   Brigitte a fini ses devoirs?
   Marc et Luc ont fini leurs devoirs?
   Vous avez fini vos devoirs, vous deux?
   Les filles ont fini leurs devoirs?

Non, je les finirai tout à l'heure.
Non, elle les finira tout à l'heure.
Non, ils les finiront tout à l'heure.
Non, nous les finirons tout à l'heure.
Non, elles les finiront tout à l'heure.

9. FREE SUBSTITUTION

Je finirai mes devoirs plus tard.
Nous partirons samedi à cinq heures du matin.

10. PATTERNED RESPONSE

1. Tu ne veux pas lire la lettre? ⊗
   Tu ne veux pas mettre tes gants?

Pas maintenant; je la lirai plus tard.
Pas maintenant; je les mettrai plus tard.

Tu ne veux pas dormir un peu?	Pas maintenant; je dormirai plus tard.
Tu ne veux pas finir ça?	Pas maintenant; je le finirai plus tard.
Tu ne veux pas boire ton lait?	Pas maintenant; je le boirai plus tard.
Tu ne veux pas prendre ton café?	Pas maintenant; je le prendrai plus tard.

2. Tu n'as pas encore lavé la voiture? ⊗

Non, je la laverai tout à l'heure.

Vous n'avez pas encore rangé votre chambre, vous deux?

Non, nous la rangerons tout à l'heure.

Tu n'as pas encore repassé ma chemise?

Non, je la repasserai tout à l'heure.

Tu n'as pas encore réparé le magné-tophone?

Non, je le réparerai tout à l'heure.

Vous n'avez pas encore écouté la nouvelle bande?

Non, nous l'écouterons tout à l'heure.

11. DIRECTED DRILL

Demandez à *Jean-Pierre* à quelle heure il se réveillera demain matin.

A quelle heure est-ce que tu te réveilleras demain matin?

Jean-Pierre, répondez.

Demandez-lui quels vêtements il mettra.

Quels vêtements est-ce que tu mettras?

Demandez-lui avec qui il prendra son petit déjeuner.

Avec qui est-ce que tu prendras ton petit déjeuner?

Demandez-lui ce qu'il mangera.

Qu'est-ce que tu mangeras?

Demandez-lui ce qu'il boira.

Qu'est-ce que tu boiras?

Demandez-lui à quelle heure il partira à l'école.

A quelle heure est-ce que tu partiras à l'école?

Demandez-lui à quelle heure sa première classe commencera.

A quelle heure est-ce que ta première classe commencera?

The Future: Verbs like emmener *and* appeler

GENERALIZATION

emmener		appeler	
j'emmènerai	nous emmènerons	j'appellerai	nous appellerons
tu emmèneras	vous emmènerez	tu appelleras	vous appellerez
il emmènera	ils emmèneront	il appellera	ils appelleront

Verbs like **emmener** and **appeler** have a stem change in the future. Remember that in verbs like **emmener,** this change is represented in writing by an **accent grave,** and in verbs like **appeler** by a double consonant.

STRUCTURE DRILLS

12. PATTERNED COMPLETION

D'habitude je n'emmène pas ma petite   mais demain je l'emmènerai.
    sœur... ⊗

D'habitude je n'achète pas le journal...

D'habitude je ne jette pas les magazines...

D'habitude je ne promène pas le chien...

D'habitude je ne me lève pas tôt...

13. PATTERNED RESPONSE

Tu as appelé Bertrand?   Non, je l'appellerai tout à l'heure.

Vous avez appelé Bertrand, vous deux?

Philippe a appelé Bertrand?

Brigitte a appelé Bertrand?

Les garçons ont appelé Bertrand?

Writing

SENTENCE COMPLETION

Rewrite each of the following sentences, supplying the correct future form of the verb in parentheses.

1. Est-ce que tes parents te _____ sortir?
                (laisser)

2. On _____ l'autobus.
    (prendre)

3. Martine _____ sa robe noire.
        (mettre)

4. Je _____ le numéro dans l'annuaire.
    (chercher)

5. Je suis sûr que les autres nous _____ de ne pas y aller.
                (conseiller)

6. Je t' _____ pourquoi tout à l'heure.
    (expliquer)

7. On vous _____ votre nom de famille, votre prénom, et votre adresse.
       (demander)

8. Je _____ un peu avant de recommencer à travailler.
  (se reposer)

9. Tu _____ tes devoirs avant de quitter la maison!
   (finir)

10. Vous _____ les autres ici.
    (attendre)

11. Nous _____ le 28 décembre.
    (partir)

12. Ils vous _____ la lune.
    (promettre)

13. Je vous _____ dans la matinée.
    (appeler)

14. Ils passeront le chercher à la gare, puis ils l' _____ ici.
    (amener)

15. Vous _____ à six heures du matin!
    (se lever)

BASIC MATERIAL II

Le bachot[3] avant tout!

M. CASTEL	Je suppose que tu as fait tes devoirs puisque tu lis un roman policier.
ANTOINE CASTEL	Papa, je travaille beaucoup mieux le matin. Je me lèverai tôt demain et je finirai mes devoirs avant d'aller au lycée.
M. CASTEL	Tu n'auras pas le temps. Laisse ce livre et mets-toi au travail. Je te préviens que si tu rates ton bachot en juillet, tu n'iras pas en vacances. Tu seras à Paris en train de pâlir sur tes livres pendant que nous serons sur la Côte[4] en train de prendre des bains de soleil.
ANTOINE CASTEL	Papa, je t'ai dit mille fois que je voulais être horticulteur. On n'a pas besoin du bachot pour ça.
M. CASTEL	Écoute-moi bien. Si tu veux être horticulteur, c'est ton affaire. Mais tu auras ton bachot avant. Tu te présenteras autant de fois qu'il le faudra, mais tu auras ton bachot. Et maintenant, au travail si tu veux aller sur la Côte cet été.

---

[3] **Le bachot,** short for **le baccalauréat,** is the examination French students take at the end of their secondary studies. It is necessary to pass the **bachot** to be admitted to a university. In general, a French student who passes the **bachot** is considered to be on the same level as an American student who has completed two years of college.

[4] **La Côte** refers here to the **Côte d'Azur** (*the Riviera*).

Supplement

Que fait votre père?	Il est ouvrier spécialisé.
	Il est dans les affaires.
	Il est médecin.
Votre frère est médecin, n'est-ce pas?	Non, il est ingénieur.
	Non, il est avocat.
Et votre sœur, qu'est-ce qu'elle fait?	Elle est infirmière.
	Elle est hôtesse de l'air.

The Bachot First

M. CASTEL	I assume (suppose) that you've done your homework since you're reading a detective story.
ANTOINE CASTEL	Dad, I work a lot better in the morning. I'll get up early tomorrow and I'll finish my homework before going to school.
M. CASTEL	You won't have time. Now put that book down and get to (get started on the) work. I'm warning you that if you fail your bachot in July, you will not be going away on vacation. You'll be in Paris wasting away (getting pale) over your books while we're taking sunbaths on the Riviera.
ANTOINE CASTEL	Dad, I've told you a thousand times that I wanted to be a horticulturist. You don't need the bachot for that.
M. CASTEL	Listen to me carefully. If you want to be a horticulturist, that's your business. But you'll get your bachot first. You'll take it (present yourself) as many times as you have to (as it will be necessary), but you'll get that bachot. And now, get to work if you want to go to the Riviera this summer.

Supplement

What does your father do?	He's a skilled worker.
	He's in business.
	He's a doctor.
Your brother's a doctor, isn't he?	No, he's an engineer.
	No, he's a lawyer.
And your sister, what does she do?	She's a nurse.
	She's an airline stewardess.

Vocabulary Exercises

14. QUESTIONS ON BASIC MATERIAL

1. Qu'est-ce qu'Antoine est en train de faire?
2. D'après lui, quand est-ce qu'il peut finir ses devoirs? Comment est-ce qu'il arrivera à les finir le matin?
3. D'après M. Castel, où Antoine passera-t-il l'été s'il rate son bachot? Et où est-ce que sa famille passera les vacances, dans le nord ou dans le sud de la France?
4. Qu'est-ce qu'Antoine veut faire dans la vie?

15. FREE RESPONSE

1. Quand vous rentrez de l'école, est-ce que vous vous mettez tout de suite au travail ou est-ce que vous vous reposez? Pourquoi?
2. Quand est-ce que vous aimez mieux faire vos devoirs, le matin, le soir...? Pourquoi? Vous les faites en combien de temps, en une heure, en deux heures?
3. Qu'est-ce que vous aimez lire, des romans policiers, des magazines...?
4. En été, est-ce que vous prenez souvent des bains de soleil ou est-ce que vous aimez mieux faire autre chose? Quoi, par exemple?

16. ANTONYM DRILL

Replace each of the underlined words with the word or phrase that has the opposite meaning.

Je travaille beaucoup mieux le matin.
Je me lèverai tôt demain.
Je finirai ça avant d'aller au lycée.
Antoine va se mettre à travailler après le dîner.
Où vas-tu en vacances cet été?

17. PATTERNED RESPONSE

With verbal expressions that end in **de** (**avoir besoin de, avoir envie de,** etc.) the forms **du, de la** and **des** are not used if the noun following is used in an indefinite sense: **J'ai besoin de savon.** *I need soap.* **J'ai envie de croissants.** *I feel like some croissants.* However, the articles **un** and **une** may be used: **J'ai besoin d'un stylo.** *I need a pen.* **J'ai besoin d'une enveloppe.** *I need an envelope.*

Pourquoi est-ce que tu as acheté du savon?

Parce que j'avais besoin de savon!

Pourquoi est-ce que tu as acheté du dentifrice?

Parce que j'avais besoin de dentifrice!

(continued)

(*continued*)

Pourquoi est-ce que tu as acheté du shampooing?	Parce que j'avais besoin de shampooing!
Pourquoi est-ce que tu as acheté du papier?	Parce que j'avais besoin de papier!
Pourquoi est-ce que tu as acheté des enveloppes?	Parce que j'avais besoin d'enveloppes!

ce *vs* il

Que fait ton père? Il est médecin. Que fait ta sœur? Elle est infirmière. Notice that in answer to these questions about someone's job or occupation, the order is **il (elle, ils** or **elles)** + a form of **être** + the noun of occupation. No article is used. As you already know, in answer to the question **Qui est-ce?** the pronoun **ce** is used, and the order is **ce** + a form of **être** + article + noun: **Qui est-ce? C'est le docteur des Duclos.**

18. PATTERNED RESPONSE

[*Vous êtes à une surprise-partie. Vous parlez des gens qui sont là, mais il y a beaucoup de bruit et vous n'entendez pas bien.*]

1. Voilà le docteur des Pascal.

1ST STUDENT Qui est-ce?
2ND STUDENT C'est le docteur des Pascal.

Voilà la secrétaire de M. Blanchard.

Qui est-ce?
C'est la secrétaire de M. Blanchard.

Voilà la femme de Pierre Duclos.

Qui est-ce?
C'est la femme de Pierre Duclos.

Voilà le mari de Mme Clouzot.

Qui est-ce?
C'est le mari de Mme Clouzot.

2. Ce garçon-là est ingénieur.

Qu'est-ce qu'il fait?
Il est ingénieur.

La fille en bleu est hôtesse de l'air.

Qu'est-ce qu'elle fait?
Elle est hôtesse de l'air.

Ce gros monsieur est avocat.

Qu'est-ce qu'il fait?
Il est avocat.

La petite blonde est infirmière.

Qu'est-ce qu'elle fait?
Elle est infirmière.

Grammar

Verbs with Irregular Future Stems

GENERALIZATION

The chart below shows the future stems of some common irregular verbs. Notice that even though the stems are irregular, they all end in the sound [r].

INFINITIVE	FUTURE STEM	ENDINGS
aller	ir-	
avoir	aur-	ai
être	ser-	as
faire	fer-	a
venir	viendr-	ons
vouloir	voudr-	ez
pouvoir	pourr-	ont
voir	verr-	

Note the following:

1. The future form of **il faut (falloir)** is **il faudra** : **Si on veut prendre le train de 7h 40, il faudra se lever à 6 heures.** The future form of **il pleut (pleuvoir)** is **il pleuvra** : **Je suis sûr qu'il pleuvra demain : il y a de gros nuages.**

2. The pronoun **y** is not used with the future of the verb **aller** : **Tu vas au cinéma avec Luc? Non, j'irai demain.**

STRUCTURE DRILLS

19. PATTERNED RESPONSE

1. Tu ne vas pas encore arriver en retard! ⊗   Mais non, je serai à l'heure.
   Paul ne va pas encore arriver en retard!
   Vous n'allez pas encore arriver en retard,
      vous deux?

(continued)

(*continued*)

Les filles ne vont pas encore arriver en
retard!

Anne ne va pas encore arriver en retard!

2. Pierre va réparer la camionnette. ⊗   Mais il n'aura pas le temps!
Martine va faire toutes les courses.
Toi, tu vas tout ranger.
Les filles vont laver toutes les chemises.
Nous allons faire tous les lits.

3. Tu viens dîner demain?   Non, pas demain; je ne pourrai pas.
Bertrand vient nous voir demain?
Vous venez aux fouilles demain, vous
deux?
Les filles viennent chez Luc demain?
L'électricien vient demain?

20. DIRECTED DRILL

Demandez à *Paul* où il sera ce soir à cinq
heures.
Paul, répondez.

Demandez à *Anne* si elle sera à l'heure
demain matin.

Demandez à *Michèle* si elle aura le temps
d'aller dans les magasins samedi.

Demandez à *Jean* s'il aura le temps de
passer à la bibliothèque.

Demandez à *Charles* s'il pourra venir chez
vous dimanche.

Demandez à *Étienne* s'il pourra vous
prêter de l'argent.

21. PATTERNED RESPONSE

1. Marc n'est pas venu? ⊗   Non, il viendra ce soir.
Les Duclos viennent cette après-midi?   Non, ils viendront ce soir.
Tu viens tout de suite?   Non, je viendrai ce soir.

Luc va au cinéma avec vous?   Non, il ira ce soir.
Tu vas à la bibliothèque?   Non, j'irai ce soir.
Vous allez à la piscine, vous deux?   Non, nous irons ce soir.

2. Paul n'a pas fait ses devoirs! ⊗   Non, il les fera demain.
Les filles n'ont pas fait la vaisselle!   Non, elles la feront demain.
Marie n'a pas fait le ménage!   Non, elle le fera demain.

Les autres ont vu le nouveau film de   Non, ils le verront demain.
   Godard?
Tu as vu le proviseur?   Non, je le verrai demain.
Le docteur a vu Mme Leblond?   Non, il la verra demain.

22. FREE SUBSTITUTION

Nous irons à la piscine tous les matins pendant l'été.
Je ferai ça après le dîner.
Est-ce que vous verrez Brigitte demain soir?

23. PATTERNED RESPONSE

1. La vaisselle n'est pas faite!   Il faudra la faire!
Les lits ne sont pas faits!   Il faudra les faire!
Tu n'as pas réparé la machine à laver!   Il faudra la réparer!
Ta chambre n'est pas rangée!   Il faudra la ranger!
Tes chemises ne sont pas repassées!   Il faudra les repasser!

2. Tu viens aux fouilles avec nous?   Non, mes parents ne voudront jamais.
Les filles viennent samedi soir?   Non, leurs parents ne voudront jamais.
Anne nous accompagne?   Non, ses parents ne voudront jamais.
Luc vient au cinéma avec nous?   Non, ses parents ne voudront jamais.
Vous venez faire du ski avec nous, ton   Non, nos parents ne voudront jamais.
   frère et toi?

24. PRESENT → FUTURE

[*En vacances*]

Je me lève tard tous les jours.   Je me lèverai tard tous les jours.
Je ne travaille pas.
Je vais à la plage.
Je fais du bateau.
Je prends des bains de soleil.
Je me promène dans les bois.
Je vais à la pêche.

(*continued*)

(*continued*)

Je vais voir mes copains.
Je bricole.
Je sors de temps en temps.
Je me couche tard.
C'est formidable!

25. CONVERSATION STIMULUS

Décrivez ce que vous ferez demain matin à partir du moment où vous vous réveillerez
jusqu'au moment où vous arriverez à l'école. Commencez : Je me réveillerai vers ...heures.

Décrivez ce que vous ferez cette après-midi et ce soir à partir du moment où vous sortirez
de l'école jusqu'au moment où vous vous coucherez. Commencez : Je sortirai de l'école
vers ...heures.

The Future after Quand *and* Dès Que

PRESENTATION

> Téléphone-moi quand tu arriveras.
> Je te téléphonerai quand je rentrerai.
> Dès que tu seras là, on partira.

Look at the verbs following **quand** and **dès que**. Does the action described by these verbs take
place in the present or will it take place some time in the future? What tense is used?

GENERALIZATION

The future tense is used in a clause introduced by **quand** or **dès que** whenever the action is
to take place in the future. Compare the following sentences:

Nous les appelons quand nous rentrons.	*We call them when we get home.*
Nous les appellerons quand nous rentrerons.	*We will call them when we get (will get) home.*
Dès que papa arrive, nous dînons.	*As soon as Dad arrives, we have dinner.*
Dès que papa arrivera, nous dînerons.	*As soon as Dad arrives (will arrive), we'll have dinner.*

Notice that in the first sentence of each pair on the preceding page, the action is habitual and the present tense is used. In the second sentence of each pair, the action is to take place in the future, and the future tense is used.

STRUCTURE DRILLS

26. PRESENT → FUTURE

1. Quand il fait beau, nous allons à la plage. ⊗   Quand il fera beau, nous irons à la plage.
   Quand il fait beau, je vais me promener.
   Quand j'ai le temps, je vais me promener.
   Quand j'ai le temps, je vais au cinéma.

2. Je fais les courses dès que je rentre.   Je ferai les courses dès que je rentrerai.
   Je lui téléphone dès que je rentre.
   Je lui téléphone dès que je me lève.
   Je me mets au travail dès que je me lève.
   On se met au travail dès que les délégués sont là.
   La réunion commence dès que les délégués sont là.

27. REJOINDERS

Answer each of the following questions with a phrase beginning with **quand.**

Quand est-ce qu'on va dîner?   (Quand papa sera là.)
                                          (Quand la soupe sera prête.)
                                          (Quand les autres arriveront.)

Quand est-ce qu'on partira?
Quand est-ce qu'on va aller à la plage?
Quand est-ce que vous allez acheter ce disque?
Quand est-ce que tu vas t'occuper de ça?

28. FREE COMPLETION

Quand je rentrerai à la maison, _____.   Quand j'aurai trente ans, _____.
Quand je serai en vacances, _____.   Quand j'aurai des enfants, _____.
Quand j'aurai le temps, _____.   Quand j'aurai un peu d'argent, _____.
Quand j'aurai vingt ans, _____.

Writing

SENTENCE CONSTRUCTION

Write two answers to each of the following questions. Use **quand** plus a future verb form in each of your answers. Make any necessary additions and changes.

> MODEL   Quand est-ce qu'on va partir?
> a. Maman / être là   b. tu / être prêt
> <u>Quand Maman sera là.</u>   <u>Quand tu seras prêt.</u>

1. Quand est-ce que tu t'occuperas de ça?
   a. je / avoir le temps   b. je / pouvoir
2. Quand est-ce qu'on ira à la plage?
   a. il / faire beau   b. voiture / être réparée
3. Quand est-ce que tu pourras avoir une voiture?
   a. mes parents / vouloir   b. je / avoir dix-huit ans
4. Quand est-ce que tu en parleras à Jean-Claude?
   a. il / me téléphoner   b. je / le voir
5. Quand est-ce que tu t'achèteras un nouveau manteau?
   a. je / avoir un peu d'argent   b. je / aller à Paris
6. Quand est-ce qu'on va aller faire du ski?
   a. il y a / de la neige   b. on / avoir quelques jours de vacances
7. Quand vas-tu prévenir Bernard?
   a. je / avoir la réponse de papa   b. téléphone / être libre

Ingénieur chimiste au travail dans un laboratoire

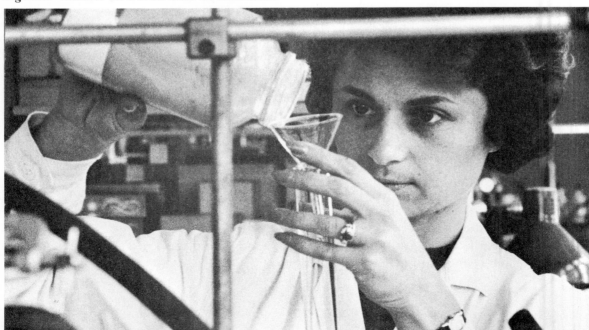

READING

Projets d'avenir°

LE GRAND-PÈRE	Je l'ai souvent dit et je le répète encore : la médecine n'est pas pour les femmes!
CLAUDINE	Mais enfin grand-père, il faut bien te rendre compte° que les choses ont changé. Maintenant on trouve des femmes dans toutes les professions : il y a des femmes qui travaillent à la radio, à la télé, des femmes journalistes, photographes, pilotes. Il y a de plus en plus de filles qui font leur médecine, leur droit, qui deviennent ingénieurs ou entrent dans les affaires. Une femme médecin, ça n'a rien d'extraordinaire aujourd'hui. Je viens de lire qu'en France presque la moitié° des étudiants en médecine sont des filles[5]. Alors vraiment grand-père, je ne comprends pas pourquoi tu trouves ça bizarre.
LE GRAND-PÈRE	Je ne trouve pas ça bizarre, je trouve ça contre nature.
MME CLOUZOT	Oh, papa, tu disais la même chose il y a vingt-cinq ans quand je voulais faire mon droit. D'après toi, les femmes sont bonnes à faire la cuisine, faire le ménage, faire du tricot°, et c'est tout. Ce n'est pas plus vrai aujourd'hui qu'il y a vingt-cinq ans. D'abord, au lycée et à l'université, les filles travaillent aussi bien et quelquefois mieux que les garçons, c'est prouvé. Claudine est dans les premières de sa classe. Et puis d'ailleurs°, si elle veut être docteur, c'est son affaire.
M. CLOUZOT	Il ne s'agit pas de ça. Claudine fera ce qu'elle voudra. Seulement, ma petite, je ne sais pas si tu te rends compte de la situation. Même aujourd'hui une femme médecin n'est pas sûre de réussir aussi bien qu'un homme même si elle est aussi compétente. Il y a encore des

projets d'avenir: *plans for the future*

se rendre compte: *to realize*

moitié *f: half*

faire du tricot: *to knit*

d'ailleurs: *besides*

[5] In 1968, 13,239 of the 29,358 medical students in France were girls.

gens qui n'ont pas confiance en une femme médecin.

JEAN-PAUL   Moi, par exemple. Quand j'aurai besoin d'un médecin, je n'irai jamais chez une femme, et surtout pas chez Claudine! Non, mais tu t'imagines, une femme chirurgien°!

chirurgien *m: surgeon*

M. CLOUZOT   Ça c'est vrai. Il y a peut-être de plus en plus de femmes médecins, mais je suis sûr qu'il y a encore très peu de femmes chirurgiens. Et puis il y a autre chose aussi. Il faut bien reconnaître que pour certains hommes, une femme qui devient ingénieur ou docteur perd° de sa féminité.

perdre: *to lose*

JEAN-PAUL   Ah oui. Je vois ça d'ici... le jeune interne qui murmure à Claudine qu'elle est formidable et elle qui ne l'entend pas parce qu'elle a encore son stéthoscope sur les oreilles; ou bien il voudrait lui mettre un diamant au doigt° mais il n'y arrive pas parce qu'elle a encore ses gants de caoutchouc.

doigt *m: finger*

CLAUDINE   Tu n'es pas très drôle, tu sais. Les femmes pensent à° autre chose qu'à des bagues de fiançailles. J'ai bien l'intention de me marier un jour, et d'avoir des enfants, mais je continuerai à travailler.

penser à: *to think about*

LE GRAND-PÈRE   Tu ne pourras pas être en même temps une bonne mère de famille et un bon docteur. Tu crois que tu pourras t'occuper de ta famille et de ta maison quand il te faudra courir° à droite et à gauche pour couper des appendices et réparer des jambes cassées.

courir: *to run*

CLAUDINE   Mais je ne serai pas tout le temps en train de courir à droite et à gauche! Il y a beaucoup de médecins qui ont un horaire° presque régulier : ils travaillent dans les cliniques, les hôpitaux, ou pour de grandes entreprises. Moi, par exemple, je me spécialiserai en pédiatrie et je travaillerai probablement dans une clinique. J'aurai peut-être quelques cas d'urgence, mais je m'organiserai pour pouvoir m'occuper de ma famille et faire mon métier°...

horaire *m: schedule*

métier *m: job, work*

M. CLOUZOT	Tout ça, c'est très joli, mais il te faudra y penser sérieusement, parce qu'après deux ou trois ans d'études tu ne pourras pas changer d'idée comme ça. Tu te rends compte de ce que coûtent les études de médecine? On n'entre pas à la Faculté de Médecine sur une toquade°.	**toquade** *f: whim*
CLAUDINE	Tu sais bien que ce n'est pas une toquade.	
M. CLOUZOT	Je le sais, mais il te faut bien réfléchir avant de décider de passer les meilleures années de ta vie devant des bouquins° de médecine et des tables de dissection. Tu n'auras pas le temps de t'amuser, tu sais. Il n'y aura plus d'après-midi[6] libres pour d'interminables conversations ou des parties° de tennis. Tu peux te préparer à travailler vingt-quatre heures sur vingt-quatre.	**bouquin** *m (fam)*: livre **partie** *f: game*
CLAUDINE	Je sais, mais tu exagères tout de même° un peu, papa. Ce n'est pas parce qu'on fait sa médecine qu'on ne peut pas parler avec ses amis ou faire une partie de tennis de temps en temps. Et puis d'ailleurs, tu sais, le tennis, je n'aime pas tellement ça. Je peux m'en passer° toute ma vie, s'il le faut.	**tout de même:** *all the same* **se passer de:** *to get along without*
LE GRAND-PÈRE	Eh bien, écoute, ma petite, je vais te dire; c'est ton droit qu'il te faut faire,—parce que pour discuter, tu seras toujours la plus forte!	

Line numbers: 80, 85, 90, 95, 100

Dictionary Section

s'amuser s'occuper agréablement, sans travailler *(1) Ne t'amuse pas, travaille! (2) Nous allons chez les Dubois. On va bien s'amuser.*

bizarre étrange *(1) Il n'est pas comme tout le monde: il est un peu bizarre. (2) C'est bizarre, je ne trouve plus mes lunettes.*

caoutchouc produit élastique mais résistant qu'on utilise pour faire des ballons, des gants, etc. *Maman porte des gants de caoutchouc quand elle fait la vaisselle.*

cas d'urgence quelque chose de très pressé, qui ne peut pas attendre : *On l'a emmené à l'hôpital au milieu de la nuit : c'était un cas d'urgence.*

fiançailles promesse de mariage; période qui précède le mariage : *Ils se sont mariés après de longues fiançailles.*

---

[6]**Après-midi** is invariable, that is, it has no plural form.

29. QUESTIONS

1. Chez les Clouzot qui est-ce qui pense que la médecine n'est pas un métier de femmes?
2. Qui est-ce qui veut faire sa médecine?
3. En France est-ce qu'il y a autant d'étudiantes en médecine que d'étudiants?
4. D'après le grand-père, à quoi les femmes sont-elles bonnes?
5. Qui voulait faire son droit il y a vingt-cinq ans?
6. D'après Mme Clouzot, est-ce que les filles travaillent aussi bien que les garçons?
7. D'après M. Clouzot, de quoi Claudine doit-elle se rendre compte? Est-ce que les études de médecine sont faciles? Est-ce qu'elles sont longues?
8. Pourquoi le grand-père pense-t-il que Claudine ne pourra pas être en même temps un bon docteur et une bonne mère de famille?
9. D'après Claudine, pourquoi est-ce que certains médecins peuvent avoir un horaire presque régulier? Est-ce que Claudine a l'intention de se marier? En quoi a-t-elle l'intention de se spécialiser?
10. Pourquoi est-ce que M. Clouzot demande à sa fille de bien réfléchir avant de faire sa médecine?

Noun Exercises

GENDER NOTE: Most nouns ending in -té are feminine: **une université, la qualité, une difficulté.**

30. COMPLETION

1. La moitié droite est bleue.
2. Qu'est-ce que tu as au doigt?
3. Pourquoi est-ce que le caoutchouc est très important?
4. Luc est interne dans un grand hôpital.
5. On vient de l'appeler pour un cas d'urgence.
6. Sa sœur travaille dans une clinique.
7. Docteur en médecine à 24 ans, elle a un bel avenir.
8. Elle avait toujours le nez dans un bouquin.
9. Elle a demandé un nouvel horaire.
10. C'est une grosse entreprise?

1. Et ____ moitié gauche est rouge.
2. Je me suis cassé ____ doigt.
3. Parce qu'on utilise ____ caoutchouc pour faire toutes sortes de produits.
4. Oui, ____ hôpital pour enfants, je crois.
5. ____ cas d'urgence? Ça doit être encore un accident.
6. Oui, ____ clinique à Auteuil.
7. Oui, mais ____ avenir préparé par de longues années d'étude.
8. Et c'était toujours ____ bouquin de médecine.
9. Elle a raison. Elle a ____ horaire impossible.
10. Non, ____ entreprise de famille, avec une vingtaine d'ouvriers.

31. PATTERNED COMPLETION

Ex. Mon père a de <u>longues</u> heures de travail.

1. Pour être médecin il faut faire de <u>longues</u> études.
2. Maman et Papa se sont mariés après de <u>longues</u> fiançailles.

Ex. Mes heures de travail sont encore plus ***longues***.

1. Les études d'ingénieur sont quelquefois _____ aussi.
2. Oui, mais aujourd'hui les fiançailles ne sont pas aussi _____.

Verb Exercises

32. PERSON-NUMBER SUBSTITUTION

Vous ne vous rendez pas compte des difficultés! ⊗
(tu–Jacques–les filles–Claudine–les autres)

33. RESTATEMENT DRILL

Les enfants ont commencé à jouer. ⊗
Moi, j'ai commencé à travailler.
Papa et Claudine ont commencé à discuter.
Grand-père a commencé à crier.
Maman a commencé à rire.

Les enfants se sont mis à jouer.
Moi, je me suis mis à travailler.
Papa et Claudine se sont mis à discuter.

Grand-père s'est mis à crier.
Maman s'est mise à rire.

Verbs like **exagérer**

You have already seen that in verbs whose infinitive ends in an unaccented **e** + a consonant + **-er** (**emmener, appeler**) there is a sound change in the stem of the singular and third person plural forms. The same sound change occurs in the present tense of all verbs whose infinitive ends in **é** + a consonant + **er** (**exagérer, préférer**). In verbs like **exagérer**, the sound change is always indicated by an **accent grave: nous exagérons, vous exagérez**, but **j'exagère, tu exagères, il exagère, ils exagèrent.** Unlike verbs like **emmener** and **appeler**, the formation of the future tense of verbs like **exagérer** is entirely regular, that is, the future stem is spelled the same as the infinitive: **exagérer, j'exagérerai**, etc.

34. PERSON-NUMBER SUBSTITUTION

1. Vous exagérez un peu. ⊗
   (tu–Michel–je–les autres–nous)

2. Qu'est-ce que vous célébrez?
   (tu–nous–les filles–Monique–Pierre)

35. PATTERNED RESPONSE

Tu n'aimes pas ma robe blanche? ⊗
Son père n'aime pas sa jupe blanche?
Tes sœurs n'aiment pas ton cardigan blanc?
Ta mère n'aime pas ta chemise blanche?
Vous n'aimez pas le divan blanc?
Tu n'aimes pas ce fauteuil blanc?

Si, mais je préfère la bleue.
Si, mais il préfère la bleue.
Si, mais elles préfèrent le bleu.

Si, mais elle préfère la bleue.
Si, mais nous préférons le bleu.
Si, mais je préfère le bleu.

36. PATTERNED COMPLETION

Ce que tu es ennuyeux!... ⊗
Ce que ces délégués sont ennuyeux!...
Ce que vous êtes ennuyeux!...
Ce que ce guide est ennuyeux!...
Ce que ce prof est ennuyeux!...

Tu répètes toujours la même chose.

RECOMBINATION EXERCISES

37. PATTERNED RESPONSE

1. Tu n'auras plus le temps de jouer au tennis. ⊗
   Jacques n'aura plus le temps d'aller au cinéma.
   Tu ne pourras plus regarder la télé.
   Tu n'auras plus le temps de faire des promenades.
   Étienne n'aura plus le temps de prendre des vacances.

Oh, je peux me passer de tennis, tu sais.

2. Aujourd'hui Luc s'intéresse aux affaires. ⊗
   Demain, il s'intéressera à l'archéologie.

Il change d'idée d'un jour à l'autre.

   Aujourd'hui Marie apprend le français.
   Demain elle apprendra le russe.

Elle change d'idée d'un jour à l'autre.

   Aujourd'hui Marc veut faire sa médecine.
   Demain il voudra faire son droit.

Il change d'idée d'un jour à l'autre.

   Aujourd'hui Catherine prend des leçons de piano.
   Demain elle prendra des leçons de guitare.

Elle change d'idée d'un jour à l'autre.

Aujourd'hui Jean s'intéresse à la musique.

Demain il s'intéressera à la peinture.   Il change d'idée d'un jour à l'autre.

38. PRESENT → FUTURE

Claudine est médecin. ⊗   Claudine sera médecin.
Elle se spécialise en pédiatrie.
Elle travaille dans un grand hôpital.
Elle a un horaire presque régulier.
Mais on l'appelle pour des cas d'urgence.
Elle a des enfants.
Elle a le temps de s'occuper de ses enfants.
Elle fait le ménage et les courses.
Elle trouve aussi le temps de s'amuser.

39. PICTURE DESCRIPTION

Refer to the picture on page 272 to answer the following questions:

Où sont les jeunes gens? Il y a combien de jeunes gens autour de la table? Décrivez-les. Comment sont-ils? Que portent-ils? Que font-ils?

Conversation Buildup

PIERRE Qu'est-ce que tu feras quand tu auras ton bachot?

JACQUES Je ferai mon droit. Et toi? Tu as décidé?

PIERRE Non pas encore. Mon père me conseille la médecine parce que c'est ce qu'il avait envie de faire quand il était jeune.

JACQUES Et toi? Tu as une opinion?

PIERRE Moi, j'ai envie de passer un an aux États-Unis avant de prendre une décision, mais j'ai plutôt envie d'entrer dans les affaires. Je verrai ça plus tard.

REJOINDERS

Moi, je ferai ma médecine. Et toi?
Pourquoi est-ce que tu ne veux pas aller à l'université?
Mon père me conseille les affaires.

CONVERSATION STIMULUS

Vous parlez avec un ami de ce que vous ferez plus tard. (Vous irez à l'université, vous apprendrez un métier...) Vous commencez:

—Tu sais ce que tu feras, toi, plus tard?

Writing

PARAGRAPH CONSTRUCTION

Complete the following sentences using the suggested words in the order given. Make any necessary additions or changes. Use the future tense where appropriate. Then rewrite the completed sentences in the form of a paragraph.

Cet été mon frère Gérard et moi, nous allons faire des fouilles avec / groupe / élèves / lycée.

Le chantier / se trouver / au bord / rivière / pas très loin des Eyzies.

Nous / prendre / train / jusqu'à Périgueux / où / camionnette / chantier / venir nous chercher / et nous / amener / camp.

Nous / dormir / vieux château / XVe siècle / quelques kilomètres de là / et nous / préparer / repas nous-mêmes.

On / faire / pommes de terre frites / tous les jours / et on / attraper / peut-être / poissons / rivière. /

Et puis on / aller / chasse.

Il paraît / que / il y a / beaucoup / lapins / région.

Nous / travailler aux fouilles / huit heures / jour.

Ce / être / passionnant!

L'année dernière / groupe / trouver / un tas / choses / très intéressant!

Lycéens en train de parler de leurs cours à la terrasse d'un café

REFERENCE LIST

Nouns

avenir *m*	cas *m* d'urgence	droit *m*	médecin *m*
avocat *m*	caoutchouc *m*	hôpital *m*	métier *m*
bachot *m*	chantier *m*	horaire *m*	photographe *m*
bouquin *m*	chirurgien *m*	horticulteur *m*	pilote *m*
camp *m*	doigt *m*	ingénieur *m*	

affaire *f*	entreprise *f*	infirmière *f*	peinture *f*
affaires *f pl*	études *f pl*	matinée *f*	profession *f*
archéologie *f*	fiançailles *f pl*	médecine *f*	situation *f*
camionnette *f*	fouilles *f pl*	moitié *f*	soirée *f*
clinique *f*	hôtesse *f* de l'air	partie *f*	université *f*
Côte *f*			

m/f pairs: institueur, –trice   ouvrier, –ère

Adjectives and Adverbs

bizarre	policier, –ère	après-demain	sérieusement
certain, –e	regulier, –ère	d'ailleurs	tout à l'heure
passionné, –e	spécialisé, –e	probablement	

Verbs

(*like* travailler)		(*like* attendre)	(*like* finir)
s'amuser	(s')organiser	perdre	pâlir
s'arranger	passer	se rendre compte (de)	
changer	se passer de		(*like* mettre)
imaginer	penser (à, de)[7]	(*like* exagérer)	se mettre à
s'intéresser à	se présenter	exagérer	
se marier		préférer	(*irregular*)
		répéter	devoir

Other Words and Expressions

à propos	avoir confiance en	c'est entendu
avoir besoin de	changer d'idée	tout de même

---

[7]**Penser** is followed by **à** or **de** before a noun. When it is followed by an infinitive, no preposition is used: **Il pense devenir avocat.**

Familiale

La mère fait du tricot
Le fils fait la guerre
Elle trouve ça tout naturel la mère
Et le père qu'est-ce qu'il fait le père?
Il fait des affaires
Sa femme fait du tricot
Son fils la guerre
Lui des affaires
Il trouve ça tout naturel le père
Et le fils et le fils
Qu'est-ce qu'il trouve le fils?
Il ne trouve rien absolument rien le fils
Le fils sa mère fait du tricot son père des affaires lui la guerre
Quand il aura fini la guerre
Il fera des affaires avec son père
La guerre continue la mère continue elle tricote
Le père continue il fait des affaires
Le fils est tué il ne continue plus
Le père et la mère vont au cimetière
Ils trouvent ça naturel le père et la mère
La vie continue la vie avec le tricot la guerre les affaires
Les affaires la guerre le tricot la guerre
Les affaires les affaires et les affaires
La vie avec le cimetière.

JACQUES PRÉVERT
(1900–   )

faire la guerre   *to fight in the war*   tué   *killed*

— J'ai oublié de vous dire : vous pouvez fermer !

— Faites « Ah ».

BASIC MATERIAL I

Devoir de français

Hé, Bernard, regarde ce que j'ai trouvé. C'est un devoir de français de mon frère, Jean-Luc, qui est en huitième. Écoute.

Que feriez-vous si vous pouviez faire tout ce que vous voulez?

Moi, si je pouvais faire ce que je veux, je me construirais une cabane au fond du jardin. Sur la porte je mettrais un grand écriteau «DÉFENSE D'ENTRER : DANGER DE MORT». Comme ça mon frère, qui m'embête toujours, mais qui est très froussard, n'entrerait pas. J'y apporterais mon sac de couchage, ma collection de timbres, mon microscope et mes Astérix. Comme ça quand maman ferait ma chambre, elle ne mettrait plus le désordre dans mes affaires! Je resterais dans ma cabane tout le temps et je n'irais à la maison que pour déjeuner et pour dîner.

Supplement

Qu'est-ce qu'il lui faudrait pour manger et pour boire?	Une assiette.
	Un couteau, une cuillère et une fourchette.
	Un verre.
Et pour écrire?	Quelques crayons.
	Une gomme.
	Un stylo à bille.
Où est-ce qu'il mettrait toutes ses affaires?	Oh, n'importe où.
	Dans un placard, dans des tiroirs...

◀ *Collection de timbres.*

French Assignment

Hey, Bernard, look what I found. It's a French assignment of my brother, Jean-Luc, who's in the fourth grade. Listen.

What would you do if you could do anything you wanted?

If <u>I</u> could do what I wanted, I would build myself a cabin in the back of the yard. On the door I would put up a big sign "DO NOT ENTER: DANGER OF DEATH". That way my brother, who bugs me all the time, but who is very chicken, wouldn't come in. I would take my sleeping bag out there, and my stamp collection, my microscope and my Asterixes. That way, when Mom cleaned my room, she wouldn't mess up all my things. I would stay in my cabin all the time and I would only go to the house for lunch and dinner.

Supplement

What would he need to eat and drink?	A plate. A knife, a spoon and a fork. A glass.
And to write?	Some pencils. An eraser. A ball-point pen.
Where would he put all his things?	Oh, anywhere (no matter where). In a closet, in some drawers . . .

Vocabulary Exercises

1. QUESTIONS ON BASIC MATERIAL

1. Si Jean-Luc pouvait faire ce qu'il veut, qu'est-ce qu'il construirait dans son jardin?
2. Qu'est-ce qu'il mettrait sur la porte? Pourquoi?
3. Qu'est-ce qu'il apporterait dans sa cabane? Pourquoi?
4. Quand rentrerait-il à la maison?
5. Jean-Luc a environ quel âge?

2. FREE RESPONSE

1. D'après votre mère, est-ce que votre chambre est souvent en désordre? Et d'après vous? Qui est-ce qui range votre chambre?
2. Est-ce que vous avez une collection de timbres, de voitures miniatures...? Est-ce que vous faites des échanges avec vos amis et vos frères?
3. De quoi a-t-on besoin pour écrire?

4. Qu'est-ce qu'on utilise pour corriger une faute quand on écrit?
5. Où est-ce qu'on range les complets, les robes, les manteaux? Où est-ce qu'on range les chaussettes, les pull-overs, les chemises?

ne...que

The construction **ne...que** is a negation that includes an exception: **Je n'irais à la maison que pour déjeuner.** *I wouldn't go to the house except to have lunch.* **Que** always comes before the exception: **Je n'ai acheté que des pommes.** *I only bought apples.* Notice that unlike **pas, rien, plus** and **jamais, que** is often followed by one of the indefinite articles **(un, une, du, de la** or **des).**

3. PATTERNED RESPONSE

Tu as apporté une assiette et un verre?	Non, je n'ai apporté qu'une assiette.
Tu as acheté du pain et des croissants?	Non, je n'ai acheté que du pain.
Tu as apporté du soda et de l'orangeade?	Non, je n'ai apporté que du soda.
Tu as acheté des pommes et des prunes?	Non, je n'ai acheté que des pommes.
Tu as apporté une cuillère et une fourchette?	Non, je n'ai apporté qu'une cuillère.

Noun Exercise

GENDER NOTE: Most nouns that end in **-eau** are masculine: **un tableau, un bateau, un écriteau, un couteau.**

4. COMPLETION

1. J'apporterai <u>mon</u> <u>nouveau</u> sac de couchage.
2. Je vais mettre <u>mon</u> <u>nouveau</u> microscope près de la fenêtre.
3. J'irai très souvent dans <u>la</u> cabane.
4. Moi, je n'aime pas <u>le</u> désordre,
5. Je mettrai toutes mes affaires dans <u>mon</u> placard.
6. Je mettrai mes Astérix dans <u>le</u> tiroir de ma table.
7. Je cacherai mes timbres <u>au</u> fond du tiroir.

1. Parce que j'aime bien dormir dans _____ sac de couchage.
2. Mon oncle vient de m'acheter _____ microscope.
3. Quand je serai dans _____ cabane, mon frère ne m'embêtera pas.
4. Ici, maman ne pourra pas mettre _____ désordre dans mes affaires!
5. Tu auras _____ placard dans ta cabane?
6. Ta table a _____ tiroir?
7. Ce sera trop facile de les trouver même si tu les mets tout à fait dans _____ fond.

(continued)

(*continued*)

8. J'aurai besoin d'<u>un</u> verre.
9. J'aurai besoin aussi d'<u>une grande</u> cuillère.
10. Je voudrais <u>un gros</u> crayon rouge, Monsieur.
11. Je voudrais aussi <u>une bonne</u> gomme.

8. Eh bien, prends ____ verre dans le placard.
9. Eh bien, prends aussi ____ cuillère.
10. ____ crayon rouge? Voilà. 50 centimes, s'il vous plaît.
11. Voilà ____ gomme «Bourgeois». C'est ce qu'il y a de mieux.

Verb Exercises

---

construire: *like* **conduire**

---

5. PATTERNED RESPONSE

1. [*Jean parle à son petit frère qui joue avec des amis.*]

Tu construis une maison?
Vous construisez une maison, vous deux?
Luc et Marc construisent une maison?
Paul construit une maison?
Jacques et Pierre construisent une maison?

Non, je construis un château.

2. Qu'est-ce que les enfants ont fait ce matin?
Qu'est-ce que Pierre a fait ce matin?
Qu'est-ce que vous avez fait ce matin, vous deux?
Qu'est-ce que tu as fait ce matin?
Qu'est-ce que Christine a fait ce matin?

Ils ont construit une cabane.

6. FREE RESPONSE

Quand vous étiez petit, est-ce que vous aimiez construire des choses?
Avez-vous déjà construit une cabane?
Est-ce qu'on construit quelque chose près de chez vous en ce moment? Quoi? Une maison? Des magasins? Une nouvelle route?

Grammar

The Conditional

PRESENTATION

[*Où est-ce que tu irais si tu pouvais aller n'importe où?*]

J'ir<u>ais</u> en Suisse.   Nous ir<u>ions</u> au Mexique, mon frère et moi.
Tu ir<u>ais</u> en Suisse?   Vous ir<u>iez</u> au Mexique?
Marc ir<u>ait</u> en Italie.   Jean et Pierre ir<u>aient</u> aux États-Unis.

Do the above sentences refer to something that has happened, that will happen or that would happen under certain conditions? What is the stem of the verb in the above sentences? What are the endings? If you hear the above sentences said aloud, how many <u>spoken</u> endings are there? Are the endings like any other endings you have already learned?

Je me <u>construir</u>ais une cabane.
Sur la porte je <u>mettr</u>ais un grand écriteau.
Comme ça, mon frère n'<u>entrer</u>ait pas.
J'y <u>apporter</u>ais mon sac de couchage.

What is the stem of the verb in each of the above sentences? Is it the same as any other stem you have already learned? The conditional is composed of what stem and what endings?

GENERALIZATION

CONDITIONAL	
Stem	*Endings*
	ais
travailler-	ais
attendr-	ait
finir-	ions
dormir-	iez
	aient

1. The conditional of <u>all</u> French verbs is composed of:

—the future stem of the verb, plus
—the endings of the imperfect.

2. The conditional always expresses what one *would do* under certain conditions:

(Si je pouvais aller n'importe où) j'irais en Suisse.
(*If I could go anywhere*) *I would go to Switzerland.*

Note the following:
—The future-conditional stem of the verb **devoir** is **devr-: Antoine va rater son bachot. Il devrait travailler.**
—As with the future, y does not occur with the conditional of the verb **aller: Est-ce que tu irais à Madrid si tu allais en Espagne? Oui, j'irais.**

STRUCTURE DRILLS

7. PERSON-NUMBER SUBSTITUTION

1. Je resterais dans la cabane. ⊗
   Jean-Luc _____.
   Les enfants _____.
   Tu _____.
   Vous _____.
   Nous _____.

   Je resterais dans la cabane.
   Jean-Luc resterait dans la cabane.
   Les enfants resteraient dans la cabane.
   Tu resterais dans la cabane.
   Vous resteriez dans la cabane.
   Nous resterions dans la cabane.

2. Bernard apporterait les sacs de couchage. ⊗
   (tu–nous–vous–les autres–je)

8. PATTERNED RESPONSE

Que feriez-vous si vous pouviez faire tout
   ce que vous voulez? ⊗
Et Luc?
Et vous deux?
Et Catherine?
Et vos frères?
Et vos petites sœurs?

Moi? Je ne ferais rien.

Lui? Il ne ferait rien.
Nous? Nous ne ferions rien.
Elle? Elle ne ferait rien.
Eux? Ils ne feraient rien.
Elles? Elles ne feraient rien.

9. PATTERNED COMPLETION

Tu vas manquer le train si tu ne pars
   pas tout de suite!... ⊗

Tu devrais partir!

Vous allez manquer le train si vous ne
   partez pas tout de suite!...

Vous devriez partir!

Nous allons manquer le train si nous ne partons pas tout de suite!...

Les filles vont manquer le train si elles ne partent pas tout de suite!...

Jacques va manquer le train s'il ne part pas tout de suite!...

Nous devrions partir!

Elles devraient partir!

Il devrait partir!

10. FREE RESPONSE

Si vous donniez une surprise-partie, qu'est-ce que vous serviriez à manger? Et à boire? Qui achèterait les provisions? A quelle heure est-ce que ça commencerait? Et à quelle heure est-ce que ça finirait? Est-ce qu'il y aurait de la musique? Qu'est-ce que vous auriez, un électrophone, un magnétophone, une radio?

Si *Clauses*

PRESENTATION

S'il y <u>a</u> un bon film, nous <u>irons</u> au cinéma.

Si nous <u>avons</u> le temps, nous <u>ferons</u> le ménage.

S'il y <u>avait</u> un bon film, nous <u>irions</u> au cinéma.

Si nous <u>avions</u> le temps, nous <u>ferions</u> le ménage.

In the sentences in the left-hand column, the verb in the clause beginning with **si** is in what tense? And the verb in the other clause? In the sentences in the right-hand column, the verb in the **si** clause is in what tense? And the verb in the other clause?

GENERALIZATION

Si + PRESENT	FUTURE
S'il y a un bon film au Rex,	**nous irons le voir.**
If there is a good movie at the Rex,	*we'll go to see it.*

Si + IMPERFECT	CONDITIONAL
S'il y avait un bon film au Rex,	**nous irions le voir.**
If there were a good movie at the Rex,	*we would go to see it.*

1. When the verb in the clause introduced by **si** (meaning *if*) is in the present tense, the verb in the main clause is very often in the future:

Si j'ai le temps, j'irai chez le coiffeur.　　*If I have the time, I'll go to the barber.*

Note: As in English, the verb in the main clause may also be in the imperative or in the present tense:

Téléphone-moi si tu rentres avant onze　　*Call me if you get home before eleven o'clock.*
heures.

Si je ne me trompe pas, le train part à　　*If I am not mistaken, the train leaves at six o'clock.*
six heures.

2. When the verb in the **si** clause is in the imperfect, the verb in the main clause is <u>always</u> in the conditional:

Si j'avais le temps, j'irais chez le coiffeur.　　*If I had the time, I would go to the barber.*

STRUCTURE DRILLS

11. PATTERNED COMPLETION

Si Luc a envie de voir ce film...　　il le verra.
Si Luc avait envie de voir ce film...　　il le verrait.

Si Charles veut venir...　　il viendra.
Si Charles voulait venir...　　il viendrait.

Si Marie a envie de faire la vaisselle...　　elle la fera.
Si Marie avait envie de faire la vaisselle...　　elle la ferait.

Si nous avons envie d'aller en France...　　nous irons.
Si nous avions envie d'aller en France...　　nous irions.

2. PATTERNED RESPONSE

Est-ce que tu achèteras des cadeaux? ⊗　　Oui, si j'ai assez d'argent.
Est-ce que tu achèterais des cadeaux?　　Oui, si j'avais assez d'argent.

Est-ce que vous iriez sur la Côte d'Azur,　　Oui, si nous avions assez d'argent.
vous deux?
Est-ce que vous irez sur la Côte d'Azur,　　Oui, si nous avons assez d'argent.
vous deux?

Est-ce que tes frères prendraient l'avion?　　Oui, s'ils avaient assez d'argent.
Est-ce que tes frères prendront l'avion?　　Oui, s'ils ont assez d'argent.

13. FUTURE AND PRESENT → CONDITIONAL AND IMPERFECT

Maman ira chez le coiffeur si elle a le temps.

Marc ira en ville s'il a la voiture.

Nous irons au concert si nous avons assez d'argent.

J'irai à la chasse si je vais en Sologne.

Nous irons à la pêche s'il fait beau.

Maman irait chez le coiffeur si elle avait le temps.

Marc irait en ville s'il avait la voiture.

Nous irions au concert si nous avions assez d'argent.

J'irais à la chasse si j'allais en Sologne.

Nous irions à la pêche s'il faisait beau.

14. QUAND CLAUSE → SI CLAUSE

Je sortirai quand je voudrai.

Je te téléphonerai quand je serai libre.

Nous rentrerons quand il pleuvra.

Nous mangerons quand nous aurons faim.

Tu sortiras quand tu iras mieux.

Tu viendras quand tu pourras.

Je sortirai si je veux.

15. FREE COMPLETION

S'il fait beau dimanche, _____.

Si nous avons le temps, _____.

Si j'avais trois mois de vacances, _____.

Si je pouvais faire n'importe quoi, _____.

Si je pouvais aller n'importe où, _____.

16. FREE RESPONSE

Que feriez-vous si vous trouviez un portefeuille dans la rue? Si vous trouviez un chien perdu?

Qu'est-ce que vous feriez si vous étiez très, très riche?

Est-ce que vous aimeriez voyager en Europe? Où aimeriez-vous aller?

Si vous alliez à Paris, qu'est-ce que vous feriez?

Si on vous donnait cent dollars, qu'est-ce que vous achèteriez?

Writing

SENTENCE COMPLETION

Rewrite the following sentences, filling in the blank with the appropriate form of the verb in parentheses.

1. Si nous avions du bois, nous _____ construire une cabane.

   (pouvoir)

(*continued*)

(*continued*)

2. Si les autres _____ mon écriteau, ils n'entreront pas!
   (voir)

3. Si mon frère _____ moins froussard, il n'aurait pas peur de mon écriteau.
   (être)

4. Nous _____ du bateau s'il y a du vent.
   (faire)

5. Nous nous lèverions tôt s'il le _____.
   (falloir)

6. Je regarderai la télé s'il y _____ une bonne émission.
   (avoir)

7. S'il _____, je mettrai mon imperméable.
   (pleuvoir)

8. Si tu _____, papa sera furieux!
   (rire)

9. Si j'avais envie de manger du rosbif, je _____ du rosbif!
   (commander)

10. Si Charles avait soif, il _____.
    (boire)

11. Si tu nous préviens avant six heures, nous _____ pour venir te chercher.
    (s'arranger)

12. Si Jean-Pierre avait envie de se marier, il _____.
    (se marier)

13. Nous serons là vers huit heures, si nous ne _____ pas.
    (se perdre)

14. Si je finis avant sept heures, je _____ au concert.
    (aller)

Bagarre

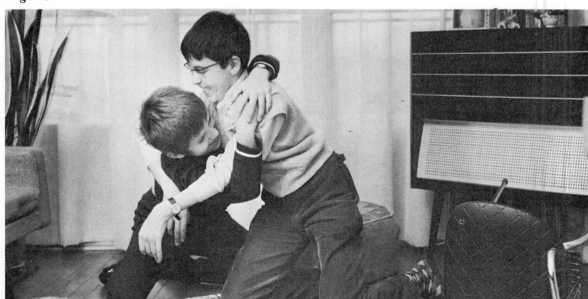

BASIC MATERIAL II

Dispute

CATHERINE DURAND	Maman! Maman! Viens vite! Les garçons sont encore en train de se battre!
MME DURAND	Allons, allons, qu'est-ce qui se passe? Encore des bagarres?
JEAN-LUC DURAND	C'est lui qui a commencé, maman. Tu sais ce qu'il a fait? Il a pris mon microscope et quand j'ai voulu le reprendre, il m'a donné un coup de pied dans le ventre.
PIERRE DURAND	Menteur! C'est lui qui m'a donné un coup de poing dans l'œil!
MME DURAND	Je sais, je sais, je connais la chanson...
PIERRE DURAND	D'abord, le microscope est autant à moi qu'à toi[1]...!
MME DURAND	Vous n'avez pas honte, tous les deux, de vous battre comme des sauvages? Allez, ça suffit. Rangez tout ça et allez vous préparer. Toi, Catherine, va mettre le couvert. On dîne dans un quart d'heure!

Supplement

Ton frère t'embête souvent, hein?

> Oui, et il n'est pas le seul.
> Ça, tu peux le dire!
> Oui, mais je sais me défendre.

On dîne bientôt?

> Dans une demi-heure.
> Dans trois-quarts d'heure.
> Je suis désolée, mais ce n'est pas prêt.

Fight

CATHERINE DURAND	Mom! Mom! Come quick! The boys are fighting again.
MME DURAND	Come on now, what's going on? Another fight?
JEAN-LUC DURAND	He's the one who started it, Mom. You know what he did? He took my microscope and when I tried to get it back, he kicked me (gave me a kick) in the stomach.
PIERRE DURAND	Liar! He's the one who punched me (gave me a blow of the fist) in the eye!
MME DURAND	I know, I know, I know the story very well.
PIERRE DURAND	First of all, the microscope is as much mine as it is yours . . . ! *(continued)*

---

[1] The preposition **à** is used with the verb **être** to express possession: **Le magnétophone est à Georges.** *The tape recorder is George's.*

MME DURAND   Aren't you ashamed, both of you, to be fighting like a couple of savages? All right, that's enough. Straighten all this up and go get ready. Catherine, you go set the table. We'll be having dinner in fifteen minutes!

Supplement

Your brother bothers you often, huh?

Yes, and he's not the only one.
You can say that again!
Yes, but I know how to defend myself.

Are we having dinner soon?

In a half an hour.
In three quarters of an hour.
I'm terribly sorry, but it isn't ready.

Vocabulary Exercises

17. QUESTIONS ON BASIC MATERIAL

1. Comment la dispute a-t-elle commencé?
2. Qui est allé prévenir Mme Durand?
3. Avez-vous l'impression qu'il y a beaucoup de disputes chez les Durand?
4. Qui a donné un coup de poing à l'autre?
5. D'après vous, quel âge ont les garçons, dix ans, quinze ans...?
6. Qu'est-ce que Mme Durand demande à sa fille de faire?

18. FREE RESPONSE

1. En général, quand vous n'êtes pas d'accord avec votre frère ou votre sœur, est-ce que vous en parlez à vos parents ou bien est-ce que vous arrangez ça entre vous?
2. Est-ce qu'il y a souvent des disputes chez vous? Qui est-ce qui commence le plus souvent? Qui est-ce qui gagne le plus souvent?
3. Qui met le couvert le plus souvent chez vous?
4. Vous déjeunez en combien de temps, un quart d'heure, une demi-heure, une heure? Ça vous prend combien de temps pour venir à l'école? Vous faites vos devoirs en combien de temps, en général?

Reflexive Pronouns: Reciprocal Use

The first, second and third person <u>plural</u> reflexive pronouns **nous, vous** and **se** may mean *each other* as well as *our-, your-* or *themselves:* **Nous nous voyons tous les jours.** *We see each other every day.* **Vous vous prêtez vos affaires?** *Do you lend your things to each other?* **Les garçons sont en train de se battre.** *The boys are fighting with each other.*

19. RESTATEMENT DRILL

[*Qu'est-ce que tout le monde était en train de faire quand le professeur est entré?*]

Luc donnait des coups de poing à Jacques et Jacques en donnait à Luc.

Luc et Jacques se donnaient des coups de poing.

Anne tirait les cheveux à Marie et Marie tirait les cheveux à Anne.

Anne et Marie se tiraient les cheveux.

Marc donnait des coups de pied à Paul et Paul en donnait à Marc.

Marc et Paul se donnaient des coups de pied.

Pierre donnait des claques à Luc et Luc en donnait à Pierre.

Pierre et Luc se donnaient des claques.

Georges jetait des bouts de papier à Yves et Yves en jetait à Georges.

Georges et Yves se jetaient des bouts de papier.

The Neuter le

As you already have seen, the pronoun **le** may replace an adjective, an infinitive or a clause (as well as a masculine singular noun). For example, in the exchange «**Ton frère t'embête souvent, hein? Ça, tu peux le dire**», **tu peux le dire** is equivalent to **tu peux dire que mon frère m'embête souvent. Le** stands for **que mon frère m'embête souvent.** When used in this way, **le** is invariable and is usually referred to as the neuter **le.** In most cases, there is no English equivalent of the neuter **le.** Occasionally it may be expressed by *so* or *it* as in *I think so.* or *I know it.*

20. PHRASE → PRONOUN

Je me demande si Jean est parti.

Je me le demande.

Je lui ai dit que j'allais partir.

Je le lui ai dit.

Je leur ai demandé s'ils pouvaient venir.

Je le leur ai demandé.

Je lui ai dit de ne pas oublier sa guitare.

Je le lui ai dit.

Je leur ai conseillé de voir ce film.

Je le leur ai conseillé.

Noun Exercises

NOTE: **Oeil** has an irregular plural form: **yeux.**

21. COMPLETION

1. Ton chat a les yeux <u>verts</u>.

1. Pas vraiment. Il a ____ œil vert et l'autre jaune.

(*continued*)

(*continued*)

2. Papa arrive dans un quart d'heure.

2. Dans ____ quart d'heure! Alors, va mettre le couvert.

3. On dîne dans une demi-heure.

3. Pas avant ____ demi-heure! Mais je meurs de faim, moi!

4. Il y a encore eu une dispute aujourd'hui?

4. Pas ____ dispute, mais dix, quinze...

5. Qu'est-ce que tu veux? Tous les garçons aiment la bagarre.

5. C'est surtout Pierre qui aime ____ bagarre.

6. Peut-être, mais tout à l'heure c'est Jean-Claude qui a donné un grand coup de pied à Pierre.

6. Non, ce n'était pas ____ coup de pied; c'était ____ coup de poing.

7. Il paraît que Jean-Claude ne voulait pas mettre le couvert.

7. C'est lui qui a mis ____ couvert hier.

8. La question n'est pas là; c'est une honte de se battre comme ça.

8. Mais non, ce n'est pas ____ honte. Tous les garçons se battent.

22. MASCULINE → FEMININE

As you know, some masculine nouns ending in **-eur** have a feminine counterpart ending in **-trice.** Others have a feminine counterpart ending in **-euse.** The feminine counterpart of **menteur** is **menteuse.**

C'est un menteur!
Vous avez demandé au vendeur?
Notre instituteur est très sympathique.
Un spectateur s'est mis à crier.

C'est une menteuse!
Vous avez demandé à la vendeuse?
Notre institutrice est très sympathique.
Une spectatrice s'est mise à crier.

Verb Exercises

Infinitive	Present	Past Part.
se battre[2]	je me bats (il se bat) nous nous battons	battu

23. PATTERNED RESPONSE

Luc se bat encore avec Étienne?
Tu te bats encore avec ton frère?
Marie se bat encore avec Christine?

Lui? Il ne se bat jamais.

---

[2] **Se battre** (meaning *to fight*) is always reflexive: **Je me bats souvent avec mon frère.** *I often fight with my brother.* The non-reflexive form **battre** means *to beat:* **Reims a battu Bordeaux.** *Reims beat Bordeaux.*

Vous vous battez encore avec vos sœurs,
   vous deux?
Les garçons se battent encore avec Christine?

24. PATTERNED COMPLETION

Monique a les cheveux tout en désordre!...   Elle s'est encore battue?
Jean-Claude a l'œil tout noir!...
Jacques a le nez comme une citrouille!...
Robert a une dent cassée!...
Christine a les yeux tout rouges!...

Infinitive	Present	Past Part.
savoir	je sais	su
	(il sait)	
Future	nous savons	
je saur-ai		

25. PATTERNED RESPONSE

1. Tu sais réparer les microscopes!   Moi, je sais tout faire.
   Tes sœurs savent faire un feu?   Elles, elles savent tout faire.
   Ta mère sait faire la bouillabaisse!   Elle, elle sait tout faire.
   Vous savez faire des avions en papier,   Nous, nous savons tout faire.
      vous deux?
   Tu sais réparer les magnétophones!   Moi, je sais tout faire.

2. [*Après la composition d'histoire vous discutez avec vos camarades.*]

   Alors, tu es content de ta composition?   Oui, j'ai tout su.
   Et Bertrand?
   Et les autres?
   Et Brigitte?
   Et vous deux?

3. [*Il y a eu très peu de monde à la réunion hier soir.*]

   On ne t'as pas vu, toi.   Je ne savais pas que c'était hier soir!
   On n'a pas vu les Caron.
   On n'a pas vu Brigitte et Véronique.
   On ne vous a pas vus, vous deux.
   On n'a pas vu ton frère.

4. Demande à Georges de réparer la radio.   Lui? Il ne saurait pas.
   Tu devrais demander à maman de
   t'expliquer ton problème.
   Tu m'aideras à faire mes devoirs?
   Vous devriez essayer de réparer la télé,
   voux deux.
   Demande à Marie-Hélène de te repasser
   une chemise.

Grammar

connaître *vs* savoir

GENERALIZATION

Although **connaître** and **savoir** are both equivalent to *to know* in English, they are not inter-
changeable.

$$
\text{Je } \mathbf{connais} \begin{cases} \text{l'Allemagne.} \\ \text{ce livre.} \\ \text{ce monsieur.} \end{cases} \quad \text{Je } \mathbf{sais} \begin{cases} \text{l'allemand.} \\ \text{lire.} \\ \text{que ce monsieur est français.} \end{cases}
$$

1. **Connaître** implies acquaintance or familiarity with a person, place, or thing. It may be
   followed only by a noun.

2. **Savoir** implies knowledge gained through activity of the mind (**Il sait ses leçons.** *He knows
   his lessons.* **Il sait que Bordeaux est dans le sud de la France.** *He knows that Bordeaux is
   in southern France.*) or skill acquired through deliberate effort (**Il sait jouer du piano.** *He
   knows how to play the piano.*) It may be followed by a noun, an infinitive or a clause. When
   savoir is followed by an infinitive it is always equivalent to *to know how to . . .* in English:
   Ils savent faire un feu. *They know how to make a fire.*

STRUCTURE DRILLS

26. PATTERNED RESPONSE

1. Les Pascal sont très sympathiques. ☻   Ah, vous les connaissez?
   J'aime beaucoup leur nouvelle maison.   Ah, vous la connaissez?

Ils habitent à Cerzat, un joli petit village.

Leur fils est très intelligent.

Leur fille est très jolie.

Je peux vous donner son numéro de téléphone.

Ah, vous le connaissez?

Ah, vous le connaissez?

Ah, vous la connaissez?

Ah, vous le connaissez?

2. Tu ne peux pas demander à tes cousins de t'aider à construire ta cabane? ⊗

Je vais t'aider, moi.

On demandera à tes frères de nous faire une table.

On va demander à mon frère de nous faire un écriteau.

On invitera tes sœurs; elles feront le ménage.

Et vous deux, vous ne pouvez pas nous aider?

Eux? Ils ne savent rien faire.

27. FREE RESPONSE

Est-ce que vous savez toujours vos leçons?

Est-ce que vous savez conduire?

Est-ce que vous savez jouer au tennis, faire du ski, jouer du piano...?

A la dernière composition de maths, est-ce que vous avez tout su?

Est-ce que vous savez où vous irez en vacances cet été?

28. PATTERNED RESPONSE

1. Le chien des Duclos est dans le jardin des Lecomte! ⊗

Tu es en retard.

Papa s'est trompé.

Vous allez manquer l'autobus, vous deux.

Ton microscope est cassé.

Le téléphone des Pascal ne marche pas!

Ils le savent.

Je le sais.

Il le sait.

Nous le savons.

Je le sais.

Ils le savent.

2. Vos voisins sont gentils? ⊗

Leur fils est sympathique?

La maison des Duclos est grande?

Comment est-ce que ça commence, la dernière chanson des Beatles?

Elle est drôle, là dernière histoire du petit Nicolas?

Je ne sais pas : je ne les connais pas.

29. savoir vs connaître

[*On sort avec Christine.*]

Présente-lui Robert. ⊗

Surtout dis-lui qu'elle est jolie.

Dis-lui qu'elle a de beaux yeux.

Montre-lui le Quartier Latin.

Amène-la au musée Grévin.

Montre-lui le nouveau tableau de Picasso.

Raconte-lui ce qui nous est arrivé hier soir.

Dis-lui qu'elle doit être prête à sept heures.

Ce n'est pas la peine, elle le connaît.

Ce n'est pas la peine, elle le sait.

Writing

SENTENCE COMPLETION

Rewrite the following sentences, supplying the appropriate present tense form of **savoir** or **connaître.**

1. Mes parents ne _____ pas encore où nous irons cet été, mais ils _____ un très joli petit hôtel au bord de la mer.
2. Bernard ne _____ pas encore s'il viendra ce soir : je crois qu'il n'a pas très envie de venir parce qu'il ne _____ pas les invités.
3. Luc _____ Paris, Rome et New York : mais il ne _____ pas trouver un poste d'essence.
4. Je _____ bien ce petit village, mais je ne _____ pas où se trouve le Restaurant de la Place.
5. Je _____ bien la voiture de Daniel, il me l'a souvent prêtée, mais je ne _____ pas s'il pourra nous la prêter aujourd'hui.

READING

Structures for Recognition

There are certain structures you should be able to recognize in reading before you learn to use them actively. This will increase your ability to read and will make the learning of these structures easier for you later on.

A structure that you will encounter quite often in your reading is called the present partici-ple. It is composed of the imperfect stem plus the ending **-ant.** The English equivalent of this structure is a verb ending in -*ing*: **pensant** = *thinking*. The present participle often appears with the preposition **en,** which usually has the meaning *while* or *in the process of:*

En pensant à tout ça, Nicolas...	*While thinking about all that, Nicolas...*
En lui racontant des histoires, je...	*While telling him some stories, I...*
Alceste est parti, en mangeant un croissant.	*Alceste left, eating a croissant.*

*   *   *

The following story takes place in an elementary school classroom. The students are about 8 years old. Since the author's intention was to write an amusing story, he chose unusual and funny-sounding names for the boys in the class: Clotaire, Eudes, Rufus, Agnan, Alceste... With the exception of Nicolas, these names are certainly not common today but most are well-known in French history: Clotaire was a king during the sixth century, Eudes was a king during the ninth century and Alceste is the hero of a seventeenth century French comedy by Molière.

Les carnets°

    Cet après-midi[3], à l'école, on n'a pas rigolé, parce que le directeur[4] est venu en classe nous distribuer les carnets. Il n'avait pas l'air content le directeur quand il est entré avec nos carnets sous le bras. «Je suis dans l'enseignement° depuis des années, il
5 a dit le directeur, et je n'ai jamais vu une classe aussi dissipée. Les observations sur vos carnets en sont témoin. Je vais commencer à distribuer les carnets.» Et Clotaire s'est mis à pleurer°. Clotaire c'est le dernier de la classe et tous les mois, dans son carnet, la maîtresse[5] écrit des tas de choses et le papa et la maman de
10 Clotaire ne sont pas contents et le privent° de dessert et de télévision. Ils sont tellement habitués, m'a raconté Clotaire, qu'une fois par mois, sa maman ne fait pas de dessert et son papa va voir la télévision chez des voisins.
    Sur mon carnet à moi[6] il y avait : «Élève turbulent, souvent
15 distrait°. Pourrait faire mieux.» Eudes avait : «Élève dissipé. Se

carnet m: report card
(notebook)

enseignement m: teaching

pleurer: to cry

priver: to deprive

distrait: distracted

---

[3] **Après-midi** may be masculine or feminine.

[4] **Le directeur (la directrice)** is the principal of an elementary school.

[5] **La maîtresse** is the term elementary school pupils use in referring to the **institutrice.**

[6] The possessive **à** construction (**à moi,** etc.) is sometimes used in addition to a possessive pronoun for emphasis: **Sur mon carnet à moi...** = *on my report card.*

bat avec ses camarades. Pourrait faire mieux.» Pour Rufus, c'était:
«Persiste à jouer en classe avec un sifflet à roulette°, souvent
confisqué. Pourrait faire mieux.» Le seul qui ne pouvait pas faire
mieux c'était Agnan. Agnan c'est le premier de la classe et le
20 chouchou° de la maîtresse. Le directeur nous a lu le carnet
d'Agnan : «Élève attentif, intelligent. Arrivera.» Le directeur nous
a dit qu'on devait suivre° l'exemple d'Agnan, que nous étions des
petits vauriens°, que nous finirions en prison et que ça ferait
sûrement beaucoup de peine à nos papas et à nos mamans qui
25 devaient avoir d'autres projets pour nous. Et puis il est parti.

Nous, on était bien embêtés, parce que les carnets, nos papas
doivent les signer et ça, ce n'est pas toujours très rigolo. Alors,
quand la cloche a sonné la fin de la classe, au lieu de° courir tous
à la porte, de nous pousser et de nous jeter nos cartables° à la
30 tête comme nous le faisons d'habitude, nous sommes sortis doucement, sans rien dire. Même la maîtresse avait l'air triste°.

Dans la rue, nous ne marchions pas vite, en traînant° les pieds.
Devant la pâtisserie on a attendu Alceste qui était entré acheter

sifflet *m* **à roulette:**
whistle

chouchou *m:* élève
favori
suivre: *to follow*
vaurien *m: good-for-
nothing*

au lieu de: *instead of*
cartable *m: book bag*

triste: *sad*
en trainant: *dragging*

six petits pains au chocolat[7] qu'il a commencé à manger tout de
35 suite. «Il faut que je mange maintenant, Alceste nous a dit, parce
que ce soir, pour le dessert...» et puis il a poussé un gros soupir°.
Il faut dire que sur le carnet d'Alceste, il y avait : «Si cet élève
mettait autant d'énergie au travail qu'à se nourrir, il serait le
premier de la classe, parce qu'il pourrait faire mieux.»

40 Celui° qui avait l'air le moins embêté, c'était Eudes. «Moi,
il a dit, je n'ai pas peur. Mon papa, il ne me dit rien, je le regarde
droit dans les yeux et puis lui, il signe le carnet et puis voilà!»
Il a de la chance, Eudes. Quand on est arrivés au coin°, on s'est
séparés. Clotaire est parti en pleurant, Alceste en mangeant et
45 Rufus en sifflant tout bas dans son sifflet à roulette.

Moi, je suis resté tout seul° avec Eudes. «Si tu as peur de
rentrer chez toi, c'est facile, m'a dit Eudes. Tu viens coucher chez
moi.» C'est un copain, Eudes. Nous sommes partis ensemble et
Eudes m'expliquait comment il regardait son papa dans les yeux.
50 Mais, plus on s'approchait de la maison de Eudes, moins Eudes
parlait. Quand on s'est trouvés devant la porte de la maison, Eudes
ne disait plus rien. On est restés là un moment et puis j'ai dit
à Eudes : «Alors, on entre?» Eudes s'est gratté° la tête et puis
il m'a dit : «Attends-moi un petit moment. Je reviendrai te
55 chercher.» Et puis Eudes est entré chez lui. La porte n'était pas
bien fermée; alors j'ai entendu une claque, une grosse voix qui
disait : «Au lit sans dessert, petit vaurien» et Eudes qui pleurait.
Je crois que pour ce qui est des yeux de son papa, Eudes n'a pas
dû bien regarder.

60 Ce qui était embêtant, c'est que maintenant il fallait que je
rentre chez moi. Papa, je savais bien ce qu'il me dirait. Il me
dirait que lui il était toujours le premier de sa classe et que son
papa était très fier° de lui et qu'il ramenait de l'école des tas de
tableaux d'honneur[8] et qu'il aimerait me les montrer, mais qu'il
65 les avait perdus. Et puis, papa me dirait que je n'arriverais à rien°,
que je serais pauvre et que les gens diraient ça c'est Nicolas, celui
qui avait des mauvaises notes à l'école. Après, papa me dirait qu'il
se saignait aux quatre veines° pour me donner une bonne éducation et que moi j'étais un ingrat et que je ne souffrais même pas
70 de la peine que je faisais à mes pauvres parents et que je n'aurais

pousser un soupir: *to heave a sigh*

celui: *the one*

coin *m: corner*

seul: *alone*

se gratter: *to scratch*

fier: *proud*

n'arriver à rien: *to amount to nothing*

se saigner aux quatres veines: *to sweat blood and tears*

---

[7] **Un petit pain au chocolat** is a French snack made of pastry-like dough with a piece of chocolate in the center.

[8] **Un tableau d'honneur** is a certificate given to a student who is on the class honor roll.

pas de dessert et que pour ce qui était du cinéma, on attendrait le prochain carnet.

Il va me dire tout ça, mon papa, comme le mois dernier et le mois d'avant, mais moi, j'en ai assez. Je vais lui dire que je
75 suis très malheureux°, et puisque c'est comme ça, eh bien je vais quitter la maison et partir très loin et on me regrettera° beaucoup et je ne reviendrai que dans des tas d'années et j'aurai beaucoup d'argent et papa aura honte de m'avoir dit que je n'arriverais à rien et avec mon argent j'emmènerai papa et maman au cinéma
80 et tout le monde dira : «Regardez, c'est Nicolas qui a un tas d'argent et c'est lui qui paie le cinéma à son papa et à sa maman, même s'ils n'ont pas été très gentils avec lui» et au cinéma, j'emmènerai aussi la maîtresse et le directeur de l'école et je me suis trouvé devant chez moi.

85 En pensant à tout ça et me racontant des chouettes histoires, j'avais oublié mon carnet et j'avais marché très vite. J'ai eu une grosse boule dans la gorge et je me suis dit que peut-être il valait mieux° partir tout de suite et ne revenir que dans des tas d'années, mais il commençait à faire nuit et maman n'aime pas que je reste
90 dehors quand il est tard. Alors, je suis entré.

Dans le salon, papa était en train de parler avec maman. Il avait des tas de papiers sur la table devant lui et il n'avait pas l'air content. «C'est incroyable°, disait papa, à voir ce que l'on dépense dans cette maison, on croirait que je suis un multimil-
95 lionnaire! Regarde-moi[9] ces factures! Cette facture du boucher. Cette facture de l'épicier! Oh, bien sûr, l'argent c'est moi qui dois le trouver!» Maman n'était pas contente non plus et elle disait à papa qu'il n'avait aucune° idée du coût de la vie et qu'un jour il devrait aller faire des courses avec elle et qu'elle retournerait
100 chez sa mère et qu'il ne fallait pas discuter de cela devant l'enfant. Moi, alors, j'ai donné le carnet à papa. Papa, il a ouvert le carnet, il a signé et il me l'a rendu en disant : «L'enfant n'a rien à voir là-dedans°. Tout ce que je demande, c'est qu'on m'explique pourquoi le gigot coûte ce prix-là!» «Monte jouer dans ta cham-
105 bre, Nicolas» m'a dit maman. «C'est ça, c'est ça» a dit papa.

Je suis monté dans ma chambre, je me suis couché sur le lit et je me suis mis à pleurer.

C'est vrai ça, si mon papa et ma maman m'aimaient, ils s'occuperaient un peu de moi!

malheureux: qui n'est pas heureux
regretter: *to miss*

il valait mieux: *it was better*

incroyable: *unbelievable*

aucun: *no*

n'a rien à voir là-dedans: *has nothing to do with this*

---

[9] **Moi** is sometimes used after a verb in the imperative to stress the action expressed by the verb: **Regarde-moi ces factures!** *Look at these bills!*

Dictionary Section

boule quelque chose de rond, par exemple, une boule de neige, une boule de papier, etc. : *Le petit Nicolas a une «boule dans la gorge» parce qu'il a peur de ce qui va se passer quand il arrivera chez lui.*

cloche objet en métal qui sonne *(1) Il y a des cloches dans les églises. (2) La cloche vient de sonner la fin de la récréation.*

coucher passer la nuit, dormir : *Georges ne rentre pas ce soir. Il couche chez Marc.*

dissipé turbulent, pas sérieux, pas attentif : *Luc fait du bruit et il n'écoute pas la maîtresse. Il est très dissipé.*

facture liste des choses que l'on a achetées et qu'il faut payer : *Maman a acheté trois robes. Papa ne sera pas content quand il verra la facture.*

ingrat quelqu'un qui ne montre pas de gratitude : *Je l'ai aidé à faire ses devoirs, je lui ai donné deux petites voitures et un Astérix et il ne m'a jamais dit merci. C'est un ingrat!*

se nourrir manger : *Il n'est pas en bonne santé parce qu'il se nourrit mal.*

prix ce que coûte quelque chose *(1) Tu as vu le prix! Ça coûte 200 francs. (2) Quel est le prix d'une maison? Oh, il y en a à tous les prix.*

souffrir avoir mal, de la peine : *Il souffre de la gorge. = Il a mal à la gorge.*

30. QUESTIONS

1. Qui est venu dans la classe de Nicolas? Pourquoi?
2. Pourquoi le directeur n'avait-il pas l'air content?
3. D'après le directeur, comment est la classe de Nicolas?
4. Qui est-ce qui s'est mis à pleurer? Pourquoi?
5. D'après les carnets, qui dans la classe est «attentif et intelligent»?
6. D'après le directeur, où Nicolas et ses amis finiront-ils?
7. Qu'est-ce que les enfants faisaient d'habitude quand la cloche sonnait? Qu'est-ce qu'ils ont fait ce jour-là?
8. Pourquoi la maîtresse avait-elle l'air triste ce jour-là?
9. Qu'est-ce qu'Alceste a acheté dans la pâtisserie? Pourquoi a-t-il décidé de manger tout de suite?
10. Avec qui Nicolas est-il parti de l'école?
11. D'après vous, pourquoi Nicolas et ses amis traînaient-ils les pieds?
12. Qu'est-ce qui s'est passé quand Eudes et Nicolas sont arrivés devant chez Eudes?
13. Qu'est-ce qui s'est passé quand Eudes est entré chez lui?
14. Pourquoi le grand-père de Nicolas était-il fier de son fils?
15. D'après le père de Nicolas, pourquoi Nicolas est-il ingrat?
16. Qu'est-ce que Nicolas a l'intention de faire?
17. Quand est-ce qu'il a l'intention de revenir? Que fera-t-il quand il reviendra?
18. Qu'est-ce qui se passait chez Nicolas quand il y est arrivé?
19. D'après le père de Nicolas, est-ce que sa femme dépense beaucoup d'argent?
20. Qu'est-ce que le père de Nicolas a fait avec le carnet? Pourquoi ne l'a-t-il pas bien regardé?
21. Pourquoi Nicolas s'est-il mis à pleurer quand il est arrivé dans sa chambre?

Noun Exercise

31. COMPLETION

1. D'après le directeur, Nicolas et ses amis font <u>de la</u> peine a leurs parents.
2. Alceste a poussé <u>un gros</u> soupir.
3. Rufus sifflait dans <u>son</u> sifflet à roulette.
4. Sur <u>le</u> carnet de Nicolas il y avait «Élève turbulent».
5. La maîtresse a mis Clotaire <u>au</u> coin.
6. Qu'est-ce que c'est que <u>cette</u> cloche?
7. Alceste voulait savoir <u>le</u> prix des petits pains.
8. Il va toujours à l'école avec <u>un gros</u> cartable.
9. D'après Nicolas, ce n'est pas le moment de parler à son père. Sa mère vient de lui montrer <u>une grosse</u> facture du boucher.
10. Le père de Nicolas trouve que <u>le</u> gigot coûte trop cher.

1. Mais d'après eux, leurs parents leur font aussi _____ peine.
2. Pourquoi est-ce qu'il a poussé _____ soupir?
3. Alors, la maîtresse a confisqué _____ sifflet.
4. Sur _____ carnet de Rufus, il y avait «Pourrait faire mieux».
5. _____ coin qui est près de la fenêtre? Il a eu de la chance.
6. C'est _____ cloche qui indique la fin de la classe.
7. Et aussi _____ prix des croissants.
8. Et qu'est-ce qu'il met dans _____ cartable? Des petits pains?
9. Et aussi _____ facture de l'épicier.
10. Et pourtant _____ gigot coûte moins cher que le rosbif.

RECOMBINATION EXERCISES

32. PERSON-NUMBER SUBSTITUTION

Mon papa? Il ne me dit rien. ⊗
Le papa de Clotaire? _____.
Ton papa? _____.
Le papa de Monique? _____.
Le papa de Marc et Luc? _____.
Notre papa? _____.
Votre papa? _____.

Mon papa? Il ne me dit rien!

33. PATTERNED COMPLETION

1. Tu n'as jamais vu mon tableau d'honneur?... ⊗

   Je vais te le montrer.

   Tu n'as jamais vu ma première photo?...

   Tu n'as jamais vu mes premiers cahiers?...

   Vous n'avez jamais vu ma cabane?...

   Vous n'avez jamais vu mon microscope?...

   Vous n'avez jamais vu mes timbres?...

   Je vais te la montrer.
   Je vais te les montrer.
   Je vais vous la montrer.
   Je vais vous le montrer.
   Je vais vous les montrer.

2. Tu dépenses tout ton argent à l'épicerie?... ⊗

   Regarde cette facture de l'épicier!

   Tu dépenses tout ton argent à la boucherie?...

   Tu dépenses tout ton argent à la charcuterie?...

   Tu dépenses tout ton argent à la pharmacie?...

   Tu dépenses tout ton argent à la boulangerie?...

The Possessive à Construction

Le microscope est autant à moi qu'à toi! *The microscope is as much mine as it is yours!* As you have seen in the Basic Material, the preposition **à** may be used with the verb **être** to express possession. **à** may be followed by an interrogative pronoun, a noun or an independent pronoun: **A qui est cet appareil?** *Whose camera is this?* **Il est à mon père.** *It's my father's.* **Il est à lui.** *It's his.*

34. NOUN PHRASE → PRONOUN

Le magnétophone est à mes sœurs. ⊗

Le magnétophone est à elles.

Le microscope est à mes frères.

Le transistor est à Brigitte.

La collection de timbres est à mon père.

Le sac de couchage est à Georges.

Le microscope est à eux.

Le transistor est à elle.

La collection de timbres est à lui.

Le sac de couchage est à lui.

35. FREE RESPONSE

A qui est ce stylo à bille?

A qui est cette gomme?

A qui est ce livre de maths?

A qui est ce livre de français?

A qui sont ces papiers?

A qui est ce crayon?

302 | A-LM FRENCH: LEVEL TWO—UNIT 23

The depuis *Construction*

As you already know, the construction **ça fait...que** + a verb in the present is used to refer to an action begun in the past which is still going on in the present: **Ça fait six heures que je suis là.** *I have been here for six hours.* A construction including the preposition **depuis** is used in the same way: **Je suis là depuis six heures.** *I have been here for six hours.*

36. RESTATEMENT DRILL

Ça fait un quart d'heure que l'inspecteur est là. ⊗

L'inspecteur est là depuis un quart d'heure.

Ça fait des années qu'il est dans l'enseignement.

Il est dans l'enseignement depuis des années.

Ça fait dix minutes que Nicolas pleure!

Nicolas pleure depuis dix minutes!

Ça fait trois jours qu'on le prive de dessert.

On le prive de dessert depuis trois jours.

Ça fait une demi-heure que les garçons se battent!

Les garçons se battent depuis une demi-heure!

Ça fait trois jours que la maîtresse a l'air triste.

La maîtresse a l'air triste depuis trois jours.

37. READING VARIATION

Suppose that Nicolas has a brother. Turn to page 298 and read lines 74–79 aloud, as if Nicolas were talking for both himself and his brother. Begin like this: **Nous allons lui dire...** and end with the words: **... au cinéma.**

Conversation Buildup

PAUL   Dis donc, le père de Didier vient de lui acheter un bateau!

JEAN   Peuh, c'est un petit bateau de rien du tout. Il ne peut même pas sortir du port. Moi, si j'avais beaucoup d'argent, j'achèterais un grand bateau et j'irais partout.

PAUL   Tout seul?

JEAN   Non, je t'inviterais avec les copains.

PAUL   Et tes parents, tu les inviterais?

JEAN   Oui, peut-être, de temps en temps. Mais le bateau serait à moi et je ferais ce que je voudrais!

REJOINDERS

Si vous aviez un grand bateau, où iriez-vous?

Si vous faisiez un grand voyage en bateau, de quoi est-ce que vous auriez besoin comme provisions? Et comme vêtements?

CONVERSATION STIMULUS

Dites ce que vous feriez si vous vous trouviez seul sur une île déserte.

—Comment est-ce que vous feriez pour vous nourrir?

—Où dormiriez-vous, sur la plage, sous un arbre...? Est-ce que vous vous construiriez une cabane? Avec quoi?

—Comment est-ce que vous vous amuseriez?

—Comment est-ce que vous feriez pour quitter l'île?

Writing

PARAGRAPH COMPLETION

Rewrite the following paragraph, completing each sentence using the words in italics. Make any necessary additions or changes, and use the conditional wherever appropriate.

> MODEL   Si je pouvais faire tout ce que je veux, / *je* / *construire* / *cabane.*
> Si je pouvais faire tout ce que je veux, je construirais une cabane.

Moi, si je pouvais faire un grand voyage, / *je* / *ne pas vouloir* / faire comme tout le monde. Par exemple, / *je* / *ne pas prendre* / l'avion. / *Je* / *préférer* / prendre le bateau, mais pas un de ces grands bateaux qui vont de New York au Havre en cinq jours. / *Je* / *aller* / à San Francisco / *avec* / *ami* / et là / *nous* / *prendre* / un de ces bateaux qui ont seulement sept ou huit personnes à bord. / *Nous* / *aller* / *Europe* / par le Canal de Panama. / *Nous* / *s'arrêter* / dans tous les ports et / *nous* / *visiter* / toutes les îles, Madère, les Açores, etc. / *Nous* / *quitter* / *bateau* / à Lisbonne et / *nous* / *traverser* / *Portugal* / et / *Espagne* / en voiture. / *Nous* / *entrer* / *France* / par le Pays Basque. Dans le Pays Basque, il y a / *petit* / *village* / qui s'appelle Béhobie. / *Je* / *y* / *rester* / quelques jours parce que c'est là que mon père habitait / *avant* / *venir* / *États-Unis.* / Après ça, / *je* / *se promener* / partout en France. / *Je* / *visiter* / *quelques* / *vieux* / *château,* / et   peut-être / *quelques* / *monument,* / mais / *je* / *faire* / aussi tout un tas d'autres choses intéressantes...

REFERENCE LIST

Nouns

carnet *m*	couvert *m*	gigot *m*	sac *m* de couchage
cartable *m*	crayon *m*	microscope *m*	sifflet *m*
coin *m*	désordre *m*	œil *m* (*pl* yeux)	soupir *m*
coup *m* de pied	écriteau *m*	placard *m*	stylo *m* à bille
coup *m* de poing	enseignement *m*	prix *m*	tiroir *m*
couteau *m*	fond *m*	quart *m*	verre *m*

assiette *f*	cuillère *f*	énergie *f*	honte *f*
bagarre *f*	demi-heure *f*	facture *f*	maîtresse *f*
cabane *f*	dispute *f*	fourchette *f*	observation *f*
cloche *f*	éducation *f*	gomme *f*	peine *f*
collection *f*			

m/f pairs: directeur, –trice   ingrat, –e   menteur, –euse   sauvage *m, f*

Adjectives and Adverbs

désolé, –e	embêtant, –e	incroyable
dissipé, –e	embêté, –e	seul, –e
distrait, –e	froussard, –e	triste

droit

Verbs

(*like* travailler)		(*like* attendre)	(*like* conduire)	(*irregular*)
embêter	priver	défendre	construire	se battre
gratter	regretter			savoir
pleurer	siffler			
pousser	traîner			

Other Words and Expressions

avoir honte	mettre le couvert
ça suffit	n'importe (où, quand, quoi...)
défense de...	pousser un soupir
depuis	

RÉALITÉS

	LYCÉE DE MONTGERON						NOM : Bouchardon
Nombre d'élèves dans la classe **34**							Prénom : Jacques G F
	Année Scolaire 1970-71				1er TRIMESTRE		Classe : 2e A

	SUPÉRIEUR	BIEN	ASSEZ BIEN	PASSABLE	INSUFFISANT	MAUVAIS	INFÉRIEUR	Appréciations des Professeurs
Math.			X					Bavard en classe, distrait ses camarades !
Sc. Phys.				X				Fait ce qu'il peut, mais peut peu.
Sc. Nat.								
Histoire	X							S'intéresse à cette matière et obtient de bons résultats
Géogr.								
Comp. Fr.	X							Très bon élève !
Grammaire								
Ortho.								
Récit.								
Lat. V.				X				J'attends mieux au prochain trimestre
Th.				X				Pourrait mieux faire avec plus de travail.
Grec								
Langue 1	X							Excellent élève, donne toute satisfaction.
Langue 2				X				Ne participe pas assez à la classe
Tr. m. Ed.								
Educ. ph.				X				Ne se fatigue pas !

Devant la gare de Tournon-les-Bains

LA TOURISTE	Pardon, Monsieur, l'Hôtel de la Poste, c'est loin d'ici?
L'AGENT DE POLICE	Ça dépend. Duquel parlez-vous?
LA TOURISTE	Il y en a deux?
L'AGENT DE POLICE	Eh oui, le Grand Hôtel de la Poste et puis l'Hôtel de la Poste et d'Angleterre.
LA TOURISTE	Alors ça! On m'a retenu une chambre à l'Hôtel de la Poste, mais on ne m'a pas dit qu'il y en avait deux. On ne m'a pas donné l'adresse, mais je crois que c'est à côté de la poste.
L'AGENT DE POLICE	Oui, mais quelle poste? L'ancienne[1] ou la nouvelle?
LA TOURISTE	Je na sais pas... Il paraît que c'est près des remparts gallo-romains.
L'AGENT DE POLICE	Oh!... Alors, ce n'est pas ici, ma pauvre dame! C'est à Tournon-la-Romaine, à 15 kilomètres d'ici. Vous avez un train demain matin à huit heures.
LA TOURISTE	Oh, mon Dieu, qu'est-ce que je vais faire?
L'AGENT DE POLICE	Eh bien, allez à l'Hôtel de la Poste. Vous verrez, c'est très bien.
LA TOURISTE	Oui, mais lequel?

Supplement

Vous avez retenu des chambres?

Oui, dans une pension de famille.
Non, nous avons loué une petite maison.
Oui, dans le petit hôtel où nous descendons toujours.

Où est votre chambre?

Au rez-de-chaussée[2], à droite de l'escalier.
Au premier étage, près de l'ascenseur.

Vous êtes content de votre maison?

Oui, le quartier est très agréable.
Oui, elle est immense; il y a même une cave.
Oui, elle est très bien; il y a même un grenier.

---

[1] **Ancien, -nne** has two meanings (1) which has existed for a long time: **un meuble ancien,** *an old piece of furniture.* (2) which used to exist or function: **l'ancienne mairie,** *the old (former) town hall.* With this second meaning, the adjective precedes the noun.

[2] **Le rez-de-chaussée** is the ground floor. **Le premier étage** is one flight up (what Americans call the second floor).

◀ *A Gavarnie, dans les Pyrénées*

In Front of the Tournon-les-Bains Railroad Station

THE TOURIST	Excuse me, sir, is the *Hôtel de la Poste* far from here?
THE POLICEMAN	That depends. Which one are you talking about?
THE TOURIST	There are two of them?
THE POLICEMAN	Why yes, the *Grand Hôtel de la Poste* and then the *Hôtel de la Poste et d'Angleterre.*
THE TOURIST	Well! They reserved a room for me at the *Hôtel de la Poste,* but they didn't tell me there were two of them. They didn't give me the address, but I think it's near the post office.
THE POLICEMAN	Yes, but which post office? The old one or the new one?
THE TOURIST	I don't know . . . It seems that it's near the Gallo-Roman ramparts.
THE POLICEMAN	Oh! . . . Then it's not here, my poor lady! It's at Tournon-la-Romaine, 15 kilometers from here. You have a train tomorrow morning at eight o'clock.
THE TOURIST	Oh, my goodness, what am I going to do?
THE POLICEMAN	Well, go to the *Hôtel de la Poste.* You'll see, it's very nice.
THE TOURIST	Yes, but which one?

Supplement

Did you reserve some rooms?

Yes, in a boarding house.
No, we rented a small house.
Yes, at the little hotel where we always stay.

Where is your room?

On the ground floor, to the right of the staircase.
On the second floor, near the elevator.

Are you happy with your house?

Yes, the neighborhood is very nice (pleasant).
Yes, it's immense. There's even a cellar.
Yes, it's very nice. There's even an attic.

Vocabulary Exercises

1. QUESTIONS ON BASIC MATERIAL

1. A qui la touriste demande-t-elle des renseignements?
2. Où a lieu la conversation entre l'agent de police et la touriste?
3. Où la touriste a-t-elle retenu une chambre?
4. Quels renseignements a-t-elle sur l'hôtel?
5. Pourquoi l'agent ne peut-il pas dire tout de suite à la touriste où elle doit aller?
6. Où sont les remparts gallo-romains?
7. Qu'est-ce que l'agent conseille à la touriste?

2. FREE RESPONSE

1. Est-ce que vous habitez dans un appartement? A quel étage?
2. Est-ce qu'il y a un ascenseur dans l'immeuble? Est-ce que vous prenez toujours l'ascenseur ou est-ce que vous préférez monter à pied?
3. Est-ce que vous habitez dans une maison? Combien d'étages a-t-elle?
4. Est-ce qu'il y a une cave chez vous? Est-ce qu'il y a un grenier? Qu'est-ce qu'il y a dans votre grenier : de vieux livres, de vieux meubles, de vieux vêtements...? Est-ce que vous y allez quelquefois? Qu'est-ce que vous faites au grenier?
5. Qu'est-ce qu'il y a au rez-de-chaussée de votre maison : le salon, la cuisine...? Et au premier étage?
6. Est-ce qu'il y a beaucoup de magasins dans le quartier où vous habitez? Est-ce qu'il y a des cinémas? Une église?

Noun Exercise

3. COMPLETION

1. Tu as <u>la nouvelle</u> adresse des Lecomte?

2. Notre maison a <u>un grand</u> rez-de-chaussée[3] et un étage.

3. <u>La</u> cave est très <u>grande</u>.

1. Non, j'ai bien ⎯⎯ adresse, mais je crois que c'est leur adresse de l'année dernière.

2. Nous avons loué ⎯⎯ rez-de-chaussée à un groupe d'étudiants; nous habitons au premier.

3. Vous avez besoin d' ⎯⎯ cave?

Grammar

Interrogative Adjectives:
quel, quelle, quels, quelles

PRESENTATION

<u>Quel</u> pull-over est-ce que tu préfères?
<u>Quelle</u> robe est-ce que tu préfères?

<u>Quels</u> pull-overs est-ce que tu préfères?
<u>Quelles</u> robes est-ce que tu préfères?

What interrogative word precedes the noun in each of the above sentences? What does it mean? If you hear each of the above sentences said aloud, does the interrogative word (**quel, quelle, quels, quelles**) have the same sound or a different sound? In the sentences in the left-hand column, are the nouns singular or plural? And in the sentences in the right-hand column? Is the interrogative word spelled the same in each sentence? With what does it agree?

---

[3] **Rez-de-chaussée** is invariable, that is, it has no plural form.

GENERALIZATION

	Singular	*Plural*
MASCULINE	**Quel** pull-over est-ce que tu veux?	**Quels** gants est-ce que tu veux?
FEMININE	**Quelle** robe est-ce que tu mets?	**Quelles** chaussures est-ce que tu mets?

1. The interrogative adjective **quel** (*which, what*) agrees in gender and number with the noun it modifies.

2. With a form of **être,** the usual sequence is **quel + être + noun.**

> **Quelle est la date de votre anniversaire?**
> **Quels sont les jours de la semaine?**

Note: You have already seen that in the **passé composé** a past participle agrees with a preceding direct object. This is the case whether the preceding direct object is a pronoun or a noun. **La robe? Je l'ai repassée. Quelle robe est-ce que tu as repassée?**

STRUCTURE DRILLS

4. PATTERNED RESPONSE

Vous avez vu l'accident? ⊗	Quel accident?
Regardez la voiture!	Quelle voiture?
Le docteur est parti?	Quel docteur?
Les journalistes sont toujours là?	Quels journalistes?
Où est-ce qu'ils ont emmené le camion?	Quel camion?
La route est fermée?	Quelle route?

5. DIRECTED DRILL

[*Vous travaillez dans une agence de voyage. Vous préparez le billet d'un client.*]

Demandez-lui son prénom. ⊗	Quel est votre prénom?
Demandez-lui son nom de famille.	
Demandez-lui sa nationalité.	
Demandez-lui son adresse.	
Demandez-lui son numéro de téléphone.	

6. FREE RESPONSE

Quel est le fleuve qui traverse Paris?

Quel est le fleuve qui traverse la Touraine?

Quel est le nom de la chaîne de montagnes qui se trouve entre la France et l'Espagne? Entre la France et la Suisse?

Quel est l'événement sportif qui a lieu en France chaque été aux mois de juin et de juillet?

Writing

QUESTION FORMATION

Write a question for each of the following statements, according to the model. Be sure to make the past participle agree with the preceding direct object noun.

MODEL   Anne a repassé une chemise.
         Quelle chemise a-t-elle repassée?

1. Luc a cassé une bouteille.
2. Marie a perdu une de ses clés.
3. Maman a lavé des chemisiers.
4. Michel a fermé une fenêtre.
5. Marc a enregistré deux ou trois chansons.
6. Mes parents ont vu plusieurs films.
7. Les Duclos ont manqué plusieurs réunions.
8. Marchand a gagné plusieurs étapes.
9. Les Lebrun ont visité plusieurs îles.
10. Leur fils a réparé une des voiles.

The Interrogative Pronouns:
lequel, laquelle, lesquels, lesquelles

PRESENTATION

Nous avons visité un très beau château.   Ah oui? Lequel?
Nous avons visité une vieille maison.   Ah oui? Laquelle?
Nous avons visité plusieurs beaux musées.   Ah oui? Lesquels?
Nous avons visité plusieurs villes très intéressantes.   Ah oui? Lesquelles?

In the first sentence in the right-hand column, the question word **lequel** is used instead of the phrase **quel château.** In the second sentence, what phrase does **laquelle** replace? In the third sentence, what does the masculine plural form **lesquels** replace? What does the feminine plural **lesquelles** replace? Is there a difference in sound between the masculine and feminine plural forms? Notice that the word **lequel** is a combination of the article **le** and the masculine singular form **quel.** What is **laquelle** composed of? And the plural forms?

GENERALIZATION

The following are the forms of the interrogative pronoun **lequel:**

SINGULAR	*masc.*	Quel château préférez-vous?	**Lequel** préférez-vous?
	fem.	Quelle maison préférez-vous?	**Laquelle** préférez-vous?
PLURAL	*masc.*	Quels musées as-tu visités?	**Lesquels** as-tu visités?
	fem.	Quelles villes as-tu visitées?	**Lesquelles** as-tu visitées?

Lequel, laquelle, lesquels and lesquelles are interrogative pronouns equivalent to *which one, which ones.* The pronoun always agrees in gender and number with the noun it replaces. It may be either the subject or the object of the verb.

STRUCTURE DRILLS

7. NOUN → PRONOUN

Quel journal prenez-vous?	Lequel prenez-vous?
Quelle émission préférez-vous?	Laquelle préférez-vous?
Quels films de Godard avez-vous vus?	Lesquels avez-vous vus?
Quelles bandes magnétiques avez-vous?	Lesquelles avez-vous?
Quel restaurant préférez-vous?	Lequel préférez-vous?
Quel train prenez-vous?	Lequel prenez-vous?

8. PATTERNED RESPONSE

[*Dans un magasin de vêtements.*]

Quel est le prix de cette écharpe?	Laquelle?
Combien coûtent les gants marron?	
Comment trouves-tu le chemisier vert?	
Elles ne sont pas mal, ces chemises jaunes!	
Il a l'air drôlement chaud, le pull-over bleu!	
Elle doit coûter très cher, la robe noire!	

Interrogative Pronouns:
Contractions with à and de

PRESENTATION

A quelle fille as-tu parlé?	A laquelle as-tu parlé?
A quel garçon as-tu parlé?	Auquel as-tu parlé?
A quelles filles as-tu parlé?	Auxquelles as-tu parlé?
A quels garçons as-tu parlé?	Auxquels as-tu parlé?

Look at the sentences in the right-hand column. What preposition is used before **laquelle** in the first sentence? In the second sentence, what contracted form is used in place of **à** plus **lequel?** What form is used in place of **à** plus the feminine plural? And in place of **à** plus the masculine plural? Which is the only form that does *not* contract with **à?** What articles do you know that contract in the same way?

De quelle maison parlez-vous?	De laquelle parlez-vous?
De quel film parlez-vous?	Duquel parlez-vous?
De quelles maisons parlez-vous?	Desquelles parlez-vous?
De quels films parlez-vous?	Desquels parlez-vous?

Look at the sentences in the right-hand column. What preposition is used before **laquelle** in the first sentence? In the second sentence, what contracted form is used in place of **de** plus **lequel?** What form is used in place of **de** plus the feminine plural? And in place of **de** plus the masculine plural? Which is the only form that does *not* contract with **de?** What articles do you know that contract with **de** in the same way?

GENERALIZATION

The masculine singular form **lequel** and the plural forms **lesquels** and **lesquelles** contract with the prepositions **à** and **de** in the same way as the definite articles **le** and **les.**

		FORMS WITH à	FORMS WITH de
SINGULAR	*masc.*	à + lequel = **auquel**	de + lequel = **duquel**
	fem.	à + laquelle = **à laquelle**	de + laquelle = **de laquelle**
PLURAL	*masc.*	à + lesquels = **auxquels**	de + lesquels = **desquels**
	fem.	à + lesquelles = **auxquelles**	de + lesquelles = **desquelles**

STRUCTURE DRILLS

9. NOUN → PRONOUN

1. A quel hôtel avez-vous téléphoné?   Auquel avez-vous téléphoné?
   A quelles agences avez-vous écrit?   Auxquelles avez-vous écrit?
   A quelle poste êtes-vous allé?   A laquelle êtes-vous allé?
   A quels cinémas avez-vous téléphoné?   Auxquels avez-vous téléphoné?
   A quelle vendeuse avez-vous parlé?   A laquelle avez-vous parlé?

2. De quel quartier parles-tu?   Duquel parles-tu?
   De quelle gare parles-tu?
   De quelles cartes as-tu besoin?
   De quels papiers as-tu besoin?
   De quel hôtel s'occupe-t-il?
   De quelle pension s'occupe-t-il?

10. PATTERNED RESPONSE

1. Avant de partir, Mlle Antoinette a loué
   sa maison à un des médecins de la
   ville. ⊗   Auquel?
   Elle a téléphoné à deux avocats.
   Elle a écrit à plusieurs agences de voyage.
   Elle a donné son chien à une de ses voi-
   sines.
   Elle a laissé ses tableaux à un de ses frères.

2. L'agent de police a pris l'adresse de plu-
   sieurs personnes. ⊗   Desquelles?
   D'après elles, l'homme est sorti d'un de
   ces immeubles.
   Il s'est approché d'un de ces camions.
   Quelqu'un a crié d'une de ces fenêtres.
   Une voiture est sortie d'une de ces rues.

Writing

NOUN PHRASE → PRONOUN

Rewrite each of the following sentences, replacing the underlined words with the appropriate
pronoun, **lequel, laquelle, lesquels, lesquelles,** or one of their contracted forms.

MODEL   <u>A quel guide</u> as-tu parlé?
              <u>Auquel</u> as-tu parlé?

1. <u>Quels délégués</u> avez-vous vus?
2. <u>Quel photographe</u> a-t-on appelé?
3. <u>Quel dentifrice</u> utilisez-vous?
4. <u>Quel parfum</u> est-ce qu'elle met le plus souvent?
5. <u>A quels jeux</u> as-tu joué?
6. <u>De quelle enquête</u> parlez-vous?
7. <u>Dans quelle enveloppe</u> as-tu mis l'argent?
8. <u>Quelles assiettes</u> est-ce que je mets?
9. <u>De quels couteaux</u> aurez-vous besoin?
10. <u>De quel quartier</u> parlez-vous?
11. <u>A quel hôpital</u> êtes-vous allé?
12. <u>A quelle infirmière</u> avez-vous parlé?
13. <u>A quel agent de police</u> avez-vous parlé?

BASIC MATERIAL II

Dépliant du Syndicat d'Initiative de Tournon-la-Romaine

TOURNON-LA-ROMAINE

—Son climat, son site pittoresque, ses promenades...
—Ses sources thermales[4] que recommandent tous les grands spécialistes[5]...
—Ses remparts qui datent de l'époque romaine...
—Sa cathédrale, chef-d'œuvre de l'art gothique[6]...
—Ses hôtels tout confort...

Pour tous renseignements, s'adresser[7] au Syndicat d'Initiative de Tournon-la-Romaine, 64 rue Victor Hugo. Téléphone 63.17.22.

Supplement

Où est l'Hôtel des Remparts?

De l'autre côté du pont.
De l'autre côté du parc.
De l'autre côté de ce grand bâtiment.

Il y a une piscine pas loin de l'hôtel.

Tant mieux. J'ai envie d'aller me baigner.[8]
Si seulement je savais nager[8]...
Très bien. Je t'y retrouve à trois heures.

---

[4] **Une source thermale** is a warm mineral spring considered to have curative effects. Towns with mineral springs (*spas* in English) are quite popular among the French, who go to them to take cures for all kinds of ailments.

[5] The subject and verb are sometimes inverted for stylistic effect: **...que recommandent tous les grands spécialistes = ...que tous les grands spécialistes recommandent.**

[6] **Gothique** refers to an architectural style whose main characteristics are pointed arches and flying buttresses. The Cathedrals of Chartres and Notre-Dame in Paris are among the most famous examples of this type of architecture.

[7] In impersonal messages (directions, signs, etc.) the infinitive is commonly used instead of the imperative.

[8] **Nager** refers to swimming as a skill or a sport, while **se baigner** refers to the act of bathing or going for a swim.

Folder from the Tournon-la-Romaine Syndicat d'Initiative

TOURNON-LA-ROMAINE

—Its climate, its picturesque location, its walks . . .

—Its warm mineral springs that all the specialists recommend . . .

—Its ramparts that date from Roman times . . .

—Its cathedral, a masterpiece of Gothic art . . .

—Its comfortable hotels (hotels with all the comforts) . . .

For additional information, inquire at (address yourself to) the *Syndicat d'Initiative* of Tournon-la-Romaine, 64 Victor Hugo Street. Telephone 63.17.22.

Supplement

Where is the *Hôtel des Remparts?*	On the other side of the bridge. On the other side of the park. On the other side of that big building.
There's a swimming pool not far from the hotel.	Good. I feel like going for a dip. If only I knew how to swim . . . Very good. I'll meet you there at three o'clock.

Vocabulary Exercises

11. QUESTIONS ON BASIC MATERIAL

1. Où est-ce qu'il faut s'adresser pour avoir des renseignements sur une ville? Quelle est l'adresse du Syndicat d'Initiative de Tournon-la-Romaine? Quel est le numéro de téléphone?
2. De quelle époque datent les remparts?
3. D'après le dépliant, qui recommande les sources thermales?
4. Comment la cathédrale est-elle décrite dans le dépliant?

12. FREE RESPONSE

1. Est-ce qu'il y a une cathédrale célèbre à Paris? Comment s'appelle-t-elle? En connaissez-vous d'autres en France ou ailleurs?
2. Qu'est-ce qu'il y a d'intéressant dans cette ville? Est-ce qu'il y a de très vieux bâtiments? De quel siècle datent-ils?
3. Comment est le climat, ici? Est-ce qu'il pleut souvent? Est-ce qu'il y a de la neige en hiver?
4. Savez-vous nager? Est-ce que vous nagez bien? Avez-vous appris à nager tout seul ou avez-vous pris des leçons? En été, quand vous avez envie de vous baigner, où allez-vous, à la piscine ou à la plage?

5. Est-ce qu'il y a une rivière près d'ici? Est-ce qu'elle traverse la ville? Est-ce qu'il y a un pont? Il est grand ou petit?

6. Où est-ce que vous retrouvez vos camarades après l'école : dans la rue, devant l'école, chez un de vos amis?

Noun Exercise

13. COMPLETION

1. On t'a donné un dépliant sur la région?

2. On parle du climat dans ton dépliant?
3. On parle du site?
4. On parle du confort des hôtels?

5. Il paraît que la cathédrale est très belle!

6. C'est un chef-d'œuvre[9].

7. Tu trouves l'époque romaine intéressante?
8. Qu'est-ce que c'est que ce bâtiment?
9. L'hôtel est de l'autre côté du pont.
10. Qu'est-ce que c'est que ce parc?

1. Non, au syndicat d'initiative ils n'avaient qu' _____ dépliant sur la ville.
2. Il paraît que _____ climat est formidable.
3. Oui, il paraît que «_____ site est agréable».
4. Tu trouveras «_____ confort _____ plus moderne».
5. C'est encore _____ de ces cathédrales gothiques.
6. Tu appelles ça _____ chef d'œuvre! Tu n'es pas difficile!
7. Oui, c'est _____ époque qui m'intéresse beaucoup.
8. _____ bâtiment en face? C'est une école.
9. Oui, mais où est _____ pont?
10. C'est _____ parc de la mairie.

Grammar

Relative Pronouns: qui and que

PRESENTATION

J'ai rencontré une fille sympathique.
J'ai rencontré une fille qui travaille au syndicat d'initiative.

In the first sentence, which word describes or gives you additional information about the noun **fille?** What part of speech is **sympathique?** In the second sentence, what part of the sentence gives you additional information about the noun **fille?** Notice that in the second sentence, the descriptive part of the sentence includes a verb, **travailler.** This part of the sentence, the clause **qui travaille au syndicat d'initiative,** modifies the noun **fille** as the adjective **sympathique** does. What word introduces the clause? Is **qui** the subject or the object of the verb **travailler?**

---

[9] The plural of **chef-d'œuvre** is **chefs-d'œuvre.**

J'ai rencontré une fille <u>que tu connais</u>.

In this sentence, what words give you additional information about the noun **fille?** What word links the clause to the noun **fille?** Who knows the girl? Then, is **que** the subject or the object of the verb **connaître?**

J'ai visité une cathédrale <u>qui date du 13ème siècle</u>.
J'ai bien aimé le film <u>que nous avons vu hier</u>.

In the first sentence, what words give you additional information about the noun **cathédrale?** What word links the clause to the noun it modifies? Is **qui** the subject or the object of the verb **dater?** In the second sentence, what word links the clause to the noun **film?** Is **que** the subject or the object of the verb **voir?** Can **qui** and **que** be used to link clauses that describe things as well as clauses that describe people?

GENERALIZATION

1. A relative pronoun may be used to combine two sentences into a single sentence.

C'est un nouveau roman. Il m'intéresse beaucoup.   **C'est un nouveau roman <u>qui</u> m'intéresse beaucoup.**

C'est un nouveau roman. Je l'aime beaucoup.   **C'est un nouveau roman <u>que</u> j'aime beaucoup.**

When two sentences are joined with a relative pronoun, the combined sentence then consists of a main clause and a subordinate clause. The subordinate clause is the clause introduced by the relative pronoun **qui** or **que.**

2. The subordinate clause describes a noun in the main clause. The noun that **qui** or **que** refers to is called its antecedent.

3. The relative pronoun used depends on its function in the subordinate clause:

—**Qui** acts as the <u>subject</u> of the verb in the subordinate clause. It is used to refer to both people and things.

Il y avait des gens qui venaient de très loin.   *There were people who came from very far away.*

Il y avait un haut-parleur qui faisait beaucoup de bruit.   *There was a loud-speaker that made a lot of noise.*

Notice that the verb in the subordinate clause always agrees with the antecedent of **qui.**

—**Que** acts as the <u>direct object</u> of the verb in the subordinate clause. It is also used to refer to both people and things.

C'est la fille que j'ai rencontrée chez Martine.	*That's the girl (whom) I met at Martine's.*
Ça c'est le cardigan que j'ai acheté samedi.	*That's the cardigan (that) I bought on Saturday.*

Look at the English equivalents of the above sentences. Notice that the English equivalent of **que** may or may not be stated. **Que,** however, is never omitted.

Note: A construction with an independent pronoun plus a relative clause is often used for emphasis:

C'est moi qui fais le ménage.	*I'm the one who does the housework.*
C'est vous qui mettez le couvert?	*Are you the one who sets the table?*

STRUCTURE DRILLS

14. SENTENCE COMBINATION: qui vs que

[*Michel a donné une surprise-partie hier. Un de vos amis n'a pas pu y aller. Vous lui racontez comment c'était.*]

1. Il y avait une belle blonde. Elle portait une robe formidable! ⊗

   Et une jolie brune. Elle jouait de la guitare.

   Et trois Américains. Ils chantaient en anglais.

   Et une amie de Marc. Elle ne disait rien.

   Et deux Allemands. Ils ne parlaient pas français.

   Il y avait aussi Jean-Luc. Il mangeait des tas de sandwichs.

   Il y avait de l'orangeade. Elle était très bonne.

   Il y avait un électrophone. Il ne marchait pas très bien.

   Il y avait aussi un transistor. Il faisait beaucoup de bruit.

Il y avait une belle blonde qui portait une robe formidable!

Et une jolie brune qui jouait de la guitare.

Et trois Américains qui chantaient en anglais.

Et une amie de Marc qui ne disait rien.

Et deux Allemands qui ne parlaient pas français.

Il y avait aussi Jean-Luc qui mangeait des tas de sandwichs.

Il y avait de l'orangeade qui était très bonne.

Il y avait un électrophone qui ne marchait pas très bien.

Il y avait aussi un transistor qui faisait beaucoup de bruit.

2. Christine avait sa robe rouge. Je ne l'aime pas. ⊗

Martine portait une robe blanche. Tout le monde l'a trouvée très jolie.

Georges avait un complet gris. Il l'a acheté samedi.

Il y avait une très jolie fille. Tu ne la connais pas.

Et une petite Autrichienne. Marc ne l'a pas quittée un instant.

C'est une amie des Dupont. Claude l'a rencontrée cet été.

Christine avait sa robe rouge que je n'aime pas.

Martine portait une robe blanche que tout le monde a trouvée très jolie.

Georges avait un complet gris qu'il a acheté samedi.

Il y avait une très jolie fille que tu ne connais pas.

Et une petite Autrichienne que Marc n'a pas quittée un instant.

C'est une amie des Dupont que Claude a rencontrée cet été.

15. PATTERNED RESPONSE

Je vais aller faire les courses.
Monique n'a pas encore fait la vaisselle!
Nous allons laver la voiture.
Christine n'a pas encore mis le couvert!
Claude va promener le chien.
Nous allons faire les lits.

C'est toujours toi qui fais les courses?
C'est toujours elle qui fait la vaisselle?
C'est toujours vous qui lavez la voiture?
C'est toujours elle qui met le couvert?
C'est toujours lui qui promène le chien?
C'est toujours vous qui faites les lits?

16. SENTENCE COMBINATION: **qui vs que**

[*Sur le bateau*]

Il y avait des étudiants. Ils allaient à Boston. ⊗

Et un ingénieur. Il allait faire un stage à New York.

Et un avocat. Il avait des amis à Chicago.

Et un vieux docteur. Nous l'avons trouvé très sympathique.

Et deux institutrices. On ne les voyait jamais.

Et une jolie infirmière. Je l'ai retrouvée à New York.

Et un professeur. Il passait tout son temps à lire.

Et quatre vieilles dames. Elles jouaient aux cartes du matin au soir.

Writing

SENTENCE COMBINATION

Combine each of the following pairs of sentences by using the appropriate relative pronoun **qui** or **que**.

MODEL Il y avait des tas de gens au marché. Ils venaient des villages voisins.

Il y avait des tas de gens au marché qui venaient des villages voisins.

1. J'ai vu un vieux marchand. Il vendait des légumes.
2. Il avait des petits pois. Ils avaient l'air très frais.
3. Il avait aussi de belles fraises. Elles venaient de Touraine.
4. J'ai acheté deux pommes. Je les ai mangées avant de rentrer.
5. A côté il y avait une grosse femme. Elle vendait des fromages.
6. J'ai acheté un brie. Nous n'avons pas pu le manger.
7. J'ai acheté aussi un beau poulet. Nous allons le manger demain.
8. Il y avait une jolie fille. Elle vendait des fleurs.
9. Elle avait de très jolies fleurs. Elles venaient de Nice.
10. Sur la place il y avait un autre marchand. Il vendait des vêtements.
11. Il avait des robes d'été. Elles coûtaient dix francs!
12. J'ai acheté une robe. Je vais la donner à Catherine.
13. Le marchand avait aussi une petite camionnette. Elle était pleine de bérets.
14. En face de lui il y avait une jeune femme. Elle vendait toutes sortes de choses.
15. Elle avait des ouvre-boîtes. Ils avaient l'air très bien.
16. Nous avons acheté un ouvre-boîte. Il ne marche pas.
17. Nous avons acheté 100 kilos de pommes de terre. Nous les garderons dans la cave.

READING

Bagnères-de-Bigorre

Jacques Doisneau habite à Bagnères-de-Bigorre, une petite ville située au pied des Pyrénées. Il montre sa ville à Johnny Clark, son correspondant américain qui vient d'arriver pour y passer les grandes vacances. Il l'emmène d'abord en haut de la Côte° de 5 Toulouse pour lui montrer une vue d'ensemble de la ville.

en haut de la côte: *to the top of the slope*

—Tu vois, Bagnères occupe le fond de la vallée, juste au pied des montagnes. La ville a commencé dans la vallée, au bord de

l'Adour, mais maintenant on commence à construire de nouvelles maisons sur les petites collines° de chaque côté.

colline *f: hill*

10   —Est-ce qu'on voit votre maison d'ici?

—Non, pas vraiment. Tu vois le clocher° de l'Église St. Vincent, là? Bon. Eh bien, la maison est derrière. Elle est cachée par l'église.

clocher *m: steeple*

—Tiens, je vois une autre église!

15   —Où ça?

—Là, à droite de l'autre.

—Ça? Oh non, ce n'est pas une église. C'est la Tour de l'Horloge°, qu'on appelle aussi la Tour des Jacobins[10]. Je crois que c'était le clocher d'un ancien couvent des Jacobins. Mais le

horloge *f: clock*

20   couvent a disparu il y a longtemps. Il devait être là où est l'école de filles à droite. La Tour date du 15ème siècle. Il paraît qu'elle communique par un souterrain° avec les caves de l'école de filles. C'est Dupont qui me l'a dit, mais je ne suis pas allé vérifier. Lui non plus, d'ailleurs, je suis sûr, parce qu'il est plutôt froussard,

souterrain *m: tunnel*

25   Dupont.

—C'est un camarade de classe?

—Oui, on est dans la même classe au lycée. Tiens, on l'aperçoit° d'ici, le lycée. Tu vois, à gauche, à côté du Parc des Sports et du gymnase, ces grands bâtiments blancs assez modernes? C'est

apercevoir: *to catch a glimpse of*

---

[10] **Les Jacobins** is the name formerly given to Dominican friars. The religious order was founded in the 13th century by the followers of Saint Dominique.

30 le lycée de garçons. Le lycée de filles est à droite, à l'autre bout
de la ville.

Bon, eh bien, maintenant que tu as une vue d'ensemble on
va redescendre... Là, sur le bord de la route, à l'entrée de la ville
ce sont des panneaux° que le syndicat d'initiative a fait installer   **panneau** *m: sign*
35 pour annoncer à tout le monde que Bagnères est une station
thermale°, une ville d'eaux si tu préfères. Parce qu'à Bagnères   **station** *f* **thermale:** *spa*
ce n'est pas l'eau qui manque! Il y en a partout. En plus de
l'Adour, il y a tout un tas de ruisseaux et même un canal ou deux
qui passent sous les maisons. Et puis il y a au moins une trentaine
40 de sources thermales.

Les sources thermales et le tourisme sont les ressources principales de la ville. Il y a environ 12 000 habitants à Bagnères, je
veux dire° 12 000 personnes qui habitent à Bagnères toute l'année.   **vouloir dire:** *to mean*
Mais en été il y a bien 20 000 personnes : les 12 000 Bagnérais
45 et quelque 8 000 «étrangers» qui y viennent pour les eaux thermales ou simplement pour se reposer et faire des excursions dans
les environs°. C'est pour ça qu'il y a tout un tas d'hôtels. Il y   **environs** *m pl: surrounding*
en a bien une cinquantaine. Sans compter les pensions de famille   *area, vicinity*
et les chambres que beaucoup de Bagnérais louent pendant l'été.
50 —Et pendant l'hiver qu'est-ce qu'ils font, les Bagnérais? Ils ne
travaillent pas?

—Si. D'abord, beaucoup d'hôtels sont ouverts pour les gens
qui viennent faire du ski dans les environs. Les magasins sont
ouverts pour les skieurs mais aussi pour les Bagnérais et les gens
55 de la campagne qui viennent pour le grand marché du samedi.
Et puis il y a aussi deux usines° qui travaillent toute l'année.   **usine** *f: factory*

Maintenant nous allons traverser le pont. C'est l'Adour qui passe
en-dessous, un vrai fleuve!

—Un fleuve? Avec des bateaux?

60 —Non! Enfin...si, des kayaks, quelquefois. Mais c'est dangereux
parce qu'il y a autant de rochers° que d'eau et le courant est très   **rocher** *m: rock*
rapide. Il y a un club de jeunes qui descendent l'Adour avec des
kayaks spéciaux, en plastique.

—Tu en fais partie°? Ça doit être bien.   **faire partie de:** être
                                            membre de

65 —Non, moi j'aimerais bien, mais ma mère ne veut pas. Elle
dit que c'est trop dangereux—que l'eau est trop froide. Elle a
peur, quoi!

—Qu'est-ce que c'est, cette église?

—Eh bien, c'est l'église.

70 —Je veux dire c'est l'église presbytérienne, l'église baptiste,
méthodiste?

—Mais non, c'est l'église—l'église catholique. Il n'y en a
qu'une! Il y a bien aussi un temple protestant, mais tout petit
parce qu'il n'y a que quelques familles protestantes, cinq ou six

75 peut-être. Presque tout le monde, dans la région, est catholique,
au moins en principe. Je veux dire que presque tout le monde
a été baptisé, a fait sa première communion, se marie à l'Église
et sera enterré° religieusement; mais beaucoup de Bagnérais vont   **enterré:** *buried*
rarement à l'Église en dehors de ces occasions...

80 —Et qu'est-ce que c'est que ce monument?

—Ça c'est le Monument aux Morts des deux guerres—la guerre
de 14–18 et la Deuxième Guerre mondiale. Et puis là-bas, il y en

a un autre, le monument aux morts de la Résistance[11]. Pendant
la Deuxième Guerre, il y a eu des maquis[11] dans les montagnes
85 et plusieurs combats avec les Allemands...

Viens, maintenant on va passer dans la rue Victor Hugo chez
le marchand de cycles. Il paraît qu'il vient de recevoir° des mini-
vélos[12]. Regarde le vélomoteur[12] bleu! C'est ce qu'il me faudrait,
tiens! Avec ça tu peux faire du 45 à l'heure sans pédaler. Où
90 est-ce qu'ils sont, ces mini-vélos? Ah, en voilà un. 250 F—ce
n'est pas cher! Et ils sont drôlement bien. Une fois pliés° tu
peux les mettre dans une 2CV.

Nous sommes tout près du marché. Allons-y faire un tour. C'est
l'endroit° le plus pittoresque de Bagnères à cette heure-ci. Tu vas
95 voir. Il est onze heures et demie, il doit y avoir encore beaucoup
de femmes de la campagne avec leurs paniers de haricots verts
ou de pommes de terre, six œufs et quelques fleurs qu'elles sont
venues vendre à la ville.

recevoir: *to receive*

plier: *to fold*

endroit *m: spot, place*

---

[11] **La Résistance** refers to underground organizations which were engaged in sabotage and secret operations against
the German occupation forces during World War II. **Le maquis** means underbrush; **les maquis** refers here to
bands of guerrilla fighters.

[12] **Un vélo** (*fam*) is another word for **bicyclette**. **Un mini-vélo** is a mini-bike which folds up. **Un vélomoteur** is a
motorbike.

—Oui, c'est très joli, toutes ces couleurs, mais quel bruit! Et
100 je ne comprends pas un mot de ce que disent ces femmes.

—Ça ne m'étonne° pas. C'est l'accent du pays[13]. De l'autre
côté de la rue c'est l'arrêt des autocars qui montent aux villages
dans la montagne. Il y a quelques paysans° qui attendent; il doit
y avoir un autocar vers midi. Regarde la paysanne qui montre à
105 son amie la belle robe bleue qu'elle vient d'acheter...

Maintenant allons voir «les beaux quartiers». Nous allons
passer devant le casino et devant les Thermes[14]. C'est ce qu'on
appelle le quartier thermal, le quartier des touristes. C'est le plus
joli quartier de Bagnères. Il y a des promenades avec des bancs°,
110 des fleurs et même une statue en marbre blanc qu'on est justement en train de laver. C'est le chef d'œuvre d'un sculpteur
local.

Zut!° Regarde cette invasion de vélos et de vélomoteurs! Ce
sont les ouvriers de l'usine qui sortent. Il est midi passé. Dé-
115 pêchons-nous. On va être en retard pour le déjeuner. Ça va encore
faire un drame°.

étonner: *to surprise*

paysan,-nne: *peasant*

banc *m: bench*

zut!: *darn!*

faire un drame: *to create
a fuss*

---

[13] Here **pays** means *region*. **L'accent du pays** refers to the regional accent.

[14] **Thermes** are baths fed by warm mineral springs.

Dictionary Section

autocar autobus qui va d'une ville à l'autre : *Je suis allé de Paris à Marseille en autocar.*

Bagnérais les gens qui habitent Bagnères : *Mon père et mon grand-père ont toujours habité Bagnères. Ce sont de vrais Bagnérais.*

communiquer être en communication avec : *Dans beaucoup de maisons la cuisine communique avec la salle à manger.*

couvent maison religieuse : *C'est une jeune fille très dévote. Il paraît qu'elle va entrer au couvent.*

en-dessous sous : *La salle à manger du château est au rez-de-chaussée; les cuisines sont en-dessous.*

midi passé après l'heure de midi : *Midi passé! Nous allons être en retard pour le déjeuner.*

en plus de en supplément de : *En plus des cinquante hôtels, il y a une douzaine de pensions de famille.*

vue d'ensemble panorama; avoir une vue d'ensemble d'une ville = voir la ville entière : *Du haut de la Tour Eiffel on a une vue d'ensemble de Paris.*

17. QUESTIONS

1. Qui est Jacques Doisneau? Qui est Johnny Clarke?
2. Pourquoi Jacques emmène-t-il son ami sur la colline?
3. Où a-t-on construit les premières maisons de Bagnères?
4. Quel monument ancien y a-t-il à Bagnères? Qu'est-ce qu'il y a de moderne à Bagnères?
5. Pourquoi le syndicat d'initiative a-t-il fait installer des panneaux à l'entrée de la ville?
6. Pourquoi Jacques dit-il que «ce n'est pas l'eau qui manque» à Bagnères?
7. Quelles sont les ressources principales de Bagnères?
8. Pourquoi les étrangers viennent-ils à Bagnères? Où descendent-ils?
9. Qu'est-ce que Jacques aimerait faire si sa mère n'avait pas peur?
10. La plupart des gens de Bagnères sont-ils protestants ou catholiques?
11. Qu'est-ce qui s'est passé dans la région de Bagnères pendant la Deuxième Guerre mondiale?
12. Qu'est-ce que le marchand de cycles vient de recevoir?
13. Pourquoi Jacques voudrait-il un vélomoteur?
14. Comment Jacques se rend-il compte qu'il est midi passé?

Noun and Adjective Exercises

GENDER NOTE: Most nouns ending in **-ine** are feminine: **une colline, une usine, une piscine.**

18. COMPLÉTION

1. Nous avons une très belle vue de notre hôtel.
2. Qu'est-ce que c'est que cette statue?
3. Tu sais ce que c'est que la Tour des Jacobins?

1. Oui, c'est ____ vue extraordinaire.

2. C'est ____ statue du roi Henri IV.

3. Oui, c'est ____ tour du 15ème siècle.

(continued)

(*continued*)

4. Le tourisme est <u>important</u> à Bagnères?

5. Regarde <u>ce</u> vélo <u>bleu</u>.
6. Tu fais partie <u>du</u> club <u>sportif</u>?

7. On va <u>au</u> même endroit qu'hier?

8. Il a passé la nuit sur <u>un</u> banc en face de la gare.

4. Oh oui, _____ tourisme est la ressource principale de la ville.

5. Tu voudrais _____ vélo comme ça?
6. Non, ce n'est pas _____ club de jeunes; tout le monde a au moins trente ans!

7. Non, mais tu verras, c'est _____ endroit très bien.

8. Eh bien! Ce n'est pas moi qui dormirais sur _____ banc!

19. PATTERNED COMPLETION

Ex. Je n'aime pas <u>ce</u> <u>vieil</u> hôtel.

1. Je n'aime pas beaucoup <u>la</u> <u>vieille</u> horloge.

2. Les environs ne sont pas très <u>intéressants</u>.

3. Ces rochers doivent être plutôt <u>dangereux</u>!

Ex. Moi, je trouve que l'hôtel est très **_beau_**.

1. Moi, je trouve que l'horloge est très _____.

2. Moi, je trouve que les environs sont très _____.

3. Peut-être, mais je trouve les rochers très _____.

NOTE: Most nouns ending in **-al** have a plural form ending in **-aux: un journal, des journaux; un canal, des canaux.** Most adjectives whose <u>masculine</u> singular form ends in **-al** have a masculine plural form ending in **-aux: le carrefour principal, les carrefours principaux** (but **la route principale, les routes principales**).

20. SINGULAR → PLURAL

Il s'agit d'une rue principale. ⊗
Il s'agit d'un carrefour principal.
Il s'agit d'un problème mondial.
Il s'agit d'une guerre mondiale.
Il s'agit d'un cas spécial.
Il s'agit d'une occasion spéciale.

Il s'agit de rues principales.
Il s'agit de carrefours principaux.
Il s'agit de problèmes mondiaux.
Il s'agit de guerres mondiales.
Il s'agit de cas spéciaux.
Il s'agit d'occasions spéciales.

C'est un sculpteur local.
C'est une entreprise locale.
C'est un canal important.
C'est un journal sportif.

Ce sont des sculpteurs locaux.
Ce sont des entreprises locales.
Ce sont des canaux importants.
Ce sont des journaux sportifs.

Verb Exercises

Infinitive	*Present*	*Past Part.*
recevoir	je reçois	reçu
	(il reçoit)	
Future	nous recevons	
je recevr-ai	ils reçoivent	

Apercevoir follows the same pattern as **recevoir.**

21. PATTERNED RESPONSE

1. [*Vous parlez avec un ami des journaux sportifs qu'on lit chez vous.*]

Ton père reçoit *Football?* ⊗
Tu reçois *Football?*
Tes parents reçoivent *Football?*
Vous recevez *Football,* vous deux?
Marc reçoit *Football?*

Non, il reçoit *l'Équipe.*

2. Tu as reçu ma lettre? ⊗
Les filles ont reçu ma lettre?
Vous avez reçu ma lettre, vous deux?
Charles a reçu ma lettre?
Vos parents ont reçu ma lettre?

Quelle lettre? Je n'ai rien reçu.

22. FREE SUBSTITUTION

L'année dernière <u>mon père</u> recevait <u>l'Équipe</u>.
<u>Vous</u> recevrez <u>le paquet</u> <u>mardi</u> ou <u>mercredi</u>.
<u>Je</u> viens de recevoir <u>un microscope</u> pour mon anniversaire.

RECOMBINATION EXERCISES

23. PATTERNED RESPONSE

1. [*Du haut d'une colline.*]

Tu vois le pont? ⊗
Tu vois la tour?
Tu vois le clocher?
Tu vois la place?

Lequel? J'en vois deux.

(continued)

(continued)

Tu vois le parc?
Tu vois l'usine?
Tu vois la maison blanche?

2. [*Quand Jacques et Johnny reviennent à la maison, Mme Loiseau demande à son fils ce qu'il a montré à son ami.*]

Tu lui as montré la Tour des Jacobins? ⊗ Oui, je la lui ai montrée.
Tu lui as montré le marché?
Tu lui as montré ton lycée?
Tu lui as montré le parc de la mairie?
Tu lui as montré la mairie?
Tu lui as montré les jardins du Casino?

24. RESTATEMENT DRILL

La Tour Eiffel date de 1889.   Elle date du dix-neuvième siècle.
La Cathédrale de Notre-Dame de Paris
   date de 1163.
Le Louvre date de 1204.
Le château de Chambord date de 1519.
La Statue de la Liberté date de 1886.

25. PATTERNED RESPONSE

1. C'est un endroit très intéressant. ⊗ Oui, c'est l'endroit le plus intéressant de la région.

  C'est un site très pittoresque. Oui, c'est le site le plus pittoresque de la région.

  C'est une cathédrale célèbre. Oui, c'est la cathédrale la plus célèbre de la région.

  C'est un château ancien. Oui, c'est le château le plus ancien de la région.

  C'est un hôtel moderne. Oui, c'est l'hôtel le plus moderne de la région.

2. Elle est vieille, cette horloge? ⊗ Oui, c'est la plus vieille horloge de la ville.
  C'est un beau quartier! Oui, c'est le plus beau quartier de la ville.
  C'est un grand hôtel! Oui, c'est le plus grand hôtel de la ville.
  C'est une belle promenade! Oui, c'est la plus belle promenade de la ville.
  Il est vieux, ce bâtiment? Oui, c'est le plus vieux bâtiment de la ville.

Conversation Buildup

LUC BERTIER	On va au bord de la mer cet été?
MME BERTIER	Non, papa vient de louer une maison de campagne, près de Cerzat.
LUC BERTIER	Ce qu'on va s'embêter!
MME BERTIER	Mais non! Il y a un grand lac à deux kilomètres, une rivière pleine de poissons, des bois... Et puis la maison est très jolie, avec un jardin et une vue extraordinaire!
LUC BERTIER	La vue, ça m'est égal, j'aimerais mieux avoir des copains!

CONVERSATION STIMULUS

Décrivez les vacances que vous aimeriez passer. Utilisez les questions suivantes pour vous guider:

—Où aimeriez-vous aller : dans un petit village de montagne, au bord de la mer, dans une grande ville étrangère, dans une colonie de vacances...? Pourquoi?

—Quel climat préféreriez-vous, un climat chaud ou un climat froid?

—Où aimeriez-vous descendre : dans un grand hôtel tout confort, dans une pension de famille, chez des amis...?

—Avec qui aimeriez-vous passer vos vacances? Que feriez-vous?

Writing

PARAGRAPH REWRITE

Rewrite the following paragraph, combining each pair of sentences between the double slashes by using **qui** or **que**. Begin like this: **L'hôtel que tu nous a recommandé...**

Mon cher Bernard,

Tu nous a recommandé un hôtel. Il était plein quand nous sommes arrivés.// Mes parents connaissaient un autre hôtel. Il était plein aussi.// Nous avons enfin trouvé deux chambres dans un petit hôtel en dehors de la ville. On nous l'a indiqué au syndicat d'initiative.// On m'a donné une chambre. Elle est très agréable.// De ma fenêtre j'ai une très belle vue sur les montagnes. Elles donnent l'impression d'être tout près.// Je passe la plupart de mon temps à la bibliothèque. Elle a surtout des livres sur l'histoire de la ville et des environs.// A l'hôtel et en ville on ne voit que de vieilles dames et de vieux messieurs. Ils sont venus pour les eaux thermales.//

Demain je vais en excursion avec un jeune étudiant en médecine. Je l'ai rencontré au Casino.// Je mettrai la jolie écharpe jaune de chez Dior. Tu me l'as donnée pour mon anniversaire.//

Je t'embrasse,
Marie-Hélène

REFERENCE LIST

Nouns

accent *m*	climat *m*	environs *m pl*	pays *m*	sculpteur *m*
ascenseur *m*	clocher *m*	escalier *m*	pont *m*	site *m*
banc *m*	club *m*	grenier *m*	quartier *m*	tourisme *m*
bâtiment *m*	confort *m*	monument *m*	rez-de-chaussée *m*	vélo *m*
canal *m (pl* –aux)	dépliant *m*	panneau *m*	rocher *m*	vélomoteur *m*
chef d'œuvre *m*	endroit *m*	parc *m*		

adresse *f*	communion *f*	pension *f*	usine *f*
cathédrale *f*	époque *f*	station *f*	vallée *f*
cave *f*	horloge *f*	statue *f*	vue *f*
colline *f*	invasion *f*	tour *f*	

m/f pairs: correspondant, –e   paysan, –nne   spécialiste *m,f*

Adjectives and Adverbs

agréable	juste	pittoresque	rapide
ancien, –nne	local, –e (*pl* –aux)	principal, –e (*pl* –aux)	romain, –e
catholique	moderne	protestant, –e	spécial, –e (*pl* –aux)
dangereux, –euse	mondial, –e (*pl*-aux)	quel, –lle	
gothique			

justement   rarement

Verbs

(*like* travailler)			(*like* attendre)	(*irregular*)
s'adresser à	étonner	plier	descendre	recevoir
annoncer	installer	recommander	redescendre	apercevoir
se baigner	louer	retrouver	(*like* venir)	
communiquer	nager	situer	retenir	
dater	occuper			

Other Words and Expressions

ça dépend	faire un drame	midi passé	tiens
en dessous	en haut de	en plus de	vouloir dire
faire partie de	lequel, laquelle	en principe	
	(*pl* lesquels, lesquelles)		

RÉALITÉS

LES BEAUX DIMANCHES SNCF

EXCURSIONS AU DÉPART DE PARIS : DIMANCHES ET WEEK-END

Dimanche 10 août	**Le Val de Loire**

Le jardin de la France
la douceur et l'harmonie des paysages

52 F

tout compris
sauf boisson
et entrées

Visite du Château de Blois. Déjeuner. Excursion à Chambord (visite). Continuation sur Cheverny (visite). Retour à Blois. Diner libre.

Train 471		Train 12
7 h 19	PARIS-AUSTERLITZ	21 h 45
8 h 56 ↓	BLOIS ↑	19 h 35

Samedi 14 et Dimanche 15 Juin	**Les 24 heures du Mans**

Le spectacle sportif et l'ambiance d'une des plus grandes courses automobiles du monde

31 F

avec entrée dans
l'enceinte populaire

59 F

avec entrée dans
l'enceinte des tribunes

(1)			(2)	
Rouge	Bleu		Rouge	Bleu
11 h 33	12 h 05	PARIS-MONTPARNASSE	19 h 04	19 h 22
13 h 55	14 h 32 ↓	LE MANS-CIRCUIT ↑	16 h 40	17 h 12

(1) Le 14 juin. (2) Le 15 juin.

Avignon

Vendredi 4 juillet

Départ de Paris-Lyon vers 22 h en couchettes de 2ᵉ classe.

Samedi 5 juillet

Arrivée en Avignon vers 6 h 30. Petit déjeuner. Départ en autocar pour une excursion de la journée par Saint-Rémy-de-Provence, les Baux, le Moulin de Daudet, l'Abbaye de Montmajour, Arles (déjeuner), Tarascon, St-Michel-de-Frigolet, Tarascon, Avignon. Dîner. Logement.

Dimanche 6 juillet

Petit déjeuner. Matinée libre. Déjeuner. Excursion à Vaison-la-Romaine, Orange, Châteauneuf-du-Pape. Retour en Avignon vers 20 h 30. Dîner. Départ par train vers 22 h 50 en couchettes de 2ᵉ classe.

Lundi 7 juillet

Arrivée à Paris-Lyon vers 6 h 30.

Prix : **224 F**

sauf boisson

BASIC MATERIAL I

Pendant l'entracte

GEORGES   Ça te plaît?

BERNARD   Oh... la pièce n'est pas fameuse, mais il y a une fille qui est absolument sensationnelle...

GEORGES   Celle qui joue le rôle de la bonne? Oui, elle est formidable!

BERNARD   Mais non, ce n'est pas d'elle que je parle!

GEORGES   Ah, tu veux dire la petite blonde qui joue le rôle de la fille? Oui, elle n'est pas mal, mais on ne comprend rien de ce qu'elle dit.

BERNARD   Non, non, je veux dire la fille au deuxième...

GEORGES   Ah! La sœur qui était en Amérique et qui revient au deuxième acte!

BERNARD   Qui te parle du deuxième acte, espèce d'idiot! Je te parle de la fille qui est au deuxième rang, là à droite... La brune qui est à côté de la dame au chapeau vert!

Supplement

Qui est-ce?

C'est le metteur en scène.
C'est mon acteur préféré.
C'est celui qui joue le rôle du neveu.
C'est une des actrices.
C'est celle qui joue le rôle de la nièce.

Martine n'a pas aimé la pièce?

Non, elle l'a trouvée trop lente.
Non, elle l'a trouvée trop compliquée.
Non, elle n'est pas habituée à ce genre de théâtre.

◀ *Avignon : les remparts. A l'avant, affiche annonçant le festival.*

During the Intermission

GEORGES   Do you like it?

BERNARD   Oh . . . the play isn't very good, but there's a girl who's absolutely sensational . . .

GEORGES   The one who plays the part of the maid? Yes, she's great!

BERNARD   No, I'm not talking about her!

GEORGES   Oh, you mean the little blond who plays the part of the daughter? Yes, she's not bad, but you can't understand anything she says.

BERNARD   No, no, I mean the girl in the second . . .

GEORGES   Oh, the sister who was in America and who comes back in the second act!

BERNARD   Who's talking about the second act, you jerk! I'm talking about the girl in the second row, there on the right . . . the brunette next to the woman in the green hat!

Supplement

Who is that?

That's the director.
That's my favorite actor.
That's the one who plays the part of the nephew.
That's one of the actresses.
That's the one who plays the part of the niece.

Martine didn't like the play?

No, she thought it was too slow.
No, she thought it was too complicated.
No, she's not used to that kind of theater.

Vocabulary Exercises

1. QUESTIONS ON BASIC MATERIAL

1. Où cette conversation a-t-elle lieu? Quand?
2. Comment est la pièce, d'après Bernard?
3. D'après Georges, comment est la fille qui joue le rôle de la bonne?
4. Comment trouve-t-il la blonde qui joue le rôle de la fille?
5. Qui est-ce qui revient au deuxième acte?
6. De qui Bernard parle-t-il? Où est-elle?

2. FREE RESPONSE

1. Allez-vous quelquefois au théâtre? Qu'est-ce que vous préférez, le théâtre ou le cinéma?
2. Quand vous allez au cinéma, est-ce que vous préférez être au premier rang, au dernier, ou plutôt au milieu? Et au théâtre?

3. Est-ce que vous aimeriez être acteur (actrice)? Quel est votre acteur préféré? Et votre actrice préférée?

4. Avez-vous une grande famille : beaucoup d'oncles et de tantes? Est-ce que vos parents ont beaucoup de neveux et de nièces?

Noun Exercise

3. COMPLETION

1. Tu sais <u>quelle</u> pièce on joue au Théâtre de l'Étoile?

2. La pièce a <u>un</u> acte ou deux?

3. Pourquoi allez-vous toujours <u>au</u> deuxième ou <u>au</u> troisième rang?

4. Je te retrouve <u>au</u> <u>premier</u> ou <u>au</u> deuxième entracte?

5. Luc n'aime pas <u>le</u> rôle du fils?

1. Je crois que c'est _____ pièce de Beckett.

2. _____ acte, je crois.

3. Parce que _____ premier rang est trop près et derrière on ne voit rien.

4. Il n'y a qu' _____ entracte!

5. Non, c'est _____ rôle trop difficile pour lui.

Grammar

Adjectives + à *or* de + *Infinitive*

PRESENTATION

Je suis content <u>de</u> vous voir.
Nous sommes désolés <u>d'</u>être en retard.

Which are the adjectives in the above sentences? Which are the infinitives? What preposition links the adjective in each sentence to the following infinitive?

Nous sommes prêts <u>à</u> commencer.
Nous sommes habitués <u>à</u> attendre.

Which are the adjectives in the above sentences? Which are the infinitives? What preposition links the adjective in each sentence to the following infinitive?

GENERALIZATION

As you already know, the prepositions **de** and **à** occur between certain verbs and a following infinitive: **Tu vas t'arrêter de travailler? Il a réussi à tout faire.** Certain <u>adjectives</u> referring to people also require **de** or **à** before an infinitive: **Je suis content de rester. Je suis prêt à partir.** As with the verbs and verbal expressions, **de** occurs more often than **à**. The adjectives you have seen that require a preposition before an infinitive are the following:

$$\left.\begin{array}{l}\text{content}\\\text{heureux}\\\text{furieux}\\\text{sûr}\\\text{désolé}\end{array}\right\} \textbf{de} \qquad \left.\begin{array}{l}\text{prêt}\\\text{habitué}\end{array}\right\} \textbf{à}$$

STRUCTURE DRILLS

4. SENTENCE COMBINATION

1. Robert va rester. Il est content.　Robert est content de rester.
Brigitte est en retard. Elle est désolée!　Brigitte est désolée d'être en retard.
Les Leblond vont partir. Ils sont heureux.　Les Leblond sont heureux de partir.
Je vais réussir. Je suis sûr.　Je suis sûr de réussir.
Monique va manquer la surprise-partie. Elle sera furieuse.　Monique sera furieuse de manquer la surprise-partie.

2. Luc va partir; il est prêt.　Luc est prêt à partir.
Marc a toujours de mauvaises notes; il est habitué.　Marc est habitué à avoir de mauvaises notes.
Je vais commencer; je suis prêt.　Je suis prêt à commencer.
Paul rate toujours ses compositions; il est habitué.　Paul est habitué à rater ses compositions.
Charles va travailler; il est prêt.　Charles est prêt à travailler.

5. DOUBLE ITEM SUBSTITUTION

Jacques est heureux de rester. ⊗　Jacques est heureux de rester.
＿＿＿＿ prêt ＿＿＿＿.　Jacques est prêt à rester.
＿＿＿＿＿＿＿ partir.　Jacques est prêt à partir.
＿＿＿＿ content ＿＿＿.　Jacques est content de partir.
＿＿＿＿＿＿＿ travailler.　Jacques est content de travailler.
＿＿＿＿ habitué ＿＿＿.　Jacques est habitué à travailler.
＿＿＿＿＿＿＿ ne rien comprendre.　Jacques est habitué à ne rien comprendre.
＿＿＿＿ furieux ＿＿＿.　Jacques est furieux de ne rien comprendre.

The Demonstrative Pronouns:
celui, celle, ceux, celles

PRESENTATION

L'acteur qui joue le rôle du pharmacien est formidable!

Celui qui joue le rôle du docteur est moins bon.

L'actrice qui joue le rôle de la mère est sensationnelle!

Celle qui joue le rôle de la fille est moins bonne.

Les gens qui étaient devant nous riaient très fort.

Ceux qui étaient derrière nous n'ont pas arrêté de parler.

Les places que nous avions ce soir n'étaient pas très bonnes.

Celles de la semaine dernière étaient meilleures.

Look at the first sentence in the right-hand column. What word is used in place of **l'acteur?** What does it mean? Is **acteur** masculine or feminine, singular or plural? Look at the second sentence in the right-hand column. What word is used to replace the feminine singular **l'actrice?** What word replaces the masculine plural **les gens?** And the feminine plural **les places?**

GENERALIZATION

DEMONSTRATIVE PRONOUNS		
	Masculine	*Feminine*
SINGULAR	celui	celle
PLURAL	ceux	celles

1. The demonstrative pronouns, **celui, celle, ceux** and **celles,** are used to point out a previously named person or thing. The pronoun agrees in gender and number with the noun it replaces:

   Tu reconnais cette fille? Oui, c'est celle qui joue le rôle de la bonne. *Do you recognize that girl? Yes, she's the one who plays the part of the maid.*

2. A demonstrative pronoun may be followed by a relative pronoun (such as **qui** or **que**), or by a prepositional phrase with **de:**

   Le garçon qui joue le rôle du fils n'est pas mal, mais je préfère celui <u>qui</u> joue le rôle du neveu.

   La pièce n'est pas mal, mais celle <u>que</u> j'ai vue la semaine dernière était meilleure.

   Tu me prêtes ton vélo? Celui <u>de</u> mon frère ne marche pas.

STRUCTURE DRILLS

6. PATTERNED RESPONSE

Elle est à toi, cette bicyclette? ⊗
Non, c'est celle de mon frère.

Il est à toi, cet appareil de photo?
Non, c'est celui de mon frère.

Il est à toi, ce sac de couchage?
Non, c'est celui de mon frère.

Il est à toi, ce vélomoteur?
Non, c'est celui de mon frère.

Elles sont à toi, ces lunettes de soleil?
Non, ce sont celles de mon frère.

Ils sont à toi, ces gants?
Non, ce sont ceux de mon frère.

7. CUED DIALOG

1. (magasin) ⊗

1ST STUDENT	Tu vois ce magasin?
2ND STUDENT	Lequel?
1ST STUDENT	Celui de droite.

(rue)

Tu vois cette rue?
Laquelle?
Celle de droite.

(bâtiments)

Tu vois ces bâtiments?
Lesquels?
Ceux de droite.

(immeuble)

Tu vois cet immeuble?
Lequel?
Celui de droite.

2. (entrée) ⊗

Tu vois cette entrée?
Laquelle?
Celle de gauche.

(café)

Tu vois ce café?
Lequel?
Celui de gauche.

(maisons)

Tu vois ces maisons?
Lesquelles?
Celles de gauche.

(tour)

Tu vois cette tour?
Laquelle?
Celle de gauche.

8. PATTERNED RESPONSE

Vous aimez mieux les films de Truffaut ou les films de Godard? ⊗	Je préfère ceux de Godard.
Vous aimez mieux les chansons de Jacques Brel ou les chansons de Georges Brassens?	Je préfère celles de Georges Brassens.
Vous aimez mieux les pièces de Camus ou les pièces de Sartre?	Je préfère celles de Sartre.
Vous aimez mieux la musique de Beethoven ou la musique de Bach?	Je préfère celle de Bach.
Vous aimez mieux les tableaux de Picasso ou les tableaux de Braque?	Je préfère ceux de Braque.

Writing

DIALOG COMPLETION

Rewrite each of the following dialogs, supplying the appropriate form of the demonstrative pronoun: **celui, celle, ceux, celles.**

1. —Tu as eu des places?
   —Oui, mais je n'ai pas pu avoir _____ que je voulais.
2. —Quelle pièce est-ce que tu as trouvée la plus intéressante?
   —_____ que j'ai vue hier. C'est une nouvelle pièce, pas très connue.
3. —Quels verres est-ce qu'il faut mettre?
   —_____ qui sont dans le placard de droite.
4. —Qu'est-ce que tu viens de casser?
   —Le grand bol bleu,—_____ qui était sur la table.
5. —Tu aimes ce tableau?
   —Oui, il n'est pas mal. Mais je préfère _____ qui est au salon.
6. —Il n'y a rien dans le tiroir de gauche.
   —Alors, regarde dans _____ de droite.
7. —A quelle infirmière as-tu parlé?
   —A _____ qui était dans le couloir.

8. —Tu as une collection de voitures maintenant?
   —Non, c'est _____ de mon frère.
9. —Tu as un stylo?
   —Oui, j'ai _____ que tu m'as donné pour mon anniversaire.
10. —Nous nous sommes trompés de route.
    —Quelle route est-ce que vous avez prise?
    —_____ de droite.
11. —A quel poste d'essence est-ce que vous vous êtes arrêtés?
    —A _____ qui est tout près de la gare.
12. —Quelle est l'hôtesse de l'air que tu trouves la plus sympathique?
    —_____ qui nous a servi le petit déjeuner.
13. —On voit votre maison d'ici?
    —Oui, c'est _____ qui est à gauche de la mairie.

BASIC MATERIAL II

La répétition

—Bon, alors, c'est bien compris, Berthier? Vous êtes un jeune homme timide qui vient demander une jeune fille très riche en mariage. Au lever du rideau, vous êtes seul en scène. Il faut que vous donniez l'impression d'être très nerveux. Vous marchez de long en large, vous tournez votre chapeau entre vos doigts... Non, attendez, j'ai une autre idée : il vaudrait[1] peut-être mieux que vous restiez assis, que vous regardiez votre montre deux ou trois fois, puis que vous vous leviez...

Vous, Langeron, vous êtes le père, très riche, très autoritaire. Vous ouvrez la porte brusquement et vous la refermez derrière vous. Il faut qu'on comprenne tout de suite que vous n'êtes pas content du tout de ce projet de mariage. Vous avancez vers Berthier, les sourcils froncés, et vous lui dites : «Alors, jeune homme...»

Supplement

Langeron ne sait pas son rôle.

Je n'ai pas remarqué.
Il n'est jamais là quand on répète.
Ça n'a pas l'air de le gêner.
Ça ne l'empêche pas d'avoir du succès!

Berthier est très mauvais!

Il n'y est pas du tout!
Il se moque des conseils.
Oh, il se débrouille assez bien.

The Rehearsal

All right, then, have you got it, Berthier? You are a shy young man who is coming to ask for the hand of a very rich young lady in marriage. When the curtain goes up (at the raising of the curtain), you are alone on the stage. You must give the impression of being very nervous. You pace up and down, you turn your hat in your hands (between your fingers) . . . No, wait, I have another idea: it might be better that you stay seated, that you look at your watch two or three times, then that you get up . . .

You, Langeron, are the father, very rich, very authoritarian. You open the door abruptly and you close it behind you. We must understand (It is necessary that we understand) right away that you're not at all happy about this wedding plan. You move toward Berthier, scowling (eyebrows knit), and you say to him: "Well, young man . . . "

---

[1] The present tense form of **il vaudrait** is **il vaut**.

Supplement

Langeron doesn't know his role.

I didn't notice.
He's never there when we rehearse.
That doesn't seem to bother him (get in his way).
That doesn't keep him from being successful!

Berthier is very bad!

He's not with it at all!
He doesn't pay any attention to (couldn't care less about) advice.
Oh, he gets along pretty well.

Vocabulary Exercises

9. QUESTIONS ON BASIC MATERIAL

1. Qui parle?
2. A qui parle-t-il?
3. Où sont-ils, d'après vous?
4. Qui est en scène au lever du rideau?
5. Quel rôle Berthier joue-t-il? Que doit-il faire pour donner l'impression d'être nerveux?
6. Quel rôle Langeron joue-t-il? Comment doit-il ouvrir la porte?

Gennevilliers : jeunes gens assistant à une représentation

10. FREE RESPONSE

1. Est-ce que ça vous gêne quand les gens qui sont près de vous au cinéma parlent pendant le film?
2. Avez-vous déjà joué dans une pièce? Quel rôle aviez-vous? Est-ce qu'il y a eu beaucoup de répétitions?
3. Est-ce que vous aimez mieux être acteur ou spectateur?
4. Quand vous étiez petit, est-ce que vous jouiez quelquefois des pièces pour vos parents, pour vos voisins? Est-ce que vous étiez quelquefois le metteur en scène?

11. PATTERNED COMPLETION

Marie n'a jamais pris de leçons de guitare...	Mais ça ne l'empêche pas de jouer.
Nous n'avons jamais pris de leçons de tennis...	Mais ça ne nous empêche pas de jouer.
Mes frères n'ont jamais pris de leçons de piano...	Mais ça ne les empêche pas de jouer.
Charles n'a jamais pris de leçons de trompette...	Mais ça ne l'empêche pas de jouer.
Je n'ai jamais pris de leçons de football...	Mais ça ne m'empêche pas de jouer.

12. PATTERNED RESPONSE

Est-ce que Charles joue bien de la trompette?	Oui, il se débrouille.
Est-ce que Marie joue bien de la guitare?	Oui, elle se débrouille.
Est-ce que vous jouez bien au tennis, vous deux?	Oui, nous nous débrouillons.
Est-ce que tu joues bien au football?	Oui, je me débrouille.
Est-ce que tes frères jouent bien du piano?	Oui, ils se débrouillent.

Noun Exercise

13. COMPLETION

1. Quelle est la plus grande scène de Paris?
2. La pièce a eu un très grand succès.
3. C'est un beau projet.
4. Tu peux me donner un conseil.

1. Je ne sais pas. ____ scène de l'Opéra?
2. Oui, ____ succès extraordinaire!
3. Mais ____ projet impossible!
4. ____ conseil? Bien sûr. De quoi s'agit-il?

Verb Exercise

Infinitive	*Present*	*Past Part.*
ouvrir	j'ouvre	ouvert
	(tu ouvres)	
	(il ouvre)	
	nous ouvrons	

14. PATTERNED RESPONSE

[*Vous voulez savoir à quelle heure ouvrent les magasins.*]

1. A quelle heure est-ce que vous ouvrez?   Nous ouvrons à neuf heures.
   A quelle heure est-ce qu'il ouvre?   Il ouvre à neuf heures.
   A quelle heure est-ce qu'ils ouvrent?   Ils ouvrent à neuf heures.
   A quelle heure est-ce qu'elles ouvrent?   Elles ouvrent à neuf heures.
   A quelle heure est-ce qu'elle ouvre?   Elle ouvre à neuf heures.

2. Tu n'ouvres pas ta lettre?   Je l'ai déjà ouverte.
   Maman n'ouvre pas sa lettre?
   Papa n'ouvre pas son paquet?
   Les enfants n'ouvrent pas leur paquet?
   Les enfants n'ouvrent pas leurs cadeaux?

Grammar

Verb Moods

GENERALIZATION

1. The various sets of French verb forms may be grouped into categories known as moods. Most of the forms you have studied belong to the category called the indicative mood.

> Je travaille toujours avant le dîner.
> Hier soir j'ai travaillé après le dîner.
> Quand j'étais en cinquième, je travaillais beaucoup.
> Je travaillerai demain soir.

The indicative mood is used to make a statement of fact.

2. You have also studied forms which belong to the imperative mood.

> <u>Reste</u> là.
> <u>Fermez</u> la porte.

The imperative mood is used to give orders.

3. Another set of forms you have studied belongs to the conditional mood.

> J'<u>irais</u> à la plage (si...)
> Je <u>ferais</u> la vaisselle (si...)

The conditional mood indicates what *would* happen under certain conditions.

4. You will now be introduced to another set of verb forms, called the subjunctive mood. In this unit, you will study only a few examples of its uses. Others will be introduced later. Here are a few examples to begin with:

> Il faut que vous <u>donniez</u> l'impression d'être très nerveux.
> Il faut qu'on <u>comprenne</u> tout de suite que vous n'êtes pas content....
> Il vaudrait peut-être mieux que vous <u>restiez</u> assis...
> Il est important que Jacques <u>finisse</u> avant de partir.

As you see, in these examples the subjunctive is used after **il faut que...,** **il vaut mieux que...,** and **il est important que...** Notice that the subjunctive is used here to refer to what *must* be done or what *should* be done. It does not indicate that the action is taking place (has taken place or will take place), that is, it is not used to state a fact.

The Present Subjunctive: Regular Formation
Singular and Third Person Plural Stem

PRESENTATION

In this unit, you will be concentrating on learning how to <u>form</u> the present subjunctive.

Les autres finissent tôt.

Il faut que les autres <u>finissent</u> tôt.
Il faut que je <u>finisse</u> tôt.
Il faut que tu <u>finisses</u> tôt.
Il faut que Jacques <u>finisse</u> tôt.

Look at the forms of **finir** in the sentences in the right-hand column. What mood are these forms in? What persons? Now look at the sentence in the left-hand column. What mood is the verb in? What tense? What person? Compare the sound of the subjunctive forms with the sound of the third person plural present indicative. Do they sound alike or different? Now look at the spelling of the subjunctive forms. Which form is spelled the same as the third person plural present indicative? What are the written endings of the other forms? Now answer the same questions for the following set of verb forms.

Les filles <u>prennent</u> le train.

Il vaut mieux que les filles <u>prennent</u> le train.
Il vaut mieux que je <u>prenne</u> le train.
Il vaut mieux que tu <u>prennes</u> le train.
Il vaut mieux que Marie <u>prenne</u> le train.

STRUCTURE DRILLS

15. PATTERNED COMPLETION

1. Les autres finissent toujours avant toi...

   Les autres finissent toujours avant Luc...

   Les autres finissent toujours avant Anne...

   Les autres finissent toujours avant moi...

   Les autres finissent toujours avant Pierre et Bernard...

   Il faut absolument que tu finisses plus tôt!

   Il faut absolument qu'il finisse plus tôt!

   Il faut absolument qu'elle finisse plus tôt!

   Il faut absolument que je finisse plus tôt!

   Il faut absolument qu'ils finissent plus tôt.

2. Les autres viennent plus souvent que toi...

   Les autres viennent plus souvent que Robert...

   Les autres viennent plus souvent que Nathalie...

   Les autres viennent plus souvent que moi...

   Les autres viennent plus souvent que Brigitte et Suzanne...

   Il faut que tu viennes plus souvent.

   Il faut qu'il vienne plus souvent.

   Il faut qu'elle vienne plus souvent.

   Il faut que je vienne plus souvent.
   Il faut qu'elles viennent plus souvent.

3. Les filles partent...
   Les filles attendent...
   Les filles rentrent...
   Les filles viennent...
   Les filles reviennent...

   Il vaut mieux que tu partes, toi aussi.
   Il vaut mieux que tu attendes, toi aussi.
   Il vaut mieux que tu rentres, toi aussi.
   Il vaut mieux que tu viennes, toi aussi.
   Il vaut mieux que tu reviennes, toi aussi.

16. PATTERNED RESPONSE

Elles se lèvent tôt.
Elles prennent le train.
Elles mettent un chapeau.
Elles apportent un cadeau.
Elles emmènent leurs parents.

Il faut que je me lève tôt, moi aussi?
Il faut que je prenne le train, moi aussi?
Il faut que je mette un chapeau, moi aussi?
Il faut que j'apporte un cadeau, moi aussi?
Il faut que j'emmène mes parents, moi aussi?

17. PATTERNED COMPLETION

Tes camarades écrivent des lettres en français... ⊗	Il faut que tu en écrives, toi aussi.
Ils lisent des romans français...	Il faut que tu en lises, toi aussi.
Ils voient des films français...	Il faut que tu en voies, toi aussi.
Ils écoutent des émissions françaises...	Il faut que tu en écoutes, toi aussi.
Ils apprennent des chansons françaises...	Il faut que tu en apprennes, toi aussi.

Present Subjunctive: Regular Formation
nous *and* vous *forms*

PRESENTATION

L'année dernière nous n'apprenions pas bien nos leçons.	Cette année il faut que nous les apprenions mieux.
L'année dernière vous n'appreniez pas bien vos leçons.	Cette année il faut que vous les appreniez mieux.

Look at the sentences in the right-hand column. What tense and mood of the verb **apprendre** is used? What tense and mood is used in the sentences in the left-hand column? Now compare the imperfect indicative and present subjunctive forms in the first line. Are they alike or different? And the verb forms in the second line?

STRUCTURE DRILLS

18. IMPERFECT → PRESENT SUBJUNCTIVE

Avant, nous partions à huit heures.	Maintenant, il faut que nous partions à sept heures.
Avant, vous partiez à huit heures.	Maintenant, il faut que vous partiez à sept heures.
Avant, nous dînions à huit heures.	Maintenant, il faut que nous dînions à sept heures.
Avant, vous dîniez à huit heures.	Maintenant, il faut que vous dîniez à sept heures.
Avant, nous nous levions à huit heures.	Maintenant, il faut que nous nous levions à sept heures.
Avant, vous vous leviez à huit heures.	Maintenant, il faut que vous vous leviez à sept heures.

Avant, nous rentrions à huit heures.   Maintenant, il faut que nous rentrions à sept heures.

Avant, vous rentriez à huit heures.   Maintenant, il faut que vous rentriez à sept heures.

19. IMPERATIVE → PRESENT SUBJUNCTIVE

1. Partez maintenant. ⊗   Il faut que vous partiez maintenant.
   Partons maintenant.   Il faut que nous partions maintenant.

   Arrivez avant 7 heures.   Il faut que vous arriviez avant 7 heures.
   Arrivons avant 7 heures.   Il faut que nous arrivions avant 7 heures.

   Revenez demain.   Il faut que vous reveniez demain.
   Revenons demain.   Il faut que nous revenions demain.

   Parlez plus bas.   Il faut que vous parliez plus bas.
   Parlons plus bas.   Il faut que nous parlions plus bas.

   Apprenez ça pour demain.   Il faut que vous appreniez ça pour demain.
   Apprenons ça pour demain.   Il faut que nous apprenions ça pour demain.

2. Attendez dans l'entrée.   Il vaut mieux que vous attendiez dans l'entrée.

   Attendons dans l'entrée.   Il vaut mieux que nous attendions dans l'entrée.

   Ouvrez les fenêtres.   Il vaut mieux que vous ouvriez les fenêtres.
   Ouvrons les fenêtres.   Il vaut mieux que nous ouvrions les fenêtres.

   Restez ici.   Il vaut mieux que vous restiez ici.
   Restons ici.   Il vaut mieux que nous restions ici.

   Buvez de l'eau minérale.   Il vaut mieux que vous buviez de l'eau minérale.

   Buvons de l'eau minérale.   Il vaut mieux que nous buvions de l'eau minérale.

   Prenez l'autobus.   Il vaut mieux que vous preniez l'autobus.
   Prenons l'autobus.   Il vaut mieux que nous prenions l'autobus.

20. FREE SUBSTITUTION

Il vaut mieux que tu boives de l'eau.
Il vaut mieux que vous preniez le métro.
Il vaut mieux que Georges revienne vendredi.

21. IMPERATIVE → PRESENT SUBJUNCTIVE

Voyez-le tout de suite.	Il est important que vous le voyiez tout de suite.
Voyons-le tout de suite.	Il est important que nous le voyions tout de suite.
Croyez-le.	Il est important que vous le croyiez.
Croyons-le.	Il est important que nous le croyions.
Écoutez les informations.	Il est important que vous écoutiez les informations.
Écoutons les informations.	Il est important que nous écoutions les informations.
Souvenez-vous de cette date.	Il est important que vous vous souveniez de cette date.
Souvenons-nous de cette date.	Il est important que nous nous souvenions de cette date.
Lisez ça.	Il est important que vous lisiez ça.
Lisons ça.	Il est important que nous lisions ça.

Present Subjunctive: Regular Formation

GENERALIZATION

PRESENT SUBJUNCTIVE	
Stem	*Endings*
travaill- finiss- attend- dorm-	e es e ions iez ent

1. With the exception of **avoir** and **être,** the written endings of the present subjunctive forms of all French verbs are those listed in the above chart.

2. For <u>all</u> verbs, there are only three <u>spoken</u> forms of the present subjunctive:

—The **nous** and **vous** forms (usually identical in sound and spelling to the **nous** and **vous** forms of the imperfect)

Imperfect Indicative	*Present Subjunctive*
nous buvions	il faut que nous buvions...
vous veniez	il faut que vous veniez...
vous preniez	il faut que vous preniez...
nous voyions	il faut que nous voyions...

—The singular and third person plural forms (usually identical in sound to the third person plural of the present indicative)

Third Person Present Indicative	*Present Subjunctive*
ils boivent	il faut que je boive, que tu boives, qu'il boive, qu'ils boivent...
ils viennent	il faut que je vienne, que tu viennes, qu'il vienne, qu'ils viennent...
ils prennent	il faut que je prenne, que tu prennes, qu'il prenne, qu'ils prennent...
ils voient	il faut que je voie, que tu voies, qu'il voie, qu'ils voient...

Notice that **boire, venir, prendre, voir, croire** and their compounds have two subjunctive stems since the imperfect indicative stem and the third person plural present indicative stem of these verbs are different.

3. The following verbs have irregular present subjunctive stems and will be presented in the next unit: **aller, avoir, être, faire, pouvoir, savoir, vouloir.**

STRUCTURE DRILLS

22. DIRECTED DRILL

Demandez-moi :

...s'il faut que vous parliez plus fort.	Il faut que je parle plus fort?
...s'il faut que vous répondiez.	Il faut que je réponde?
...s'il faut que vous vous leviez.	Il faut que je me lève?
...s'il faut que vous restiez debout.	Il faut que je reste debout?
...s'il faut que vous répétiez toute la phrase.	Il faut que je répète toute la phrase?
...s'il faut que vous lisiez tout le paragraphe.	Il faut que je lise tout le paragraphe?

(*continued*)

(*continued*)

...s'il faut que vous disiez ça.   Il faut que je dise ça?
...s'il faut que vous écriviez toute la   Il faut que j'écrive toute la phrase?
    phrase.

23. PATTERNED COMPLETION

Tu n'as pas encore vu Georges?...   Il faut que tu le voies tout de suite!
Tu n'as pas encore appelé Georges?...   Il faut que tu l'appelles tout de suite!
Tu n'as pas encore écrit à Georges?...   Il faut que tu lui écrives tout de suite!
Tu n'as pas encore parlé à Georges?...   Il faut que tu lui parles tout de suite!
Tu n'as pas encore invité Georges?...   Il faut que tu l'invites tout de suite!
Tu n'as pas encore prévenu Georges?...   Il faut que tu le préviennes tout de suite!

24. PATTERNED RESPONSE

Je pars maintenant? ⊗   Oui, il vaut mieux que tu partes maintenant.
Je prends un taxi?   Oui, il vaut mieux que tu prennes un taxi.

Nous prenons le métro?   Oui, il vaut mieux que vous preniez le métro.
Nous revenons ce soir?   Oui, il vaut mieux que vous reveniez ce soir.

Tu conduis?   Oui, il vaut mieux que je conduise.
Tu mets un pardessus?   Oui, il vaut mieux que je mette un pardessus.

25. PATTERNED COMPLETION

[*Avant l'arrivée des invités.*]

Bernard n'a pas encore téléphoné au   Il faut qu'il lui téléphone tout de suite!
    pâtissier?... ⊗
Claudine n'a pas encore rangé le salon?...   Il faut qu'elle le range tout de suite!
Christine n'a pas encore préparé la   Il faut qu'elle la prépare tout de suite!
    salade?...
Tu n'as pas encore repassé ma robe?...   Il faut que tu le mettes tout de suite!
Marie n'a pas encore arrangé les fleurs?...   Il faut qu'elle les arrange tout de suite!
Tu n'as pas encore repassé ma robe?...   Il faut que tu la repasses tout de suite!
Martine n'a pas encore pris son   Il faut qu'elle le prenne tout de suite!
    bain?...

26. FREE COMPLETION

Si vous avez l'intention de vous lever de bonne heure demain, il vaut mieux que _____.
Si tu ne veux pas rater ta composition, il faut que _____.

Si nous voulons être là au lever du rideau, il faut que _____.

Si tu es fatigué, il vaut mieux que _____.

Vous ne savez pas encore vos rôles! Il faut que _____.

Writing

SENTENCE REWRITE

Rewrite each of the following sentences, supplying the appropriate form of the present subjunctive. Make any necessary changes.

1. Non, non, je ne peux pas sortir ce soir. Il faut que je _____ dix pages d'histoire, que
    (lire)

    je _____ un poème de Prévert, et que je _____ quelque chose sur Napoléon Ier.
    (apprendre)   (écrire)

2. Elle n'entend pas. Il faut que vous _____ plus fort.
    (parler)

3. Tu peux aller nager mais il faut que tu me _____ de ne pas aller loin.
    (promettre)

4. Pierre ne va pas sortir comme ça. Il faut qu'il _____ une chemise propre, et puis
    (mettre)

    qu'il _____ son imperméable. Je suis sûre qu'il va pleuvoir.
    (prendre)

5. Les parents de Christine sont embêtants : chaque fois qu'elle sort, il faut qu'elle _____
    (dire)

    où elle va, avec qui elle sort, etc., etc.

6. Lebrun, je vous mets un zéro. Il faut que vous _____ vos leçons mieux que ça!
    (apprendre)

7. Je suis désolée, Madame Bernard, mais je ne peux pas finir votre robe pour ce soir. Il
    vaut mieux que vous _____ demain, mais téléphonez avant.
                        (revenir)

8. Tu ne te sens pas bien? Alors il vaut mieux que tu _____ à la maison, que tu _____
                                               (rester)   (manger)

    peu et que tu _____ beaucoup de jus de fruit.
                  (boire)

9. Écoute, il vaudrait peut-être mieux que je _____; je connais la route mieux que toi.
                                              (conduire)

10. Vous voulez prendre trois jours de vacances? Alors, il faut que vous _____ le directeur.
                                                                         (voir)

11. Je vais porter ce paquet moi-même à la poste parce qu'il faut absolument que Jean le
    _____ vendredi au plus tard.
    (recevoir)

12. Si tu veux travailler comme guide cet été, il faut que tu _____ à fond l'histoire du
                                                               (connaître)

    château.

READING

Le Festival d'Avignon

«Sur le pont d'Avignon on y danse on y danse
Sur le pont d'Avignon on y danse tout en rond...»

Sur le pont et partout dans la ville, chaque été pendant près de cinq semaines, on joue la comédie°, on donne des concerts, on
5 ne parle que de musique, de danse, de cinéma, de théâtre, de peinture... : C'est le Festival d'Avignon.

jouer la comédie: *to put on plays*

Printemps 1947 : Jean Vilar veut créer un théâtre qui présente au grand public° des chefs-d'œuvre au prix d'un billet de cinéma. Au mois de juillet le maire d'Avignon ouvre à Jean Vilar et à
10 son théâtre, le TNP (Théâtre National Populaire), la porte du Palais des Papes°. Avignon est une ville de 80 000 habitants, située dans la vallée du Rhône, où les papes ont résidé de 1309 à 1377. La grande cour du Palais offre un cadre° idéal pour des représentations en plein air et c'est là que Jean Vilar présente son premier
15 spectacle.

le grand public: *the general public*

le Palais des Papes: *the Palace of the Popes*
cadre *m: setting*

Un soir de juillet 1947 : le mistral[2] souffle très fort. Les spectateurs se pressent en foule dans la cour d'Honneur du Palais. Ils sont venus de partout pour assister à° cette première représentation du TNP : *Richard II.* La soirée est un triomphe. A la fin
20 du spectacle les spectateurs jettent des fleurs, se précipitent sur la scène, embrassent les acteurs : c'est du délire... Plus tard les gens assis aux terrasses des cafés, Place de l'Horloge, passent des heures à commenter cette soirée. Dans la rue, on vend des photos des acteurs qu'on retrouve en grand à la devanture° de tous les
25 magasins. Ce soir on ne parle que de *Richard II* à Avignon, bientôt on parlera du TNP et du Festival dans toute la France.

assister à: *to attend*

devanture *f: display window*

A partir de cette soirée le Festival aura ses fidèles° qui reviendront à Avignon tous les ans : un Hollandais fait chaque été le voyage Amsterdam-Avignon à bicyclette; il apporte sa tente
30 avec lui et il campe. Il ne manque aucune représentation.

fidèle *m, f: faithful follower*

Le succès du Festival d'Avignon est tel° que chaque ville de France qui possède un château historique ou un théâtre gallo-romain veut, elle aussi, organiser un festival. Bientôt il y en aura partout en France : à Arras, à Angers, à Orange...dans le Midi

tel: *such*

---

[2] **Le mistral** is an extremely strong, cold, dry wind which blows down the Rhône valley.

35 surtout qui a des théâtres antiques bien conservés° et un climat
chaud qui permet des représentations en plein air.

    Les années passent, le Festival se transforme, il prend de
l'importance. Plus de 120 000 personnes y viennent chaque été.
Les deux tiers° de ces spectateurs ont moins de trente ans et la
40 plupart d'entre eux sont des étudiants ou de jeunes professeurs.
Ils viennent là pour voir des pièces de théâtre, des ballets, des
films...pour assister à des concerts, mais aussi pour participer à
des discussions entre les acteurs et le public. Des rencontres inter-
nationales sont organisées dans le cadre du festival : elles ré-
45 unissent chaque été pendant deux semaines des jeunes gens de
18 à 26 ans, venus de partout. Pour certains, c'est même l'occasion de gagner un peu d'argent. Ils vendent aux passants des
colliers° de bois, des bagues, des bracelets, des dessins qu'ils ont
faits eux-mêmes, des pommes de terre sur lesquelles ils ont gravé°
50 «souvenir du Festival».

    Le Festival est devenu une grande manifestation° culturelle
où chacun trouve ce qui l'intéresse : on y donne chaque été une
centaine de représentations théâtrales et on y projette plus d'une
centaine de films...

55   La plus importante des représentations a lieu au Palais des
Papes, les autres un peu partout dans la ville et même jusque dans
la banlieue°. Ici, on joue une pièce d'avant-garde dans une cour
d'immeuble. Demain la même pièce sera donnée dans un endroit
différent : une cour de lycée, un stade... Des gens du quartier
60 arrivent avec leurs chaises pliantes; ils viennent là comme à une
fête foraine°. D'autres n'ont même pas besoin de se déranger car
ils peuvent voir le spectacle de la fenêtre de leur appartement.
Là, une troupe installée dans une vieille usine donne chaque soir
pendant tout le festival la même pièce avec le même succès. Une
65 autre joue sur une péniche° sur le Rhône... Pour les jeunes troupes
le Festival est l'occasion de se faire connaître, quelquefois même
de devenir célèbres.

    Depuis 1967, les Ballets du 20ème siècle ont pris la place du
TNP dans la cour du Palais des Papes. Ils ont autant de succès
70 que Vilar et sa troupe : chaque soir 3 500 spectateurs remplissent°
la cour et les jardins. Dans la rue on vend maintenant les photos
des danseurs et des danseuses. A la sortie des spectacles, les gens
se pressent toujours aux terrasses des cafés sur la Place de l'Horloge.
Cette année ils ne parlent que des danseurs de Maurice Béjart.
75 L'année prochaine ce sera peut-être d'une autre troupe, d'un autre
spectacle...

conserver: *to preserve*

les deux tiers: *two-thirds*

collier *m: necklace*
graver: *to carve*

manifestation *f: event*

banlieue *f: suburb(s)*

fête foraine: *county fair*

péniche *f: barge*

remplir: *to fill*

Dictionary Section

en grand dans de grandes proportions, en grandes dimensions : *Nous pouvons vous faire la même photo en grand, si vous voulez, mais c'est plus cher.*

à partir de en commençant (*1*) *A partir de demain, il faut que vous arriviez à l'heure.* (*2*) *Les Thermes sont ouverts tous les jours à partir du premier juin.*

passant quelqu'un qui passe dans la rue (*1*) *Quand Michel n'a rien à faire, il se met à la fenêtre et il regarde les passants.* (*2*) *J'ai demandé des renseignements à un passant.*

en plein air à l'extérieur, dehors (*1*) *Ils n'ont pas de tente, ils dorment en plein air.* (*2*) *Le tennis, le football, le golf sont des jeux de plein air; le ping-pong, le billard sont des jeux d'intérieur.*

représentation présentation d'une pièce au public (*1*) *La pièce a eu plus de 300 représentations.* (*2*) *On a donné une représentation de la pièce à Paris.*

souffler quand il y a du vent, on dit que le vent souffle : *Le mistral est un vent qui souffle dans la vallée du Rhône.*

spectacle quelque chose qu'on regarde; représentation théâtrale, cinématographique, etc. (*1*) *Monsieur et Madame sont au spectacle, à l'Opéra, je crois.* (*2*) *Tu devrais voir le soleil qui se couche sur les montagnes. C'est un spectacle extraordinaire!*

27. QUESTIONS

1. De quel festival s'agit-il? Quand a-t-il lieu?
2. Quel genre de théâtre Jean Vilar voulait-il créer?
3. En quelle année a-t-on présenté le premier spectacle du TNP? Où? Quelle pièce a-t-on présentée?
4. Qu'est-ce qui s'est passé à la fin du spectacle?
5. Est-ce qu'il y a d'autres festivals dans d'autres villes de France? Lesquelles?
6. Dans quelle région y a-t-il le plus de festivals? Pourquoi?
7. Qu'est-ce qu'on peut faire au festival d'Avignon?
8. Où a lieu la représentation la plus importante? Et les autres?
9. Où vont beaucoup de gens après le spectacle?
10. Qu'est-ce qu'on vend dans la rue?

Noun Exercise

GENDER NOTES: (1) Most nouns ending in **-ure** are feminine: **la nature, la devanture.** (2) Most nouns ending in **-et** are masculine: **le ballet, un bracelet.**

28. COMPLETION

1. Quel est le festival[3] le plus important?
2. Le public du Festival est bien?
3. Tu connais la troupe de Gennevilliers?

1. Ça doit être _____ Festival d'Avignon.
2. Oui, c'est _____ public très jeune.
3. Oui, c'est _____ troupe qui joue dans les environs de Paris.

---

[3] As you know, most nouns ending in **-al** have a plural form ending in **-aux**. **Festival** is an exception to the rule: **un festival, des festivals.**

4. Où est-ce que c'est, Gennevilliers? C'est dans <u>la</u> banlieue de Paris?

5. Ils jouent sur <u>une</u> péniche.

6. <u>Quel</u> <u>beau</u> spectacle!

7. Je n'aime pas <u>la</u> danse.

4. Oui, c'est dans _____ banlieue nord de Paris.

5. La scène est sur _____ péniche et les spectateurs sont sur le bord du fleuve.

6. Oui, c'est _____ spectacle comme on en voit peu.

7. Moi, j'aime beaucoup _____ danse.

Verb Exercises

29. **IMPERATIVE → PRESENT SUBJUNCTIVE**

Assistez à toutes les répétitions. ⊗

Il faut que vous assistiez à toutes les répétitions.

Organisez ça vous-même.
Présentez ça ce soir.
Participez à cette discussion.
Dansez plus lentement.

Il faut que vous organisiez ça vous-même.
Il faut que vous présentiez ça ce soir.
Il faut que vous participiez à cette discussion.
Il faut que vous dansiez plus lentement.

30. **PATTERNED RESPONSE**

All the verbs in the following drill are like **finir.**

Est-ce que Bernard va finir tôt? ⊗
Est-ce que cette pièce va réussir?
Est-ce que Madeleine va maigrir?
Est-ce que Robert va grossir?
Est-ce que les acteurs vont se réunir?
Est-ce qu'on va remplir la salle?

Il faut qu'il finisse tôt.
Il faut qu'elle réussisse.
Il faut qu'elle maigrisse.
Il faut qu'il grossisse.
Il faut qu'ils se réunissent.
Il faut qu'on remplisse la salle.

RECOMBINATION EXERCISES

31. **PATTERNED RESPONSE**

Tu ne t'intéresses pas au théâtre? ⊗
Luc ne s'intéresse pas à la peinture?
Vos frères ne s'intéressent pas à la musique?

Je ne m'intéresse qu'à ça!
Il ne s'intéresse qu'à ça!
Ils ne s'intéressent qu'à ça!

(*continued*)

(*continued*)

Vous ne vous intéressez pas au cinéma, vous deux?	Nous ne nous intéressons qu'à ça!
Chantal ne s'intéresse pas à la danse?	Elle ne s'intéresse qu'à ça!

32. CUED RESPONSE

Le Festival d'Avignon a lieu en été. (Arras) ⊗	Celui d'Arras aussi.
La troupe de Gennevilliers joue ce soir. (Bordeaux)	Celle de Bordeaux aussi.
Le maire d'Avignon va assister au spectacle. (Orange)	Celui d'Orange aussi.
La scène de l'Opéra est très grande. (Palais des Papes)	Celle du Palais des Papes aussi.
Le pont d'Avignon est très beau. (Cahors)	Celui de Cahors aussi.

33. NARRATIVE CONSTRUCTION

Dites tout ce que vous savez sur la ville d'Avignon. Utilisez les questions suivantes pour vous guider:

—Où est-elle située? Combien d'habitants a-t-elle?
—A quelle époque les papes y ont-ils résidé? Pendant combien de temps? Où habitaient-ils?
—Comment s'appelle le fleuve qui traverse Avignon?
—Comment s'appelle le vent qui souffle quelquefois dans la vallée du Rhône?
—Qu'est-ce qu'il y a tous les étés à Avignon? Décrivez un peu le festival.

34. READING VARIATION

Read the following lines from the Reading passage aloud, changing the verbs from the present to the **passé composé**.

La soirée est un triomphe. A la fin du spectacle les spectateurs jettent des fleurs, se précipitent sur la scène, embrassent les acteurs... Plus tard les gens assis aux terrasses des cafés, Place de l'Horloge, passent des heures à commenter cette soirée.

35. QUESTION FORMATION

Ask at least one question based on each of the following statements.

La Comédie Française est une des troupes les plus célèbres du monde.	(Qu'est-ce que c'est que la Comédie Française?)

Elle donne ses représentations dans la
Salle de l'Odéon à Paris.
Le théâtre a 1 400 places.
La troupe donne huit représentations par
semaine.
Elle présente surtout des pièces classiques,
mais aussi des pièces modernes.
La Comédie Française date de 1680.
Elle a donné quelquefois des représenta-
tions dans les châteaux de la Loire.
Au cours des siècles, elle a souvent donné
des représentations pour les rois de
France.

Conversation Buildup

CATHERINE	On entre?
FRANÇOIS	Ça n'a pas l'air formidable.
CATHERINE	Les photos, ça ne veut rien dire. Il paraît que l'actrice est sensationnelle. C'est l'histoire d'une vieille dame qui n'a jamais eu le temps de s'amuser. Elle perd son mari, alors elle décide de commencer une vie nouvelle et elle fait des tas de choses intéressantes.
FRANÇOIS	Tu sais, moi, les histoires de vieilles dames, ça ne m'intéresse pas beaucoup. Il y a un film policier au Rex, avec Belmondo. Ça ne te dit rien?
CATHERINE	Non, pas grand-chose. Vas-y si tu veux. On se retrouvera plus tard, au café de l'Horloge.

REJOINDERS

Il était bien, ce film?
Cet acteur est formidable!
Quel genre de films préférez-vous?

CONVERSATION STIMULUS

Décrivez un film que vous avez vu. Utilisez les questions suivantes pour vous guider :

—Où avez-vous vu ce film? Quand? Avec qui?
—Où se passe l'histoire? En Europe? En Amérique? En Afrique? Dans une grande ville? A
la campagne? En plusieurs endroits différents? Lesquels?
—Est-ce qu'il y a beaucoup de personnages?

(continued)

(*continued*)

—Quel est le personnage principal?

—Quel est le personnage que vous avez trouvé le plus intéressant? Pouvez-vous dire pourquoi?

—Racontez l'histoire. Est-ce qu'elle finit bien ou mal?

—Qu'est-ce que vous avez le mieux aimé, l'histoire elle-même, les acteurs?...

Writing

PARAGRAPH REWRITE

Rewrite the following paragraph supplying the appropriate present subjunctive form of each verb in parentheses. Make any necessary changes.

[*Le metteur-en-scène est de mauvaise humeur.*]

—Nous n'arriverons jamais à rien si ça continue comme ça! Il faut que ça change! D'abord, vous n'arrivez jamais à l'heure pour les répétitions. A partir de demain, il faut que vous _____ à l'heure, tous! Et je ne veux pas entendre d'histoires de prof de math ou d'anglais
(arriver)

qui vous a gardés après l'heure. Il faut que nous _____ à l'heure, pas à 5 heures et
(commencer)

quart ou à 5 heures et demie, mais à 5 heures!

Et puis ce n'est pas la peine de venir à la répétition si vous ne savez pas vos rôles. Il faut que vous _____ vos rôles avant de venir ici. Je sais que vous n'avez pas beaucoup de
(apprendre)

temps, mais si vous voulez jouer dans cette pièce, il faut que vous _____ pour savoir
(se débrouiller)

vos rôles.

Enfin, il faut que vous _____ que quand vous jouez, vous n'êtes pas seuls sur la
(comprendre)

scène. Vous, Jacques, il faut que vous _____ quand Christine a fini de parler...pas avant!
(répondre)

Il faut qu'elle _____ sa phrase! Et puis il faut que vous _____ après qu'elle a dit «Sortez,
(finir)   (sortir)

Monsieur...» pas avant, Jacques, pas avant! Et vous, Christine, il ne faut pas que vous _____ Jacques au moment où il sort. Il ne faut pas que vous lui _____ de sortir et puis
(gêner)   (dire)

que vous _____ entre lui et la porte! Enfin! Ce n'est pas difficile à comprendre!
(se mettre)

Il est vrai que c'est trop petit ici. On ne peut pas se remuer. Il faut absolument que nous _____ une salle plus grande pour les répétitions. Il faut que l'un de vous _____ le
(trouver)   (prendre)

temps d'aller parler au proviseur. Il faut que cette pièce _____ un peu mieux que celle de
(réussir)

l'année dernière...et pour ça il faut que vous _____ au travail tout de suite!
(se mettre)

REFERENCE LIST

Nouns

acte *m*	conseil *m*	metteur en scène *m*	rideau *m*
ballet *m*	entracte *m*	neveu *m*	rôle *m*
bracelet *m*	festival *m*	projet *m*	spectacle *m*
chapeau *m*	lever *m*	public *m*	succès *m*
collier *m*	maire *m*	rang *m*	

banlieue *f*	discussion *f*	pièce *f*	sortie *f*
bonne *f*	manifestation *f*	répétition *f*	tente *f*
danse *f*	nièce *f*	représentation *f*	troupe *f*
devanture *f*	péniche *f*	scène *f*	

m/f pairs: acteur, –trice Hollandais, –e passant, –e
danseur, –euse idiot, –e

Adjectives and Adverbs

antique	culturel, –lle	idéal, –e (*pl* –als *or* –aux)	riche
assis, –e	fameux, –euse	international, –e (*pl* –aux)	rond, –e
autoritaire	habitué, –e	lent, –e	sensationnel, –lle

brusquement

Verbs

(*like* travailler)

assister à	danser	graver	présenter
avancer	se débrouiller	se moquer de	refermer
camper	empêcher	organiser	remarquer
conserver	gêner	participer (à)	

(*like* finir)
remplir

(*like* exagérer)
répéter

Other Words and Expressions

celui, celle (*pl* ceux, celles) il vaut mieux ne pas y être
en plein air jouer la comédie à partir de
espèce de...

RÉALITÉS

14 - THEATRES

**THEATRE DE LA MUSIQUE
(GAITÉ LYRIQUE)**

MARCEL MARCEAU

dans son
NOUVEAU
SPECTACLE
1970
avec
PIERRE VERRY
Loc. : Theatre, Agences et 277-88-40

ŒUVRE 55, rue de Clichy. Tri. 42-52. Mᵒ Clichy. Soirs 20h45 (sauf dim. et lun.). Mat. dim. 14h45 et 18h30. Pl. : 5 à 30 F. Loc. à partir de 11h (6 j.).
A partir du jeudi 22 janvier :

**SOIRÉE 20 h 45
LES POISSONS
ROUGES
JEAN ANOUILH**

BOUFFES-PARISIENS 4, rue de Monsigny Opé. 87-94. Mᵘ 4-Septembre. Soir. à 21h10 (sauf mardi). Mat. dim. 15h10 Pl. 3 à 30 F. Loc. de 11h à 12h30 et de 13h à 19h (21 j.).

Mat. suppl. jeudi 1er janv. Relâche exceptionnel mer. 7 janvier.

**SOPHIE DESMARETS
JEAN RICHARD**
jouent
**4 PIÈCES
SUR JARDIN**
de BARILLET et GRÉDY

T. N. P. Place du Trocadéro - Métro Trocadéro - PAS. 81-15.
Loc. t.l.j. de 11h à 20h. Par tél. : 553-27-79 (3 j. à l'av.), t.l.j. de 15h à 20h. Renseig. : Tél. 704 39-50

GRANDE SALLE. Pl. Ballets : 10, 13, 15 F.

Ballet du XXᵉ siècle de Maurice Béjart :
Jeu. 15, ven. 16, sam. 17 janv. à 20h15, dim. 18 janv. à 15h et 20h30 : **A la recherche de...**
Jeu. 22, ven. 23, sam. 24 à 20h15, dim. 25 à 15h et 20h30 : **Le Voyage - Ni fleurs ni couronnes.**

A LA RECHERCHE DE. L'art. La Nuit obscure. Bhakti.
LE VOYAGE. Musique de Pierre Henry. Chorégraphie de Maurice Béjart.
NI FLEURS NI COURONNES. Variations de Maurice Béjart sur des thèmes chorégraphiques de Marius Petipa.

SALLE GEMIER. Pl. Théâtre : 9,50 F. Concert : 13 F.

Mar. 20, mer. 21, jeu. 22, ven. 23, sam. 24, mar. 27 à 20h15, dim. 25 à 15h : **Opérette.**

Lun. 26 à 20h30 : **Concert de jazz.**

OPERETTE. De Witold Gombrowicz. Musique de Karel Trow. Décor et costumes de M. Schoendorff. Mise en scène de J. Rosner. Avec : François Maistre, Gabriel Cattand, J.-J. Ruysdale, Guy Michel, Judith Magre, G. Riquier, Alain Mottet, J. Seiler, Françoise Bertin, Catherine Hubeau.

L'ACCENT GRAVE

LE PROFESSEUR

Élève Hamlet!

L'ÉLÈVE HAMLET

(sursautant°)

...Hein... Quoi... Pardon... Qu'est-ce qui se passe...
Qu'est-ce qu'il y a... Qu'est-ce que c'est?...

sursautant: *startled*

LE PROFESSEUR

(mécontent°)

Vous ne pouvez pas répondre «présent» comme tout le
monde? Pas possible, vous êtes encore dans les nuages.

mécontent: *displeased*

L'ÉLÈVE HAMLET

Etre ou ne pas être dans les nuages!

LE PROFESSEUR

Suffit. Pas tant de manières°. Et conjuguez-moi le verbe être,
comme tout le monde, c'est tout ce que je vous demande.

pas tant de manières:
enough foolishness (airs)

L'ÉLÈVE HAMLET

To be...

LE PROFESSEUR

En français, s'il vous plaît, comme tout le monde.

L'ÉLÈVE HAMLET

Bien, monsieur. (il conjugue :)
Je suis ou je ne suis pas
Tu es ou tu n'es pas
Il est ou il n'est pas
Nous sommes ou nous ne sommes pas...

LE PROFESSEUR

(excessivement mécontent)

Mais c'est vous qui n'y êtes pas, mon pauvre ami!

L'ÉLÈVE HAMLET

C'est exact, monsieur le professeur,
Je suis «où» je ne suis pas
Et, dans le fond°, hein, à la réflexion,
Etre «où» ne pas être
C'est peut-être aussi la question.

dans le fond: *when you
come right down to it*

—JACQUES PRÉVERT

BASIC MATERIAL I

Au garage

[Mlle Thiers, employée de l'agence Citroën[1] de la Flèche, appelle son patron, M. Lantier.]

MLLE THIERS	M. Lantier! M. Demy veut que vous lui téléphoniez.
M. LANTIER	Pourquoi? Vous ne lui avez pas téléphoné?
MLLE THIERS	Si.
M. LANTIER	Qu'est-ce que vous lui avez dit?
MLLE THIERS	Eh bien, je lui ai dit : «M. Lantier a peur que vous ne puissiez pas avoir votre voiture ce matin parce qu'il y a quelque chose qui ne va pas dans les freins.» Alors, il a demandé à quelle heure elle serait prête et je lui ai dit que je n'en savais rien. Alors, il m'a dit : «Mais moi, il faut que je le sache. Il faut que je sois au Mans à trois heures et demie. Je ne veux pas manquer le départ des 24 Heures[2]!» Alors, je lui ai dit : «Vous êtes un sportif, M. Demy, vous devriez y aller à vélo.» Mais il n'a pas été content que je lui dise ça. Il m'a dit : «Vous voulez que je fasse 40 kilomètres à vélo, à mon âge!!» Alors, je lui ai demandé s'il voulait qu'on lui prête la vieille 2CV[1]. Mais il m'a dit : «Vous ne voulez tout de même pas que j'aille aux 24 Heures du Mans en 2CV, non! Je veux ma DS[1], un point, c'est tout!» Alors, voilà! Il veut vous parler...

Supplement

Alors, M. Demy, qu'est-ce que je peux faire pour vous?

> Vous pouvez me changer mon pneu arrière droit?
> Vous pouvez remplacer mon pare-brise?
> Vous pouvez redresser mon pare-choc avant?

M. Demy est un danger public quand il conduit.

> Il démarre toujours à toute vitesse.
> Hier il a failli rentrer dans un poteau télégraphique.
> Hier il a évité un piéton de justesse.
> Il est toujours en train de penser à autre chose.
> Il est étonnant qu'il n'ait pas plus d'accidents.

---

[1] Citroën is one of France's leading automobile manufacturers. **La DS** is the most expensive and luxurious car manufactured by Citroën. **La 2CV (la Deux Chevaux),** also manufactured by Citroën, is a very inexpensive car.

[2] **Les 24 Heures du Mans** is an automobile race held in Le Mans every summer. The race covers a 14 kilometer track and lasts, as its name indicates, for 24 hours.

◄ *Avant le départ des 24 Heures*

At the Garage

[Mlle Thiers, an employee of the Citroën dealer in La Flèche, is calling her boss, M. Lantier.]

MLLE THIERRY   M. Lantier! M. Demy wants you to call him.

M. LANTIER   Why? Didn't you call him?

MLLE THIERRY   Yes.

M. LANTIER   What did you say to him?

MLLE THIERRY   Well, I said, "M. Lantier is afraid that you won't be able to have your car this morning because there is something wrong with the brakes." So, he asked what time it would be ready and I told him that I didn't know. So he said, "But I have to know. I have to be in Le Mans at 3:30. I don't want to miss the start (departure) of the *24 Heures.*" So, I said, "You're a sportsman, M. Demy, you should go there by bike." But he wasn't very happy that I said that. He said, "You expect (want) me to go 40 kilometers on a bicycle, at my age!!" So I asked him if he wanted us to lend him the old 2CV. But he said to me, "You don't really expect me to go to the *24 Heures du Mans* in a 2CV, do you? I want my DS, period!" So, there you have it! He wants to talk to you. . .

Supplement

Well, M. Demy, what can I do for you?

Can you change my right rear tire for me?
Can you replace my windshield?
Can you straighten out my front bumper?

M. Demy is a public menace (danger) when he drives.

He always starts off at top speed.
Yesterday he almost crashed into a telephone pole.
Yesterday he just missed (avoided) a pedestrian.
He's always thinking about something else.
It's amazing that he doesn't have more accidents.

Vocabulary Exercises

1. QUESTIONS ON BASIC MATERIAL

1. Où cette conversation a-t-elle lieu?
2. Qui est Mlle Thiers? A qui parle-t-elle?
3. A qui vient-elle de parler au téléphone?
4. Pourquoi M. Demy a-t-il besoin de sa voiture?
5. A quoi va-t-il assister au Mans?
6. A quelle heure faut-il que M. Demy soit au Mans? Pourquoi?
7. Qu'est-ce que Mlle Thiers lui propose?
8. La Flèche est à environ combien de kilomètres du Mans?
9. Qu'est-ce qui indique que M. Demy n'est pas très jeune?

2. FREE RESPONSE

1. Avez-vous déjà vu des courses de voitures? Où? A la télé?
2. Est-ce que vos parents ont une voiture? Qui est-ce qui s'en occupe le plus : vous, votre père, votre frère? Qui la lave le plus souvent?
3. Est-ce que votre père conduit bien? Comment démarre-t-il? Et votre mère?
4. Savez-vous changer un pneu? En avez-vous déjà changé?
5. Où se trouve le pare-brise, à l'avant de la voiture ou à l'arrière? Combien de pare-chocs y a-t-il?

3. PATTERNED RESPONSE

M. Demy a manqué le départ des 24 Heures?   Non, mais il a bien failli le manquer.

Papa a oublié l'anniversaire de Maman?   Non, mais il a bien failli l'oublier.
Étienne est tombé dans l'étang?   Non, mais il a bien failli y tomber.
Le chien a mangé le bifteck?   Non, mais il a bien failli le manger.
Bernard a cassé ton transistor?   Non, mais il a bien failli le casser.
Charles a perdu son portefeuille?   Non, mais il a bien failli le perdre.

Noun Exercise

GENDER NOTE: The names of cars are normally preceded by the feminine article: **une DS, une 2CV, une Citroën.**

4. COMPLETION

1. A bicyclette il vaut mieux utiliser <u>le</u> frein arrière.
2. A quelle heure est <u>le</u> départ?

3. M. Demy a failli rentrer dans <u>un</u> piéton[3].
4. Il faut changer <u>un</u> des pneus[4]?
5. Il faut changer <u>le</u> pare-choc?
6. Il faut changer <u>le</u> pare-brise?

1. Pourquoi y a-t-il _____ frein avant, alors?
2. Toutes les voitures ne partent pas ensemble. Il y a _____ départ toutes les cinq minutes.
3. Et qu'est-ce que _____ piéton a dit?
4. Oui, _____ pneu arrière gauche.
5. Oui, _____ pare-choc avant.
6. Non, _____ pare-brise n'a rien.

---

[3] **Piéton** has no corresponding feminine form. The masculine form is used to refer to either a man or a woman.

[4] Most nouns ending in **-eu** add **-x** to form the plural. **Pneu** is an exception: **un pneu, des pneus.**

Verb Exercises

Penser à has the meaning *to think about* (*to direct one's thoughts toward*) : **Tu as pensé à l'anniversaire de papa?** *Did you think about Dad's birthday?* When the **à** phrase refers to a thing, it is replaced by **y: Tu as pensé à l'anniversaire de papa? Oui, j'y ai pensé.** When referring to a person, the preposition **à** is followed by an independent pronoun, such as **lui, elle**, etc.: **Tu as pensé à papa? Oui, j'ai pensé à lui.**

5. NOUN → PRONOUN

Tu as pensé à l'anniversaire de mariage de tes parents?	Oui, j'y ai pensé.
Tu as pensé à tes parents?	Oui, j'ai pensé à eux.
Tu as pensé à ta mère?	Oui, j'ai pensé à elle.
Tu as pensé à l'anniversaire de ta mère?	Oui, j'y ai pensé.
Tu as pensé à ton oncle Vincent?	Oui, j'ai pensé à lui.
Tu as pensé à l'anniversaire de ton oncle Vincent?	Oui, j'y ai pensé.

Penser de has the meaning *to think of* (*to have an opinion about*): **Que pensez-vous de la DS?** *What do you think of the DS?* When referring to a thing, the **de** phrase is replaced by **en: Qu'est-ce que tu penses de la DS? Qu'est-ce que tu en penses?** When referring to a person, **de** is followed by an independent pronoun: **Qu'est-ce que tu penses du garagiste? Qu'est-ce que tu penses de lui?**

6. NOUN → PRONOUN

Qu'est-ce que tu penses de la DS?	Qu'est-ce que tu en penses?
Qu'est-ce que tu penses du garagiste?	Qu'est-ce que tu penses de lui?
Qu'est-ce que tu penses de l'hôpital?	Qu'est-ce que tu en penses?
Qu'est-ce que tu penses de ce docteur?	Qu'est-ce que tu penses de lui?
Qu'est-ce que tu penses de la conférence?	Qu'est-ce que tu en penses?
Qu'est-ce que tu penses du délégué qui vient de parler?	Qu'est-ce que tu penses de lui?
Qu'est-ce que tu penses de la pièce?	Qu'est-ce que tu en penses?
Qu'est-ce que tu penses de cet acteur?	Qu'est-ce que tu penses de lui?

Grammar

Present Subjunctive Stems: aller, vouloir

GENERALIZATION

aller			vouloir	
que nous **allions**	que j'**aille**		que nous **voulions**	que je **veuille**
que vous **alliez**	que tu **ailles**		que vous **vouliez**	que tu **veuilles**
	qu'il **aille**			qu'il **veuille**
	qu'ils **aillent**			qu'ils **veuillent**

Aller and **vouloir** have two subjunctive stems: the stem for the **nous** and **vous** forms and the stem for the other persons. The **nous-vous** stem is formed in the regular way (that is, it is identical to the imperfect stem) but the stem for the other persons is irregular.

STRUCTURE DRILLS

7. IMPERFECT INDICATIVE → PRESENT SUBJUNCTIVE

Avant, vous ne sortiez jamais.　　　　　Il est important que vous sortiez.
Avant, nous ne sortions jamais.　　　　Il est important que nous sortions.

Avant, nous ne lisions pas.　　　　　　Il est important que nous lisions.
Avant, vous ne lisiez pas.　　　　　　　Il est important que vous lisiez.

Avant, nous n'allions jamais en vacances.　Il est important que nous allions en vacances.
Avant, vous n'alliez jamais en vacances.　Il est important que vous alliez en vacances.

Avant, vous ne vouliez pas réussir.　　Il est important que vous vouliez réussir.
Avant, nous ne voulions pas réussir.　Il est important que nous voulions réussir.

8. PATTERNED RESPONSE

Tu sors? ⊗　　　　　　　Oui, il faut que j'aille à la poste.
Papa sort?　　　　　　　Oui, il faut qu'il aille à la poste.
Les filles sortent?　　　　Oui, il faut qu'elles aillent à la poste.
Marie sort?　　　　　　　Oui, il faut qu'elle aille à la poste.
Jean et Pierre sortent?　Oui, il faut qu'ils aillent à la poste.

9. PATTERNED COMPLETION

Demande à Bernard s'il veut aller chez
   les Dupont...

J'ai peur qu'il ne veuille pas y aller.

Demande à Christine si elle veut aller
   chez les Dupont...

J'ai peur qu'elle ne veuille pas y aller.

Demande aux enfants s'ils veulent aller
   chez les Dupont...

J'ai peur qu'ils ne veuillent pas y aller.

Demande aux filles si elles veulent aller
   chez les Dupont...

J'ai peur qu'elles ne veuillent pas y aller.

Demande à maman si elle veut aller chez
   les Dupont...

J'ai peur qu'elle ne veuille pas y aller.

10. FREE SUBSTITUTION

Il faut que nous allions à la boulangerie.
Papa a peur que tu ne veuilles pas rester.

11. REJOINDERS

Anne veut acheter du fromage.

(Il faut qu'elle aille à la crémerie.)
(Il faut qu'elle aille chez le crémier.)

Jean-Luc veut acheter des livres de classe.
Claudine veut acheter des timbres.
Georges a besoin de papier.
Luc veut acheter du jambon.
Charles a envie de manger des croissants.
Nous n'avons plus de pain!

12. FREE COMPLETION

Si Jean-Pierre aime la chasse...
Si vous voulez voir de beaux châteaux...
Si tu veux faire des fouilles...
Si tu veux faire du ski...
Si Étienne veut voir des théâtres antiques...

il faut qu'il aille (en Sologne.)

Present Subjunctive Stems: faire, pouvoir, savoir

GENERALIZATION

faire	pouvoir	savoir
que je <u>fasse</u>	que je <u>puisse</u>	que je <u>sache</u>

Faire, pouvoir and **savoir** each has an irregular present subjunctive stem which is used for all persons.

STRUCTURE DRILLS

13. PATTERNED COMPLETION

Tu n'as pas encore fait la vaisselle!... ⊗	Il faut que tu la fasses tout de suite.
Anne n'a pas encore fait le dîner!...	Il faut qu'elle le fasse tout de suite.
Les garçons n'ont pas encore fait leurs devoirs!...	Il faut qu'ils les fassent tout de suite.
Vous n'avez pas encore fait vos lits!...	Il faut que vous les fassiez tout de suite.
Je n'ai pas encore fait le café!...	Il faut que je le fasse tout de suite.

14. PATTERNED RESPONSE

Jean sera là ce soir?	Non, j'ai peur qu'il ne puisse pas venir.
Claudine sera à la réunion?	Non, j'ai peur qu'elle ne puisse pas venir.
Vous serez là ce soir, vous deux?	Non, j'ai peur que nous ne puissions pas venir.
Les Lebrun seront à la conférence?	Non, j'ai peur qu'ils ne puissent pas venir.
Les filles seront à la surprise-partie?	Non, j'ai peur qu'elles ne puissent pas venir.

15. PATTERNED COMPLETION

Dites-moi à quelle heure vous venez... ⊗	Il faut que je le sache.
Dites à Édouard à quelle heure vous venez...	Il faut qu'il le sache.
Dites à vos amis à quelle heure vous venez...	Il faut qu'ils le sachent.
Dites-nous à quelle heure vous venez...	Il faut que nous le sachions.
Dites à Monique à quelle heure vous venez...	Il faut qu'elle le sache.

Subjunctive Stems: avoir, être

GENERALIZATION

avoir	
que nous **ayons**	que j'**aie**
que vous **ayez**	que tu **aies**
	qu'il **ait**
	qu'ils **aient**

être	
que nous **soyons**	que je **sois**
que vous **soyez**	que tu **sois**
	qu'il **soit**
	qu'ils **soient**

Avoir and **être** are the only two verbs in the French language whose <u>written</u> subjunctive endings are not regular. Notice, however, that the **nous** and **vous** forms have the same stem and that the other forms all <u>sound</u> alike.

STRUCTURE DRILLS

16. PATTERNED RESPONSE

1. Il faut que nous soyons là à quatre heures.
   Il faut que vous soyez là à quatre heures, vous deux.
   Il faut que je sois là à quatre heures.
   Il faut que Marc soit là à quatre heures.
   Il faut que les autres soient là à quatre heures.
   Il faut que tu sois là à quatre heures.

   Il vaut mieux que vous soyez là avant.
   Il vaut mieux que nous soyons là avant.
   Il vaut mieux que tu sois là avant.
   Il vaut mieux qu'il soit là avant.
   Il vaut mieux qu'ils soient là avant.
   Il vaut mieux que je sois là avant.

2. Il faut que nous ayons des vacances.

   Il faut que vous ayez des vacances, vous deux.
   Il faut que papa ait des vacances.
   Il faut que les enfants aient des vacances.
   Il faut que tu aies des vacances.
   Il faut que j'aie des vacances.

   Oui, il est important que vous ayez des vacances.
   Oui, il est important que nous ayons des vacances.
   Oui, il est important qu'il ait des vacances.
   Oui, il est important qu'ils aient des vacances.
   Oui, il est important que j'aie des vacances.
   Oui, il est important que tu aies des vacances.

3. Tu pars maintenant? ⊗
   M. Demy part maintenant?
   Les garçons partent maintenant?
   Vous partez maintenant, vous deux?
   Les Lebrun partent maintenant?

   Oui, il faut que je sois au Mans ce soir.
   Oui, il faut qu'il soit au Mans ce soir.
   Oui, il faut qu'ils soient au Mans ce soir.
   Oui, il faut que nous soyons au Mans ce soir.
   Oui, il faut qu'ils soient au Mans avant ce soir.

4. Je veux être médecin. ⊗   Il faut d'abord que tu aies ton bachot!
   Monique veut être institutrice.   Il faut d'abord qu'elle ait son bachot!
   Christian veut être chirurgien.   Il faut d'abord qu'il ait son bachot!
   Luc et Marc veulent être ingénieurs. Il faut d'abord qu'ils aient leur bachot!
   Claudine et moi, nous voulons être infir- Il faut d'abord que vous ayez votre bachot!
   mières.

17. REJOINDERS

La pièce commence à 8 heures.   (Il faut que nous soyons au théâtre à 7h 45.)
La réunion commence à midi.
Le concert commence à 9 heures.
Le départ de la course est à 4 heures.
Le train part à 8 h 47.
Le garage ferme à 8 heures.

Writing

SENTENCE COMPLETION

Rewrite each of the following sentences, supplying the appropriate present subjunctive form of the verb that is used in the first part of the item.

1. Tu n'es pas encore allé au Château d'If? Il faut que tu y _____.
2. Vous n'avez pas encore fait la vaisselle? Il vaut mieux que vous la _____ avant de vous coucher.
3. Nous avons des tas de projets, mais j'ai peur que nous n' _____ pas le temps de tout faire.
4. Je ne sais pas encore le poème et il faut que je le _____ pour vendredi!
5. Tu es sûr que Jean-Luc voudrait venir avec nous? J'ai peur qu'il ne _____ pas venir.
6. Comment? Vous êtes encore là! Dépêchez-vous! Il faut que vous _____ au théâtre dans dix minutes!
7. Vous ne savez pas quand ma voiture sera prête? Mais moi, il faut que je le _____ !
8. Tu as froid. Mets ton pull-over. Il ne faut surtout pas que tu _____ froid.
9. Les autres voudraient bien, mais ils ont peur que vous ne _____ pas.
10. Vous n'êtes pas encore allé dans ce restaurant mexicain? Il faut que nous y _____ ensemble un de ces jours.
11. Ils ne font pas attention. Il faut qu'ils _____ très attention.
12. Vous ne savez pas votre rôle! Il faut que vous le _____ pour la prochaine répétition.
13. Je serai à la maison vers 7 heures. Il faut que tu y _____ quand j'arriverai.
14. Tu n'as pas encore les places? Il faut qu'on les _____ avant ce soir!
15. Si vous ne pouvez pas tout faire ce soir, il faudrait que vous _____ au moins vérifier les freins.

BASIC MATERIAL II

La panne

MICHEL   Dis donc, ça fait une demi-heure que tu as la tête sous le capot et que tu enlèves des boulons. Tu sauras les remettre? Écoute, baisse ce capot et poussons la voiture jusqu'au croisement.

ÉTIENNE   Tu ne peux pas me laisser tranquille! C'est malheureux[5] que je ne puisse pas travailler en paix! Et puis d'ailleurs, être en panne ici ou au croisement, je ne vois pas ce que ça change.

MICHEL   Ça change tout. Ici on ne verra pas une seule voiture, tandis qu'au croisement il y a la nationale[6], et je suis sûr qu'une voiture passera...

ÉTIENNE   Et que le chauffeur sera assez aimable pour s'arrêter et venir nous demander s'il ne peut pas nous aider à remonter le moteur. Eh bien, mon vieux, il vaut mieux ne pas compter là-dessus! Si quelqu'un passe, il nous prendra pour des gangsters et il ne s'arrêtera pas.

MICHEL   Mais non, à côté d'une DS, même en panne, nous avons l'air parfaitement honnêtes. Allez, mets-toi au volant, moi je pousse...

Supplement

Je n'aime pas beaucoup partir en voiture avec Charles.

Il double dans les virages!
Il accélère aux croisements!
Il ne ralentit jamais dans les villages!
Il conduit comme un fou!

Arrêtez, s'il vous plaît!

Montrez-moi votre permis de conduire.
Vous ne pouvez pas faire attention aux feux?
Vous ne connaissez pas le code de la route?
Vous voulez une contravention?

---

[5] In careful speech, when an impersonal expression including a form of **être** + an adjective precedes a subordinate clause, the pronoun **il** is used: **Il est malheureux que je ne puisse pas...** However, in everyday conversation, **il** is often replaced by **ce**: **C'est malheureux que je ne puisse pas...** When this kind of impersonal expression occurs as an independent clause *referring back to something previously stated,* **ce** is always used: **Je ne peux pas travailler en paix. C'est malheureux!**

[6] **La nationale** refers to a main highway (**une route nationale**) built and maintained by the state.

La panne

The Breakdown

MICHEL   Hey, you've had your head under the hood and you've been unscrewing (taking off) bolts for half an hour now. Will you know how to put them back on? Listen, put down that hood and let's push the car up to the crossroads.

ÉTIENNE   Can't you leave me alone! It's really a shame that I can't work in peace! And anyway, I don't see what difference it makes being stuck here or at the crossroads.

MICHEL   It makes a big difference. Here we won't see a single car, whereas at the crossroads there's the main highway, and I'm sure a car will go by . . .

ÉTIENNE   And the driver will be kind enough to stop and to come ask us if he can't help us put the motor back together. Well, old buddy. I wouldn't count on it if I were you (it's better not to count on it)! If someone goes by, he'll think we are (take us for) gangsters and he won't stop.

MICHEL   No, next to a DS, even one that's out of commission, we look completely (perfectly) honest. Come on, get behind the wheel and I'll push . . .

Supplement

I don't like to go out riding with Charles very much.

He passes on turns!
He speeds up at crossroads!
He never slows down in villages!
He drives like a maniac (crazy man)!

Stop, please!

Show me your driver's license.
Can't you pay attention to lights?
Aren't you familiar with the rules of the road?
Do you want a ticket?

Vocabulary Exercises

18. QUESTIONS ON BASIC MATERIAL

1. D'après vous, où sont les garçons, au centre d'une grande ville, dans la campagne...?
2. Pourquoi sont-ils arrêtés au bord de la route?
3. Qu'est-ce qu'Étienne est en train de faire depuis une demi-heure? Que lui suggère Michel?
4. Pourquoi Étienne ne peut-il pas travailler en paix?
5. Pourquoi Michel veut-il aller jusqu'au croisement?
6. Pourquoi Étienne pense-t-il qu'on ne s'arrêtera pas?
7. Qu'en pense Michel?

19. FREE RESPONSE

1. Est-ce que vous vous êtes déjà trouvé en panne? Quand? Où étiez-vous? Qui conduisait? Qu'est-ce que vous avez fait?
2. Que fait votre père quand sa voiture est en panne? Est-ce qu'il la répare lui-même ou est-ce qu'il téléphone à un garagiste?
3. A quel âge peut-on avoir un permis de conduire ici? Est-ce que c'est au même âge dans tous les états?
4. Qu'est-ce qu'il faut apprendre avant de passer le permis de conduire?
5. Où est le moteur d'une Jaguar, à l'avant ou à l'arrière? Et celui d'une Volkswagen?
6. Que donnent les agents de police aux gens qui conduisent trop vite, qui doublent dans les virages, qui ne s'arrêtent pas aux feux rouges?
7. Est-ce que vos parents ont déjà eu des contraventions? Savez-vous pourquoi?

Noun Exercises

GENDER NOTE: Most nouns ending in a consonant + -on are masculine: **le savon, un boulon.**

20. COMPLETION

1. Est-ce qu'on a besoin d'<u>un</u> permis de conduire pour aller à bicyclette?
2. Tu ferais bien d'apprendre <u>le</u> code de la route, si tu veux passer ton permis.
3. M. Demy a manqué <u>un</u> virage?
4. Il faut changer <u>le</u> capot?

1. Non, mais je crois qu'il faut _____ permis pour les motos.
2. Oh, _____ code de la route, ce n'est pas bien difficile.
3. Oui, _____ troisième virage après l'église.
4. Oui, c'est _____ capot qui a eu le plus de mal!

5. La DS a <u>un</u> volant <u>spécial</u>.

6. Vous avez encore eu <u>une</u> panne?

5. C'est ____ même volant que sur toutes les Citroën.

6. Oui, c'est ____ troisième panne cette semaine!

21. MASCULINE → FEMININE

The feminine of **(un) fou** is **(une) folle.**

Il conduit comme un fou!
Ils riaient comme des fous!
Il travaille comme un fou!
Ils se sont amusés comme des fous!

Elle conduit comme une folle!
Elles riaient comme des folles!
Elle travaille comme une folle!
Elles se sont amusées comme des folles!

Grammar

The Use of the Subjunctive Following Expressions of Emotion and Will

PRESENTATION

Marie est triste que Jean parte.
Marie est désolée que Jean parte.
Marie veut que Jean parte.
Marie aimerait mieux que Jean parte.

Il est dommage que Jean parte.
Il est malheureux que Jean parte.
Il faut que Jean parte.
Il vaudrait mieux que Jean parte.

In each of the above sentences, is the verb **partir** in the indicative or the subjunctive mood? Where does the verb in the subjunctive occur, in the main clause or in the subordinate clause? In the first sentence in the left-hand column, what word links the main clause **Marie est triste** to the subordinate clause? In each of the other sentences, what word links the main clause to the subordinate clause?

In the sentence **Marie est triste que Jean parte,** do we know whether Jean is leaving? However, is the <u>main purpose</u> of the sentence to state that Jean is leaving or to indicate that Marie is sad about Jean's leaving? In the sentence, **Il vaudrait mieux que Jean parte,** do we know whether Jean is leaving? What is the main purpose of the sentence, to state as a fact that Jean is leaving or to indicate that it would be better if Jean were to leave?

Considering that the subjunctive is used following phrases such as **Marie est triste, Marie est désolée, il est dommage** and **il est malheureux,** what mood do you think would be used following the phrase **Marie regrette?** What kind of feeling do all of these phrases express? What mood do you think would be used following the phrases **Marie a peur, Marie est furieuse** and **Marie est contente?** What feelings do these phrases express? How are all these expressions similar?

Considering that the subjunctive is used after **Marie veut** and **Marie aimerait mieux,** what mood do you think would be used after **Marie préfère?** Considering that the subjunctive is used after the phrases **il faut, il vaut mieux** and **il est important,** what mood do you think would be used following the phrase **il est temps?** What do all of these phrases indicate?

STRUCTURE DRILLS

22. ITEM SUBSTITUTION

[*Papa n'a pas envie de laver la voiture.*]

Il voudrait que nous la lavions. ⊗	Il voudrait que nous la lavions.
Il préfère ——————.	Il préfère que nous la lavions.
Il aimerait mieux ————.	Il aimerait mieux que nous la lavions.
Il veut ——————.	Il veut que nous la lavions.

23. SENTENCE COMBINATION

Vous partez? Je suis content. ⊗	Je suis content que vous partiez.
Tu pars? Je suis désolé.	Je suis désolé que tu partes.
Marie part? Je suis heureux.	Je suis heureux que Marie parte.
Les autres partent? Je suis furieux.	Je suis furieux que les autres partent.
Pierre part? Je le regrette.	Je regrette que Pierre parte.

24. PATTERNED COMPLETION

[*Le garagiste parle à un employé.*]

Tu as remplacé le pare-brise?...	Il veut que nous le remplacions.
Tu as changé le pneu?...	Il veut que nous le changions.
Tu as redressé le pare-choc?...	Il veut que nous le redressions.
Tu as vérifié les freins?...	Il veut que nous les vérifions.
Tu as vérifié l'eau?	Il veut que nous la vérifions.

25. PATTERNED RESPONSE

Marc peut rester?	Non, j'ai peur qu'il ne puisse pas rester.
Michel vient?	Non, j'ai peur qu'il ne vienne pas.

Luc est là?	Non, j'ai peur qu'il ne soit pas là.
Claudine revient?	Non, j'ai peur qu'elle ne revienne pas.
Monique ne veut pas y aller?	Non, j'ai peur qu'elle ne veuille pas y aller.

26. SENTENCE COMBINATION

1. Luc ne vient pas. C'est dommage. ⊗   Il est dommage que Luc ne vienne pas.
   Il est occupé. C'est dommage.   Il est dommage qu'il soit occupé.

   Téléphonez-lui. Il est temps!   Il est temps que vous lui téléphoniez!
   Écrivez-lui. Il est temps!   Il est temps que vous lui écriviez!

   Vous n'avez pas votre permis de conduire? C'est étonnant!   Il est étonnant que vous n'ayez pas votre permis de conduire!
   Vous ne savez pas conduire? C'est étonnant!   Il est étonnant que vous ne sachiez pas conduire!

2. Ne démarrez pas trop vite. Ça vaut mieux.   Il vaut mieux que vous ne démarriez pas trop vite.
   Ne doublez pas maintenant. Ça vaut mieux.   Il vaut mieux que vous ne doubliez pas maintenant.

   Arrêtez-vous aux carrefours. C'est important.   Il est important que vous vous arrêtiez aux carrefours.
   Apprenez le code de la route. C'est important.   Il est important que vous appreniez le code de la route.

   Ralentissez un peu. Ça vaut mieux.   Il vaut mieux que vous ralentissiez un peu.
   Tournez à gauche. Ça vaut mieux.   Il vaut mieux que vous tourniez à gauche.

27. FREE SUBSTITUTION

C'est dommage que vous ne veniez pas.
C'est étonnant que tu ne saches pas danser!
Je suis content que Luc revienne.
Il vaut mieux que vous fassiez ça tout de suite!

28. REJOINDERS

Je suis malade.   (Il vaut mieux que vous restiez au lit.)
     (Il vaut mieux que vous n'alliez pas à l'école.)

J'ai froid.
Je suis fatigué.
J'ai beaucoup de travail.

Subjunctive vs Infinitive

PRESENTATION

Je préfère conduire.	Je préfère que tu conduises.
J'aime mieux revenir.	J'aime mieux que vous reveniez.
Papa veut laver la voiture.	Papa veut que nous lavions la voiture.
Il voudrait aller au garage.	Il voudrait que nous allions au garage.
Je suis content d'être ici.	Je suis content que tu sois ici.
Je suis désolé d'être en retard.	Je suis désolé que nous soyons en retard.
Je suis heureux de partir en voyage.	Je suis heureux que vous partiez en voyage.

Look at the first sentence in the left-hand column. What is the subject of the verb **préférer?** Is there another subject in the sentence? What form of the verb **conduire** is used following **je préfère?** Now look at the first sentence in the right-hand column. What is the subject of the verb **préférer?** Is there another subject in the sentence? What is it? In what mood is the verb **conduire?** Now answer the same questions for the remaining pairs of sentences.

GENERALIZATION

Je suis content Je suis heureux Je suis furieux Je suis désolé Je regrette J'ai peur Je veux J'aime mieux Je préfère } que Jean parte.	Il est dommage Il est malheureux Il est étonnant Il faut Il vaut mieux Il est important Il est temps } que Jean parte.

1. The verbs and verbal expressions listed above are followed by the subjunctive in the subordinate clause when:
   —the conjunction is **que.**
   —the subject of the subordinate clause is different from the subject of the main clause:

Je suis content que <u>tu</u> sois là.	*I'm glad that you're here.*
Papa veut que <u>vous</u> restiez.	*Dad wants you to stay.*

Note: If there is only one subject, an infinitive construction is used[7].

Je suis content d'être là.	*I'm happy to be here.*
Papa veut rester.	*Dad wants to stay.*

2. As shown by the sentences in the preceding chart, the subjunctive is used after expressions indicating emotion and after expressions indicating will (wishing, desire, etc.). In such sentences, the main purpose is not to state as a fact what is referred to in the subjunctive clause.

STRUCTURE DRILLS

29. SENTENCE COMBINATION

Nous partons. Nous sommes désolés. ⊗ Nous sommes désolés de partir.
Vous partez? Nous sommes désolés.   Nous sommes désolés que vous partiez.

Nous restons. Nous sommes contents.   Nous sommes contents de rester.
Vous restez? Nous sommes contents.   Nous sommes contents que vous restiez.

Nous rentrons. Nous sommes heureux.   Nous sommes heureux de rentrer.
Vous rentrez? Nous sommes heureux.   Nous sommes heureux que vous rentriez.

Je vais conduire. Je préfère.   Je préfère conduire.
Papa va conduire. Je préfère.   Je préfère que papa conduise.

Je vais revenir. J'aime mieux.   J'aime mieux revenir.
Il va revenir. J'aime mieux.   J'aime mieux qu'il revienne.

Je vais y aller. Je le veux.   Je veux y aller.
Elle va y aller. Je le veux.   Je veux qu'elle y aille.

30. FREE COMPLETION

1. Si vous ne voulez pas avoir un accident, il vaut mieux que vous ———.
   Je regrette, M. Demy, votre voiture n'est pas prête; il faut que nous ———.
   Nous ne pouvons pas vous accompagner; il faut que nous ———.
   Moi, j'aimerais bien aller dans une colonie de vacances, mais mes parents préfèrent que je ———.
   Robert voudrait être pilote, mais ses parents veulent qu'il ———.

---

[7] With impersonal expressions, if the context clearly indicates who is to perform the action, an infinitive construction may be used: **Il est 7h 30. Nous allons être en retard. Il faut partir tout de suite!**

2. Je suis désolé que _____.
   Michel est content que _____.
   C'est dommage que _____.
   C'est étonnant que _____.

31. REJOINDERS

Georges veut téléphoner, mais il n'a pas
le téléphone.

Il veut aller à Paris, mais il n'a pas de
voiture.

Il veut aller à Paris, il n'a pas de voiture,
et il n'aime pas le train.

Il veut aller en France, mais il ne veut
pas prendre l'avion.

Il n'aime pas aller en vacances à la campagne ou à la montagne.

(Il faut qu'il aille à la poste.)
(Il faut qu'il aille chez un ami.)

Writing

PARAGRAPH COMPLETION

Rewrite the following paragraph, supplying the appropriate present subjunctive forms of the
verbs indicated in parentheses.

[*Georges n'habite plus chez ses parents. Sa mère lui téléphone:*]

—Allô, Georges? Nous allons à Blois demain. Tu veux venir avec nous?... Allô, quoi?... Tu
préférerais que nous _____ à Paris? Oui, moi aussi, mais il faut que ton père _____ à Blois
        (aller)   (être)
demain pour une affaire... Quelle affaire? Comment veux-tu que je _____? Il ne me l'a
                                                  (savoir)
pas dit! Mais je sais qu'il est très important que nous _____ là avant midi... Non, il ne pourra
                                             (être)
pas déjeuner avec nous. Il nous retrouvera plus tard. Mais il serait content que nous _____
                                                     (faire)
une petite visite à Tante Mathilde, et puis il voudrait que nous _____ tous ensemble au
                                                 (dîner)
restaurant. Alors, tu viens?... Tu ne sais pas? Mais il faut que nous le _____, mon petit...
                                                     (savoir)

Tu aimerais mieux que nous _____ ça un autre jour? Écoute, c'est bien dommage que tu
(faire)

n'_____ pas le temps demain, mais ton père ne peut pas remettre son rendez-vous. Tu sais,
(avoir)

il va être furieux que tu ne _____ pas venir... Mais oui, je comprends... C'est tout de
(vouloir)

même malheureux que, quand nous te demandons de venir quelque part, tu ne _____

(pouvoir)

jamais... D'accord, d'accord. Il vaut mieux que tu _____ ton travail d'abord, bien sûr! Bon,
(faire)

eh bien, je suis désolée que tu _____ si occupé... Ce sera pour une autre fois. Travaille bien!
(être)

READING

L'accident

UN GARÇON   Eh, les gars°, venez voir! Un accident! Il y a un
taxi qui vient de démolir deux voitures d'un coup. Il est
rentré d'abord dans la 2CV et puis il est rentré tout droit°
dans la DS. Oh là là, regardez la 2CV! Elle est en pous-
5   sière! Et la DS, elle est tout aplatie°. La petite dame qui
conduisait la DS n'a pas l'air contente! Vite, dépêchez-vous,
venez voir, ils vont se battre! Non, la petite dame de la DS
se trouve mal°.

UN AUTRE GARÇON   Bah! Ce n'est rien. Regarde, elle n'a rien,
10   la dame, et puis les voitures non plus. La 2CV a tout juste
l'avant un peu en accordéon, l'arrière de la DS est un peu
égratigné°, et le taxi n'a rien du tout. Ce n'est pas un vrai
accident. L'autre jour, j'en ai vu un de bien mieux! Six
voitures qui se sont rentrées dedans. Une vraie partie de
15   billard! Il y avait du verre partout et au moins vingt personnes qui sont sorties des voitures et qui faisaient des gestes
et se criaient des injures°.

L'AGENT DE POLICE   Il n'y a pas de blessés? Bon. Vos papiers,
carte grise[8], permis de conduire... Voyons, qu'est-ce qui
20   s'est passé?

LA PETITE DAME   Monsieur l'agent, je ne sais absolument pas
comment c'est arrivé! Je me suis arrêtée au feu rouge, évidemment, et je venais juste de repartir° au feu vert quand

gars *m: guy*

tout droit: *straight*

tout aplati: *flat as a pancake (all flattened)*

se trouver mal: *to faint*

égratigner: *to scratch*

injure *f: insult*

je venais juste de repartir: *I had just left*

---

[8] **La carte grise** is the registration.

j'ai entendu un bruit épouvantable et en même temps j'ai
25   senti un choc qui a failli me projeter à travers le pare-brise.
Je me suis retrouvée entre le trottoir° et un taxi avec une   **trottoir** *m: sidewalk*
2CV en accordéon devant moi. Excusez-moi, je ne me sens
pas bien. C'est l'émotion, sans doute. Il faut pourtant que
je me dépêche. Qu'est-ce qu'Antoine va dire! Vous croyez
30   que ma voiture va pouvoir repartir?

L'AGENT DE POLICE   Certainement. Elle n'a pas grand-chose.
Mais vous ne pouvez pas partir comme ça! Il faut que vous
restiez pour les constatations°.   **constatation** *f: statement*
                                                              (*for a police report*)

LA PETITE DAME   Mais c'est impossible! Antoine m'attend.

35   L'AGENT DE POLICE   Téléphonez à votre mari, Madame, et expli-
quez-lui que vous allez être un peu en retard.

LA PETITE DAME   Qui vous parle de mon mari? J'ai rendez-vous
chez mon coiffeur, vous comprenez? Je ne peux pas rester
une minute de plus.

40   L'AGENT DE POLICE   Je comprends très bien, Madame, mais il
faut me laisser le temps de faire les constatations. Et vous,
Monsieur? C'est vous qui conduisiez la 2CV? On dirait que
c'est elle qui a eu le plus de mal.

LE CHAUFFEUR DE LA 2CV   Ah, ne m'en parlez pas. Elle est
45   fichue°, cette voiture. Ces chauffeurs de taxi, ils se croient   **fichu** (*fam*): *totally*
tout permis! J'arrivais tout doucement au croisement—j'avais   *wrecked*
le feu vert pour moi, la voie libre°, juste une DS à gauche   **la voie libre:** *a clear*
qui était en train de traverser le carrefour, quand tout à   (*free*) *road*
coup, je vois un taxi qui débouche° de derrière la DS et   **déboucher:** *to come out,*
50   vient droit sur moi. Ce chauffard m'est rentré en plein dedans.   *appear*

LE CHAUFFEUR DE TAXI   Chauffard toi-même! Tu faisais au moins
du 100, à un croisement encore! Je vais vous dire, Monsieur
l'agent. Ce n'était pas de ma faute°! J'arrivais tout tranquil-   **faute** *f: fault*
lement au carrefour. Le feu venait de passer au vert et je
55   pensais pouvoir passer sans avoir à changer de vitesse°. Il   **changer de vitesse:** *to*
y avait devant moi une DS qui n'avait pas l'air de vouloir   *shift*
démarrer. Je me suis dit «Ça doit être encore une femme.
Elle doit être en train de se maquiller°.»   **se maquiller:** *to put on*
                                                              make-up

LA PETITE DAME   Ça, ce n'est pas vrai, Monsieur l'agent, je ne
60   me maquille jamais, juste un peu de bleu sous les yeux.
C'est tout. Antoine me répète toujours que le maquillage
c'est très mauvais pour la peau°.   **peau** *f: skin*

LE CHAUFFEUR DE TAXI   Maintenant, je ne sais plus où j'en étais.
Qu'est-ce que je disais? Ah oui! Donc, elle était en train de
65   se maquiller. Je ne pouvais tout de même pas attendre une

heure, surtout que mon client avait un train à prendre à la
Gare du Nord dans dix minutes. Hein, qu'est-ce que vous
auriez fait à ma place? Je commence à doubler la DS et
juste au moment où je passe, elle démarre à toute vitesse.
70 J'accélère tant° que je peux, mais elle, elle accélère aussi. A ce **tant:** *as much*
moment je vois une 2CV qui arrive sur moi à toute vitesse
en sens inverse°. J'ai essayé de l'éviter; j'ai donné un coup **en sens inverse:** *in the*
de frein, mais c'était trop tard! J'avais la DS à ma droite qui *opposite direction*
continuait à faire la course comme si on était aux 24 Heures
75 du Mans. C'était fatal! La 2CV m'est rentrée dedans et à
la vitesse où elle allait... ça a fait du bruit! Le choc m'a
projeté sur la droite contre la DS. Elle a de la chance
de n'avoir rien eu, la petite dame. Je l'ai toujours dit, les
femmes, on ne devrait pas leur donner le permis de
80 conduire! C'est toujours elles qui causent les accidents!

Dictionary Section

chauffard (*fam*) chauffeur dangereux : *Quel chauffard! C'est étonnant qu'il n'ait pas plus d'accidents.*

dedans dans, à l'intérieur (*1*) *Il fait plus chaud dedans que dehors.* (*2*) *Il est rentré dans une voiture : il est allé droit sur elle et il est rentré dedans à 100 à l'heure!*

épouvantable terrible, qui fait très peur : *La nuit dernière j'ai été réveillé par un bruit épouvantable!*

geste mouvement de bras, de la main ou de la tête (*1*) *Il a fait un geste pour nous appeler.* (*2*) *Les Français font des gestes quand ils parlent.*

projeter jeter vers l'avant (*1*) *Le choc a projeté le chauffeur contre le pare-brise.* (*2*) *La voiture a été projetée contre un poteau télégraphique.*

32. QUESTIONS

1. Combien de voitures y a-t-il dans cet accident?
2. Quelle est la voiture qui a eu le plus de mal?
3. Qui conduisait la DS?
4. Comment le deuxième garçon décrit-il l'accident qu'il a vu l'autre jour?
5. Pourquoi la dame qui conduit la DS est-elle pressée de partir?
6. Pourquoi l'agent ne peut-il pas laisser repartir la dame tout de suite?
7. Quelle est la voiture qui est rentrée dans la 2CV?
8. Qui, d'après le chauffeur de taxi, faisait au moins du 100 à l'heure?
9. Pourquoi le chauffeur de taxi était-il pressé? D'après lui, pourquoi la DS n'a-t-elle pas démarré tout de suite?
10. Qu'est-ce que le chauffeur de taxi a fait quand il a vu la 2CV arriver en sens inverse?
11. Que pense le chauffeur de taxi des femmes qui conduisent?

Noun Exercise

33. COMPLETION

1. De quel geste parlez-vous? Je n'ai pas fait de geste!	1. Si! Vous avez fait ____ geste comme si vous alliez tourner à gauche.
2. Il paraît que tu es monté sur le trottoir devant *chez Antoine.*	2. Non, c'était ____ trottoir qui est devant *chez Guerlain.*
3. Tu es rentré dans un taxi?	3. Mais non, c'est ____ taxi qui m'est rentré dedans.
4. Dans quel sens allait la DS?	4. Dans ____ même sens que moi.
5. Vous avez senti un choc?	5. Oui, ____ choc épouvantable qui m'a projeté contre le pare-brise.
6. La DS a un drôle d'avant.	6. Toutes les Citroën ont ____ avant bizarre.
7. Elle a aussi un drôle d'arrière.	7. Toutes les Citroën ont ____ arrière bizarre.

Verb Exercises: Verbs like essayer

Verbs like **essayer,** that is, verbs whose infinitives end in **-yer,** are like **travailler** except for a spelling variation. **Y** is replaced by **i** before the following written endings: **-e, -es, -ent** and in the future/conditional stem.

Present Indicative	*Future/Conditional*
j'essaie	j'essaier-ai
tu essaies	j'essaier-ais
il essaie	
nous essayons	
vous essayez	
ils essaient	

34. PATTERNED RESPONSE

Vous redressez le pare-choc?	Oui, nous essayons de le redresser.
Jean répare la moto?	Oui, il essaie de la réparer.
Les garçons changent le pneu?	Oui, ils essaient de le changer.
Luc remplace le pare-brise?	Oui, il essaie de le remplacer.
Tu répares les freins?	Oui, j'essaie de les réparer.

Writing

SENTENCE COMPLETION

Rewrite the following sentences, supplying the appropriate form of the verb **essayer.**

1. Tu es en retard tous les matins! Il faut que tu _____ d'arriver à l'heure.
2. Mais je vous assure, Monsieur l'agent, j'ai fait tout ce que j'ai pu. J'ai bien _____ de l'éviter mais il m'est rentré en plein dedans!
3. Je ne sais pas si je vais pouvoir finir votre voiture pour ce soir, mais je vais _____ .
4. M. Lebrun est toujours très occupé. Si j'étais toi, j' _____ d'abord de lui téléphoner.
5. Quand nous étions petits, nous _____ toujours d'aller au lit le plus tard possible.
6. Bernard _____ tous les jours de prendre le train de 8 heures, mais il le manque une fois sur deux.
7. Michel et Pierre sont au coin de la rue. Ils _____ de trouver un taxi.
8. Je n'ai pas pu voir le patron aujourd'hui; j' _____ encore demain.
9. Je me demande ce qui se passe : ça fait une demi-heure que nous _____ d'avoir Jean-Claude au téléphone.
10. Tout est très cher dans cette librairie; il vaut mieux que vous _____ celle de la rue Caumartin.

RECOMBINATION EXERCISES

The venir de *Construction: Imperfect*

As you know, when the construction **venir de** + infinitive is used in the present indicative, it is equivalent to *have just* + verb in English: **Il vient de partir.** *He has just left.* When used in the imperfect, this construction is equivalent to *had just* + verb: **L'agent venait de partir quand l'accident est arrivé.** *The policeman had just left when the accident happened.*

35. **PATTERNED RESPONSE**

Vous étiez là quand l'accident est arrivé? ⊗   Non, nous venions de partir.

Tu étais là quand le docteur est arrivé?

Véronique était là quand vous avez téléphoné?

Les Bertier étaient là quand vous êtes arrivés?

L'agent était là quand la petite dame s'est trouvée mal?

The depuis *and* ça fait que *Constructions: Imperfect*

The **depuis** and **ça fait que** constructions may also be used in the imperfect to indicate how long an action had been going on when something else happened.

J'étais là depuis 10 minutes quand le téléphone a sonné.

Ça faisait 10 minutes que j'étais là quand le téléphone a sonné.

} *I had been here for 10 minutes when the telephone rang.*

36. RESTATEMENT DRILL

[*Pourquoi êtes-vous allé vous promener? Vous en aviez assez de rester dedans?*]

Oui, ça faisait une heure que je travaillais. ⊗

Oui, je travaillais depuis une heure.

Oui, ça faisait deux heures que je regardais la télé.

Oui, ça faisait des heures que je lisais.

Oui, ça faisait trois heures que je faisais le ménage.

Oui, ça faisait deux jours que j'étais au lit.

Oui, ça faisait des heures que j'écoutais des disques.

Oui, ça faisait une heure que j'écrivais.

37. AFFIRMATIVE → NEGATIVE

La dame s'est trompée de rue? ⊗

Mais non, elle ne s'est pas trompée de rue.

Elle s'est arrêtée au feu rouge?

Elle se maquillait?

Les passants se sont intéressés à l'accident?

Ils se sont approchés?

Vous vous êtes trouvé mal?

Vous vous êtes moqué de lui?

Vous vous êtes rentrés dedans?

Vous vous êtes dit des injures?

Vous vous êtes battus?

Vous vous êtes donné des coups de poing?

38. PRESENT → PASSÉ COMPOSÉ OR IMPERFECT

Il y a un accident à un carrefour.   Il y a eu un accident à un carrefour.
Un taxi rentre dans une 2CV.
Puis il rentre dans une DS.
C'est une dame qui conduit la DS.
C'est une belle DS blanche.
Un agent de police arrive après l'accident.
Il fait les constatations.
Il demande les permis de conduire.
La dame n'a pas son permis.
Elle est pressée de repartir.
Parce qu'Antoine l'attend.
Antoine n'est pas son mari.
C'est son coiffeur.

39. DIRECTED DRILL

Vous êtes l'agent de police et vous faites les constatations. Vous parlez à la dame qui conduisait la DS. Vous lui demandez :

son nom   Quel est votre nom?
son adresse
son numéro de téléphone
si elle est mariée
si la voiture est à elle
si elle a son permis
de vous le montrer
si ça fait longtemps qu'elle conduit
si elle a déjà eu des accidents
si elle s'est arrêtée au feu rouge
si elle est repartie tout de suite au feu vert
ce qu'elle faisait quand le feu est passé
   au vert
si elle allait vite quand l'accident est
   arrivé
à quelle vitesse elle allait
ce qu'elle a fait quand elle a vu la 2CV
si elle a donné un coup de frein
si ses freins marchent bien
de faire plus attention à l'avenir

40. SENTENCE COMBINATION

1. Une dame conduisait la DS. Elle s'est trouvée mal. ⊗

   La dame qui conduisait la DS s'est trouvée mal.

   Un jeune homme conduisait la 2CV. Il n'avait pas son permis.

   Le jeune homme qui conduisait la 2CV n'avait pas son permis.

   Un agent a fait les constatations. Il n'était pas très aimable.

   L'agent qui a fait les constatations n'était pas très aimable.

   Un homme conduisait le taxi. Il nous a crié des injures.

   L'homme qui conduisait le taxi nous a crié des injures.

   Une 2CV est rentrée dans le camion. Elle a été complètement démolie.

   La 2CV qui est rentrée dans le camion a été complètement démolie.

2. Papa va acheter une DS. Elle est sensationnelle! ⊗

   La DS que papa va acheter est sensationnelle!

   Nous avons acheté une vieille Jaguar. Elle marche très bien.

   La vieille Jaguar que nous avons achetée marche très bien.

   Nous avons acheté une 2CV. Elle n'a pas de bons freins.

   La 2CV que nous avons achetée n'a pas de bons freins.

   Nous avons changé un pneu. Il était en très mauvais état.

   Le pneu que nous avons changé était en très mauvais état.

   Nous avons pris une petite route. Elle était très jolie.

   La petite route que nous avons prise était très jolie.

   Nous avons appelé un taxi. Il ne s'est pas arrêté.

   Le taxi que nous avons appelé ne s'est pas arrêté.

Conversation Buildup

[*La petite dame raconte son accident à son coiffeur, Antoine.*]

LA PETITE DAME Je suis en retard... Je suis désolée... Excusez-moi. Ce n'est pas de ma faute. Je viens d'avoir un accident épouvantable. Qu'est-ce que mon mari va dire? La voiture est fichue... Je me suis trouvée mal, le choc... vous comprenez... J'ai été projetée à travers le pare-brise! Il y avait du verre partout. Et puis tous ces gens qui criaient, qui faisaient des gestes... l'agent de police qui ne voulait pas me laisser partir, qui voulait voir mon permis de conduire, qui voulait téléphoner à mon mari. Je vous demande pourquoi!

   J'étais arrêtée au feu rouge. Le feu passe au vert, je démarre tout de suite et deux voitures me rentrent dedans en même temps à 100 à l'heure au moins. Je me suis retrouvée sur le trottoir avec une 2CV en accordéon devant moi et un taxi derrière, enfin à gauche, ou à droite, je ne sais plus. Tout ça c'est la faute du taxi, n'est-ce pas? C'est clair.

LE COIFFEUR   Certainement Madame. Mais je ne comprends pas très bien ce qui s'est passé...

CONVERSATION STIMULUS

1. L'histoire de la dame n'est pas très claire. Est-ce que vous pouvez expliquer plus clairement comment l'accident s'est passé? Utilisez le dessin et les questions suivantes pour vous guider:

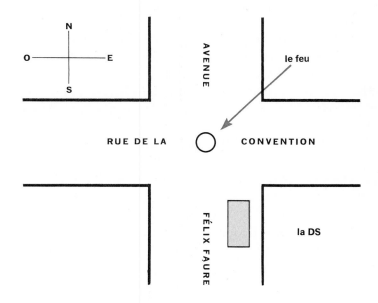

—Avant l'accident, au moment où le feu était encore rouge, où étaient les différentes voitures? Si la DS était dans l'avenue Félix Faure, côté sud, où était le taxi? Et la 2CV, où était-elle, dans la rue de la Convention ou dans l'avenue Félix Faure?

—Quand le feu est passé au vert, qu'a fait la DS? Et le taxi? Où était-il, à droite ou à gauche de la DS?

—Quelles sont les deux voitures qui se sont d'abord rentrées dedans? Comment la DS a-t-elle été égratignée?

—D'après vous, est-ce que c'est le côté droit ou le côté gauche de la DS qui a été égratigné?

—D'après vous, qui est-ce qui a causé l'accident?

2. Dans l'histoire de la dame, il y a des choses qui ne sont pas tout à fait vraies. Essayez de les trouver.

Writing

PARAGRAPH CONSTRUCTION

The following paragraphs describe a trip to the *Rallye de Monte-Carlo,* an automobile race held annually in Monaco. Rewrite the paragraphs, using the words in italics in the order given. Make any necessary additions (articles, prepositions, etc.) or changes (infinitive to appropriate verb form, etc.).

> MODEL   *Nous / partir /Mâcon / quatre heures / matin*
> Nous sommes partis de Mâcon à quatre heures du matin.

1. Le vingt juin : Nous sommes partis de Mâcon à quatre heures du matin. D'habitude, je n'aime pas me lever de bonne heure, mais ce jour-là il fallait bien si / *nous / vouloir / arriver / à Monaco / pour / départ du Rallye.* / Quand nous sommes partis, / *tout le monde / dormir / dans Mâcon.* / Il n'y avait pas un chat dans les rues, et / *nous / ne pas voir / seul / voiture / entre Mâcon et Lyon.* / Nous avons fait Lyon-Valence en une heure. Il s'est mis à pleuvoir quand / *nous / arriver / à Valence / où / nous / s'arrêter / prendre / tasse / café.* / C'est juste comme nous sortions de Valence que / *nous / avoir / panne.* / Nous nous sommes arrêtés à un feu rouge, / *moteur / se mettre / faire / drôle / bruit, / puis / il / s'arrêter / complètement.* // *Nous / essayer / repartir* / mais il n'y a rien eu à faire. / *Pierre / descendre / voiture, / il / lever / capot* / et il a poussé un cri : «Ce n'est pas étonnant / *que / voiture / ne pas marcher* : / il n'y a pas de moteur!» / Georges n'aime pas / *que / on / plaisanter,* / surtout quand il s'agit de sa voiture : «Ha! Ha! Ha! Ce que tu es drôle! Je suppose / *que / ce / être / premier / fois* / que tu vois une Volkswagen!... Je ne comprends vraiment pas ce qui se passe. / *Je / amener / voiture / garage / hier* / et on a tout vérifié : / *moteur, / frein, / pneu,* / ...tout! Je ne vois pas ce que ça peut être!»

2. Nous avons décidé que / *il / falloir / trouver / garage / plus vite possible* / et que Pierre et Georges resteraient dans la voiture pendant que Jean-Claude et moi essaierions / *trouver / garage / ou / téléphone.* // *Nous / marcher / pendant / quart d'heure* / sans voir une seule voiture. Puis deux voitures sont passées. Nous avons fait signe aux chauffeurs, mais / *ils / ne pas s'arrêter.* // *Nous / marcher / depuis / environ / demi-heure* / quand enfin un gros camion Berliet s'est arrêté. Le chauffeur a été très gentil : *il / nous / amener / garage* / où nous avons expliqué au garagiste que / *nous / être / en panne* / et qu'il fallait absolument que / *nous / être / à Monaco / pour / départ du Rallye.* / Nous sommes montés dans son camion et / *nous / partir / tout de suite.* / Quand nous sommes arrivés, nous avons trouvé / *Georges et Pierre / qui dormir / tranquillement.* / Le garagiste a regardé la voiture, puis / *il / nous / demander* : / «Vous avez de l'essence, au moins?» Nous n'en avions pas!

REFERENCE LIST

Nouns

arrière *m*	code *m* de la route	geste *m*	poteau *m*
avant *m*	croisement *m*	pare-brise *m*	sens *m*
boulon *m*	départ *m*	pare-choc *m*	taxi *m*
capot *m*	feu *m*	permis *m* de conduire	trottoir *m*
chauffeur *m*	frein *m*	piéton *m*	virage *m*
choc *m*	gars *m*	pneu *m*	volant *m*

constatation *f*   émotion *f*   panne *f*
contravention *f*   injure *f*

m/f pairs: employé, –e   fou, folle

Adjectives and Adverbs

aplati, –e   étonnant, –e   inverse
épouvantable   honnête   tranquille

arrière   évidemment
avant   parfaitement

Verbs

(like travailler)

s'arrêter   se maquiller
démarrer   redresser
doubler   remonter
égratigner   rentrer dans
éviter

(like appeler)

projeter

(like dormir)

repartir

(like emmener)

enlever

(like essayer)

essayer (de)

(like exagérer)

accélérer

(like finir)

démolir
ralentir

Other Words and Expressions

changer de vitesse   en paix   tout droit
compter là-dessus   tandis que   à travers
dedans   tant   se trouver mal

SIGNAUX DE DANGER

Enfants   Passage pour piétons   Travaux

SIGNAUX DE PRESCRIPTION

Limitation de vitesse. Ce signal annule toute limitation antérieure   Accès interdit aux cyclistes et cyclomotoristes   Interdiction de faire demi-tour

— Non, vous irez dans la rue quand vous aurez votre permis, pas avant !

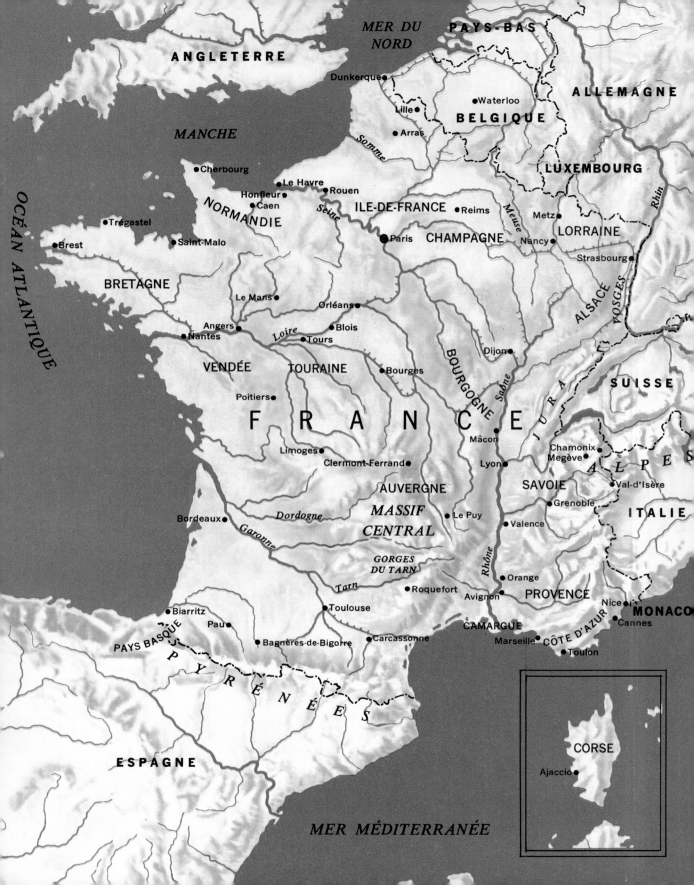

GRAMMATICAL SUMMARY

Articles

	SINGULAR		PLURAL
	Masculine	*Feminine*	
DEFINITE ARTICLES	le garçon (l'homme)	la fille (l'entrée)	les garçons / filles
INDEFINITE ARTICLES: COUNT NOUNS	un garçon	une fille	des garçons / filles
INDEFINITE ARTICLES: MASS NOUNS	du café (de l'argent)	de la soupe (de l'eau)	————
DEMONSTRATIVE ARTICLES	ce garçon (cet homme)	cette fille	ces garçons / filles
POSSESSIVE ARTICLES	mon frère	ma sœur (mon amie)	mes frères / sœurs
	ton frère	ta sœur (ton amie)	tes frères / sœurs
	son frère	sa sœur (son amie)	ses frères / sœurs
	notre frère	notre sœur	nos frères / sœurs
	votre frère	votre sœur	vos frères / sœurs
	leur frère	leur sœur	leurs frères / sœurs

Adjectives: Formation of Feminine

	Masculine	Feminine
MOST ADJECTIVES (*add* -e)	un garçon intelligent	une fille intelligente
ALL ADJECTIVES ENDING IN -é (*add* -e)	un garçon fatigué	une fille fatiguée
ALL ADJECTIVES ENDING IN AN UNACCENTED -e (*no change*)	un garçon sympathique	une fille sympathique
MOST ADJECTIVES ENDING IN -eux (-eux → -euse)	un garçon paresseux	une fille paresseuse
ALL ADJECTIVES ENDING IN -el (-el → -elle)	un camion officiel	une voiture officielle
ALL ADJECTIVES ENDING IN -ien (-ien → -ienne)	un garçon italien	une fille italienne
ALL ADJECTIVES ENDING IN -er (-er → -ère)	un garçon étranger	une fille étrangère
ALL ADJECTIVES ENDING IN -f (-f → -ve)	un garçon sportif	une fille sportive

NOTES:

1. For adjectives with irregular feminine forms, see listings in the French-English Vocabulary, pp. 411–429.
2. The feminine counterparts of masculine <u>nouns</u> are normally formed according to the same rules that apply to the formation of feminine adjectives. The rules for nouns ending in **-eur** are the following: Nouns ending in **-teur** have a feminine form ending in **-trice** (spectateur, spectatrice) or in **-euse** (menteur, menteuse). Most other nouns ending in **-eur** have a feminine counterpart ending in **-euse** (vendeur, vendeuse).

Nouns and Adjectives: Formation of Plural

		Masculine	*Feminine*
MOST NOUN AND ADJECTIVE FORMS (*add* **-s**)	*sing* *pl*	un garçon intelligent des garçons intelligents	une fille intelligente des filles intelligentes
MOST NOUN AND <u>MASCULINE</u> ADJECTIVE FORMS ENDING IN **-al** (**-al** → **-aux**)	*sing* *pl*	un canal principal des canaux principaux	une route principale des routes principales
MOST NOUN AND <u>MASCULINE</u> ADJECTIVE FORMS ENDING IN **-eau** (*add* **-x**)	*sing* *pl*	un nouveau panneau de nouveaux panneaux	une nouvelle route de nouvelles routes
ALL NOUN AND <u>MASCULINE</u> ADJECTIVE FORMS ENDING IN **-s** (*no change*)	*sing* *pl*	un autobus gris des autobus gris	une voiture grise des voitures grises
ALL <u>MASCULINE</u> ADJECTIVE FORMS ENDING IN **-x** (*no change*)	*sing* *pl*	un garçon paresseux des garçons paresseux	une fille paresseuse des filles paresseuses
ALL NOUNS ENDING IN **-z** (*no change*)	*sing* *pl*	un nez des nez	
MOST NOUNS ENDING IN **-eu** (*add* **-x**)	*sing* *pl*	un cheveu des cheveux	

Nouns

GENDER NOTES	
Masculine	*Feminine*

MOST NOUNS ENDING IN
    a consonant + on: le savon
    -eau: un chapeau
    -ment: un événement
    -er: le dîner
    -et: le ballet
    -eur (that refer to people or
        things that perform a function):
        un vendeur, un moteur
 	
MOST NAMES OF
    meats: le porc
	ALL NOUNS ENDING IN
	    -tion: une délégation
	
	MOST NOUNS ENDING IN
	    -ée: une armée
	    -ette: une camionnette
	    -ie: la géographie
	    -ine: une usine
	    -ion: la réunion
	    -té: la difficulté
	    -ure: la nature
	
	MOST NAMES OF
	    cars: une DS
	    countries ending in -e: la Suisse
	    fruits: une pomme

Pronouns

DIRECT OBJECT PRONOUNS			INDIRECT OBJECT PRONOUNS			REFLEXIVE PRONOUNS	
Singular	*Plural*		*Singular*	*Plural*		*Singular*	*Plural*
1 me	nous		1 me	nous		1 me	nous
2 te	vous		2 te	vous		2 te	vous
3 le, la	les		3 lui	leur		3 se	se

NOTES:

1. For summary chart of subject pronouns and independent pronouns, see p. 10.
2. For the use of **en,** see p. 14.
3. For the use of **y,** see p. 56.
4. For summary chart of interrogative pronouns, see p. 141.
5. For the order of double object pronouns, see pp. 221, 223 and 230.

Regular Verbs

PRESENT INDICATIVE

travaill	-e		fin	-is		attend	-s		dor	-s
	-es			-is			-s			-s
	-e			-it			—			-t
travaill	-ons		finiss	-ons		attend	-ons		dorm	-ons
	-ez			-ez			-ez			-ez
	-ent			-ent			-ent			-ent

IMPERATIVE

travaill	-e		fin	-is		attend	-s		dor	-s
travaill	-ons		finiss	-ons		attend	-ons		dorm	-ons
	-ez			-ez			-ez			-ez

DERIVATION RULE: The imperative of almost all verbs is composed of the **tu** form, the **nous** form and the **vous** form of the present indicative without the pronoun. (The second person singular form of verbs like **travailler** is written without a final **-s.**)

IMPERFECT INDICATIVE

travaill	-ais
finiss	-ais
attend	-ait
dorm	-ions
	-iez
	-aient

DERIVATION RULE: The imperfect stem of regular verbs (and of all other verbs except **être**) is the same as the **nous** stem of the present indicative.

PRESENT SUBJUNCTIVE

travaill	-e
finiss	-es
attend	-e
dorm	-ions
	-iez
	-ent

DERIVATION RULE: For most verbs, the **nous** and **vous** stem of the present subjunctive is the same as the **nous** and **vous** stem of the imperfect (or the present indicative). The stem for the other forms is the same as the **ils** stem of the present indicative. Since regular verbs have only one plural stem, the stem for <u>all</u> present subjunctive forms may be derived from the **nous** stem of the present indicative.

NOTE:

Key forms are boxed in the charts on this and the following page. Notice that the tenses and moods included in each chart may be derived from the key forms.

INFINITIVE				passé composé (with **avoir**)	
travailler	finir	attendre	dormir	ai	
				as	travaillé
				a	fini
				avons	attendu
				avez	dormi
				ont	

FUTURE		CONDITIONAL		passé composé (with **être**)	
	-ai		-ais	suis	
travailler	-as	travailler	-ais	es	resté(e)
finir	-a	finir	-ait	est	
attendr	-ons	attendr	-ions	sommes	
dormir	-ez	dormir	-iez	êtes	resté(e)s
	-ent		-aient	sont	

DERIVATION RULE: The future stem of regular verbs (and of many other verbs) is the infinitive.

DERIVATION RULE: The conditional stem of regular verbs (and of many other verbs (is the infinitive.

Index of Verbs with Stem Changes or Irregular Forms

Following is an alphabetical list of verbs with stem changes or irregular forms. This list will guide you to the appropriate chart for the verb itself or for a verb whose pattern it follows. Verbs like **dormir** have also been included in the list. All **-ir** verbs which have not been included are like **finir**.

croire, 406

décrire, *like* écrire, 406
devenir, *like* venir, 409
devoir, 406
dire, 406
disparaître, *like* connaître, 405
dormir, 401–402

écrire, 406
emmener, 404
endormir, *like* dormir, 401–402
enlever, *like* emmener, 404
essayer, 404
être, 406
exagérer, 404

faire, 407
falloir, 407

jeter, *like* appeler, 403

lever, *like* emmener, 404
lire, 407

mettre, 407

ouvrir, 407

partir, *like* dormir, 401–402

permettre, *like* mettre, 407
pleuvoir, 408
pouvoir, 408
préférer, *like* exagérer, 404
prendre, 408
prévenir, *like* venir, 409
projeter, *like* appeler, 403
promener, *like* emmener, 404
promettre, *like* mettre, 407

recevoir, 408
reconnaître, *like* connaître, 405
remettre, *like* mettre, 407
repartir, *like* dormir, 401–402
répéter, *like* exagérer, 404
reprendre, *like* prendre, 408
retenir, *like* venir, 409
revenir, *like* venir, 409
rire, 408

savoir, 409
sentir, *like* dormir, 401–402
sortir, *like* dormir, 401–402
se souvenir, *like* venir, 409

tenir, *like* venir, 409

venir, 409
voir, 409
vouloir, 409

Verbs with Stem Changes

Verbs listed in this section have no irregularity other than the stem change. The only sets of forms listed are those in which stem changes occur, and the forms in which the changes occur are printed in boldface type.

The alternations c → ç and g → ge are not listed since they are spelling changes only and reflect no difference in sound.

appeler	
PRESENT INDICATIVE	**appelle, appelles, appelle,** appelons, appelez, **appellent**
PRESENT SUBJUNCTIVE	**appelle, appelles, appelle,** appelions, appeliez, **appellent**
FUTURE	**appellerai, appelleras, appellera, appellerons, appellerez, appelleront**
CONDITIONAL	**appellerais, appellerais, appellerait, appellerions, appelleriez, appelleraient**
IMPERATIVE	**appelle,** appelons, appelez

emmener

PRESENT INDICATIVE	**emmène, emmènes, emmène,** emmenons, emmenez, **emmènent**
PRESENT SUBJUNCTIVE	**emmène, emmènes, emmène,** emmenions, emmeniez, **emmènent**
FUTURE	**emmènerai, emmèneras, emmènera, emmènerons, emmènerez, emmèneront**
CONDITIONAL	**emmènerais, emmènerais, emmènerait, emmènerions, emmèneriez, emmèneraient**
IMPERATIVE	**emmène,** emmenons, emmenez

essayer

PRESENT INDICATIVE	**essaie, essaies, essaie,** essayons, essayez, **essaient**
PRESENT SUBJUNCTIVE	**essaie, essaies, essaie,** essayions, essayiez, **essaient**
FUTURE	**essaierai, essaieras, essaiera, essaierons, essaierez, essaieront**
CONDITIONAL	**essaierais, essaierais, essaierait, essaierions, essaieriez, essaieraient**
IMPERATIVE	**essaie,** essayons, essayez

exagérer

PRESENT INDICATIVE	**exagère, exagères, exagère,** exagérons, exagérez, **exagèrent**
PRESENT SUBJUNCTIVE	**exagère, exagères, exagère,** exagérions, exagériez, **exagèrent**
IMPERATIVE	**exagère,** exagérons, exagérez

Verbs with Irregular Forms

Verbs listed in this section are those that do not follow the pattern of verbs *like* **travailler,** verbs *like* **finir,** verbs *like* **attendre,** or verbs *like* **dormir.**

aller

PAST PARTICIPLE	allé
PRESENT INDICATIVE	vais, vas, va, allons, allez, vont
PRESENT SUBJUNCTIVE	aille, ailles, aille, allions, alliez, aillent
IMPERFECT INDICATIVE	allais, allais, allait, allions, alliez, allaient
FUTURE	irai, iras, ira, irons, irez, iront
CONDITIONAL	irais, irais, irait, irions, iriez, iraient
IMPERATIVE	va, allons, allez

avoir

PAST PARTICIPLE	eu
PRESENT INDICATIVE	ai, as, a, avons, avez, ont
PRESENT SUBJUNCTIVE	aie, aies, ait, ayons, ayez, aient

IMPERFECT INDICATIVE	avais, avais, avait, avions, aviez, avaient
FUTURE	aurai, auras, aura, aurons, aurez, auront
CONDITIONAL	aurais, aurais, aurait, aurions, auriez, auraient

battre

PAST PARTICIPLE	battu
PRESENT INDICATIVE	bats, bats, bat, battons, battez, battent
PRESENT SUBJUNCTIVE	batte, battes, batte, battions, battiez, battent
IMPERFECT INDICATIVE	battais, battais, battait, battions, battiez, battaient
FUTURE	battrai, battras, battra, battrons, battrez, battront
CONDITIONAL	battrais, battrais, battrait, battrions, battriez, battraient
IMPERATIVE	bats, battons, battez

boire

PAST PARTICIPLE	bu
PRESENT INDICATIVE	bois, bois, boit, buvons, buvez, boivent
PRESENT SUBJUNCTIVE	boive, boives, boive, buvions, buviez, boivent
IMPERFECT INDICATIVE	buvais, buvais, buvait, buvions, buviez, buvaient
FUTURE	boirai, boiras, boira, boirons, boirez, boiront
CONDITIONAL	boirais, boirais, boirait, boirions, boiriez, boiraient
IMPERATIVE	bois, buvons, buvez

conduire

PAST PARTICIPLE	conduit
PRESENT INDICATIVE	conduis, conduis, conduit, conduisons, conduisez, conduisent
PRESENT SUBJUNCTIVE	conduise, conduises, conduise, conduisions, conduisiez, conduisent
IMPERFECT INDICATIVE	conduisais, conduisais, conduisait, conduisions, conduisiez, conduisaient
FUTURE	conduirai, conduiras, conduira, conduirons, conduirez, conduiront
CONDITIONAL	conduirais, conduirais, conduirait, conduirions, conduiriez, conduiraient
IMPERATIVE	conduis, conduisons, conduisez

connaître

PAST PARTICIPLE	connu
PRESENT INDICATIVE	connais, connais, connaît, connaissons, connaissez, connaissent
PRESENT SUBJUNCTIVE	connaisse, connaisses, connaisse, connaissions, connaissiez, connaissent
IMPERFECT INDICATIVE	connaissais, connaissais, connaissait, connaissions, connaissiez, connaissaient
FUTURE	connaîtrai, connaîtras, connaîtra, connaîtrons, connaîtrez, connaîtront
CONDITIONAL	connaîtrais, connaîtrais, connaîtrait, connaîtrions, connaîtriez, connaîtraient
IMPERATIVE	connais, connaissons, connaissez

croire

PAST PARTICIPLE	cru
PRESENT INDICATIVE	crois, crois, croit, croyons, croyez, croient
PRESENT SUBJUNCTIVE	croie, croies, croie, croyions, croyiez, croient
IMPERFECT INDICATIVE	croyais, croyais, croyait, croyions, croyiez, croyaient
FUTURE	croirai, croiras, croira, croirons, croirez, croiront
CONDITIONAL	croirais, croirais, croirait, croirions, croiriez, croiraient
IMPERATIVE	crois, croyons, croyez

devoir

PAST PARTICIPLE	dû
PRESENT INDICATIVE	dois, dois, doit, devons, devez, doivent
PRESENT SUBJUNCTIVE	doive, doives, doive, devions, deviez, doivent
IMPERFECT INDICATIVE	devais, devais, devait, devions, deviez, devaient
FUTURE	devrai, devras, devra, devrons, devrez, devront
CONDITIONAL	devrais, devrais, devrait, devrions, devriez, devraient

dire

PAST PARTICIPLE	dit
PRESENT INDICATIVE	dis, dis, dit, disons, dites, disent
PRESENT SUBJUNCTIVE	dise, dises, dise, disions, disiez, disent
IMPERFECT INDICATIVE	disais, disais, disait, disions, disiez, disaient
FUTURE	dirai, diras, dira, dirons, direz, diront
CONDITIONAL	dirais, dirais, dirait, dirions, diriez, diraient
IMPERATIVE	dis, disons, dites

écrire

PAST PARTICIPLE	écrit
PRESENT INDICATIVE	écris, écris, écrit, écrivons, écrivez, écrivent
PRESENT SUBJUNCTIVE	écrive, écrives, écrive, écrivions, écriviez, écrivent
IMPERFECT INDICATIVE	écrivais, écrivais, écrivait, écrivions, écriviez, écrivaient
FUTURE	écrirai, écriras, écrira, écrirons, écrirez, écriront
CONDITIONAL	écrirais, écrirais, écrirait, écririons, écririez, écriraient
IMPERATIVE	écris, écrivons, écrivez

être

PAST PARTICIPLE	été
PRESENT INDICATIVE	suis, es, est, sommes, êtes, sont
PRESENT SUBJUNCTIVE	sois, sois, soit, soyons, soyez, soient
IMPERFECT INDICATIVE	étais, étais, était, étions, étiez, étaient
FUTURE	serai, seras, sera, serons, serez, seront
CONDITIONAL	serais, serais, serait, serions, seriez, seraient

faire

PAST PARTICIPLE	fait
PRESENT INDICATIVE	fais, fais, fait, faisons, faites, font
PRESENT SUBJUNCTIVE	fasse, fasses, fasse, fassions, fassiez, fassent
IMPERFECT INDICATIVE	faisais, faisais, faisait, faisions, faisiez, faisaient
FUTURE	ferai, feras, fera, ferons, ferez, feront
CONDITIONAL	ferais, ferais, ferait, ferions, feriez, feraient
IMPERATIVE	fais, faisons, faites

falloir

PAST PARTICIPLE	fallu
PRESENT INDICATIVE	il faut
IMPERFECT INDICATIVE	il fallait
FUTURE	il faudra
CONDITIONAL	il faudrait

lire

PAST PARTICIPLE	lu
PRESENT INDICATIVE	lis, lis, lit, lisons, lisez, lisent
PRESENT SUBJUNCTIVE	lise, lises, lise, lisions, lisiez, lisent
IMPERFECT INDICATIVE	lisais, lisais, lisait, lisions, lisiez, lisaient
FUTURE	lirai, liras, lira, lirons, lirez, liront
CONDITIONAL	lirais, lirais, lirait, lirions, liriez, liraient
IMPERATIVE	lis, lisons, lisez

mettre

PAST PARTICIPLE	mis
PRESENT INDICATIVE	mets, mets, met, mettons, mettez, mettent
PRESENT SUBJUNCTIVE	mette, mettes, mette, mettions, mettiez, mettent
IMPERFECT INDICATIVE	mettais, mettais, mettait, mettions, mettiez, mettaient
FUTURE	mettrai, mettras, mettra, mettrons, mettrez, mettront
CONDITIONAL	mettrais, mettrais, mettrait, mettrions, mettriez, mettraient
IMPERATIVE	mets, mettons, mettez

ouvrir

PAST PARTICIPLE	ouvert
PRESENT INDICATIVE	ouvre, ouvres, ouvre, ouvrons, ouvrez, ouvrent
PRESENT SUBJUNCTIVE	ouvre, ouvres, ouvre, ouvrions, ouvriez, ouvrent
IMPERFECT INDICATIVE	ouvrais, ouvrais, ouvrait, ouvrions, ouvriez, ouvraient
FUTURE	ouvrirai, ouvriras, ouvrira, ouvrirons, ouvrirez, ouvriront
CONDITIONAL	ouvrirais, ouvrirais, ouvrirait, ouvririons, ouvririez, ouvriraient
IMPERATIVE	ouvre, ouvrons, ouvrez

pleuvoir

PAST PARTICIPLE	plu
PRESENT INDICATIVE	pleut
IMPERFECT INDICATIVE	pleuvait
FUTURE	pleuvra
CONDITIONAL	pleuvrait

pouvoir

PAST PARTICIPLE	pu
PRESENT INDICATIVE	peux, peux, peut, pouvons, pouvez, peuvent
PRESENT SUBJUNCTIVE	puisse, puisses, puisse, puissions, puissiez, puissent
IMPERFECT INDICATIVE	pouvais, pouvais, pouvait, pouvions, pouviez, pouvaient
FUTURE	pourrai, pourras, pourra, pourrons, pourrez, pourront
CONDITIONAL	pourrais, pourrais, pourrait, pourrions, pourriez, pourraient

prendre

PAST PARTICIPLE	pris
PRESENT INDICATIVE	prends, prends, prend, prenons, prenez, prennent
PRESENT SUBJUNCTIVE	prenne, prennes, prenne, prenions, preniez, prennent
IMPERFECT INDICATIVE	prenais, prenais, prenait, prenions, preniez, prenaient
FUTURE	prendrai, prendras, prendra, prendrons, prendrez, prendront
CONDITIONAL	prendrais, prendrais, prendrait, prendrions, prendriez, prendraient
IMPERATIVE	prends, prenons, prenez

recevoir

PAST PARTICIPLE	reçu
PRESENT INDICATIVE	reçois, reçois, reçoit, recevons, recevez, reçoivent
PRESENT SUBJUNCTIVE	reçoive, reçoives, reçoive, recevions, receviez, reçoivent
IMPERFECT INDICATIVE	recevais, recevais, recevait, recevions, receviez, recevaient
FUTURE	recevrai, recevras, recevra, recevrons, recevrez, recevront
CONDITIONAL	recevrais, recevrais, recevrait, recevrions, recevriez, recevraient
IMPERATIVE	reçois, recevons, recevez

rire

PAST PARTICIPLE	ri
PRESENT INDICATIVE	ris, ris, rit, rions, riez, rient
PRESENT SUBJUNCTIVE	rie, ries, rie, riions, riiez, rient
IMPERFECT INDICATIVE	riais, riais, riait, riions, riiez, riaient
FUTURE	rirai, riras, rira, rirons, rirez, riront
CONDITIONAL	rirais, rirais, rirait, ririons, ririez, riraient
IMPERATIVE	ris, rions, riez

savoir

PAST PARTICIPLE	su
PRESENT INDICATIVE	sais, sais, sait, savons, savez, savent
PRESENT SUBJUNCTIVE	sache, saches, sache, sachions, sachiez, sachent
IMPERFECT INDICATIVE	savais, savais, savait, savions, saviez, savaient
FUTURE	saurai, sauras, saura, saurons, saurez, sauront
CONDITIONAL	saurais, saurais, saurait, saurions, sauriez, sauraient

venir

PAST PARTICIPLE	venu
PRESENT INDICATIVE	viens, viens, vient, venons, venez, viennent
PRESENT SUBJUNCTIVE	vienne, viennes, vienne, venions, veniez, viennent
IMPERFECT INDICATIVE	venais, venais, venait, venions, veniez, venaient
FUTURE	viendrai, viendras, viendra, viendrons, viendrez, viendront
CONDITIONAL	viendrais, viendrais, viendrait, viendrions, viendriez, viendraient
IMPERATIVE	viens, venons, venez

voir

PAST PARTICIPLE	vu
PRESENT INDICATIVE	vois, vois, voit, voyons, voyez, voient
PRESENT SUBJUNCTIVE	voie, voies, voie, voyions, voyiez, voient
IMPERFECT INDICATIVE	voyais, voyais, voyait, voyions, voyiez, voyaient
FUTURE	verrai, verras, verra, verrons, verrez, verront
CONDITIONAL	verrais, verrais, verrait, verrions, verriez, verraient
IMPERATIVE	vois, voyons, voyez

vouloir

PAST PARTICIPLE	voulu
PRESENT INDICATIVE	veux, veux, veut, voulons, voulez, veulent
PRESENT SUBJUNCTIVE	veuille, veuilles, veuille, voulions, vouliez, veuillent
IMPERFECT INDICATIVE	voulais, voulais, voulait, voulions, vouliez, voulaient
FUTURE	voudrai, voudras, voudra, voudrons, voudrez, voudront
CONDITIONAL	voudrais, voudrais, voudrait, voudrions, voudriez, voudraient

Verbs Used with être *as Auxiliary*

aller	devenir	partir	rentrer	retomber	sortir
arriver	entrer	passer[1]	repartir	retourner	tomber
descendre	monter	redescendre	rester	revenir	venir

[1] **Etre** is the auxiliary when **passer** is used in the sense of *to go* or *to pass by;* **avoir** is used in all other cases.

NUMERALS

Cardinal

0	zéro	14	quatorze	71	soixante et onze
1	un, une	15	quinze	72	soixante-douze
2	deux	16	seize	80	quatre-vingts
3	trois	17	dix-sept	81	quatre-vingt-un
4	quatre	18	dix-huit	90	quatre-vingt-dix
5	cinq	19	dix-neuf	91	quatre-vingt-onze
6	six	20	vingt	100	cent
7	sept	21	vingt et un	101	cent un
8	huit	22	vingt-deux	200	deux cents
9	neuf	30	trente	201	deux cent un
10	dix	40	quarante	1 000	mille
11	onze	50	cinquante	2 000	deux mille
12	douze	60	soixante	1 000 000	un million
13	treize	70	soixante-dix	2 000 000	deux millions

Ordinal

1st	premier, première	1er, 1ère	*5th*	cinquième	5ème	*9th*	neuvième	9ème
2nd	deuxième	2ème	*6th*	sixième	6ème	*10th*	dixième	10ème
3rd	troisième	3ème	*7th*	septième	7ème	*100th*	centième	100ème
4th	quatrième	4ème	*8th*	huitième	8ème	*1,000th*	millième	1 000ème

Dates

June 1, 1780	le 1 juin 1780	le premier juin mil sept cent quatre-vingts
		le premier juin dix-sept cent quatre-vingts
July 5, 1871	le 5 juillet 1871	le cinq juillet mil huit cent soixante et onze
		le cinq juillet dix-huit cent soixante et onze
September 15, 1933	le 15 septembre 1933	le quinze septembre mil neuf cent trente-trois
		le quinze septembre dix-neuf cent trente-trois
December 31, 1975	le 31 décembre 1975	le trente et un décembre mil neuf cent soixante-quinze
		le trente et un décembre dix-neuf cent soixante-quinze

FRENCH-ENGLISH VOCABULARY

This vocabulary includes words and phrases that appear in Levels One and Two. Not included are names of people and verb forms other than the infinitive, except when another form has been introduced first.

The number, letter or letter-number combination after each definition refers to the unit in which the word or phrase first appears. Level One designations include: a number alone for Basic Dialog, S for Supplement, N for Narrative and G for Grammar. Level Two designations include: BI for Basic Material I, BII for Basic Material II, SI for Supplement I, SII for Supplement II, GI for Grammar I and GII for Grammar II. R refers to the Reading section, including Word Study; D refers to the Dictionary Section; Ré refers to **Réalités,** and C refers to picture caption.

For adjectives and nouns that have a masculine and feminine form, the feminine form is listed immediately following the masculine form, for example, **ami, -e; heureux, -euse.**

Verbs that require a preposition before an infinitive are listed with the preposition in parentheses.

Verbs which are always reflexive or which have occurred only reflexively are listed with the reflexive pronoun **se,** for example, **se souvenir de** *to remember.* Verbs which have occurred both transitively and reflexively and which have the same English meaning are listed with the reflexive pronoun **se** in parentheses, for example, **(se) raser** *to shave.* If the English meanings differ, the reflexive form is listed separately, for example, **appeler** *to call;* **s'appeler** *to be named.* When the reflexive use of the verb corresponds to an English infinitive plus "oneself" or "itself," only the transitive form of the verb is listed.

The abbreviation *fam* (*familier*) indicates that a word is familiar, that is, characteristic of casual, spoken style. The abbreviation *pop* (*populaire*) indicates that a word is substandard.

ABBREVIATIONS			
abbrev	abbreviation of	*inv*	invariable
adj	adjective	*m*	masculine noun
art	article	*pl*	plural
fam	familier	*pop*	populaire
f	feminine noun	*pron*	pronoun
fn	footnote		

A

à at, to, 1; on, 2S; in, 5; **à bientôt** see you soon, 1; **à côté de** next to, 5S; **à la maison** at home, 8S; **à l'av.** à l'avance, 25Ré; **à l'heure** on time, 3; **à partir de** beginning with, 19Ré; **à propos** by the way, 22 BI; **au petit déjeuner** for breakfast, 6S; **au point** perfected, 15; **du café au lait** coffee with milk, 6S

abandonner to abandon, give up, 17R

abbaye *f* monastery, abby, 24Ré

abeille *f* bee, 19BI

abord : d'abord first, 20R

absolument absolutely, 18R

absorber to absorb, 18D

accélérer to speed up, accelerate, 26SII

accent *m* accent, 24R

accepter to accept, 19D

accident *m* accident, 17R

accompagner to go with, accompany, 9

accord : d'accord okay, all right, 4

accueil : accueil familial boarding with a family, 19Ré

acheter to buy, 7

acte *m* act, 25BI

acteur, -trice actor, actress, 25SI

action *f* action, 19D

activité *f* activity, 18Ré

admiration *f* admiration, 19BII

adr. *abbrev* **adresser** to address, send, 22Ré

adresse *f* address, 24BI

s'adresser à to inquire at, address inquiries to, 24BII

aéroport *m* airport, 12N

affaire *f* business, affair, 22BII; *pl* (personal) things, 12S; *pl* business, 22SII

affiche *f* poster, 25C

Afrique *f* Africa, 15S

âge *m* age, 4; **Elle a quel âge?** How old is she? 4

agence *f* agency, 18R

agent *m* : **agent de police** policeman, 21SII

agit : il s'agit de it's about, it's a question of, 18R

s'agiter to become excited, active, 17R

agneau *m* lamb, 20Ré

agréable nice, pleasant, 24SI

agréablement agreeably, in a pleasant way, 22D

aider (à) to help, 16SI

ailleurs somewhere else, 18R; **d'ailleurs** besides, 22R

aimable kind, nice, 9

aimer to like, love, 5; **aimer bien** to like, 5S; **aimer mieux** to prefer, 5S

aimerais : j'aimerais I would like, 18R

ainsi like this, 16Ré

air : avoir l'air to seem, 19SII

air : en plein air outdoors, 25R; **hôtesse de l'air** airline stewardess, 22SII

aisé, -e comfortable, 18R

album *m* album, 13

Allemagne *f* Germany, 9S

allemand, -e German, 9S; *nm* German language, 10G; **Allemand, -e** German (person), 9G

aller to go, 5; to fit, suit, 12; **Allez. Come on.** 2; **Allons-y.** Let's go. 16R; **Ça peut aller.** It'll be all right. 10; **Ça va?** How's it going? 1; **Ça va.** Okay. 1; **Comment allez-vous?** How are you? 1; **s'en aller** to go away, 16Ré; **Vas-y, Dupré!** Go, Dupré! 17R

allô hello, 1

alors then, 4; so, 7N

alpinisme *m* mountain climbing, 18Ré

amarre *f* mooring line, 19R

ambiance *f* atmosphere, 24Ré

angl. *abbrev* **anglais,** 22Ré

amener to bring, 21R

américain, -e American, 8N; **Américain, -e** American (person), 9

Amérique *f* America, 8N

ami, -e friend, 4S

amour *m* love, 5S

amoureux, -euse (de) in love (with),

11; **amoureux fou** madly in love, 16Ré

amuser to amuse, 19R; **s'amuser** to have fun, 22R

an *m* year, 4; **avoir...ans** to be . . . years old, 4S

ancien, -nne ancient, 14N; old, former, 24BI

anglais, -e English, 9S; *n m* English language, 10G; **Anglais, -e** Englishman, -woman, 9G; **à l'anglaise** steamed, boiled, 20Ré

Angleterre *f* England, 9S

année *f* year, 7S

anniversaire *m* birthday, 7; anniversary, 20R

annoncer to announce, 24R

annuaire *m* directory, 16R

annuler to cancel, 26Ré

antérieur, -e previous, 26Ré

antique antique, ancient, 25R

août *m* August, 7S

apercevoir to catch a glimpse of, 24R

aplati, -e flattened, 26R

appareil *m* apparatus, 13S; **à l'appareil** on the phone, 11S; **appareil (de photo)** camera, 13S

appartement *m* apartment, 8S

appartenant belonging, 21Ré

appeler to call, 21R; **s'appeler** to be named, 17GI

appendice *m* appendix, 22R

apporter to bring, 7S

appréciation *f* remark, 23Ré

apprendre (à) to learn, 13S

apprenti, -e apprentice, 22Ré

s'approcher (de) to approach, come close (to), 21R

après after, 2S; **d'après** according to, 1

après-demain the day after tomorrow, 22SI

après-midi *m or f* afternoon, 7S

arbre *m* tree, 21SI

archéologie *f* archeology, 22BI

argent *m* money, 12S; **argent de poche** allowance, 18SII

armée *f* army, 14N

armer to arm, 17R

armoire *f* closet, set of cabinets, 21R

arrangé, -e arranged, 15N

s'arranger to arrange things, work things out, 22BI

arrêt *m* stop, 21Ré

(s')arrêter (de) to stop, 20R

arrière *adj* rear, 26SI; *n m* back, 26R

arrivée *f* arrival, 17R

arriver to arrive, come, 2; **arriver à** to manage to, 10

art *m* art, 14N

ascenseur *m* elevator, 24SI

assez enough, 9; pretty, rather, 14; **en avoir assez (de)** to have enough (of), be fed up (with), 16BI

assiette *f* plate, 23SI

assis, -e seated, sitting, 25BII

assister à to attend, 16Ré

assurer to assure, 12N; **s'assurer** to make sure, 17R

astronomique astronomical, 11

atelier *m* workshop, 26Ré

attacher to attach, 10N

attendant : en attendant meanwhile, 22R

attendre to wait, wait for, 8

attentif, -iver attentive, 23D

attention *f* attention, 9N; **faire attention (à)** to pay attention (to), be careful (of), 21R

attraper to catch, 19SII

au = à + le, 5G

aucun, -e no, 16Ré

aujourd'hui today, 2S

au revoir good-bye, 1

aussi too, also, 9S; **aussi...que** as . . . as, 20GI

Australie *f* Australia, 13N

autant (de) as much, as many, 20BI

authentique authentic, 19D

autobus *m* (municipal) bus, 5

autocar *m* (intercity) bus, 24R

automne *m* autumn, fall, 15S

automobiliste *m or f* driver, 14N

autoritaire authoritarian, 25BII

autour (de) around, 21R

autre other, 8N; **autre chose** something else, 12

Autriche *f* Austria, 18R

autrichien, -nne Austrian, 18R; **Au-**

trichien, -nne Austrian (person), 18R

aux = à + les, 5G

avance : en avance early, 3S

avancer to advance, move forward, 25BII

avant before, 2; **avant de** before, 19R

avant *adj* front 26SI; *n m* front; **En avant!** Forward march! 19R

avant-garde : d'avant-garde avant garde, 25R

avant-hier the day before yesterday, 15S

avec with, 1

avenir *m* future, 22R

aventure *f* adventure, 10N

avion *m* airplane, 5S

avocat *m* lawyer, 22SII

avoir to have, 4; **avoir...ans** to be . . . years old, 4S; **avoir besoin de** to need, 22BII; **avoir chaud (froid)** to be warm (cold), 14S; **avoir de la chance** to be lucky, 15N; **avoir de la peine (à)** to have trouble, difficulty, 16SII; **avoir envie de** to want, 16SII; **avoir faim (soif)** to be hungry (thirsty), 6, 6S; **avoir hâte de** to be anxious to, 15N; **avoir honte (de)** to be ashamed (of), 23BII; **avoir l'air** to seem, 19SII; **avoir lieu** to take place, 17R; **avoir l'intention de** to intend, 16BI; **avoir mal à...** to have a . . . ache, 14S; **avoir raison (tort) (de)** to be right (wrong), 15N; **avoir peur (de)** to be afraid (of), 16SII; **avoir sommeil** to be sleepy, 9S; **Elle a quel âge?** How old is she? 4; **il y a** there is, there are, 2; **il y a (un mois)** (a month) ago, 15S; **Qu'est-ce que tu as?** What's the matter with you? 14S

avril *m* April, 7S

ayt. *abbrev* **ayant** having, 22Ré

B

baccalauréat *m* baccalauréat examination (*see fn 3, p. 255*), 22BII

bachot *m* (*fam*) **baccalauréat**, 22BII

bagarre *f* fight, 23BII

bague *f* ring, 7S

se baigner to take a dip, 24SII

bain *m* bath, 17SI; **bain de soleil** sunbath, 22BII; **salle de bains** bathroom, 5S

baisser to lower, turn down, 16BI

bal *m* dance, 18Ré

ballet *m* ballet, 25R

ballon *m* balloon, 22D

banane *f* banana, 7N

banc *m* bench, 24R

bande (magnétique) *f* (magnetic) tape, 18SII

banlieue *f* suburb(s), 25R

baptiste Baptist, 24R

barrière *f* barrier, fence, 17R

bas, -sse low, 19R

basketball *m* basketball, 3S

bataille *f* battle, 14N

bateau *m* ship, 5S; **bateau à voiles** sailboat, 15S; **faire du bateau à voiles** to go sailing, 15S

bâtiment *m* building, 24SII

batterie *f* drums, 13S

battre to beat, 23BII; **se battre** to fight, 23BII

battu beat 16Ré

bavard, -e talkative, 8S

beau, bel, belle beautiful, 11S; **il fait beau** it's beautiful (weather), 8S

beaucoup a lot, much, many, 2

bébé *m* baby, 13

beige beige, 16SI

ben (*fam*) **bien**

béret *m* beret, 19R

besoin : avoir besoin de to need, 22BII

bête dumb, 4S

beurre *m* butter, 6S

bibliothèque *f* library, 18SI

bicentenaire *m* bicentenial, 26Ré

bicyclette *f* bicycle, 16SI

bien well, 1; very, 6; **aimer bien** to like, 5S; **bien (plus grand)** much (bigger), 20GI; **bien sûr (que)** of course, 3; **faire du bien à** to do (s.o.) good, 19SII

bientôt soon, 1; **à bientôt** see you soon, 1

bifteck *m* steak, 20R

billard *m* billiards, 25D; **partie de billard** game of billiards, 26R

billet *m* ticket, 7

bizarre strange, 22R

bizarrement strangely, 16Ré

blanc, -che white, 12S

blanquette *f* veal stew, 20Ré

Blésois, -e of or relating to Blois, 26Ré

blessé, -e injured person, 26R

blesser to wound, 21R

bleu, -e blue, 12S

blond, -e blonde, 9

bœuf *m* beef, 20SII

boire to drink, 20SI

bois *m* wood, woods, 19BI

boisson *f* drink, 24Ré

boîte *f* : **boîte de conserves** can of food, 20R

bol *m* bowl, 7N

bon, bonne good, 14S; **bon** O.K. 2

bonne *f* maid, 25BI

bonjour hello, 1

boomerang *m* boomerang, 13N

bord *m* edge, 15S; **à bord** on board, 19R; **au bord de la mer** at the seashore, 15S

boucher, -ère butcher, 20SI

boucherie *f* butcher store, 20SI

bouger to move, 21R

bouillabaisse *f* fish dish, 8N

boulanger, -ère baker, 20SI

boulangerie *f* bakery, 20SI

boule *f* ball, lump, 23R

boulon *m* bolt, 26BII

bouquin *m* (*fam*) book, 22R

bout *m* end, tip, 19BI; **au bout de quelques minutes** after a few minutes, 21R; **un bout de** a piece of, 19

bouteille *f* bottle, 19SI

bracelet *m* bracelet, 25R

bras *m* arm, 19BI

Bretagne *f* Brittany, 15

bricoler to putter around, do odd jobs, 18SI

brie *m* brie (kind of cheese), 20R

bruit *m* noise, 18SII

brun, -e brunette, dark-haired, 9

brusquement abruptly, 25BII

bureau *m* office, 16BI

C

ça that, this, it, 3; **Ça va?** How's it going? 1; **Ça va.** Okay 1; **Ça lui est bien égal.** He couldn't care less. 6; **C'est ça!** That's it! That's right! 7; **C'est pour ça (que...)** That's why (. . .), 11N

cabane *f* cabin, 23BI

cabinet *m* : **cabinet de travail** study, 21SI

cacahouète *f* peanut, 20BI; **beurre de cacahouète** peanut butter, 20BI

cacher to hide, 21BII

cadeau *m* present, gift, 7

café *m* coffee, 6S; café, 12N

cagnotte *f* pool, 16Ré

calme calm, 15N; *n m* peace and quiet, calm, 16BI

camarade *m or f* : **camarade de classe** classmate, 18R

camembert *m* camembert (kind of cheese), 20R

camion *m* truck, 17R

camionnette *f* pickup truck, 22BI

camp *m* camp, 22BI

campagne *f* country, 15S

camper to go camping, camp, 9N

camping : **faire du camping** to go camping, 15S

Canada *m* Canada, 9S

canadien, -nne Canadian, 9S; **Canadien, -nne** Canadian (person), 9G

canal *m* (*pl* -aux) canal, 24R

canard *m* duck, 20Ré

canon *m* cannon, 14N

caoutchouc *m* rubber, 22R

capable (de) capable (of), able (to), 19D

cape *f* cape, 21R

capitaine *m* captain, 15N

capot *m* hood, 26BII

car *m* bus, 21Ré

caravane *f* caravan, 17R

cardigan *m* cardigan, 16SI

carnet *m* notebook, 23R; report card, 23R

carrefour *m* intersection, 21SI

cartable *m* book bag, 23RI

carte *f* card, 10S; map, 21BII; **carte grise** registration, 26R

cas *m* : **cas d'urgence** emergency, 22R; **en tout cas** in any case, 20R

casino *m* casino, 24R

casquette *f* cap, 19BII

casser to break, 11N; **se casser (la jambe)** to break one's (leg), 17SII

catastrophe *f* catastrophe, 14

cathédrale *f* cathedral, 24BII

catholique Catholic, 24R

cause : **à cause de** because of, 19R

caviar *m* caviar, 20R

cave *f* cellar, 21Ré

ce : **c'est** that is, 4S; it is, 5; he is, she is, this is, 8G; **ce sont** they are, these are, those are, 8G

ce, cet, cette, ces this, that, these, those, 12; **ce soir** tonight, 7

célèbre famous, 21R

ce que *conjunction* what, 6; that, 6S; **Ce qu'il est laid!** Is he ugly! 13

celui *m* the one, 23R

celui-ci the latter, 16Ré

centième hundredth, 14

centre *m* center, middle, 12N

certain, -e certain, 17R

certainement certainly, 6

cesser (de) to stop, 16BII

ch. *abbrev* **cherche**, 22Ré

chacun, -e each one, 18R

chaîne *f* channel, 16Ré

chaise *f* chair, 11S

chambre *f* bedroom, 5S

champagne *m* champagne, 20R

chance : **avoir de la chance** to be lucky, 15N; **avoir des chances** to have a chance, 17R; **bonne chance** good luck, 16R

changer to change, exchange, 12N; **changer de** to change, 22R; **changer d'idée** to change (one's) mind, 22R; **changer de vitesse** to shift (gears), 26R

chanson *f* song, 16R

chanter to sing, 19BI

chantier *m* work site, 22BI

chapeau *m* hat, 25BI

chaque each, 10N

charcutier, -ère pork butcher, 20R
charcuterie *f* pork store, 20R
charpente *f* timber, 21Ré
chasse *f* hunting, 21BI
chasser to chase, 8N; to chase away, 19BI
chasseur *m* hunter, 21R
chat *m* cat, 4S
château *m* castle, château, 19C
chaud, -e hot, 8; **avoir chaud** to be warm (person), 14S; **il fait chaud** it's hot (weather), 8S
chauffard *m* (*fam*) lousy driver, dangerous driver, 26R
chauffeur *m* driver, 26BII
chaussette *f* sock, 16SI
chaussure *f* shoe, 12S
chef *m* head, 16BII
chef-d'œuvre *m* (*pl* chefs-d'œuvre) masterpiece, 24BII
cheminée *f* mantle, 19R
chemise *f* shirt, 12S
chemisier *m* blouse, 12S
cher, -ère expensive, 12; dear, 15N; *adv* **coûter cher** to cost a lot, 20R
chercher to look for, 7S
chéri, -e dear, 19R
cheveu *m* hair, 16BI; **couper les cheveux en quatre** to split hairs, 16BII
chez at the home of, at . . . 's house, 1; **chez (le garagiste)** at (the garage, the garageman's), 5
chien *m* dog, 4
chimiste *m or f* chemist; **ingénieur chimiste** chemical engineer, 22C
chirurgien *m* surgeon, 22R
choc *m* collision, 26R
chocolat *m* chocolate, 6S
choisir (de) to choose, 7
choix : au choix choice of, 20Ré
chose *f* thing, 7S; **autre chose** something else, anything else, 12; **quelque chose** something, 7S
chouchou *m* (*fam*) : **chouchou de la maîtresse** teacher's pet, 23R
chouette (*fam*) great, 19R
ci-dessous below, 18Ré
cidre *m* (hard) cider, 19R
ciel *m* sky, 21SI

cimetière *m* cemetery, 22Ré
cinéaste *m or f* filmmaker, 16Ré
cinéaste *m or f* film maker, 16Ré
cinéma *m* movies, movie theater, 1
cinématographique cinematographic, 25D
circuit *m* tour, 18R
cire *f* wax, 14N
citrouille *f* pumpkin, 19BI
clair, -e clear, light, 21D
claque *f* slap, 19R
classique classical, 5S
clé *f* key, 21SII
client, -e client, 20BI
climat *m* climate, 24BII
clinique *f* clinic, 22R
cloche *f* bell, 23R
clocher *m* steeple, 24R
club *m* club, 24R
code *m* : **code de la route** rules of the road, 26SII
coiffeur *m* hairdresser, barber, 11S
coin *m* corner, 23R
collection *f* collection, 8N
collier *m* necklace, 25R
colline *f* hill, 24R
colonie *f* : **colonie de vacances** summer camp, 15S
coloré, -e colored, dyed, 17R
combat *m* fight, battle, 24R
combien (de) how many, 4S; how much, 12
comédie : jouer la comédie to put on plays, 25R
commander to order, 20SII
comme like, 6; as; in the way of, 11S; **comme on en voit peu** exceptional, 17BII; **comme tout** like anything, 19R
commencer (à, de) to begin, 3
comment what, how, 1
commenter to describe, comment on, 16Ré
commercial, -e (*m pl* -aux) commercial, 17R
commissariat *m* : **commissariat de police** police station, 21SII
communication *f* communication, 24D
communion *f* communion, 19R

communiquer to communicate, 17R; to connect, 24R
compétent, -e competent, 22R
compétition *f* competition, contest, 16D
complet *m* suit, 12S
complet, -ète complete, whole, 12N
complètement completely, 20R
compliment *m* compliment, 9N
compliquer to complicate, 13N
composition *f* (written) test, 14
comprendre to understand, 11; to include, 21Ré
compris : tout compris everything included, 19Ré
compromis *m* compromise, 16BII
compte : se rendre compte (de) to realize, 22R
compter to count, 10; **compter là-dessus** to count on it, 26BII
concert *m* concert, 5S
concierge *m or f* concierge, 8
concurrent, -e contestant, 16R
conduire to drive, 21BII
conférence *f* conference, 16BII
confiance : avoir confiance en to have confidence in, 22R
confisquer to confiscate, 23R
confiture *f* jam, 6S
confort *m* comfort, 18R
conjuguer to conjugate, 25Ré
connais : tu connais you know, 14N
connaissance *f* knowledge, 16Ré
connaître to know, 21BI
conseil *m* (a piece of) advice, 25SII; **Conseil** *m* council, 21R
conseiller (de) to advise, 16BII
conserver to preserve, 25R
conserves : boîte de conserves canned food, 20R
constatation *f* statement (for police report), 26R
construire to construct, build, 23BI
construit built, 21Ré
content, -e happy, 14S
contenu *m* contents, 16Ré
conter to tell, 16Ré
continuer (à, de) to continue, 17D
contraire *m* opposite, 21D
contrairement à contrary to, 16Ré

contravention *f* (traffic) ticket, 26SII
contre compared to, 20SI; **contre nature** unnatural, 22R; **par contre** on the other hand, 20SI
contribuer (à) to contribute, 21BI
conversation *f* conversation, 11
coopération *f* cooperation, 16BII
copain *m* (*fam*) buddy, pal, 18R
correspondant, -e pen-pal, 8N
corridor *m* corridor, hall, 13N
corriger to correct, 14S
Corse *f* Corsica, 15
costume *m* costume, 21R
côte *f* slope, 24R; **Côte d'Azur** Riviera, 22BII; **Côte d'Ivoire** Ivory Coast, 19Ré
côté : à côté de next to, 5S
coucher to put to bed, 17GI; **se coucher** to go to bed, 17BI
couchette *f* : **couchette de 2ᵉ classe** second-class berth, 24Ré
couleur *f* color, 12S
couloir *m* corridor, 21SI
coup *m* : **coup de pied** kick, 23BII; **coup de poing** punch, 23BII; **coup de téléphone** telephone call, 11N; **un petit coup** (*fam*) a little, 19R; **tout à coup** suddenly, 19BI
coupe *f* cut, style, 16Ré
couper to cut, 16BI; **couper les cheveux en quatre** to split hairs, 16BII
cour *f* courtyard, 13S
courant *m* current, 24R
coureur *m* racer, 17BI
courir to run, 22R
couronne : ni fleurs ni couronnes no flowers or wreaths, 25Ré
cours *m* (school) course, 10S; **au cours de** in the course of, during, 16BII
course *f* race, 17BI; **faire des courses** to go shopping, 12; **faire les courses** to go grocery shopping, 4S
court, -e short, 12S
cousin, -e cousin, 4S
coût *m* cost, 23R
couteau *m* knife, 23SI
coûter to cost, 12; **coûter cher** to cost a lot, be expensive, 20R

couvent *m* convent, 24R
couvert : mettre le couvert to set the table, 23BII
couvert, -e covered, 19R
crâne *m* skull, 16Ré
crawl *m* crawl, 15N
crayon *m* pencil, 23SI
créer to create, 25R
crémier, -ère dairyman, dairywoman, 20SI
crémerie *f* dairy store, 20SI
crêpe *f* pancake, crêpe, 20Ré
crêperie *f* place where crêpes are made and sold, 20Ré
cri *m* shout, 17R
crier to shout, 8
croire to believe, 18BII
croisement *m* crossroads, 26BII
croisière *f* cruise, 19Ré
croissant *m* croissant, 6S
cuillère *f* spoon, 23SI
cuisine *f* kitchen, 5
cuisinier, -ère cook, 6
cuisinière *f* stove, 11S
culture *f* culture, 21BI
culturel, -lle cultural, 18Ré
C.V. *abbrev* **curriculum** *m* **vital**, 22Ré
cycle *m* cycle, 24R
cycliste *adj* : **coureur cycliste** bicycle racer, 17BI; *n, m or f* cyclist, 14N
cyclomotoriste *m or f* motorbike rider, 26Ré

D

dame *f* lady, 17BII
danger *m* danger, 23BI
dangereux, -euse dangerous, 24R
dans in, 2
danse *f* dance, 25R
danser to dance, 25R
danseur, -euse dancer, 25R
date *f* date, 7S
dater (de) to date (from), 24BII
de of, 5S; about, 6S; from, 7N; in, 13; to
de some, 6S; any, 6G
D.E. *abbrev* **Diplôme d'État** *m* 22Ré

débarquer to disembark, get off a boat, 19R
débité, -e subtracted, 16Ré
déboucher to come out, appear, 26R
debout standing, 17R
se débrouiller to get along, manage, 25SII
décembre *m* December, 7S
déchiffrer to decipher, figure out, 10
décider (de) to decide, 9N
décision *f* decision, 16BII
décrire to describe, 10S
déçu, -e disappointed, 19R
dedans : rentrer dedans (*fam*) to crash into, 26R
défendre to defend, 23SII
défense : Défense d'entrer! No admittance! Keep out! 23BI
dehors outside, 25D; **en dehors de** outside of, 20R
déjà already, 5S; ever, 15S
déjeuner to have lunch, 2S
déjeuner *m* lunch, 2S; **petit déjeuner** breakfast, 2S
délégation *f* delegation, 16BII
délégué -e delegate, 16SII; **délégué local** local representative, 22Ré
délégué -e delegate, 16SII
délicieux, -euse delicious, 8S
délire *m* delirium, 17R; **C'est du délire!** The crowd goes wild! 17R
demain tomorrow, 2S; **A demain.** See you tomorrow, 3
demander to ask, 2G; to ask for, 14; **se demander** to wonder, 17SII
démarrer to start off, step on the gas, 26SI
demi, -e half, 5S; **une heure et demie** one thirty, 5S
demi-heure *f* half an hour, 23SII
demi-tour *m* U-turn, 26Ré
démolir to demolish, 26R
dense dense, thick, 17R
dent *f* tooth, 17SI
dentifrice *m* toothpaste, 17R 17R
départ *m* departure, 14N; start (of a race), 26BI
dépassé, -e powerless, 18R
se dépêcher (de) to hurry, 17SII

dépend : ça dépend that depends, 24BI

dépenser to spend, 18SII

dépliant *m* folder, 24BII

depuis since, 23R

déranger to disturb, 16R

dernier, -ère last, 14S

derrière behind, in back of, 3S

des = de + les, 5G

dès que as soon as, 19BII

désagréable disagreeable, unpleasant, 13N

désappointé, -e disappointed, 19D

désarmement *m* disarmament, 18R

descendre to come down, go down, go downstairs, 8; to stay overnight, 24SI

désert, -e deserted, 20R

désolé, -e sorry, 23SII

désordre *m* mess, disorder, 23BI

désirer to want, desire, 12

dessert *m* dessert, 2

dessiner to draw, 18SI

dessous : en-dessous below, 24R

dessus above, 19R

destin *m* destiny, fate, 21R

se détendre to relax, 17BI

deux tiers two-thirds, 25R

devant in front of, 3

devanture *f* display window, 25R

devenir to become, 17R

devoir *m* written homework assignment, 10

devoir to owe, have to, should, 22BI

dévot, -e devout, 24D

dialogue *m* dialog, 1

diamant *m* diamond, 22R

dictateur *m* dictator, 14N

dictionnaire *m* dictionary, 18SI

Dieu *m* God, 21R; **Mon Dieu!** My goodness! 21R

différent, -e different, 17R

difficile difficult, 10S

difficulté *f* difficulty, problem, 10N

dimanche *m* Sunday, 9S

dimension *f* dimension, 25D

dîner to have dinner, 2S

dîner *m* dinner, 2

dire to say, tell, 10; **Dis donc!** Gee! Say! 10: **c'est-à-dire** that is, 16Ré

directeur, -trice principal, 23R

direction *f* direction, 14N; **en direction de** towards, 14N

discussion *f* discussion, 25R

discuter to argue, 2

disparaître to disappear, 21SI

se disperser to disperse, 17R

dispute *f* fight, 23BII

disque *m* record, 7S

dissection *f* dissection, 22R

dissipé, -e "bad," naughty, 23R

distinguer to distinguish, 18D

distrait, -e distracted, 23R

distribuer to distribute, 17R

diurne *adj* day, 21Ré

divan *m* sofa, 11S

diviser to divide, 17R

docteur *m* doctor, 11S

documentaire *m* documentary, 2S

doigt *m* finger, 22R

doit : il doit he must, 16Ré

dollar *m* dollar, 12N

dommage : C'est dommage. It's too bad, That's a shame. 15N

donc so, 19BI; then, 16Ré; **Dis donc!** Gee!, Say! 10

donner to give, 7S; **donner un coup de téléphone** to make a phone call, 11N; **donner sur** to overlook, 19Ré

dont including, 16Ré

dormir to sleep, 9

dos *m* back, 19R

double double, 17R

doubler to pass, 26SII

doucement easy, 13

douceur *f* softness, gentleness, 24Ré

douche *f* shower, 17BI

doute : sans doute without a doubt, 19R

drame : faire un drame to create a fuss, 24R

droit *m* right, 11; law, 22SI

droit, -e straight, 23R; **tout droit** straight (ahead), 26R

droite *f* right, 13S

drôle funny, 19BI; **(un, une) drôle de** (a) funny, 19R

drôlement really, 8

du = de + le, 5G

duc *m* duke, 21R

dur, -e hard, 19SI; **œuf dur** hard-boiled egg, 19SI

E

eau *f* water, 6S; **ville d'eaux** spa, 24R

échange *m* trade, exchange, 4

échanger to exchange, 21R

écharpe *f* scarf, 12

école *f* school, 6

économies : faire des économies to save money, 18SII

économique economic, 16BII

écouter to listen, listen to, 2S

écr. *abbrev* **écrire,** 22Ré

écrire to write, 10

écriteau *m* sign, 23BI

écriture *f* handwriting, 10

éducation *f* education, 23R

égal, -e (*m pl* **-aux**) equal, 6; **Ça lui est bien égal!** He couldn't care less! 6

église *f* church, 18SI

égoïste selfish, 4S

égratigner to scratch, 26R

Égypte *f* Egypt, 14N

eh! hey! 13

élastique elastic, 22D

électricien *m* electrician, 11S

électrique electric, 20R

électrophone *m* record player, 7S

élève *m or f* (elementary or secondary school) student, 10S

élevé, -e raised, 16Ré

elle she, 1; it, 6G

elles they, 2G; them, 3

embarquement *m* embarkation, 19R

embêtant, -e (*fam*) annoying, 23R

embêter (*fam*) to annoy, "bug," 23BI

embrasser to kiss, 15N

embruns *m pl* seaspray, 19R

émission *f* broadcast, 16R

emmener to take, 7

émotion *f* emotion, 26R

empêcher de to keep from, prevent from, 25SII

employé, -e employee, 26BI

emporter to take away, 16Ré

emprunter (à) to borrow (from), 12S

en in, 6S; to, 9; into, 12N; on, 15N; **en avance** early, 3S; **en face de** across from, 5S; **en grand** enlarged, 25R; **en mer** at sea, 15N; **en retard** late, 3; **en (33 ou 45) tours** on (33 or 45) rpm's, 16R

en *pron* some, any, of it, of them, about it, 13

enceinte *f* **enceinte des tribunes** stands, 24Ré; **enceinte populaire** general admission area, 24Ré

encore more, 2; again, 6; still, 7N; **encore cinq minutes** five minutes more, 2; **encore une fois** once again, 16BII; **ne... pas encore** not yet, 3

encourager to encourage, 17R

endormir to put to sleep, 17GI; **s'endormir** to fall asleep, 17BI

endroit *m* place, spot, 24R

énervant, -e irritating, 8S

énerver to get on (s.o.'s) nerves, 16BII; **s'énerver** to become nervous, 17BII

enfant *m or f* child, 14N

enfin finally, 10N

enlever to take off, 26BII

ennemi *m* enemy, 21R

ennuyeux, -euse boring, 10S

énorme enormous, 7n

enquête *f* survey, 18R

enregistrer to record, tape, 18SII

enrichissant, -e enriching, 19Ré

enseignem. *abbrev* **enseignement,** 22Ré

enseignement *m* teaching, 23R

ensemble together, 7

ensuite then, 16Ré

entendre to hear, 8

entendu : C'est entendu! It's a deal! 22BI

enterré, -e buried, 24R

enthousiaste enthusiastic, 17R

entier, -ère entire, 17D

entourer to surround, 16Ré

entracte *m* intermission, 25BI

entraîner to lead, 16Ré

entre among, 20SI

entrée *f* entrance, 17R; entrance hall, 5S

entreprise *f* enterprise, 19D

entrer to go in, enter, 3; **entrer dans (le stade)** to go into (the stadium), 3

env. *abbrev* **envoyer** to send, 22Ré

enveloppe *f* envelope, 16R

envie : avoir envie de to want, 16SII

environ about, 17R

environs *m pl* surrounding area, vicinity, 24R

envoi : envoi gratuit mailed free, 19Ré

envoyé, -e sent, 16Ré

épaule *f* shoulder, 20Ré

épée *f* sword, 21R

épi *m* **: épi de maïs** ear of corn, 20SI

épicier, -ère grocer, 20R

épicerie *f* grocery store, 20R

épinards *m pl* spinach, 20BI

époque *f* period, 24BII

épouvantable dreadful, 26R

équipage *m* crew, 19R

équipe *f* team, 16Ré

équitation *f* horseback riding, 18Ré

escalier *m* staircase, 24SI

escalope *f* cutlet, 20Ré

espace *m* space, 18R

Espagne *f* Spain, 9S

espagnol, -e Spanish, 9S; *nm* Spanish language, 10G; **Espagnol, -e** Spaniard, 9G

espèce : Espèce d'idiot! You jerk (idiot)! 25BI

espionnage *m* espionage, 5 **film d'espionnage** spy film, 5

essayer (de) to try, 19R

essence *f* gas, 21SII

est *m* east, 15S

estudiantin, -e *adj* student, 19Ré

et and, 1

étage *m* floor, story, 21R

étang *m* pond, 21SI

étape *f* lap, 17BII

États-Unis *m pl* United States, 9S

été *m* summer, 15S

étoile *f* star, 21SI

étonner to surprise, 24R

étrange strange, 22D

être to be, 3; **Comment est-elle?** What does she look like? 9; **être en tête** to be first, 17R; **ne pas y**

être to not be with it, 25SII

étude *f* study, 16Ré

étudiant, -e college student, 9S

euh... er ... 2

eux them, 13; they, 13G

événement *m* event, 21R

éventer to fan, 17R

évidemment obviously, 26R

éviter (de) to avoid, 26SI

évoluer to move around, 16Ré

exact, -e exact, correct, right, 16R

exactement exactly, 21R

exagérer to exaggerate, 22R

excellent, -e excellent, 8S

excepté except, 15N

exception *f* exception, 14N

exercer : exercer le même métier to do the same kind of work, 16Ré

exercice *m* exercise, 7N

excessivement extremely, 25Ré

excursion *f* excursion, 19R

exemple : par exemple for example, 18R

expér. *abbrev* **expérience,** 22Ré

expérience *f* experience, 10N

expert *m* expert, 20R

expliquer to explain, 18R

exploit *m* feat, 16Ré

exploitation *f* operation, 26Ré

exposition *f* exhibition, 18Ré

expression *f* expression, 19D

extérieur *m* outside, exterior, 12N

extra "top," "A-one," 20BI

extraordinaire extraordinary, 20R

F

face : en face de across from, 5S

facile easy, 10S

façon : de toute façon in any case, 11N

facteur *m* mailman, 8

facture *f* bill, 23R

failli : il a failli he almost, 26SI

faim : avoir faim to be hungry, 6

faire to do, make, 2; **ça fait...que** it has been . . . that, 17BII; **Ça ne fait rien.** It doesn't matter. 3; **faire attention (à)** to pay attention (to), be careful (of), 21R; **faire de la pêche sous-marine** to go skin diving, 15S; **faire des affaires** to be in business, 22Ré; **faire des courses** to go shopping, 12; **faire des économies** to save money, 18SII; **faire des photos** to take pictures, 21BI; **faire du bateau à voiles** to go sailing, 15S; **faire du camping** to go camping, 15S; **faire du patin à glace** to go ice-skating, 13S; **faire du ski** to go skiing, 13S; **faire du théâtre** to be in plays, 18Ré; **faire du tricot** to knit, 22R; **faire la guerre** to fight in the war, 22Ré; **faire l'échange** to trade, 4; **faire les courses** to go grocery shopping, 4S; **faire noir** to be dark, 21SI; **faire partie de** to be a member of, 24R; **faire un cours** to give a course, 10N; **faire un drame** (*fam*) to create a fuss, 24R; **faire un pique-nique** to have a picnic, 19BI; **faire un repas** to have a meal, 20R; to cook a meal, 6G; **faire un stage** to go through a training period, 18R; **faire une sieste** to take a nap, 15N; **il fait beau/mauvais** it's beautiful/nasty (weather), 8S; **il fait chaud/froid** it's warm/cold (weather), 8

fait : en fait in fact, 20R

falloir to be necessary, 19GI

fameux, -euse (*fam*) very good, excellent, extraordinary, 25BI

familial : accueil familial boarding with a family, 19Ré; **(la vie) familiale** home life, 22Ré

familier, -ère familiar, 19D

famille *f* family, 8N; **nom de famille** last name, 18R

fatal, -e fatal, 26R

fatigué, -e tired, 9

faut : il faut it is necessary, 7

faute *f* mistake, 10

fauteuil *m* armchair, 11S

faux, -sse false, 19R

favori, -ite favorite, 17R

félicitations *f pl* congratulations, 16R

féminité *f* femininity, 22R

femme *f* woman, 3S; wife, 16R;

femme de ménage cleaning woman, 11S

fenêtre *f* window, 13S

fer *m* iron, 20BI

fermer to close, 20R

festival *m* festival, 25R

fête *f* fair, 13

feu *m* fire, 19BI; (traffic) light, 26SII

feuilleton *m* serial, 16Ré

février *m* February, 7S

fiançailles *f pl* engagement, 22R

fichu, -e (*fam*) totally wrecked, 26R

fidèle *m or f* faithful follower, 25R

fier, -ère proud, 23R

figure *f* figure, 14N; face, 16BI

fille *f* girl, 3; daughter, 4S; **fille unique** only child, 4S

film *m* film, movie, 5

fils *m* son, 4S; **fils unique** only child, 4S

fin *f* end, 2

finir (de) to finish, get through, 7

firme *f* firm, 17R

flanquer to throw, 19R

fleur *f* flower, 16R; **ni fleurs ni couronnes** no flowers or wreaths, 25Ré

fleuve *m* river, 17Ré

fois *f* time, 10N; **encore une fois** once again, 16BII

fond *m* back, 23BI; **dans le fond** when you come right down to it, 25Ré

football *m* soccer, 3S

forain, -e : fête foraine county fair, 25R

formation *f* team, 16Ré

formidable great, 12

formule *f* program, 19Ré

fort, -e strong, 14; **fort (en maths)** good (in math), 14

fort loudly, 8S

fortune *f* fortune, 16R

fou, folle "nut," crazy person, 26SII; **amoureux fou** madly in love, 16Ré

fouille *f* excavation, excavating, 22BI

foule *f* crowd, 17BII

fourchette *f* fork, 23SI

frais, fraîche fresh, 19SII

fraise *f* strawberry, 20SII; **fraises Chantilly** strawberry dessert (*see fn 13, p. 207*), 20R

franc *m* franc, 12

français, -e French, 9S; *nm* French language, 10G; **Français, -e** Frenchman, -woman, 9G

France *f* France, 6S

francophone French-speaking, 22Ré

frein *m* brake, 26BI

frère *m* brother, 4

frigidaire *m* refrigerator, 7N

frite *f* French fry, 20R

froid, -e cold, 8S

fromage *m* cheese, 6S

froment *m* wheat, 20Ré

froncé, -e : les sourcils froncés scowling, eyebrows knit, 25BII

froussard, -e (*pop*) "chicken," 23BI

fruit *m* fruit, 6S

furieux, -euse furious, 14

G

gagner to win, 16R

gallo-romain, -e Gallo-Roman, 24BI

gangster *m* gangster, 26BII

gant *m* glove, 12S

garage *m* garage, 5S

garagiste *m* garageman, 5

garçon *m* boy, 3S; waiter, 20SII

garder to keep, 4; to watch over, take care of, 13N

gare *f* railroad station, 13S

gars *m* (*fam*) guy, 26R

gauche *f* left, 13S

gêner to bother, 25SII

général : en général in general, usually, 8N

génération *f* generation, 18R

genre *m* kind, 18SII

gens *m pl* people, 13

gentil, -lle nice, 11

géographie *f* geography, 10S

géométrie *f* geometry, 14

geste *m* gesture, 26R

gigot *m* : **gigot de mouton** leg of lamb, 20R

glace : faire du patin à glace to go ice-skating, 13S

glacier *m* ice-cream man, 21Ré

golf *m* golf, 25D

gomme *f* eraser, 23SI

gorge *f* throat, 14S; **avoir mal à la gorge** to have a sore throat, 14S

gothique Gothic, 24BII

goûter to taste, 2

goûter *m* afternoon snack, 6S

graisse *f* fat, 19R

grand, -e big, 11; tall, 13N; **en grand** enlarged, 25R; **les grandes vacances** summer vacation, 15

grand-chose : pas grand-chose nothing much, 19BI

grand-mère *f* (*pl* **grands-mères**) grandmother, 13S

grands-parents *m pl* grandparents, 13

grand-père *m* (*pl* **grands-pères**) grandfather, 13S

gratitude *f* gratitude, 23D

gratter to scratch, 23R

gratuit, -e free, 19Ré

graver to carve, 25R

grenier *m* attic, 24SI

grillé, -e grilled, 20Ré

gris, -e gray, 12

gros, -sse big, 19BI

grossir to get fat, gain weight, 6

groupe *m* group, 21R

guerre *f* war, 5

guide *m or f* guide, 21SII

guignol : spectacle de guignol puppet show, 16Ré

guitare *f* guitar, 7S

gymnase *m* gymnasium, 24R

H

h *abbrev* **heure**

habiller to dress, 17GI; **s'habiller** to get dressed, 17BI

habitant, -e inhabitant, 20SI

habiter to live, 8S

habitude : d'habitude usually, 3S

habitué, -e à used to, 25SI

haricot *m* bean, 20SII

hasard : au hasard by chance, 16R

hâte : avoir hâte de to be anxious to, 15N

haut : en haut de at the top of, 24R

haut-parleur *m* loudspeaker, 17R

hélicoptère *m* helicopter, 14N

héritage *m* inheritance, 18BII

hésiter (de) to hesitate, 12N

heure *f* hour, 2; time, 3S; **à l'heure** on time, 3; **de bonne heure** early, 17SI; **Il est deux heures.** It's two o'clock, 3S; **tout à l'heure** in a little while, 22SI

heureusement fortunately, 12N; thank goodness

heureux, -euse happy, 18R

hier yesterday, 14S

hisser to hoist, 19BII

histoire *f* story, 5S; history, 10S; **faire une histoire** to make a big thing, 18R

historique historical, 21R

hiver *m* winter, 15S

Hollandais, -e Dutch, 25R

homme *m* man, 3S

honnête honest, 26BII

honte *f* shame, 23BII; **avoir honte (de)** to be ashamed (of), 23BII

hôpital *m* hospital, 22R

horaire *m* schedule, 22R

horizon *m* horizon, 17R

horloge *f* clock, 24R

hors-d'œuvre *m inv* hors-d'œuvre, 6S

horticulteur *m* horticulturist, 22BII

hostellerie *f* country inn, 20Ré

hôtel *m* hotel, 5S

hôtesse *f* : **hôtesse de l'air** airline stewardess, 22SII

huître *f* oyster, 19R

humeur *f* mood, 18R

hurler to howl, 17R

hystérique hysterical, 17R

I

ici here, 5S; **par ici** nearby, 21SII

idéal, -e (*m pl* **-als** *or* **-aux**) ideal, 9N

idée *f* idea, 7; **changer d'idée** to change (one's) mind, 22R

idiot, -e idiot, jerk, 25BI

il he, 1; it, 6G; **il y a** there is, there are, 2; **il y a un mois** a month ago, 15S

île *f* island, 19R

ils they, 2G

imaginaire imaginary, 21D

imaginer to imagine, 11N

immeuble *m* apartment house, 5S

impatience : avec impatience impatiently, 8N

imperméable *m* raincoat, 12S

importance *f* importance, 10N

important, -e important, 11N

importe : n'importe (où, quand, quoi...) no matter (where, when, what . . .), 23SI

impossible impossible, 9N

impression *f* impression, 20R

incroyable unbelievable, 23R

indépendant, -e independent, 17R

indien, -nne Indian, 11N

indigène *m or f* native, 16Ré

indiquer to show where (s.o. or s.t.) is, 21SII

industriel, -lle industrial, 19D

infirmier, -ère nurse, 22SII

informations *f pl* news, 2S

ingénieur *m* engineer, 22SII

ingrat, -e ingrate, ungrateful person, 23R

initiative : syndicat d'initiative information bureau, 21SII

injure *f* insult, 26R

inquiété, -e worried, 16Ré

inscription *f* registration, 19Ré

insister to insist, 10N

installer to install, 24R

instant *m* instant, second, 16R

instituteur, -trice (elementary school) teacher, 22BI

institution *f* institution, 13N

instrument *m* instrument, 18Ré

insuffisant, -e inadequate, 23Ré

intelligent, -e intelligent, 8S

intention : avoir l'intention (de) to intend, 16BI

interdiction *f* prohibition, 26Ré

interdit, -e forbidden, 21Ré

intéressant, -e interesting, 10S

intéresser to interest, 18SII; **s'intéresser à** to be interested in, 22SI

intérieur *m* inside, 20R

interminable interminable, endless, 22R

international, -e (*m pl* **-aux**) international, 25R

interne *m or f* intern, 22R

interview *f* interview, 17BI

invasion *f* invasion, 24R
inventer to invent, 14N
invention *f* invention, 13N
inverse opposite, 16Ré
invité, -e guest, 20R
inviter to invite, 20D
Italie *f* Italy, 9
italien -nne Italian, 9S; *nm* Italian language, 10G; **Italien, -nne** Italian (person), 9G

J

jambe *f* leg, 17SII
jamais : ne... jamais never, 3
jambon *m* ham, 6S
janvier *m* January, 7S
jardin *m* garden, 13S
jaune yellow, 12
jazz *m* jazz, 5S
je I, 1
jeter to throw, 16Ré; **se jeter sur** to throw oneself at, attack, 21R
jeu *m* game, 16R
jeudi *m* Thursday, 9S
jeune young, 11S
J.F. *abbrev* jeunes filles, 22Ré
joli, -e pretty, 4S; **Nous voilà jolis!** Here we are in a fine mess! 21BII
jongler to juggle, do tricks, 16Ré
jouant : tout en se jouant de l'adversaire while "walking away with the game," 16Ré
jouer to play, 3S; **jouer à** to play (a game or sport), 3S; **jouer de** to play (an instrument), 13S; **jouer la comédie** to put on plays, 25R
jour *m* day, 9S; **huit jours** a week, 20R; **quinze jours** two weeks, 20R
journal (*pl* **journaux**) *m* newspaper, 10S
journaliste *m or f* journalist, 16SII
journée *f* day, 11
judo *m* judo, 18Ré
juillet *m* July, 7S
juin *m* June, 7S
jupe *f* skirt, 12S
jurer to swear, 19BI
jus *m* juice, 20SI
jusqu'à as far as, up to, 5; until, 15N
juste *adv* just, 10N; *adj* correct, 16Ré

justement just, 24R
justice *f* justice, 7N

K

kayak *m* kayak, 24R
kilo(gramme) *m* kilogram (*2.2 lbs*), 20BI
kilomètre *m* kilometer (*0.6 mile*), 17SII

L

la *art* the, 1
la *pron* her, it, 7G
là there, here, 1
-là (emphatic) : **cette écharpe-là** that scarf, 12
là-bas over there, 5S
laboratoire *m* laboratory, 17R
lac *m* lake, 19SII
là-dessus on that, on it, 26BII
laid, -e ugly, 13
laisse : tenus en laisse on a leash, 21Ré
laisser to let, allow, 18R; **laisser tranquille** to leave alone, 26BII
lait *m* milk, 6S
lapin *m* rabbit, 4S
laquelle *f* which one, 24BI
large *m* open sea, 19BII
large : de long en large back and forth, up and down, 21R
larguer to cast off, 19R
latin *m* Latin language, 10S
laver to wash, 16SI
le *art* the, 2; **le dimanche** on Sundays, 9S; **le matin** in the morning, 7S
le *pron* him, it, 7
leçon *f* lesson, 10N
lecteur *m* (*see fn 6, p. 198, Level I*), 10N
légume *m* vegetable, 6S
lent, -e slow, 25SI
lentement slowly, 10S
lequel *m* which one, 24BI
les *art* the, 2
les *pron* them, 7
lesquels *m pl* which ones, 24GI
lesquelles *f pl* which ones, 24BI
lettre *f* letter, 8N
leur (to) them, 11
leur, leurs their, 10G

lever *m* raising, 25BII; **au lever du rideau** when the curtain goes up, 25BII
lever to raise, 17GI; **se lever** to get up, 17SI
liberté *f* liberty, 10N
librairie *f* bookstore, 18SI
libre free, 17R
ligne *f* line, 17R
liquide *m* liquid, 19D
lire to read, 10
liste *f* list, 23D
lit *m* bed, 13N; **au lit** in bed, 13N
livre *m* book, 7S
loc. *abbrev* **location** *f* reservations (may be made), 25Ré
local, -e (*m pl* -aux) local, 24R
location *f* rental, 26Ré
logement *m* lodging, 24Ré
loin (de) far (from), 5S
loisir *m* leisure, 18Ré
long, -gue long, 10N; **de long en large** back and forth, up and down, 21R
longtemps long, a long time, 15
lorsque when, 16Ré
louer to rent, 24SI
lui he (emphatic), 6; (to) him, 6; (to) her, 11; him, her, 13
lumière *f* light, 21Ré
lundi *m* Monday, 9
lune *f* moon, 21SI
lycée *m* (secondary) school, 1

M

M. *abbrev* Monsieur
ma my, 10
machine *f* : **machine à laver** washing machine, 11S
Madame Mrs., 1
Mademoiselle Miss, 1
magasin *m* store, 12
magazine *m* magazine, 10S
magnétique magnetic, 18SII
magnétophone *m* tape recorder, 18BII
mai *m* May, 7S
maigrir to lose weight, 6S
main *f* hand, 16SI; **à la main** by hand, 20R; **sous la main** on hand, 16R

maintenant now, 3S

maire *m* mayor, 22Ré

mairie *f* town hall, 18SI

mais but, 2; **mais non** no, 5

maïs *m* corn, 20SI

maison *f* house, 6; **à la maison** at home, 8S

maîtresse *f* female teacher (elementary school), 23R

mal poorly, badly, 8S; **j'ai mal compris** I misunderstood, 14; **pas mal** not bad, 9

mal *m* : **mal de mer** seasickness, 19R

malade sick, 14S

maman *f* mom, 2

manger to eat, 6

manière : **pas tant de manières** enough foolishness, 25Ré

manifestation *f* event, 25R

manquer to miss, 2

manteau *m* coat, 12

maquillage *m* make-up, 26R

se maquiller to put on make-up, make oneself up, 26R

maquis *m* group of W.W. II Resistance fighters (*fn 11, p. 325*), 24R

marbre *m* marble, 24R

marchand, -e merchant, 20BI; **marchand de primeurs** fruit and vegetable man, 20BI

marche *f* step, 21R

marcher to walk, 5; to work, function, 11S

mardi *m* Tuesday, 9S

mari *m* husband, 16R

mariage *m* wedding, marriage, 16D

se marier to marry, get married, 22R

marin *m* sailor, 19BII

marque *f* brand, make, 26Ré

marquer to mark, 20R

marron *adj inv* brown, 12S

mars *m* March, 7S

masse *f* mass, 17R

mat. *abbrev* **matinée** *f* matinée, 25Ré

match *m* game, match, 3

matériel, -lle material, 18R

maternel : **école maternelle** nursery school, 16Ré

mathématiques *f pl* mathematics, 10S

maths *abbrev* **mathématiques**

matière *f* subject, 10N

matin *m* morning, 7S

matinée *f* morning, 22BI

mauvais, -e bad, 14S; **il fait mauvais** it's nasty (weather), 8S

me (to) me, 12G

mécontent, -e displeased, 25Ré

médaille *f* medal, 26Ré

médecin *m* doctor, 22SII

médecine *f* medicine, 22SI

meilleur, -e better, 20BI; **le (la) meilleur(e)** best, 20GII

membre *m or f* member, 18D

même even, 10; same, 17BI; **tout de même** all the same, 22R

mémoire *f* memory, 21R

menacer to threaten, 21R

ménage *m* housework, 4S; **femme de ménage** cleaning woman, 11S

menteur, -euse liar, 23BII

menu *m* menu, 12N

mer *f* sea, 15S; **mal de mer** seasickness, 19R

merci thank you, 1

mercredi *m* Wednesday, 9S

mère *f* mother, 4S

mes my, 10

Mesdames *f pl* ladies, 20BI

métal *m* metal, 23D

méthodiste Methodist, 24R

métier *m* job, work, 16Ré

métrage : **court métrage** short feature, 16Ré

métro *m* subway, 5S

metteur-en-scène *m* director, 25SI

mettre to put, put on, 16SI; **se mettre à** to begin, 19R; **mettre le couvert** to set the table, 23BII

meuble *m* piece of furniture, 11S

meunière : **sole meunière** sole with butter sauce, 20Ré

meurt : **il meurt** he dies, 21R

mexicain, -e Mexican, 18R; **Mexicain, -e** Mexican (person), 18R

Mexique *m* Mexico, 18R

microscope *m* microscope, 23BI

midi *m* noon, 3S; **midi passé** past noon, 24R; **le Midi** southern France, 25R

miel *m* honey, 20Ré

mieux better, 5S; **le mieux** the best, 20GII; **aimer mieux** to prefer, 5S; **ce que nous avons de mieux** the best we have, 19Ré; **tant mieux** good, so much the better, 3S

mil thousand, 17GIII

milieu : **au milieu de** in the middle of, 21BII

mille thousand, 17R

million *m* million, 17R

millionnaire *m or f* millionaire, 13N

minéral, -e (*m pl* **-aux**) mineral, 6S

miniature miniature, 8N

ministre *m* minister, 16SII

mini-vélo *m* mini-bike, 24R

minuit *m* midnight, 3S

minute *f* minute, 2

miroir *m* mirror, 10N

mise-en-scène (**de**) directed (by), 23Ré

mistral *m* mistral (*see fn 2, p. 354*), 25R

mixte co-educational, mixed, 10N

Mlle *abbrev* **Mademoiselle**

Mme *abbrev* **Madame**

modèle *m* model, 10N

moderne modern, 13N

moi I (emphatic), 2; I, me, 13

moins less, 8S; **au moins** at least, 16SI; **deux heures moins vingt** twenty minutes of two, 5S

mois *m* month, 7S

moitié *f* half, 22R

moment *m* moment, 10N; **en ce moment** now, at the present time, 18R

mon, ma, mes my, 10G; **mon vieux** my friend, old buddy, 6

monde *m* world, 17R; **tout le monde** everyone, 8S

mondial, -e (*m pl* **-aux**) world, world-wide, 18R

Monsieur Mister, sir, 1; man, gentleman, 12N

montag. *abbrev* **montagne**, 22Ré

montagne *f* mountain, 15S; **à la montagne** in, to the mountains, 15S

monter to go up, go upstairs, 8S;

monter sur to go up; **monter dans** to get on, go up to

montre *f* watch, 7S

montrer to show, 11S

monument *m* monument, 14N

se moquer de not to pay attention to, not to care about, 25SII

mort *f* death, 23BI

mort, -e dead, 21R

mot *m* word, 12N

moteur *m* motor, 19R

moulin *m* mill, 24Ré

mousse *f* foam, 19R

moustache *f* mustache, 12N

moutarde *f* mustard, 20Ré

mouton *m* mutton, 19R; **gigot de mouton** leg of mutton, 19R

mouvement *m* movement, 17D

multimillionnaire *m or f* multimillionaire, 23R

multiplication *f* multiplication (problem), 11N

murmurer to murmur, whisper, 22R

musée *m* museum, 1

musique *f* music, 5S

N

nager to swim, 24SII

nantais of or from Nantes, 20Ré

nat. *abbrev* **national, -e,** 26Ré

natation *f* swimming, 18Ré

nationale *f* main highway (*see fn 6, p. 374*), 26BII

nationalité *f* nationality, 9S

nature *f* nature, wilderness, 16Ré; **contre nature** unnatural, 22R

naturel, -lle natural, 18R

nautique : ski nautique water-skiing, 15

ne : ne...jamais never, 3; **ne...pas** not, 2; **ne...plus** not any more, no longer, 3S; no more, 6S; **ne...que** only, 23BI; **ne...rien** nothing, 3S

nécessaire necessary, 17R

neiger to snow, 8S

nerveux, -euse nervous, 8S

n'est-ce pas? no?, isn't that so? 4S

neveu *m* nephew, 25SI

nez *m* nose, 14N

nièce *f* niece, 25SI

nocturne *adj* night, 21Ré

noir, -e black, 12; **il fait noir** it's dark, 21SI

noix *f* nut, 20Ré

nom *m* name, 18R

nombre *m* number, 14N

non no, 1; **bien sûr que non** of course not, 3; **non?** isn't that so? 5; **non plus** neither, not . . . either, 14

nord *m* north, 15S

normal, -e (*m pl* **-aux**) normal, natural, 13

normalement usually, ordinarily, 24D

nos our, 10G

note *f* bill, 11; mark, grade, 14S

notre our, 10

se nourrir to eat, 23R

nous we, 2; us, to us, 12G

nouveau, nouvel, nouvelle new, 11

nouvelle *f* piece of news, 17R

novembre *m* November, 7S

nuage *m* cloud, 17R

nuit *f* night, 14; **ne pas dormir de la nuit** not to sleep all night, 14

numéro *m* number, 16R; **faire le numéro** to dial, 16R

O

objet *m* object, 23D

obligé, -e forced, obligated, 18R

obliger to force, obligate, 18R

observation *f* observation, 23R

obtient : il obtient he obtains, 23Ré

occasion *f* occasion, 20R; **(d') occasion** used, 26Ré

occupé, -e busy, 9S

occuper to occupy, 24R; **s'occuper** to be busy, 18R

oct. *abbrev* **octobre,** 22Ré

octobre *m* October, 7S

œil *m* (*pl* **yeux**) eye, 23BII

œuf *m* egg, 6S

officiel, -lle official, 17R

offre : il offre it offers, 25R

oiseau *m* bird, 19BI

on we, 3; they, one, 6S

oncle *m* uncle, 4S

opinion *f* opinion, 10N

orange *f* orange, 7N

orangeade *f* orange drink, 6S

oreille *f* ear, 19R

organe *m* organ, 19D

organiser to organize, 25R

orthographe *f* spelling, 10

os *m* bone, 20Ré

oserait : il n'oserait he wouldn't dare, 21R

ou or, 1

où where, 1; when, 10N

oublier to forget, 21SII

ouest *m* west, 15S

oui yes, 1; **bien sûr que oui** of course

ouvert, -e open, 9S

ouvre : il ouvre he opens, 21R

ouvre-boîte *m* can opener, 20R

ouvrier, -ère worker, 22SII

ouvrir to open, 25BII

P

page *f* page, 10N

pain *m* bread, 6S

paire *f* pair, 12S

paix : en paix in peace, 26BII

palais *m* palace, 25R

pâle pale, 19R

palet *m* (hockey) puck, 16Ré

pâlir to become pale, 22BII

panier *m* basket, 19SI

panne *f* breakdown, 26BII

panneau *m* sign, 24R

panorama *m* panorama, 24D

pantalon *m* pair of trousers, 12S

papa *m* dad, 2S

pape *m* Pope, 25R

papeterie *f* stationery store, 18SI

papier *m* paper, 16R

Pâques *m* Easter, 21Ré

paquet *m* package, 8

par : par contre on the other hand, 20SII; **par exemple** for example, 18R; **par ici** nearby, 21SII; this way, 21R; **par (semaine)** per (week), 10N

paraît : il paraît que it seems that, 18BII

parc *m* park, 24SII

parce que because, 9S

pardessus *m* overcoat, 12S

pardon excuse me, 1

pare-brise *m* windshield, 26SI

pare-choc *m* bumper, 26SI

parents *m pl* parents, 13

paresseux, -euse lazy, 8S

parfaitement perfectly, 26BII

parfum *m* perfume, 16R

parier to bet, 19R

parler to speak, talk, 6

parmi among, 18Ré

participer (à) to participate (in), 16D

partie *f* part, 20R; game, 22R; **faire partie de** to be a member of, 24R

partir (de) to leave, 9

partir : à partir de... from ... on, 19Ré

partout everywhere, 20R

pas no, not, 2; **ne...pas** not, 3; **pas...du tout** not . . . at all, 9

passage *m* visit, 21Ré

passant, -e passer-by, 25R

passer to spend, 9S; to pass, 9N; **se passer** to take place, 21R; **se passer de** to do without, 22R

passionnant, -e exciting, 21BI

passionné, -e (de) fascinated (with), 22BI

patient, -e patient, 9N

patin : faire du patin à glace to go ice-skating, 13S

pâtisserie *f* pastry shop, 20SI; pastry, 20Ré

pâtissier, -ère pastryman, pastrywoman, 20SI

patron *m* owner, 19R

pauvre poor, 19BI

payer to pay, 23R; **payer le cinéma à (quelqu'un)** to take (s.o.) to the movies, 23R

pays *m* country, 18R; region, 24R; **Pays Basque** (*see fn 8, p. 204*), 20R

paysage *m* landscape, countryside, 24Ré

paysan, -nne peasant, 24R

pêche *f* fishing, 15S; **faire de la pêche sous-marine** to go skindiving, 15S

pêcheur *m* fisherman, 19SII

pédaler to pedal, 24R

pédiatrie *f* pediatrics, 22R

peigne *m* comb, 17SI

peigner: to comb (s.o.'s) hair, 17GI; **se peigner** to comb one's hair, 17SI

peine *f* trouble, 8; pain, suffering, 23R; **avoir de la peine à,** to have trouble, difficulty, 16SII; **ce n'est pas la peine (de)** there's no need (to), 8

peinture *f* painting, 22SI

pelouse *f* lawn, 21Ré

pendant during, 10N; **pendant que** while, 16Ré

pénible painful, 4

péniche *f* barge, 25R

penser to think, 22R; **penser à** to think about, 26SI; **penser de** to think of (opinion), 26R

pension *f* boarding house, 24SI

Pentecôte *f* Pentecost, 21Ré

perdre to lose, 22R

père *m* father, 4S

période *f* period, 22D

permis *m*: **permis de conduire** driver's license, 22Ré

perruche *f* parakeet, 4S

persister (à) to persist (in), 23R

personnage *m* personality, character, 21R

personne *f* person, 13N

personnel, -lle personal, 10N

petit, -e little, small, 11S

petit déjeuner *m* breakfast, 2S

peu : un peu (de) a little, 12

peuple *m* people, 20R

peur : avoir peur (de) to be afraid (of), 16SII

peut-être maybe, perhaps, 15S

pharmacie *f* pharmacy, 18SI

pharmacien, -nne pharmacist, 20BI

photo *f* photo, picture, 13

photographe *m or f* photographer, 22R

phrase *f* sentence, 21R

piano *m* piano, 13S

pièce *f* room, 23Ré; play, 25BI

pied *m* foot, 3S; **coup de pied** kick, 23BII; **rentrer à pied** to walk home, 3S

piéton *m* pedestrian, 26SI

pilote *m* pilot, 22R

pilule *f* pill, 20BI

ping-pong *m* ping-pong, 15N

pintade *f* guinea-fowl, 20Ré

pipe *f* pipe, 14N

pique-nique *m* picnic, 19BI

piquer to sting, 19BI

pire worse, 20GI

pis : tant pis too bad, 3

piscine *f* swimming pool, 1

pitié *f* pity, 14N

pittoresque picturesque, 24BII

pl. *abbrev* place, 22Ré

placard *m* closet, 23SI

place *f* place, spot, 17BII; square, 21SII; **sur place** there, on the spot, 19Ré

plage *f* beach, 15S

plaisanter to joke, 19R

plaît : ça ne plaît pas à (papa). (Dad) doesn't like that, 19R; **s'il te plaît, s'il vous plaît** please, 2

plastique plastic, 24R

plat *m* dish, 20Ré

plein, -e full, 19BI; **en plein air** outdoors, 25R

pleurer to cry, 23R

pleut : il pleut it's raining, 8S

pleuvoir to rain, 19GI

pliant, -e folding, 25R

plier to fold, 24R

plombier *m* plumber, 11S

pluie *f* rain, 17BII

plupart : la plupart the majority, 18R

plus more, 8S; **de plus en plus** more and more, 19R; **en plus de** in addition to, besides, 24R; **le plus** the most, 13; **ne...plus** not any longer, no more, 3S; **ne...plus (de)** no more, 6S; **plus fort** louder, 8S

plutôt rather, 8S

pneu *m* tire, 26SI

poème *m* poem, 14N

poignard *m* dagger, 21R

point *m* period, 26BI; **au point** perfected, 15; **Un point, c'est tout!** Period! 26BI

pois *m*: **petit pois** pea, 20SII

poison *m* poison, 21R

poisson *m* fish, 6S; **poisson rouge** goldfish, 25Ré

police *f* police, 17R

policier, -ère detective, 22BII

Pommard *m*   kind of wine (*see fn 10, p. 206*), 20R

pomme *f*   apple, 20SII

pomme de terre *f*   potato, 20SII

pont *m*   bridge, 24SII

porc *m*   pork, 20SII

port *m*   port, harbor, 8N

porte *f*   door, 13S

portefeuille *m*   wallet, 21SII

porter   to wear, 7S

portrait *m*   portrait, 21R

Portugal *m*   Portugal, 18R

poser : poser une question   to ask a question, 11

possédant   possessing, having, 22Ré

posséder   to possess, 25R

possible   possible, 11N; **faire (son) possible**   to do (one's) best, 16R

postal, -e (*m pl* **-aux**)   postal, 10S; **carte postale**   postcard, 10S

poste *m* : **poste d'essence**   gas station, 21SII; position, 26Ré; **poste fixe**   stable position, 26Ré

poste *f*   post office, 18SI

poteau *m*   pole, 26SI

poulet *m*   chicken, 20SII

pour   for, 3; to, in order to, 9S; **pour ce qui est de...**   as far as . . . is concerned, 18R

pourquoi   why, 2

pourtant   however, yet, 14

pousser   to push, 23R; **pousser un soupir**   to heave a sigh, 23R

poussière *f*   dust, 17SII

pouvoir   to be able, 11; **ça peut aller**   it'll be all right, 10

pouvoir *m*   power, 21R

pr. *abbrev*   **pour**, 22Ré

pratiquer (un sport)   to engage in (a sport), 18Ré

précéder   to precede, 17R

se précipiter   to rush, 17R

préféré, -e   favorite, 25BI

préférer   to prefer, 8N

premier, -ère   first, 14S; **le premier juin**   June first, 7S; **premier ministre**   Prime Minister, 16SII

prendre   to take, have, 13; **prendre une décision**   to make a decision, 16BII

prénom *m*   first name, 18R

préoccupé, -e   preoccupied, 21R

préoccuper   to preoccupy, 18R

préparatifs *m pl*   preparations, 20R

préparer   to prepare, fix, 2

près (de)   near, 5S

presbytérien, -nne   Presbyterian, 24R

prescription *f*   regulation, 26Ré

présent, -e   present, here, 25Ré

présenter   to introduce, 2G; to present, 25R; **se présenter au baccalauréat**   to take the baccalauréat, 22SII

président, -e   president, 16SII

presque   almost, 13N

presse *f*   press, 16BII

pressé, -e   in a hurry, rushed, 9S

se presser   to crowd, 17R

prét., prétent. *abbrevs*   **prétention** *f*   salary requirements, 22Ré

prêt, -e (à)   ready, 8

prêter   to lend, 12

prévenir   to warn, let (s.o.) know, 22BI

primeur : marchand de primeurs   fruit and vegetable man, 20BI

principal, -e (*m pl* **-aux**)   principal, major, 10N

principe *m*   principle, rule, 16Ré; **en principe**   in principle, 24R

printemps *m*   spring, 15S

prison *f*   prison, 23R

priver   to deprive, 23R

prix *m*   price, 21Ré

probablement   probably, 16R

problème *m*   problem (math or physics), 10

prochain, -e   next, 16BII

produit *m*   product, 17D

prof *abbrev*   **professeur**

profession *f*   profession, 22R

professeur *m*   teacher, 7N

progrès : faire des progrès   to make progress, 15N

projet *m*   plan, 22R

projeter   to project, 25R; throw, 26R

promenade *f*   walk, 16Ré

promener   to walk, 17GI; **se promener**   to go for a walk, 17BI

promesse *f*   promise, 22D

promettre (de)   to promise, 16BI

prononcer   to say, pronounce, 16R

proportion *f*   proportion, 25D

propos : à propos   by the way, 22BI

proposer (de)   to propose, 16BII

propre   clean, 16SI

protection *f*   protection, 17R

protestant, -e   Protestant, 24R

prouver   to prove, 22R

province *f*   province (*see fn 12, p. 206*), 20C

proviseur *m*   principal, 12N

provisions *f pl*   provisions, food, 19SI

prudent, -e   careful, 19R

prune *f*   plum, 20SII

public *m*   public, 25R

publicitaire *adj*   publicity, advertising, 17R

publicité *f*   publicity, advertising, 17R

publier   to publish, 16Ré

puis   then, 11; also

puisque   since, 20R

pull-over *m*   sweater, 12S

Q

qualité *f*   quality, 20BI

quand   when, 2S

quart *m*   quarter, 5S; **un quart de rouge**   a quarter liter of red wine, 20R; **un quart d'heure**   a quarter of an hour, 23BII

quartier *m*   neighborhood, 24SI

que   that, 1; what, 3

quel, quelle, quels, quelles   which, what, 3S, 24BI

quelque chose (de)   something, 7S

quelquefois   sometimes, 2S

quelques   a few, 3

quelques-uns (unes)   a few, 18R, 21BI

quelqu'un   someone, 8

qu'est-ce que   what, 3; **Qu'est-ce que c'est?**   What's that? 4S; **qu'est-ce que c'est que...**   what is . . . , 21SII

qu'est-ce qui   what, 18BII

question *f*   question, 2; **Pas question.**   Absolutely not. 2

qui.   who, whom, 1; which, that, 8

qui est-ce que   whom, 3G

qui est-ce qui   who, 18BII

quitter   to leave, 11S; **Ne quittez pas.**   Hold on. 11S

quoi   what, 16R

quotidien, -ne   daily, 21Ré

R

r. *abbrev* **rue,** 22Ré

raconter to tell, relate, 11

radio *f* radio, 2S

radiophonique *adj* radio, 16R

rafraîchir to refresh, 21R

ragoût *m* meat stew, 6

raison *f* reason, 16BI; **avoir raison (de)** to be right, 15N

ralentir to slow down, 26SII

ramasser to collect, 14S

rang *m* row, 25BI

ranger to straighten up, 8S; to put away, 12N

rapide rapid, fast, 24R

rarement rarely, 24R

(se) raser to shave, 17BI

rater (*fam*) to fail, flunk, do poorly on, 14

réalisation *f* production, 16Ré

réalité *f* reality, 13N; **en réalité** actually, 13N

recevoir to receive, 24R

rech. *abbrev* recherche, 22Ré

recherche *f* search, research, 16Ré

rechercher to look for, 22Ré

réciter to recite, 10N

recommander (de) to recommend, 24BII

recommencer (à, de) to begin again, 14N

reconnaître to recognize, 21SI

record *m* record, 9N

récréation *f* recess, 10N

redescendre to go down again, 24R

redresser to straighten (out), 26SI

réduit reduced, 21Ré

réel, -lle real, 19D

refermer to close again, 25BII

réfléchir to think, 7

refuser (de) to refuse, 16BII

regarder to look at, watch, 2

région *f* region, 21BI

règlement *m* rule(s), 16R

regretter to be sorry, 6S; to miss, 23R

régulier, -ère regular, 22R

relâche *m* no performance, 25Ré

religieux, -euse religious, 24D

religieusement religiously, 24R

remarquer to notice, 25SII

remercier (de) to thank (for), 16R

remettre to postpone, 16BII

remonter to put back together, 26BII

rempart *m* rampart, 24BI

remplir to fill, 25R; **se remplir (de)** become filled (with), 17R

remuer to stir, move around, 19SII

rencontre *f* meeting, 25R

rencontrer to meet, run into, 10N

rendez-vous *m* appointment, 5

rendre to give back, 12; **se rendre compte** to realize, 22R

renseig. *abbrev* renseignement, 25Ré

renseignement *m* piece of information, 18SI

rentrer to go home, get home, 3S; **rentrer à pied** to walk home, 3S; **rentrer dans** (*fam*) to crash into, 26SI

réparation *f* repair, 26Ré

réparer to repair, 16SI

repartir to leave (again), start off (again), 26R

repas *m* meal, 6

repasser to iron, press, 16SI

répéter to repeat, 22R; to rehearse, 25SII

répétition *f* rehearsal, 25BII

répondre to answer, 8G

réponse *f* reply, 16Ré

se reposer to rest, 17BI

reprendre to continue, 21R

représentation *f* performance, 25R

représenter to represent, 17R

reproduction *f* reproduction, 9N

république *f* republic, 16SII

réquisition *f* demand, 21Ré

réserve : sous réserves subject to change, 16Ré

réservé, -e (à) reserved (for), 12N

reserver to reserve, 12N

résidence : en résidence in a student residence, 19Ré

résider to reside, 25R

Résistance *f* Resistance (*see fn 11, p. 325*), 24R

résistant, -e resistant, 22D

ressource *f* resource, 24R

restaurant *m* restaurant, 6

rester to stay, 8S

retard : en retard late, 3

retéléphoner to call back, 11

retenir to reserve, 24BI

retomber to fall back down, 21R

retour *m* return, 21Ré

retourner to return, go back, 15N

retranché, -e taken away, 16Ré

retrouver to meet, 24SII

réunion *f* meeting, 16BII

réunir to gather, 16Ré

réussir : réussir (à) to succeed (in), 16BII; **réussir une composition** to do well on a test, 14S

réveiller to wake (s.o.) up, 10N; **se réveiller** to wake up, 17GI

révélation *f* revelation, 20R

révéler to reveal, 16R

revenir to come back, 12S

revoir : au revoir good-bye, 1

rez-de-chaussée *m* ground floor, 24SI

rhumatisme *m* rheumatism, 13N

riche rich, 25BII

rideau *m* curtain, 25BII

ridicule ridiculous, 11

rien : ne...rien not anything, nothing, 3S; **Ça ne fait rien.** It doesn't matter, 3; **rien de (meilleur)** nothing (better), 20BI

rigoler (*fam*) to "crack up," 19R

rigolo (*fam*) funny, amusing, 23R

rire to laugh, 19BI

risque *m* risk, 19D

rive *f* bank, 16Ré

rivière *f* river, 19SII

robe *f* dress, 12S

robuste robust, hardy, 21R

rocher *m* rock, 24R

roi *m* king, 21R

rôle *m* part, role, 13N

romain, -e Roman, 24BII

roman *m* novel, 10S

rond, -e round, 23D

roquefort *m* roquefort (kind of cheese), 20R

rosbif *m* roast beef, 20R

rôtir to roast, 20Ré

rouge red, 12S

roulotte *f* trailer, 16Ré

route *f* road, route, 17R

roux, -sse red-headed, 9

rue *f* street, 13N

ruisseau *m* stream, 19SII

russe Russian, 9S; *nm* Russian language, 10G; **Russe** Russian (person), 9G

Russie *f* Russia, 9S

S

sa his, her, its, 10G

sac *m* bag, 23BI; **sac de couchage** sleeping bag, 23BI

sacré, -e sacred, 20R

se saigner aux quatre veines to sweat blood and tears, 23R

sais : je sais I know, 8S

sait : elle sait she knows, 13N

salade *f* salad, 6S

sale dirty, 16SI

salle *f* room, 12N; **salle à manger** dining room, 5S; **salle de bains** bathroom, 5S

salon *m* living room, 5S

saluer to greet, 17R

salut hi, 1

samedi *m* Saturday, 9S

sandale *f* sandal, 15N

sandwich *m* sandwich, 7N

sans without, 7

santé *f* health, 20BI

Sardaigne *f* Sardinia, 19Ré

sarrasin *m* buckwheat, 20Ré

saucisse *f* sausage, 20Ré

sauf except, 19Ré

saumon *m* salmon, 20Ré

sauvage *m or f* savage, 23BII

sauvegarde *f* protection, 21Ré

savoir to know, 23BII

savon *m* soap, 17SI

scandinave Scandinavian, 18R; **Scandinave** Scandinavian (person), 20R

scène *f* scene, 14N; stage, 25BII

scooter *m* scooter, 5

sculpteur *m* sculptor, 24R

seconde *f* second, 21R

secrétaire *m or f* secretary, 18R

self-service *m* cafeteria, 20R

séjour *m* stay, 18R

semaine *f* week, 9S

sens *m* direction, 26R

sensationnel, -lle sensational, 25BI

sentir to feel, 19BI; to smell, 19R; **se sentir (mal)** to feel (ill), 17R

se séparer to each go his separate way, 23R

septembre *m* September, 7S

sérieusement seriously, 22R

sérieux, -euse serious-minded, 8S

serrer to squeeze, 19R

service *m* service, 17R

servir to serve, 12N

ses his, her, its, 10G

seul, -e only, 23BII; alone, 23R; **pas (un, une) seul, -e...** not a single... 21SI

seulement only, 18R

sévère strict, 18R

shampooing *m* shampoo, 17R

si if, 1; **s'il te plaît, s'il vous plaît** please, 2

si yes, 12

siècle *m* century, 21R

sieste *f* siesta, nap, 15N

siffler to whistle, 23R

sifflet *m* : **sifflet à roulette** whistle, 23R

signal *m* signal, 16R

signe *m* sign, 21R

signer to sign, 16BII

simple simple, 20R

simplement simply, 18R

site *m* location, 24BII

situation *f* situation, 18R

situé, -e located, 24R

ski *m* skiing, 13S; **faire du ski** to go skiing, 13S; **ski nautique** water-skiing, 15

skieur, -euse skier, 24R

slogan *m* slogan, 17R

S.N.C.F. *abbrev* **société nationale des chemins de fer français** French National Railroads, 21Ré

soda *m* soda pop, 19SI

soeur *f* sister, 4

soif : avoir soif to be thirsty, 6S

soir *m* evening, 7; **le soir** at night, in the evening, 7S

soirée *f* evening, 22SI

sole *f* sole, 20R

soleil *m* sun, 17BII

solitaire solitary, 17C

sombre dark, 21R

somme : en somme finally, so, 20R

sommeil : avoir sommeil to be sleepy, 9S

son *m* sound, 21Ré

son, sa, ses his, her, its, 10G

sonner to ring, 8

sonnerie *f* (bell) ring, 16R

sorte *f* kind, sort, 20R

sortie *f* exit, 25R

sortir (de) to go out (of), leave, 9

soudain suddenly, 17R

souffler to blow, 25R

souffrir to suffer, 23R

soupe *f* soup, 6

soupir *m* sigh, 23R

source *f* spring, 24BII

sourcil *m* eyebrow, 25BII; **les sourcils froncés** eyebrows knit, scowling, 25BII

sourd, -e deaf, 8

sous under, 16R; **sous la main** on hand, 16R

sous-marin, -e underwater, 15S; **faire de la pêche sous-marine** to go skin diving, 15S

souterrain *m* tunnel, 24R

souvenir *m* memory, 19BII; souvenir, 25R

se souvenir (de) to remember, 17BII

souvent often, 2S

soyez imperative of **être**, 19R

spécial, -e (*m pl* **-aux**) special, 17D

spécialisé, -e skilled, specialised, 22SII

se spécialiser to specialize, 22R

spécialiste *m or f* specialist, 24BII

spécialité *f* specialty, 6

spectacle *m* performance, show, 16Ré

spectaculaire spectacular, 17R

spectateur, -trice spectator, 17R

sphinx *m* sphinx, 14N

sport *m* sport, 8N

sportif, -ive sportive, liking sports, 17BII

stade *m* stadium, 3

stage : faire un stage to go through a training period, 18R

station *f* : **station thermale** spa, 24R

statue *f* statue, 14N

stéthoscope *m* stethoscope, 22R

strict, -e strict, 18D

stylo *m* pen, 7S; **stylo à bille** ballpoint pen, 23SI

succès *m* success, 25SII

sucre *m* sugar, 20Ré

sud *m* south, 15S

suffit : ça suffit that's enough, 23BII

Suisse *f* Switzerland, 18R

suisse Swiss, 18R; **Suisse** Swiss (person), 18R

suite *f* result, what follows, 19BI

suite : tout de suite right away, 2S

suivant, -e following, 18R

suivre to follow, 23R

superbe superb, magnificent, 18BII

supermarché *m* supermarket, 20SI

suppl. *abbrev* **supplémentaire,** 25Ré

supplément : en supplément de in addition to, 24D

supplémentaire supplementary, extra, 14N

supposer to suppose, 20R

supprimé left out, 21Ré

sur on, in, 13; about, 13N; **(cinq) sur (vingt)** (five) out of (twenty), 14; **sur jardin** looking out on a garden, 25Ré; **sur (un kilomètre)** extending over (one kilometer), 17R

sûr, -e sure, 15N; **bien sûr (que)** of course, 3

sûrement surely, 21BII

surface *f* surface, 19D

surpopulation *f* overpopulation, 18R

surprise-partie *f* (*pl* **surprises-parties**) party, 5S

sursautant startled, 25Ré

surtout especially, 18R

surveill. *abbrev* **surveillant, -e** supervisor, 22Ré

sympathique nice, 4S

syndicat *m* : **syndicat d'initiative** information bureau, 21SII

T

ta your, 10G

table *f* table, 11S; **à table** at the table, 20R

tableau *m* picture, 19BI; **tableau d'honneur** honor roll, 23R

tandis que while, whereas, 16Ré

tant (de) as much, as many, 26R; **tant mieux** good, so much the better, 3S; **tant pis** too bad, 3

tante *f* aunt, 4S

tard late, 7

tarif *m* price, 21Ré

tas : des tas (de) loads, lots (of), 10

tasse *f* cup, 8

taxi *m* taxi, 9N

te (to) you, 1

technique *f* technique, 15

technologie *f* technology, 18R

tel, -lle such, 25R

tél. *abbrev* **téléphone,** 19Ré

télé *f* T.V., 2S

télégraphique : poteau télégraphique telephone pole, 26SI

téléphone *m* telephone, 11

téléphoner to call, telephone, 11

télévision *f* television, 2

tellement so much, 19SII

témoignage : dans le témoignage in observation, 16Ré

témoin *m* witness, 21R

temple *m* Protestant church, 24R

temps *m* time, 2; weather, 8S; **de temps en temps** from time to time, 21R; **Quel temps fait-il?** How's the weather? 8S

tenir à to really want to, insist on, 21BI

tennis *m* tennis, 3S

tente *f* tent, 25R

Tenu! Agreed! That's a deal! 19R

terrasse *f* terrace, 13S; **à la terrasse d'un café** at a sidewalk café

terrible terrible, awful, 11N

tes your, 9

tête *f* head, 14S; **avoir mal à la tête** to have a headache; **être en tête** to be first, 17R; **faire une tête** to make a face, 19R

thé *m* tea, 6S

théâtral, -e (*m pl* **-aux**) theatrical, 25D

théâtre *m* theater, 5S

thermal, -e (*m pl* **-aux**) : **station thermale** spa, 24BII

thermes *m pl* public baths, 24R

tiède lukewarm, 19R

Tiens! Hey! 24R

timbre *m* stamp, 18SI

timide shy, 4S

tirer to draw, pull, 21R

tiroir *m* drawer, 23SI

titre *m* title, 16R

t.l.j. *abbrev* **tous les jours,** 23Ré

toi you (emphatic), 4

tomber to fall, fall down, 13S

ton, ta, tes your, 10G

toquade *f* whim, 22R

tort : avoir tort (de) to be wrong, 16SII

tôt early, 7S

toujours always, 2; still, 3S

tour *m* ride, turn, 18SI; **en (33 ou 45) tours** on (33 or 45) rpm's, 16R

tour *f* tower, 24R

tourisme *m* tourism, 24R

touriste *m or f* tourist, 9N

tourner to turn, 19R

tousser to cough, 14S

tout *m pron* everything, 4; **comme tout** like anything, 19R; **tout ce que** all that, 6S

tout, toute, tous, toutes *adj* the whole, all, every; **tous les soirs** every evening, 9; **toute la journée** all day long, 11; **toutes les cinq minutes** every five minutes, 11; **tout le temps** all the time, 2; **tout le monde** everyone, 8S

tout *adv* all; very, 18SI; **pas du tout** not ... at all, 9; **tout à coup** suddenly, 19BI; **tout à fait** exactly, quite, altogether, 15; **tout à l'heure** in a little while, 22SI; **tout de même** all the same, 22R; **toute de suite** right away, 2S

trace *f* track, 16Ré

traditionnellement traditionally, 17R

train *m* train, 5S; **être en train de** to be in the middle of (doing something), 10

traîner to drag, 23R

traité *m* treaty, 16BII

traiter to treat, 16Ré

tranquille : laisser tranquille to leave alone, 26BII

tranquillement peacefully, 19BI

se transformer to change, become different, 25R

transistor *m* transistor (radio), 16R

transmettre to send out, forward, 22Ré

transporter to transport, 17R

travail *m* (*pl* **travaux**) work, 18R; **Travaux** (road sign) Men Working, 26Ré

travailler to work, study, 2

travers : à travers across, 26R

traverser to cross, 17R

très very, 1

tribu *f* tribe, 16Ré

tricot : faire du tricot to knit, 22R

tricoter to knit, 22Ré

trimestre *m* trimester, 23Ré

triomphe *m* triumph, 25R

triste sad, 23R

se tromper to be mistaken, wrong, 20R; to make a mistake, 21BII

trompette *f* trumpet, 13S

trop too, 8S; too much, 9S

trottoir *m* sidewalk, 26R

troupe *f* troupe (of actors), 25R

trouver to find, 7S; to think, 8S; **se trouver (mal)** to feel (sick), 26R

trouverez : vous trouverez you will find, 16Ré

tu you, 1

tué, -e killed, 22Ré

turbulent, -e rambunctious, 23R

U

un, une one; a, an, 2

uni, -e united, 16D

unique only, 4S; unique, 15N

univers *m* universe, 17D

université *f* university, 20R

urgence : cas d'urgence, emergency, 22R

usine *f* factory, 24R

utiliser to use, utilize, 18

V

va : Ça va? How's it going? 1; **Ça va.** Okay. 1

vacances *f pl* vacation, 15

vache *f* cow 19BI; **La vache!** (*fam*) The beast! 19BI

vague *f* wave, 19SII

vain : en vain in vain, 17R

vaisselle *f* dishes, 4S

valable valid, 21Ré

vallée *f* valley, 24R

valoir (mieux) to be (better), 25GII

varié, -e varied, 20Ré

vaut : il vaut mieux it is better, 25BII

vaurien *m* good-for-nothing, 23R

veau *m* veal, 20Ré

vécu, -e lived, 16Ré

veine : se saigner aux quatre veines to sweat blood and tears, 23R

vélo *m* bicycle, 24R

vélomoteur *m* motorbike, 24R

vendeur, -euse sales person, 12

vendre to sell, 13N

vendredi *m* Friday, 9S

venir to come, 12; **venir de** to have just, 12

vent *m* wind, 19SII

vente : vente à emporter "to go," 20Ré

ventre *m* stomach, 14S; **avoir mal au ventre** to have a stomach ache, 14S

vérifier to verify, check, 16R

véritable real, 14

verre *m* glass, 23SI

verrez : vous verrez you will see, 16Ré

vers towards, 17R

verser to put, deposit, 16Ré

vert, -e green, 12S

veste *f* jacket, 12

vêtement *m* item of clothing, 12

viande *f* meat, 6

victorieux, -euse victorious, 16D

vide empty, 12N

vie *f* life, 18R; **coût de la vie** cost of living, 23Ré

vieux, vieil, vieille old, 11; **mon vieux** my friend, old buddy, 6

village *m* village, town, 8N

ville *f* city, 12N; **en ville** in, into town, 12N; **ville d'eaux** spa, 24R

vin *m* wine, 20SI

virage *m* curve, 26SII

visite *f* visit, tour, 9N

visiter to visit (a place), 8N

vite fast, 10

vitesse : à toute vitesse at top speed, 26SI; **changer de vitesse** to shift (gears), 26R

vivant, -e living, alive, 21R

voie *f* road, 26R; **la voie libre** a clear road, 26R

voilà here (there) is, here (there) are, 7S; **voilà pourquoi** that's why, 10N

voile *f* sail, 15S; **faire du bateau à voiles** to go sailing, 15S

voilier *m* sailboat, 19R

voir to see, 1

voisin, -e neighbor, 17R

voit : comme on en voit peu that one sees few of, exceptional, 17BII

voiture *f* car, 5S

voix *f* voice, 19R

volant *m* steering wheel, 26BII

volleyball *m* volleyball, 3S

vos your, 10G

votre your, 7S

voudrais : je voudrais I'd like, 11S

vouloir to want, 11; **vouloir bien** to be willing, 19R; **vouloir dire** to mean, 24R

vous you, 1; to you, 12G; **chez vous** (in, at) your house, at home, 5S

voyage *m* trip, voyage, 18R; **agence de voyage** travel agency, 18R

voyager to travel, 18R

vrai, -e true, right, 9

vraiment really, 4

vu, -e seen, 16Ré

vue *f* view, 24R; **vue d'ensemble** panorama, 24R

W

weekend *m* weekend, 21BI

western *m* western, 2S

XYZ

y there, 15; **il y a** there is, there are, 2; **il y a (un mois)** (a month) ago, 15S

yeux *m* (*pl of* œil) eyes, 23BII

zoo *m* zoo, 1

GRAMMATICAL INDEX

The Roman numerals in parentheses indicate Level. Thus, 82 (I) refers to page 82, Level One.